KARPOV'S COLLECTED GAMES

KARPOV'S

COLLECTED GAMES

All 530 Available Encounters

DAVID LEVY

RHM PRESS
a divsion of RHM Associates of Delaware, Inc.
220 Fifth Avenue, New York, N.Y. 10001

ISBN 0-89058-005-7

Library of Congress Catalog Card No: 74-29703

Printed in the United States of America

CONTENTS

Publisher's Foreword

The progress of Anatoly Karpov as one of the world's chess "greats" has been so swift, and gained such momentum in just the past few years, that there is no longer any doubt he is the chief contender with Bobby Fischer for recognition as the world's top chess player.

Given the complexities of the situation, we have no way of knowing where or when Karpov will meet Fischer across a chess board. But as the younger Karpov grows in strength and experience over the next decade or so, it is an exciting prospect indeed to consider how high up on the pinnacle of world chess fame he will climb, measured against a few hundred years of chess history, and not only the current years.

Consider that in 1970, at the 38th USSR Championship in Riga, he placed only sixth against Korchnoy's first place win. But four short years later, leaving a string of top performances in important tournaments in his wake, he toppled Boris Spassky in rather easy fashion and then went on to vanquish Korchnoy, securing for himself the right to meet Bobby Fischer to contest the World Chess Championship. Then, since Fischer failed to consent to play, Karpov was crowned World Champion by default.

In the pages which follow, you will find the fascinating account, in 530 encounters—the greatest number of Karpov games available anywhere at the time of publication of this book—of his progress from a 7-year-old, already advancing in his chess playing in his local school, to his first youth championship tournament at the age of 10, to a Master's title at the age of 15, and then on to International Grandmaster by the age of 19.

A confession at this point! At the San Antonio International Tournament in 1972, the undersigned put together an ambitious—and what turned out to be a rewarding project indeed—which eventually had the title—"How To Open A Chess Game"—which already is regarded by many knowledgeable in the game as a Chess classic. Seven grandmasters in the RHM Suite at the hotel where the tournament was being held agreed to each write a chapter, and they were Tigran Petrosian and Paul Keres of the U.S.S.R., Bent Larsen of Denmark,

Lajos Portisch of Hungary, Svetozar Gligoric of Yugoslavia, Vlastimil Hort of Czechoslovakia and Larry Evans of the United States. August names in the world of chess!

But there was also an eighth grandmaster in the room with us, shy and quiet, with a quick and attractive smile, and modest in manner. Anatoly Karpov, of course. And we did not ask him to write a chapter!

We made up for it in the 1974 World Chess Olympiad at Nice, however, where we put together another ambitious project, and one which we think is going to make some chess history. It will be called "The R.H.M. Survey of Current Chess Openings" and we urge you to read a full description of this promise-filled project on the last two pages of this book. Eight of the ten top-rated chess players in the world are on our Board of Contributing Editors of this Survey of Chess Openings, and we are most happy to say that Anatoly Karpov not only agreed at Nice to participate actively with us on the Editorial Board and in the writing and analysis, but expressed his delight and enthusiasm with the entire project.

Anatoly Karpov will be a name to be conjured with in the world of chess from this point on. And the pages which follow tell you the whole story of his rise to that pinnacle.

Sidney Fried

PREFACE

Preparing a book of this size must, necessarily, be an enormous task. When I watched Karpov in play at the 1972 Olympiad in Yugoslavia I realised that it was only a matter of time before he would be chess champion of the world and it was then that I decided to begin work on this volume. Knowing of Karpov's acquisitive nature (he is an avid stamp collector) I hoped that he would have kept scores of all of his competitive games but his career as a serious player went back so far that my wish was only a dream. Nevertheless, when I asked Karpov if he would help in the compilation of this anthology he eagerly offered me all the game scores that he has kept. These go back to the time that he was a nine year old boy in Zlatoust.

Karpov's help in providing me with the scores of more than 140 previously unpublished games, has made this book the most complete collection possible up to November 1974. Not only did he render the chess world an invaluable service by allowing these games to be published, Karpov also wrote notes to a number of the games that had not previously been annotated. In addition he helped me select for annotation those games that he considered to be his best and his most interesting.

I should like to thank Viktor Korchnoy who wrote notes to two of the games of his training match with Karpov (played in 1971) and Craig Pritchett and Roddy McKay who annotated their own encounters with Karpov. Notes by Karpov and by these three players are credited at the head of their games. Thanks are also due to R.H.M. Chess Publishing for permission to reproduce annotations by Karpov, Larsen and Portisch from *San Antonio 72*, to the United States Chess Federation for permission to reproduce annotations published in *Chess Life & Review* and to A.J. Gillam for permission to reproduce annotations from *The Chess Player*. Where the annotators name is not given, the notes are either taken from an East European source or they are my own.

Much of the biographical material came from a recorded interview that I conducted with the Grandmaster at the Madrid tournament in December 1973. The remaining material is taken from Soviet sources and I should like to thank Katia Young and Bernard Cafferty who translated it. I would also like to thank Katia Young for translating the notes to many of Karpov's games from the original Russian (and occasionally Serbian).

The Herculean task of typing my manuscript was cheerfully performed by Margaret Fitzjames and the equally mammoth job of proofreading was done by Ian Strachan. To them I owe a special vote of thanks since I am sure that to have done all that work myself would have cost me my sanity.

Finally I would like to thank my wife, Jacqueline, for her many helpful suggestions and her encouragement throughout the production of this book.

The photographs mostly come from the Karpov family archives. Photographs 4a and 4b are by Piet Boonstra, 7a, 7b and 8 were kindly supplied by Eduard Gufeld.

D.N.L.L.
London
November 1974

FOREWORD

by Anatoly Karpov

Although I am not very old, I have managed to play at least 600 tournament games. Some of them have been lost but my collection of game scores has enabled the writing of this book. With mixed feelings of apprehension and interest I submit the greater part of those encounters to the devotees of our wise and ancient game.

I helped the author to select the games for annotation and to write notes for them. Some of the games were annotated by me. I hope that our collaboration is successful and gains the recognition of a wide reading public.

Anatoly Karpov
Tula
July 1974

"If you don't believe in victory you have no business sitting down at a chess board" — Anatoly Karpov, when asked about his chances in a match against Fischer.

ILLUSTRATIONS

"Tolya" at eight in his home town of Zlatoust

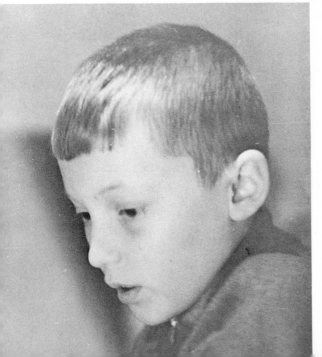

A study in concentration – Karpov at nine absorbed in a game

In Zlatoust, 1962

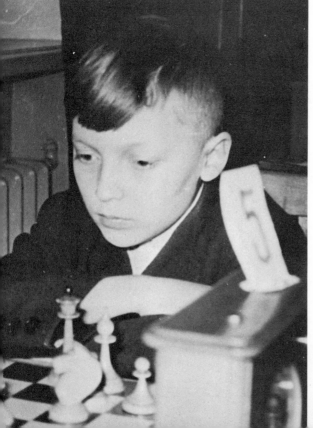

In Gorki, 1963, for the
schools' championship
of the Russian Republic
(RSFSR)

Karpov giving an open air simultaneous exhibition in Tula, 1966

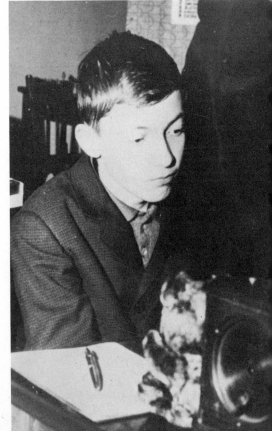

His first international tournament – Trinec, Czechoslovakia, 1966–7

European Junior Championship at Groningen, Holland, 1967–8. Ex-World Champion Max Euwe (*above*) makes Karpov's opening move in his first round game. (*below*) Karpov receives the trophy and his prize

Stockholm, 1969 – Karpov in play against Torre during the preliminary stage of the Junior World Championship

Alekhine Memorial Tournament, Moscow, 1971. Chatting to Savon (*top*) during an idle moment and in play against Robert Byrne (USA) and Gheorghiu (Roumania)

The drawn game with Polugayevsky from the 1973 Soviet Championship. Three months later Karpov destroyed Polugayevsky in the Candidates' quarter-final match. (*below*) Calm and confident, Karpov waits for a despairing Spassky to move. Candidates' semi-final match, Leningrad, 1974

КАРПОВ СПАССКИЙ

Moscow, 1974 – Korchnoy about to make his second move in the opening game of the final Candidates' match. The crowds of spectators thronging the Trade Union House watched this match without knowing whether or not it was to decide the World Championship

ANATOLY KARPOV

Genius at the chessboard has been possessed by only a handful of players in the history of the game. Morphy and Steinitz in the last century; Lasker, Capablanca, Alekhine, Botvinnik, Tal and Fischer in this. These are the few who stand out above all the other super-Grandmasters.

The next name to be added to this list is that of a shy, thin young man who did not realise that he was a really strong player until he won the Junior World Championship.

Anatoly Yevgenievitch Karpov was born in Zlatoust, a small town (by Russian standards) in the Urals, on May 5th, 1951. His father was an engineer in a local factory and Anatoly's sister later followed the same profession. But "Tolya" was never interested in engineering. "I was introduced to the chess pieces quite early in my life when I watched my father playing against his friends. This probably happened when I was about three years old. I got quite interested in this new game and I started following the struggle on the chequered board without really understanding the rules. My father explained the rules to me about a year and a half later. As a matter of fact, by this time I had worked out the rules for myself but it was useful, of course, to have them confirmed.

"Further developments came somehow of their own accord. The chess history of those years is notable for the rapid advancement of Mikhail Tal. At that time interest in chess grew significantly among young people. Quite often one could see a group of youngsters having given up noisy and more athletic games, bending over a chess board on the porch of a house. I found myself in such groups quite often, although usually I was six or seven years younger than any of the other participants in the group.

"Zlatoust is about 2,000 kilometres from the administrative and chess centre, Moscow, so naturally I made my early chess moves on my own. At the age of seven I went to school and, at the same time, reached the third category at chess. I must say that studies in school and advancement on the chess ladder both came quite easily to me. At the age of eight I won the schools championship of my district and was awarded the second category."

It was then that Karpov began to take a serious interest in the game, to read about chess and to search for opponents who were stronger than himself. One year later he was a first category player.

Karpov's first book was a collection of Capablanca's games. The great Cuban had a far reaching influence on Tolya's style from the very beginning — classical, positional ideas abound in his games and he never chooses a complicated continuation when a simple one is satisfactory. The young Karpov, like the Cuban, was a lazy player with little or no time for the study of opening theory. Even though the opening has become far more important in competitive chess as well as being much better understood and deeper analysed than in Capablanca's day, Karpov's play developed without any reliance on a vast theoretical background. In this respect he is almost unique among modern Grandmasters.

"Looking back on those days I can see that this book made a great impression on my approach to chess."

Tolya's earliest 'training' was given him by a first category player, who occasionally tutored him in the chess room of the 'Palace of Sport' at the local metallurgical factory. Soon Karpov grew as strong as his tutor. His talent was soon recognized by Leonid Gratvol, leader of the Cheliabinsk district youth club, and he was taken to Vorovichi in 1961 to play in the all-Union youth championships. There the nine-year-old lad could not even see the whole board when he was sitting on a normal sized chair so the organizers had to make a special stand for him. A newspaper report of the time describes Karpov's game with Timoshenko: "...Several rounds later Tolya met his neighbour Gennadi Timoshenko from Cheliabinsk. In local events up to that time they had met twice with a win to each player. Timoshenko was White in the third game. Tolya had to defend which he did with great skill, and when his opponent was tempted by the win of a pawn Tolya immediately exploited this; a few excellent moves and clouds started gathering over Timoshenko's position. Tolya conducted the final attack accurately." (See game 13.)

In that tournament Karpov scored five out of ten, coming ahead of more than forty older children.

Karpov's mother, Nina Grigorieva, proudly collects her son's photographs. If it were not for fear of being accused of immodesty she would show off Tolya's 'archive' at every opportunity. Next to a photo of Tolya standing by the red flag of the 'Oulenok' all Russian pioneer camp there is a document, issued by Zlatoust school number three, granting Karpov the title of Honourable Pupil and stating that his name would be put down in the annals of the school. Fischer had been given a similar award (a gold medal), but purely for his accomplishments as a chess player. In Karpov's case it was given only partly in recognition of his performance as a chess player, more for his good work and conduct and in particular for his achievements in mathematical and technical competitions.

At the same time as receiving this certificate Karpov's name was inscribed in the Book of Honour of the Central Committee of the Leninist Young Communist League of the Soviet Union.

During three of his school vacations in 1963 and 1964 Karpov went to the Trud school in Moscow, where for a week he and a few other talented juniors were tutored by Botvinnik. Up to that time Tolya had, by his own account "...a very confused understanding of chess theory." Botvinnik went even further: "He doesn't understand anything about chess." Of course Botvinnik did not make such a comment to Karpov's face but later Tolya was told that this was how the ex-World Champion had described his play at first. Possibly Botvinnik was influenced by a peculiar game that he played against Karpov in a clock exhibition — the ex-World Champion blundered his queen away for a rook but he was able to draw the game when Karpov overlooked the simple win of a bishop.

"Botvinnik's tuition was very valuable to me, especially the homework that he used to set us. When I was doing the homework, that was the first time that I really studied chess books seriously.

"I cannot say that I got much out of it in pure chess terms, but Botvinnik did succeed in radically changing my attitude to the game. He made me aware of the seriousness of chess and of the fact that even the most talented of players could not go far without diligent and painstaking work."

When he was fourteen Karpov and his family moved from Zlatoust to Tula, the town 200 miles to the north-east of Moscow where Kotov grew up and learned his chess. Being nearer to Moscow and living in a town with more of a chess tradition Tolya's play continued to develop rapidly. Shortly after his fifteenth birthday Karpov was given the opportunity to play for the title of Soviet Master. If he took the title he would be the youngest player ever to have done so.

The 'Tournament of Masters and Candidate Masters' was held in Leningrad. Karpov and four other young players were matched against five established masters, with each of the juniors playing three games against each of the experienced players. This type of tournament is known as the Scheveningen system. Karpov scored 10 out of 15 and was the only junior to be awarded the master title (the norm was 8). Mukhin scored 6, Zotkin 5½, Menkov 5 and Shatakhtinsky 2.

Karpov's next important event was an international tournament at Trinec, Czechoslovakia. The Czechoslovak Chess Federation had invited the Soviet Union to send two masters, intending that the tournament would provide an excellent training ground for their national student team. Karpov arrived at the railway station in Trinec accompanied by Victor Kupreichik, then a first year student at Minsk University. When the reception committee eventually realised that these two youngsters were the Soviet masters that they had come to meet they greeted the pair with some surprise. "It looks as if there has been a misunderstanding in your Federation..." they said. "The tournament is meant to be for adults, not for juniors. We thought that ... but since you are here you might as well play."

Karpov won the tournament without conceding a single game! "Now I can say it was a weak tournament but then it seemed quite strong. Kupreichik, Smejkal ..."

In the Spring of 1967 Karpov met with what was only the second failure of his chess career. (The other was his failure to reach the rank of second category at his first attempt.) The USSR Junior Championship was also a qualifying tournament to determine who would represent their country at the Junior World Championship in Israel later in the year. The Moscow tournament was divided into two preliminary groups with three players from each group qualifying for the final. Karpov failed to qualify but had the satisfaction of defeating the eventual winner of the tournament, Lukin. As it turned out there was no Soviet player at Jerusalem — following the Six Day War Israeli competitions were boycotted by all Eastern Bloc countries except for Roumania.

The 1967-68 European Junior Championship at Groningen was a no-contest, not because Karpov won by any massive margin but because of the ease with which he took the title. Botvinnik remarked some time later "...He won easily in the European Junior at

Groningen... He was criticized for making a lot of short draws there but he had thus shown that he has mastered a technique characteristic of mature Grandmasters."

A few months later Tolya was playing for the Armed Forces' team in the Soviet team championships at Riga. He was not and never has been in any of the armed forces but that does not prevent him from playing for their chess club. Karpov was playing on the first junior board.

Immediately before the team tournament the army team had their own training sessions and it was then that Karpov was introduced to Simion Furman, the Grandmaster who at once became Tolya's friend and trainer. Later Furman wrote: "... This thin and pale young man has a slightly phlegmatic appearance. Sometimes one has the impression that it is difficult for him to move the pieces. Is it possible that he is capable of high sporting achievements?

"When Eduard Gufeld saw Karpov for the first time he said: 'This boy will never be a Grandmaster — He is too thin.' Geller, who was standing next to him, said, not without irony: 'Of course everyone measures according to one's own measurements. You for example Edik became a Grandmaster only when your weight was 100 kilos.'

"Yes, nature didn't give Karpov a strong, big build. But it did give him a rare chess talent and a strong will. Also modesty and industriousness. When I started working with Karpov I understood at once that he is a very talented chess player with a great future. I wasn't mistaken. In the USSR team championship he scored ten out of eleven."

By now Karpov could do no wrong. In the Moscow University Championship held over the turn of the year he completely destroyed the opposition. Botvinnik, usually rather conservative in his praise wrote: "For a long time we have had few real talents. There were a lot of young masters but real talents such as Tal and Spassky were lacking. Then, about five years ago, a frail twelve year old came to the Trud sports school. He played very weakly (in a clock simul I blundered my queen away against him but still drew!). Now however he is a very experienced player... Geller grumbled to me recently: 'You can't get anywhere against him in blitz play. He beats me unmercifully!' One can also note that the young champion plays superbly in the ending — a sign of the real master. True he still looks too frail. He needs some toughening up."

Although it was true to say in March 1969 that Karpov was clearly the strongest young player in the Soviet Union, it was nevertheless essential for him to prove his worth once more before he could be sent to Sweden to represent his country in the World Junior Championship. The short qualifying tournaments that had been held in the past had failed to give a clear idea of who was the strongest candidate. In 1959 was it Tomson or Hodos? In 1965 was it Kuzmin or Tukmakov? The Soviet Federation decided to include in the qualifying tournament only those players who had achieved good results in adult contests as well as in junior events. These criteria were fully satisfied by three players, Karpov, Steinberg and Vaganian. Steinberg had performed well in the 35th USSR Championship in 1967. In this Swiss system tournament with 126 competitors he finished in a tie for eighth place and won a special prize for the best played endgame.

Besides these three seventeen-year-olds the USSR Schoolboys' Champion, fifteen-year-old Alexander Beliavsky, was also invited. The tournament was planned as a quadruple round event — twelve games in all. But despite the assurances of the Lvov Committee of Physical Culture, Beliavsky did not appear at the tournament hall. Why not? One could hardly believe that he refused to play. Naturally this was not the case. It was simply that the Lvov education department wanted Beliavsky to participate in the Republic's schoolchildrens' team tournament.

When it became obvious that Beliavsky was not going to turn up the rules of the competition were changed so that each player met each of his rivals six times. Karpov led from the start. In the first cycle he won both games. In the second he made two draws. In the third, again two wins. And so the winner of the tournament had been determined in the first half.

Furman and Karpov prepared for the World Junior Championship very seriously. Furman described the contest: "Karpov appreciated his responsibility to the millions of Soviet chess players. Fourteen years had passed since Spassky, for the first and last time, brought the title of World Junior Champion back to the Soviet Union. It was high time to bring it here again.

"Our preparation for the championship consisted of several aspects. First of all a chess player must know himself. It isn't so easy especially for someone as young as Tolya. Working with Karpov I managed to bring out the strong and weak side of his game and to evaluate his talent. For example, it transpired that his opening theory was not very good. But I was glad about that. Such a shortcoming is easily rectifiable and we managed to do so fairly quickly. Although Karpov's opening repertoire is quite small we were not trying to widen it. For the moment our main aim was success in a concrete competition and I tried to deepen his knowledge in certain opening schemes.

"I was very glad of Karpov's natural gift for subtle positional feeling, i.e. for that particular intuition which always distinguishes the great chess players. I also drew my attention to his masterly endgame play and his technically accurate conduct of the game.

"But how most rationally to distribute those qualities in the coming competition?

"Studying the games of Karpov's future opponents I had the impression that the foreign players are mainly good tacticians but weak strategists. As a rule they mainly look for a convenient moment to bring about a tactical attack, not being particularly concerned with the overall strategy of the game. That is why we decided that Karpov will not allow his opponents to sharpen the game without being punished. In retrospect I must remark that such a plan proved to be the most expedient and fruitful.

"We had to pay attention to Karpov's physical preparation. He was prescribed gymnastics each morning. During training he played badminton, table-tennis and he rowed. First we had a rest in Bakova, near Moscow. Then we moved to Zelenogorsk, near Leningrad, where the weather is almost Scandanavian. Such a change was very expedient since the World Junior Championship was to be held in Stockholm and Karpov needed time to acclimatize.

"Were we sure of his eventual success? I must confess that I wasn't one hundred per cent sure. Firstly, a lot of young Soviet players had come back from that tournament with nothing. Secondly, I wasn't very well acquainted with the play of Karpov's future opponents and besides, the final list of participants wouldn't be known until the eve of the first round. It is true that I knew Karpov's strength and ability. But everything is relative and could be known only after comparison with his rivals. As far as Karpov is concerned he pretty well knows his price. It seemed to me that before Stockholm his conviction in victory harmonized with his strength.

"We arrived in Sweden a few days before the start of the championship in order to acclimatize and to get to know the circumstances. We were shown the tournament hall to which we had to go through woods and steppes. We were not even sure whether the hall would be ready in time for the tournament. But we needn't have worried. The Swedes did everything not to disappoint us. The hall had been loaned by the Corporation of Stockholm and money for its decoration was given by chess fans so a special list of donors had to be made up. Now Stockholm's chess players will have their own club. It is quite big for a club but it isn't very suitable for big tournaments. There isn't a big hall and in the largish rooms where the championship was held there wasn't enough room for the spectators. Our Central Chess Club is, of course, much better and more comfortable, but in comparison with other conditions in Sweden this club is good enough.

"It would have been difficult for adults to play in such conditions but the juniors didn't complain. It is true that a lot of them were very tired by the end but I think that the strict regime must be blamed for that. The adjourned games were played in the mornings and one free day in the whole month was inadequate. The only consolation was the weather. The Swedes said that they couldn't remember such a fine summer.

"During the preparations we thought that Karpov's main rivals would be Adorjan, Andersson and McKay. But at the last moment the previous champion Kaplan arrived in Stockholm and it was obvious that he was rival number one. The tournament had a record number of participants: thirty-eight players from thirty-seven countries (the Swedes, as hosts, had two players). It isn't clear whether to think of England and Scotland as different countries but since in all other sports they have two teams nobody tried to break the tradition.

"All participants were divided into six semi-final groups, two players from each group going to the finals. This qualifying system with such short finals can have a lot of surprises and is not very good. It can happen that players who are not necessarily the strongest will get into the final. For example, the American Rogoff and the Philippine Torre did not get into the final whereas the Columbian Castro who did get in was weaker than these two.

"In the preliminaries Karpov was very nervous. His opponents broke ahead and it wasn't clear whether he had to be content with draws or whether he should try to win at all costs. So, playing sharply for a win against Torre and Hug, Karpov nearly lost these games. I noticed that in general, in the qualifying rounds, the players who were most nervous were those who hoped for high places in the finals.

"In the end everything went all right. Karpov did not lose a game and came first in his section.

"I was sure from the beginning of the finals that he would play in a different way and that he would exhibit his best qualities in a calmer frame of mind. My suspicions were correct. His play in the finals *was* different. He started winning one game after another. These victories had a fatal influence on his future opponents. They understood that playing normally there was no chance of catching up with Karpov and so some of them played riskily with damaging results. So Karpov managed to increase his lead. Two rounds before the end of the tournament he had already secured first place.

"Naturally nobody could have forseen that he would win eight games in succession. Nobody put such a task before him and he himself didn't hope for such a series of wins. But it was not accidental. We managed to define precisely what were the correct tactics for him to maximise his result. Karpov turned out to be an exceptionally gifted pupil. He managed creatively to develop the things that I showed him during training. Even those ideas which didn't follow from the concrete openings that we analysed, Karpov used in other circumstances!

"Karpov's magnificent play and his modest behaviour won the respect and sympathies of the Swedish chess players. The local people wished him luck and later they congratulated him. During the championship Karpov had a slight cold. The Swedes got quite worried and brought him a lot of medicine. One local man brought a thermos flask of tea to the hotel. I think his convalescence was not helped so much by the hot tea as by the warm hospitality of our hosts.

"The Swedish press, radio and TV had a lot about the championship. Of course the Swedes supported Andersson, undoubtedly a very talented player. While Ulf still had some chances it was impossible to approach his board but the interest later switched to Karpov. Once, under the pressure of the audience crowding to watch Karpov, the central heating battery was damaged."

Karpov was not ungenerous in his credit to Furman. "My calmness and good preparation..." he said "...are due to Grandmaster Furman. ... I very much want to carry on working with this marvellous trainer and person."

When he returned to Moscow nobody could get near to Karpov to interview him. This was not because he did not want to give interviews but because his father whisked him away from the airport so that he could go home at once to recover. Rest was very important to Tolya after the gruelling championship because a difficult year of study lay ahead of him at Moscow State University.

1970 was Karpov's first introduction to what is certainly the toughest regular tournament of the chess calendar, the Soviet Championship. To qualify for the Championship Tolya had to finish high in the Championship of the Russian Republic that was held in Kuibishev, so he accomplished the task in the simplest possible way — he won the tournament without loss of a game.

The next logical step on Karpov's road to the summit was to gain the title of International Grandmaster. Up to the time of the Caracas tournament he had faced only four Grandmasters in equal combat: Gipslis, Krogius, A. Zaitsev and Antoshin (twice). The overall result of these games was two wins, two draws and one loss. "I was very uncertain of myself at the beginning of the tournament, playing against such distinguished players. I just wanted to play with some strong players. And I only remembered about the Grandmaster norm after the successful start where I had to meet a few famous players. By the way, in this tournament and in the Championship of the Russian Republic I drew the number six which has now become my lucky number."

Karpov did reach the Grandmaster norm at Caracas though not without some unpleasant moments. And when he returned home he was so tired from the cumulative effects of playing so many competitive games against strong opponents, that in the Soviet Championship he was unable at first to muster sufficient energy to play for a win. "After the first few games I felt terribly tired...The whole of the first half of the championship I tried not to risk anything and agreed draws after a few moves. I cannot say that by the end I played better. It is that the other participants were even more tired. By and large it is difficult to play in the finals (of the USSR Championship). In international competitions there are usually a few weak players but in our tournament there are no outsiders. But the benefit of this championship cannot be doubted. I have become more experienced."

The experience of 1970 most certainly paid dividends the following year. Karpov's results in 1971, when he was still only twenty years old, were outstanding. At the World Students' Team Championships in Puerto Rico, Tolya played on board three behind Tukmakov and Balashov because they had finished ahead of him in the Soviet Championship. Of course the opposition in Mayaguez was weak by his new standards and so his score of 7½ out of 8 might give grounds for some criticism. But in fact his solitary draw was a twelve move formality against the Colombian player Ruiz in the last round of the finals when nothing mattered any more. In fact this was even a holiday for the Soviet team — they won the championship by a margin of eight points and every member of the team won a board prize!

Before Mayaguez Karpov had already played in two 'serious' contests that year. He had drawn a six game match with Korchnoy in Leningrad (planned to help train Korchnoy for his Candidates' match with Geller). The games had gone heavily in Karpov's favour but he had thrown away two half points through relatively simple blunders.

After the Korchnoy match came the semi-final of the USSR Championship at Daugvapils. Karpov made his traditional result, winning the tournament without loss of a game and in the Championship he improved on his performance of the previous year by finishing fourth. Then, after only five weeks, came the most difficult tournament of his career — the Alekhine Memorial in Moscow at the end of 1971.

Before the tournament Tolya had hoped to finish in the first five places. His fans were less optimistic — they would be satisfied if he finished with a plus score. At the start he was not very happy because the drawing of lots gave him a 'stormy beginning.' His win against Hort in round eleven was crucial to his whole performance. It was so successful as a creative achievement that Tolya's spirits rose and he played the remainder of the tournament with a new vigour, winning fine games against Bronstein and Korchnoy and crushing Savon in the last round. He tied for first place with Stein and it was already apparent that Spassky's position at the apex of Soviet chess was in some danger.

Once Karpov had achieved this excellent result in Moscow he was hungry for the next World Championship cycle. Spassky had not yet defended his title against Fischer though there were few top players in the Soviet Union who favoured Spassky's chances if and when the match was played. The interesting question now was whether or not Karpov could win the 1973-4 qualifying cycle.

After winning at Moscow, Karpov's play appeared to slacken a little. At Hastings he tied for first place with Korchnoy after losing horribly to his compatriot in the penultimate round. At the World Students' Team Championship in Austria he conceded four draws. In the Skopje Olympiad he lost a game against a player who does not belong to the top echelon of Grandmaster chess. But none of these events was any test for Tolya. By now only the strongest tournaments were any challenge to him. At San Antonio he shared first place with

Portisch and Petrosian but it was Karpov who was the moral victor — had he not lost, unnecessarily, to Portisch through a one move blunder, the tournament might well have been his. The reader might well ask what was the meaning of his short draw with Mecking in the last round. Petrosian answered that question: "Karpov shares that sin with me. Towards the end of the tournament we were both very tired (I wasn't feeling very well) and decided not to tempt fate, feeling on the back of our necks the breath of Portisch."

Late in 1972 Karpov had been given his own apartment in Leningrad. Although he had started out his university course in Moscow he had changed in mid-stream so that he could work more closely with Furman. His academic career continued to flourish even though by now he was devoting so much of his time to chess. 1972-73 was the fourth year of a five year course in economics but the final year with its difficult examinations had to be postponed while Karpov faced a more difficult examination on the chess board. He felt that the time had come to try to qualify for the right to meet Fischer for the World Championship.

At the end of Spring 1973, after finishing second in a strong tournament at Budapest, Karpov led a team of young Soviet players in a triangular contest against the country's 'first' and 'second' teams. The significant encounter of the contest was Karpov's double round battle with Spassky. In their first game Karpov had White and Spassky played his favourite Breyer Defence in the Closed Ruy Lopez. (I should mention at this point that these two had played a Closed Lopez once before — when Spassky was preparing to meet Fischer he played one training game with Karpov whom he beat from a totally lost position. Unfortunately, it was agreed between the players that this game should never be published, hence its absence from this volume.) Karpov won a beautiful game which was later awarded a special brilliancy prize, a cut glass bowl. Their second game was drawn.

This win against Spassky was the final boost to Karpov's confidence before he played in the Leningrad Interzonal. At Leningrad it was only necessary to finish in the first three places but Karpov had got used to winning tournaments and he added this one to his list — first prize shared with Korchnoy.

When he was interviewed after the Interzonal, Korchnoy was full of praise for the maturity of Karpov's style: "He is becoming a great tournament fighter who does not avoid risks when they are necessary and who is capable of fighting for a win in each individual game. In this he is very practical and he does not make big mistakes. His play reminds me of Spassky in his better years — his high level of concentration in each game, his evenness of play in all stages of the game and the way in which he plays without any big mistakes.

"It might appear that Karpov's performance in this Interzonal was uneven. In the second half he had more points than in the first. In fact he just happened to have more difficult opponents in the first half of the tournament."

And so, at twenty-two, Anatoly Karpov became a candidate for the World Chess Championship. Before preparing for his quarter final match with Polugayevsky he played in two extremely strong tournaments, the Soviet Championship (second, behind Spassky) and the international event that was being held for the first time in Madrid after years of being known as the traditional Palma de Mallorca tournament. In Madrid he finished first, as expected, and along with his other prizes he won the 'Chess Oscar', a trophy awarded annually by election of the International Chess Journalists Association.

An interesting comparison was possible at Madrid since Andersson and Ljubojevic, both contemporaries of Tolya's and likely to be among his principal rivals in the future, were also playing. Neither of them came close to stopping Karpov from winning the tournament and when I asked Tolya what qualities he thought they lacked he replied that they played so much that they didn't have enough time to "think about chess". He was more worried about Mecking and Hubner as great prospects for the future.

The draw for the Candidates' matches was not an easy one for Karpov. He had to play Polugayevsky in the first round, Spassky in the second (presuming that they both won) and then the winner of the Petrosian-Korchnoy-Mecking-Portisch half of the draw. Polugayevsky had been playing well for the previous year or so and many pundits thought that Karpov might have a tough task. But he viewed the problem in a different way. "For me it is very bad to play Polugayevsky in the first match because if I win I still have to play with Spassky and if I lose it is terrible. It would be much better to play someone stronger in the first round. If I played Spassky first and I won then I would have a free road to the World Championship Match."

The match with Polugayevsky was just about as easy as Karpov had expected. He was completely out of form for the first three games (colourless draws) but when he came to life...Bang! Bang! Bang!

Games four, six and eight were wins with the white pieces and the match was over.

Most chess pundits favoured Spassky in the semi-final match that began in April. In Moscow, where the consensus is usually an accurate guide to the likely result of any big chess event, most Grandmasters were prediciting that Spassky's experience would triumph over youth. The two adversaries have much in common in their opening repertoire, particularly playing Black against 1 P-K4 (they have both been successful more than once with the Breyer Variation of the Lopez).

In the openings of his games with Spassky, Karpov was very clever. He repeatedly selected systems and variations that enabled him to side-step any theoretical traps that Spassky had hoped to set. In the first game of the match Karpov was playing under the handicap of a high temperature but after that he was never in any real danger of losing the match. He surprised Spassky by opening with 1 P-Q4 in the majority of his games with the white pieces and Spassky was so ill-prepared for this switch that he was criticized afterwards in the Soviet press. The newspaper *Komsomolskaya Pravda* wrote: "There were shortcomings in his theoretical and psychological preparation for the match, and they were caused primarily by underestimation of his opponent."

And of Karpov, *Pravda* wrote: "Karpov's play evoked general admiration. He displayed an ability to solve strategic problems in a very well-considered way; to manoeuvre with precision and to be precise in endgames too. His famous defensive skills have long been known, but now we have seen Karpov as a master of attack."

Karpov took the win as a matter of course. In Madrid five months earlier he told me that he expected to beat Spassky: "Why not? I have played him four times in competition and I have a plus score."

The Karpov-Spassky match ended so soon before the beginning of the Nice Olympiad that there was wide speculation that neither of them would have the energy to play another arduous competition. But in 1970 and 1972 the Soviet Union had not won the team tournament with their usual ease and had both Grandmasters been absent from the team there was a very real danger that the Hamilton-Russell Cup might not find its way back to the rooms of the Central Chess Club in Moscow. And so Karpov played at Nice — board one for the USSR ahead of Korchnoy (who had just won the other semi-final against Petrosian), Spassky, Petrosian, Tal and Kuzmin. At twenty-three Karpov was recognised in his own country as being its strongest player and he was leading the national team ahead of four ex-World Champions.

Karpov's play at Nice reflected the anti-climax that he must have felt, playing in an event with a number of weak opponents. In fact he was totally lost against Pritchett in the preliminaries and against Hartston in the finals but in mitigation he won nice games against Kavalek and Pomar. There was no surprise expressed when Karpov won the prize for the best performance on first board.

The final stage of the Candidates' competition began in Moscow in mid-September. The rules stipulated that to win the match one or other of the contestants needed to win five games, draws not counting. As at the earlier stages of the competition, if neither side won before the limiting number of games had been played (in this case twenty-four) then the player who was in the lead at that time would be given the match. Should the players be level at 12-12 then the result would be decided by the toss of a coin.

There were few pundits who thought it likely that the match would go its full course. Even fewer when Karpov destroyed Korchnoy in the second game and Korchnoy became impatient in the sixth. But after these two wins Karpov could make no more progress until game seventeen while his veteran opponent (Korchnoy is twenty years his senior) was obtaining the advantage in many games, only to allow the edge to slip away from him as a result of his chronic "time-trouble sickness."

After Karpov's third victory in the match he became over-confident, expecting Korchnoy to crack completely under the pressurre of needing at least three wins from the last seven games. But when he was expecting it the least, Karpov got two nasty surprises. He lost the nineteenth game from a position which he should have drawn and in the twenty-first he overlooked a shallow bone crusher. Korchnoy played the three remaining games with great determination but he was unable to close the gap. When the two sat down to play the twenty-fourth game in the Estrada Theatre some nine weeks after the match had begun, Korchnoy was faced with the hopeless task of winning with black against a player who was quite delighted to share the point. Korchnoy pressed hard but his efforts served only to compromise his position. At the time the draw was agreed Karpov would certainly have played on had the game been contested under different circumstances.

Karpov's victory in this match might have earned him the World Championship title without playing any more games. At the time this match was played, Fischer was being asked by F.I.D.E. to reconsider his decision to give up his title as a protest against F.I.D.E.'s refusal to acceed to all of his conditions of play. Fischer was given until April 1st 1975 to make up his mind. If no agreement was reached between Fischer and F.I.D.E., then the President, Dr. Max Euwe intended to fly to Moscow to crown Karpov World Champion.

However Karpov takes the title there is no doubt that it will be his. I feel that if he were to play Fischer a title match in 1975 the result would favour Fischer. In 1978 however things could be very different. Fischer would be thirty-five and possibly past his best. Karpov would be twenty-seven, probably at the height of his powers.

Exactly when Karpov becomes World Chess Champion is not so important. He will probably be on the throne for more years than anyone since Lasker. He will certainly play more competitive chess while he is champion than the three Grandmasters who preceeded him. Karpov's dedication to the game is second only to that of Fischer and his reward is a niche in the very highest echelons of chess history.

Karpov's Style

It has often been written that Karpov's style most resembles that of Capablanca, the Cuban genius who was Tolya's first idol. It is true that the misleadingly peaceful nature of Karpov's play and the precision with which he often handles the endgame can easily be used to liken his style to that of Capablanca. But there is another side to Karpov's play. He is one of the fiercest attacking players of the day.

Because of his profoundly deep understanding of the game Karpov does not contest razor sharp variations unless he has already convinced himself that they are sound. But give Tolya any reasonable chance for an attack and you will soon see the fireworks.

In 1972, at the San Antonio tournament, Karpov was asked to describe his style and replied: "Style — I have no style." Less than two years later, when annotating the sixth game of his match with Polugayevsky, Karpov wrote the following note to his seventeenth move:

"Here I must explain something. Not only many chess fans but also some commentators do not understand my play and my approach to the game. For me chess is principally a fight. You have to beat the opponent and I aim for this in every game. Sometimes I am criticized for being dry, rational, calculating. Yes, I am pragmatic and my play is based mainly on technique. I try to play 'correct' chess and never take risks in the way that, say, Larsen does. With white I try for an advantage from the first few moves, with black I try first of all to equalize the position.

"When making my choice of moves it is not the case that I try to hit upon the simplest, but rather the most appropriate move. If there are several moves of approximately equal worth then the choice depends a lot on who is my opponent. For example, with Korchnoy and Tal I prefer to go for simple positions which do not suit their creative tastes, while with Petrosian I try to complicate it a bit. However, if I see there is a single good line, then no matter who my opponent is I go along that one line.

"Incidentally, I feel that my style has been changing somewhat recently. In this particular game (492) my double pawn sacrifice is one that before now would never have occurred to me. Everybody took this to be opening preparation but I can say with my hand on my heart (and my trainer can confirm this) the line was the product of my imagination, improvised at the board."

EXPLANATION OF SYMBOLS

+	Check
++	Double check
!	Good move
?	Weak move
!?	Interesting move
?!	Dubious move
!!	Excellent or brilliant move
??	Blunder
=	The position offers equal chances
±	White has a slight advantage
∓	Black has a slight advantage
±	White has a clear advantage
∓	Black has a clear advantage
+—	White has a decisive advantage
—+	Black has a decisive advantage
Ch	Championship

PART ONE
EARLY GAMES

Cheliabinsk 1961

1   Shusharin-Karpov
        Ruy Lopez

This is Karpov's earliest recorded game (January 6th 1961). 1 P-K4 P-K4 2 N-KB3 N-QB3 3 B-N5 P-QR3 4 B-R4 N-B3 5 N-B3 P-QN4 6 B-N3 B-N5 7 0-0 0-0 8 P-Q3 P-Q3 9 N-Q5 NxN 10 BxN Q-K1 11 P-B3 B-R4 12 P-QR4 B-N2 13 P-QN4 B-N3 14 P-R5 B-R2 15 R-K1 R-N1 16 B-N5 N-K2 17 BxN QxB 18 Q-N3?? P-B3 19 P-Q4 PxB 20 KPxP P-B3 21 PxP BPxP 22 R-K2 K-R1 23 N-Q4 BxN 24 PxB Q-KB2 25 PxP BxP 26 Q-N3 PxP 27 RxP QR-K1 28 QR-K1 R-K3 29 P-B3 R-KN3 30 Q-B2 BxP 31 P-N3 R-KB3 32 R-K7 Q-N3 33 Q-Q4 Q-B7 34 Q-B2 QxQ+ 35 KxQ B-N5+ 36 K-N1 and White Resigned.

2   Lazarev-Karpov
        Queen's Gambit Declined

1 P-Q4 P-Q4 2 P-QB4 P-K3 3 N-QB3 N-KB3 4 B-N5 B-K2 5 N-B3 P-KR3 6 B-R4 0-0 7 P-K3 QN-Q2 8 P-B5 P-QN3 9 P-QN4 P-B3 10 B-Q3 B-N2 11 0-0 P-QR4 12 P-QR3 B-R3 13 Q-K2 BxB 14 QxB P-QN4 15 N-Q2 N-R2 16 BxB QxB 17 N-N3 P-R5 18 N-R5 QR-B1 19 N-N7 P-K4 20 P-B3 R-B2 21 N-Q6 N-N4 22 QR-K1 N-K3 23 N-K2 N-N4 24 N-N3 N-K3 25 N-B5 Q-B3 26 K-R1 K-R2 27 N-N3+ P-N3 28 R-Q1 Q-K2 29 Q-B3 P-B3 30 Q-Q3 R-R2 31 P-R4? P-B4 32 P-R5?? Q-R5+ 33 K-N1 QxN 34 RPxP+ QxP/N3 35 K-B2 PxP 36 PxP N-B5 37 Q-Q2 QxP+ 38 K-K1 QxQ+ 39 RxQ R-B3 40 R-R1 N-B1 41 R/2-KR2 N/1-K3 42 R-Q2 N-N4 43 K-B2 R-K3 44 NxBP R-KB2 45 N-R4 N-N3 46 NxN RxP+ 47 K-N1 KxN 48 K-N2 RxP 49 R-QN1 N-K5 50 Resigns

3   Shneider-Karpov
        King's Gambit Accepted

1 P-K4 P-K4 2 P-KB4 PxP 3 N-KB3 N-KB3 4 P-K5 N-R4 5 P-Q4 P-Q4 6 P-B4 B-KN5 7 B-K2 B-K2 8 0-0 0-0 9 PxP QxP 10 N-B3 Q-Q1 11 N-K4 N-Q2 12 N-B2 B-KB4 13 N-K1 P-KN3 14 BxN PxB 15 QxP B-N3 16 Q-K2 N-N3 17 N-B3 N-Q4 18 N-K4 Q-Q2 19 P-QR3 Q-B3 20 N-B2 B-KB4 21 N-Q3 BxN 22 QxB K-R1 23 Q-B5 Q-KN3 24 QxQ RPxQ 25 P-KR4 K-N2 26 K-B2 R-R1 27 R-R1 P-QB4 28 PxP BxBP+ 29 K-K2 QR-K1 30 P-QN4 B-K6 31 B-N2 N-N3 32 QR-Q1 R-K2 33 N-N5 N-B5 34 B-R1 NxRP

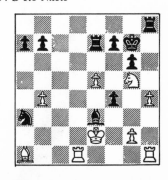

35 NxP? KxN 36 P-K6+ RxP 37
BxR B-Q5+ 38 K-B3 BxB 39 KxP
R-N3 40 KR-K1 RxP+ 41 K-N3
R-Q5 42 R-B1+ K-K3 43 R/Q1-K1+
B-K4+ 44 K-R3 R-Q6+ 45 R-B3
RxR+ 46 PxR K-B4 47 R-Q1 P-R4
48 R-Q5 P-QN4 49 K-N2 K-K3 50
R-Q1 P-N5 51 R-K1 K-B4 52
Resigns

Zlatoust 1961
4   Larinin-Karpov
Ruy Lopez
1 P-K4 P-K4 2 N-KB3 N-QB3 3
B-N5 P-QR3 4 B-R4 N-B3 5 0-0
B-K2 6 R-K1 P-QN4 7 B-N3 P-Q3 8
P-B3 0-0 9 P-KR3 N-QR4 10 B-B2
P-B4 11 P-Q4 Q-B2 12 QN-Q2 B-Q2
13 N-B1 N-B3?! 14 N-K3 KR-K1 15
P-QN3 B-KB1 16 PxBP PxP 17 N-Q5
NxN 18 PxN N-R4 19 N-N5 P-R3

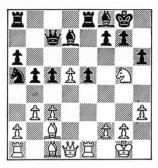

20 P-Q6!? BxQP 21 B-R7+ K-B1 22
NxP! KxN 23 Q-R5+ K-K2 24
Q-R4+ K-K3 25 Q-N4+ K-B3 26
Q-R4+ K-B2 27 Q-R5+ K-B1? 28
BxP! R-K2?? 29 Q-B3+ R-B2 30
QxR/R8+ B-B1 31 B-N5 N-B3 32
B-K4 N-K2 33 QR-Q1 N-B4 34 BxN
RxB 35 RxB Resigns

5   Karpov-Dudakov
Ruy Lopez
1 P-K4 P-K4 2 N-KB3 N-QB3 3
B-N5 P-QR3 4 B-R4 N-B3 5 0-0
B-K2 6 R-K1 P-QN4 7 B-N3 0-0 8

P-B3 P-Q3 9 P-KR3 N-QR4 10 B-B2
P-B4 11 P-Q4 BPxP 12 PxP Q-B2 13
QN-Q2 N-Q2 14 N-B1 N-B5 15 N-N3
P-N3 16 P-N3 N/5-N3 17 B-K3 B-B3
18 R-QB1 Q-Q1 19 B-Q3 B-QN2 20
R-K2 P-Q4 21 QPxP NxP 22 NxN
BxN 23 PxP QxP 24 B-K4 QxQ+ 25
RxQ BxB 26 NxB Drawn

6   Zagierovsky-Karpov
Nimzo-Indian Defence
1 P-Q4 N-KB3 2 P-QB4 P-K3 3
N-QB3 B-N5 4 P-QR3 BxN+ 5 PxB
0-0 6 B-N5 P-KR3 7 B-R4 P-Q4 8
P-K3 P-QN3 9 N-B3 QN-Q2 10 Q-B2
B-R3 11 N-K5 P-KN4 12 B-N3 NxN
13 BxN BxP 14 P-B3 BxB 15 RxB
N-Q2 16 B-N3 K-N2 17 P-KB4
P-KB3 18 P-KR4 P-N5 19 P-B5 P-K4
20 P-R5 Q-K1 21 R-R1 PxP 22 B-B4
PxKP 23 Q-K2 R-KN1 24 0-0-0
Q-K5 25 R-Q4 QxBP 26 QxKP R-R1
27 Q-K7+ K-N1 28 B-Q2 R-R2 29
Q-K2 K-B2 30 RxNP R-K1 31 Q-Q1
N-K4 32 B-K1 NxR 33 K-N2 N-B7
34 BxN QxB+ 35 K-N3 QxP 36
R-R4 R-N2 37 R-Q4 K-K3 38 R-Q2
Q-N5 39 Q-KR1 R-N4 40 R-Q4 Q-B4
41 P-R4 RxP 42 Q-KN1 P-B4 43
R-Q2 R-N4 44 Q-R2 P-KR4 45 Q-B7
Q-K4 46 QxRP Q-Q3 47 Q-R7 R-K2
48 Q-R8 K-Q2 49 R-KB2 P-B4 50
R-Q2 P-KB5 51 Q-R8 R-B4 52
Q-N7+ K-K3 53 Q-B8+ Q-Q2 54
Q-KN8+ K-Q3 55 Q-N8+ Q-B2 56
Q-N8 R/K2-B2 57 R-K2 P-B6 58
R-K3 P-B7 59 Q-K8 Q-Q2 60
Q-N8+ K-B3 61 Q-R8+ Q-N2 62
Q-K8+ K-B2 63 R-K7+ RxR 64
QxR+ K-N1 65 Q-Q6+ K-R2 66
Resigns (1-53; 0-37)

7   Kalashnikov-Karpov
Queen's Indian Defence
1 P-Q4 N-KB3 2 N-KB3 P-K3 3 P-B4
P-QN3 4 P-KN3 B-N2 5 B-N2 P-B4 6
0-0 B-K2 7 N-B3 PxP 8 NxP BxB 9
KxB P-Q4 10 Q-R4+ Q-Q2 11

QxQ+ QNxQ 12 PxP NxP 13 NxN
PxN 14 N-B5 P-N3 15 NxB KxN 16
R-Q1 K-K3 17 B-Q2 QR-QB1 18
B-B3 KR-Q1 19 R-Q4 N-B4 20 P-B3
R-Q3 21 QR-Q1 R/B1-Q1 22 P-KN4
P-B3 23 P-KR4 P-KR3 24 R-KB4
N-Q2 25 P-K4 N-K4 26 PxP+ RxP
27 R-K1 P-QR4 28 P-N5 RPxP 29
PxP P-B4 30 R-KR4 K-Q3 31 BxN+
RxB 32 R-Q4+ K-B2 33 R-B4+
R-B4 34 RxR+ PxR 35 K-N3 R-Q7
36 R-K6 R-Q3 37 R-K7+ R-Q2 38
R-K5 K-Q3 39 R-K8 K-B3 40 K-B4
R-Q7 41 R-K6+ K-Q2 42 RxP RxP
43 KxP P-B5 44 K-K4 R-Q7 45
R-QR6 RxP 46 K-Q4 P-B6 47 KxP
R-R6+ 48 K-Q4 RxP 49 RxP K-K2
50 K-K5 K-B2 51 R-R6 K-N2 52
R-R6 R-B7 53 R-Q6 R-B8 54 K-K4
R-B7 55 R-KR6 R-B8 56 K-K5 R-B7
57 K-K6 R-B6 58 R-B6 R-K6+ 59
K-B5 R-B6+ 60 K-K6 R-K6+ 61
K-B5 R-B6+ 62 K-K5 Drawn (1-55;
0-35)

8   Karpov-Galialetdinov
Ruy Lopez

1 P-K4 P-K4 2 N-KB3 N-QB3 3
B-N5 P-Q3 4 P-Q4 B-N5 5 P-Q5
P-QR3 6 BxN+ PxB 7 PxP P-R3 8
0-0 N-B3 9 Q-Q3 B-K2 10 N-B3 0-0
11 N-Q2 Q-K1 12 Q-B4 R-N1 13
N-N3 R-N3 14 N-R5 K-R2 15 P-QN3
B-K3 16 Q-Q3 N-R4 17 R-Q1 P-B4
18 P-B3 P-B5 19 N-Q5 BxN 20 PxB+
K-R1 21 N-N7 B-B3

22 R-N1 Q-B2 23 P-QR4 B-N4 24
P-R5 R-N5 25 P-B3 R-N4 26 P-B4
RxN 27 PxR R-QN1 28 P-QN4 RxP
29 P-N5 PxP 30 PxP Q-K1 31 Q-B4
Q-R1 32 Q-B6 Q-R2+ 33 P-N6 PxP
34 PxP Q-R3 35 B-Q2 N-B3 36 QxP
P-K5 37 BxP BxB 38 QxB PxP 39
QxBP RxP 40 RxR QxR+ 41 K-R1
Q-Q3 42 P-R3 K-R2 43 Q-K2 N-N1
44 Q-K6 QxQ 45 PxQ N-B3 46 P-K7
K-N1 47 R-K1 K-B2 48 K-R2 K-K1
49 R-K5 N-N1 50 K-N3 NxP 51
K-N4 K-B2 52 P-R4 N-N1 53 K-B4
K-B3 54 P-N4 N-K2 55 P-R5 P-N4+
56 K-K4 K-B2 57 R-R5 N-N1 58
K-K5 K-N2 59 R-R7+ K-R1 60
K-K6 Resigns

9   Karpov-Lukhudulin
Sicilian Defence

1 P-K4 P-QB4 2 N-KB3 N-QB3 3
P-Q4 PxP 4 NxP N-B3 5 N-QB3
P-Q3 6 B-K3 P-K4 7 N-N3 B-K2 8
P-B3 0-0 9 B-QB4 P-QR3 10 Q-Q2
Q-B2 11 B-Q5 N-QN5 12 QR-B1
N/B3xB 13 NxN NxN 14 QxN B-K3
15 Q-Q2 P-B4 16 PxP RxP 17 0-0
QR-KB1 18 P-QB4 Q-Q1 19 N-R5
B-N4 20 BxB RxB 21 K-R1 R-R4 22
P-KN3 Q-B2 23 KR-Q1 B-R6 24
Q-Q5+ R-B2 25 P-QN4 Q-N3 26
P-B5 Q-N4 27 Q-B4 QxQ 28 RxQ
PxP 29 R-Q8+ R-B1 30 RxR+ KxR
31 PxP B-K3 32 R-QN4 BxP 33 RxP
B-Q4 34 P-B6 BxP+ 35 K-N1 B-N5
36 P-B7 P-K5 37 N-N3 R-QN4 38
R-N8+ K-K2 39 N-Q4 R-QB4 40
R-N6 B-B1 41 K-B2 RxP 42 K-K3
B-N2 43 N-B5+ K-B1 44 N-Q6
R-B6+ 45 K-K2 B-B3 46 RxP K-K2
47 N-B5+ K-B2 48 N-Q6+ K-K2 49
N-B5+ K-K3 50 N-Q4+ K-Q4 51
NxB RxN 52 R-R7 K-Q5 53 R-Q7+
K-K4 54 RxP R-B7+ 55 K-K3 RxP
56 R-K7+ K-B4 57 RxKP R-R6 58
R-B4+ K-N4 59 K-B3 R-R3 60
R-N4+ K-B4 61 R-N7 K-B3 62
Drawn (0-45; 1-45)

10   Karpov-Zyuliarkin
          Sicilian Defence
1 P-K4 P-QB4 2 N-QB3 N-QB3 3
P-KN3 P-KN3 4 B-N2 B-N2 5
KN-K2 P-K3 6 P-Q3 KN-K2 7 B-K3
N-Q5 8 0-0 0-0 9 P-B4 R-N1 10 K-R1
P-QN4 11 P-QR3 P-Q3 12 Q-Q2
P-Q4 13 QR-N1 P-QR4 14 P-QN4
NxN 15 NxN P-Q5 16 B-B2 BPxP 17
PxP P-R5 18 P-K5 N-B4 19 P-N4
N-R5?

21 BxP RPxB 22 RxB Q-Q2 23 R-Q6
Q-B4 24 QxQ PxQ 25 RxR+ RxR 26
N-N3 N-KB5 27 K-B1 P-Q6 28 R-Q1
R-Q4 29 P-N3 N-B5! 30 N-B3 30
PxN PxP−+30...N-N7 31 R-Q2 N-B5
32 R-Q1 N-N7 33 Drawn

Vorovichi 1961
(All-Union Youth Championship)
12   Karpov-Negelin
          Ruy Lopez
1 P-K4 P-K4 2 N-KB3 N-QB3 3
B-N5 P-QR3 4 B-R4 N-B3 5 0-0
B-K2 6 R-K1 P-QN4 7 B-N3 P-Q3 8
P-KR3 0-0 9 P-B3 N-QR4 10 B-B2
P-B4 11 P-Q4 Q-B2 12 QN-Q2 R-Q1
13 P-Q5 N-N2 14 N-B1 P-B5 15
P-KN4 N-B4 16 N-N3 P-N3 17
K-N2 N-K1 18 P-N5 P-QR4 19 B-K3
P-N5 20 Q-K2 B-R3 21 BxN QxB 22
Q-Q2 R/Q1-N1 23 R/K1-QN1
B-QB1 24 N-K2 N-N2 25 P-N3 B-R3
26 BPxP RPxP 27 PxP BxBP 28
B-Q3 BxB 29 QxB R-R6? 30 QxR
PxQ 31 RxR+ B-B1 32 R-QB1 Q-R2
33 R/B1-B8 Q-K2 34 RxB+ QxR 35
RxQ+ KxR 36 N-Q2 Resigns (0-33;
1-10)

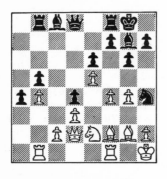

20 B-K4 P-B4 21 PxPep BxP 22 P-N5
BxP 23 PxB N-B4 24 B-N3 R-N2 25
B-K5 R/N2-KB2 26 P-B3 PxP 27
BxP P-R3 28 B-KB6 Q-N3 29 N-B4
PxP 30 BxP R-KR2 31 Q-KN2 K-B2
32 Q-N1 Q-Q3 33 R/N1-B1 R/B1-R1
34 R-KB2 B-Q2 35 NxNP Resigns
(1-10; 1-40)

Cheliabinsk 1961
11   Kalinkeen-Karpov
          Ruy Lopez
1 P-K4 P-K4 2 N-KB3 N-QB3 3
B-N5 P-QR3 4 B-R4 N-B3 5 0-0
B-K2 6 R-K1 P-QN4 7 B-N3 0-0 8
P-B3 P-Q3 9 P-KR3 N-QR4 10 B-B2
P-B4 11 P-Q4 Q-B2 12 QN-Q2 R-Q1
13 N-B1 BPxP 14 PxP P-Q4 15 KPxP
PxP 16 B-N5 NxP 17 R-B1 Q-Q3 18
B-K4 BxB 19 NxB P-N3 20 Q-B3
B-K3

13   Timoshenko-Karpov
          French Defence
1 P-K4 P-K3 2 P-Q4 P-Q4 3 N-Q2
PxP 4 NxP N-Q2 5 N-KB3 KN-B3 6
NxN+ NxN 7 B-K3 B-K2 8 B-Q3
P-QR3 9 0-0 0-0 10 N-K5 N-Q4 11

P-QB4 NxB 12 PxN B-B3 13 R-B3
BxN 14 PxB Q-N4 15 Q-B2 P-R3 16
Q-B3 B-Q2 17 R-N3 Q-K2 18 R-KB1
B-K1 19 B-N1 P-KN3 20 R-B6 K-R2
21 P-KR4 P-KR4 22 R-N5 K-N2 23
Q-B2 R-R1 24 Q-K2 Q-B4 25 P-QN3
R-Q1 26 Q-B3 Q-K2 27 P-KN4 Q-Q2
28 QxP? PxP 29 R-B1 RxP 30 Q-K4
Q-Q7 31 Q-B4 K-N1 32 Q-N3 R-R6
33 Q-B4 QxP+? 33...P-N6. 34 QxQ
RxQ 35 RxP/N4 RxKP 36 R-N2
K-N2 37 R-N2 R-Q5 38 P-R3 R-N5+
39 K-B2 R-B5+ 40 K-N1 R-N5+ 41
K-B2 B-B3 42 R-N1 RxR 43 KxR
R-K6 44 P-R4 P-R4 45 K-B2 R-R6
46 K-K1 R-R8+ 47 K-Q2 R-R7+ 48
K-B3 RxR 49 KxR P-N4 50 K-B3
P-N5 51 B-Q3 P-N6 52 B-B1 P-N7 53
BxP BxB 54 **Resigns** (1-59; 1-26)

Zlatoust 1961
14 Karpov-Shefler
French Defence
1 P-K4 P-K3 2 P-Q4 P-Q4 3 PxP
PxP 4 N-KB3 N-KB3 5 B-K2 B-Q3 6
0-0 P-KR3 7 R-K1 B-K3 8 QN-Q2
QN-Q2 9 N-B1 P-B3 10 B-Q3 Q-B2
11 Q-K2 0-0-0 12 B-K3 QR-K1 13
N-N3 P-KN3 14 P-B4 B-KN5 15
P-B5 B-B5 16 Q-Q2 BxB 17 RxB
B-K3 18 P-N4 N-N5 19 R/3-K1 P-B4
20 P-QR4 N/5-B3 21 N-B1 N-K5 22
Q-N2 P-KN4

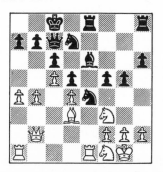

23 R/K1-N1 P-N5 24 N/3-Q2 Q-B5
25 BxN BPxB 26 P-N5 Q-QB2 27

P-N6 PxP 28 PxP Q-Q3 29 P-R5
N-N1 30 N-QN3 K-Q1 31 N-B5 B-B1
32 P-R6 PxP 33 P-N7 B-Q2 34
Q-N6+ Q-B2 35 Q-R7 K-K2 36
N-K3 KR-B1 37 NxRP NxN 38 RxN
Q-B5 39 Q-B5+ Q-Q3 40 Q-B2
R-QN1 41 R/1-N6 P-R4 42 R-R5
Q-B2 43 NxP+ Resigns (0-46; 2-02)

Magshetmogorsk 1961
15 Karpov-Maksiliov
King's Indian Defence
1 P-K4 P-KN3 2 P-Q4 P-Q3 3 P-QB4
B-N2 4 N-QB3 N-KB3 5 P-B3 0-0 6
B-K3 QN-Q2 7 B-Q3 P-K4 8 P-Q5
N-B4 9 KN-K2 P-QR4 10 Q-Q2 NxB
11 QxN N-Q2 12 0-0-0 P-KB4 13
QR-B1 P-B5 14 B-B2 N-B4 15 BxN
PxB 16 K-N1 P-R5 17 R-Q1 B-Q2 18
K-R1 P-R6 19 P-QN3 R-B3 20 N-B1
P-QN4 21 NxP BxN 22 PxB R-N3 23
N-K2 Q-N1 24 N-B3 Q-R2 25 Q-B4
R-Q3 26 R-QB1 R-N1 27 N-R4 Q-R4
28 KR-Q1 RxNP 29 NxP R-N5 30
Q-B3 Q-N3 31 N-R4 Q-N4 32 QxBP
B-B1 33 Q-B5 Q-N2 34 Q-B3 RxN 35
PxR R-Q1 36 Q-N3 Q-R3 37 P-Q6+
K-R1 38 P-Q7 Q-K7 39 R-B8 B-K2
40 K-N1 K-N2 41 RxR BxR 42 P-R5
K-R3 43 P-N4 K-N2 44 P-R4 P-R3
45 K-B1 P-N4 46 PxP PxP 47 QxP
Q-B5+ 48 K-N1 Q-N4+ 49 Q-N3
QxRP 50 P-R4 K-B1 51 K-R2 Q-R2
52 Q-N4+ K-N2 53 R-Q5 Q-B7+ 54
Q-N2 QxP 55 RxP K-N3 56 R-K8
QxNP 57 RxB Q-K3+ 58 Q-N3
QxKP 59 R-N8+ K-B4 60 P-Q8(Q)
Resigns (1-00; 2-25)

Zlatoust 1961
16 Karpov-Bonoyarev
French Defence
1 P-K4 P-K3 2 P-Q4 P-Q4 3 PxP
PxP 4 N-KB3 N-KB3 5 B-Q3 B-KN5
6 0-0 B-K2 7 R-K1 0-0 8 B-KN5
QN-Q2 9 QN-Q2 R-K1 10 P-B3 P-B4
11 Q-N1 P-B5 12 B-B5 B-R4 13 B-B4

N-B1 14 N-K5 N-N3 15 NxN BxN 16
BxB BPxB 17 Q-B2 B-Q3 18 BxB
QxB 19 N-B3 N-K5 20 N-K5 R-K3
21 NxBP Q-B5 22 N-K3 N-B3 23
N-B1 QR-K1 24 RxR RxR 25 R-Q1
P-KN4 26 Q-Q2 Q-R5 27 N-K3 N-K5
28 Q-B2 R-KR3 29 P-KR3 R-KB3
30 R-KB1 P-N5 31 NxNP R-B4 32
P-B3 N-Q3 33 Q-KB2 Q-N4 34 R-K1
P-KR4 35 N-K5 P-N4 36 N-B6 R-B2
37 Q-K3 Q-N6 38 N-K7+ K-R1 39
NxP N-B4 40 Q-B2 Q-N4 41 P-KB4
Q-Q1 42 N-K3 N-R5 43 P-KN3 N-N3
44 P-B5 N-B1 45 Q-K2 Q-N4 46
K-N2 N-Q2 47 P-KR4 Q-R3 48 Q-B3
R-K2 49 Q-B4 Q-R3 50 P-R3 N-B3
51 N-B2 Q-B3+ 52 Q-B3 Q-K1 53
RxR QxR 54 N-K3 Q-Q3 55 K-R3
P-R4 56 P-Q5 P-N5 57 RPxP PxP 58
Q-B4 Q-Q2 59 P-B4 Q-R2 60 P-Q6
Q-R8 61 Q-B3 QxP 62 P-Q7 Q-Q5
63 N-Q5 Q-N5+ 64 QxQ PxQ+ 65
K-N2 NxP 66 NxP K-N1 67 N-Q5
K-B2 68 K-B1 P-N3 69 PxP+ KxP
70 K-K2 K-B2 71 K-K3 K-K3 72
K-Q4 K-Q3 73 P-R5 N-B4 74 P-R6
N-K3+ 75 K-K4 N-N4+ 76 K-B5
N-B2 77 P-R7 K-B4 78 K-B6 N-R1
79 N-K7 Resigns (1-15; 1-05)

17 Karpov-Kalamikov
Ruy Lopez
1 P-K4 P-K4 2 N-KB3 N-QB3 3
B-N5 P-QR3 4 BxN NPxB 5 P-Q4
PxP 6 NxP P-QB4 7 N-K2 B-N2 8
QN-B3 N-B3 9 P-B3 P-B3 10 P-K5
N-Q4 11 N-K4 P-B4 12 PxPep NxP
13 N-Q6+ BxN 14 QxB Q-K2 15
QxQ+ KxQ 16 B-N5 QR-K1 17
0-0-0 P-Q4 18 N-N3 B-B1 19
KR-K1+ K-B2 20 K-Q2 P-R3 21
BxN KxB 22 RxR RxR 23 R-K1 RxR
24 KxR K-K4 25 K-Q2 P-Q5 26
N-K4 P-B5 27 P-B3 B-B4 28 PxP+
KxP 29 N-B3 B-Q6 30 P-KN3 P-N4
31 P-QR3 P-KR4 32 N-Q1 B-B8 33
N-K3 B-Q6 34 N-Q1 B-N3 35 N-K3
B-Q6 36 N-Q1 B-R2 37 N-B3 B-N1

38 N-K2+ K-K4 39 K-K3 K-Q4 40
N-B3+ K-K4 41 N-K4 K-B4 42 N-B5
K-K4 43 NxP K-Q4 44 N-N4+ K-B4
45 N-R2 P-B6 46 NxP K-B5 47
P-QR4 K-N6 48 P-R5 B-B5 49 P-B4
PxP+ 50 PxP K-N5 51 P-B5 KxP 52
K-Q4 K-N5 53 N-K4 B-R7 54 P-B6
B-B2 55 N-B5 B-Q4 56 P-R4 B-B2 57
N-Q3+ K-N6 58 N-K5 B-K3 59 NxP
KxP 60 N-Q8 Resigns (0-40; 2-13)

Zlatoust 1962
18 Karpov-Alexeev
Sicilian Defence
1 P-K4 P-QB4 2 N-KB3 P-K3 3 P-Q4
PxP 4 NxP N-KB3 5 P-KB3 P-Q4 6
PxP NxP 7 B-N5+ B-Q2 8 BxB+
NxB 9 0-0 B-B4 10 K-R1 0-0 11
N-N3 B-K6 12 Q-K2 BxB 13 RxB
Q-N4 14 N/N1-Q2 N-B5 15 Q-B2
N-B3 16 P-N3 N-N3 17 N-B5 Q-Q4
18 N/B5-K4 N-R4 19 R-Q1 Q-B3 20
N-N3 P-N3 21 R-Q6 Q-B2 22 QR-Q1
QR-Q1 23 RxR RxR 24 RxR+ QxR
25 Q-Q2 Q-K2 26 Q-B3 Q-Q2 27
Q-Q4 Q-K2 28 Q-Q6 P-KR3 29 QxQ
NxQ 30 N-Q6 N-QB3 31 P-B3 K-B1
32 K-N2 K-K2 33 N-N5 P-K4 34
N-Q2 K-Q2 35 N-B4 P-B4 36
N/N5-Q6 K-K3 37 P-N3 N-B3 38
N-N5 N-Q4 39 P-QR4 P-R3 40
N/N5-R3 N-R2 41 N-N1 P-QN4 42
N-N2 P-K5 43 K-B2 K-K4 44 P-QB4
N-N5 45 K-K3 N-B7+ 46 K-Q2
N-Q5 47 P-B4+ K-K3 48 K-B3
N/R2-B3 49 RPxP PxP 50 P-QN4
P-N4 51 QBPxP NxP+ 52 K-B4
N/B3-Q5 53 N-B3 NxN 54 KxN/Q4
N-K7+ 55 K-K3 N-B6 56 K-Q4
N-K7+ 57 K-K3 N-B6 58 K-Q4
Drawn

19 Kurnishov-Karpov
English Opening
1 P-QB4 P-K4 2 P-KN3 P-KN3 3
B-N2 B-N2 4 N-QB3 N-K2 5 P-N3
0-0 6 B-N2 QN-B3 7 P-K3 P-B4 8
KN-K2 K-R1 9 0-0 P-Q3 10 P-Q4

B-Q2 11 P-Q5 N-N5 12 P-QR3 N-R3 13 R-N1 Q-K1 14 Q-B2 P-KN4 15 P-B4 NPxP 16 KPxP P-K5 17 N-Q1 Q-N3 18 BxB+ QxB 19 Q-N2 N-B4 20 QxQ+ KxQ 21 N-K3 K-B3 22 P-QN4 N-R5 23 R-N3 P-QR4 24 R-B1 PxP 35 PxP N-QN3 26 N-B3 R-R2 27 P-B5 N/3-B1 28 B-B1 P-B3

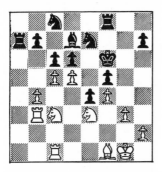

29 R-Q1 R-R3 30 QPxP BxP 31 N/K3-Q5+ BxN 32 NxB+ NxN 33 RxN R-R8 34 K-B2 R-R7+ 35 B-K2 K-K3 36 R-Q4 P-Q4? 37 P-N5 R-B7 38 P-B6 PxP 39 PxP RxP 40 R-N7 N-K2 41 P-N4 PxP 42 BxP+ K-B3 43 R-R4 N-N3 44 R/4-R7 NxP 45 K-N3 N-Q6 46 RxP K-K4 47 R/KR7-K7+ K-Q5 48 P-R4 N-K4 49 B-K2 R-N3+ 50 K-R3 R/B1-KN1 51 R-R4+ N-B5 52 BxN PxB 52 R-Q7+ K-B6 54 R-QB7 R-N6+ 55 K-R2 R-N7+ 56 K-R1 R/7-N2 57 R/4xP+ K-Q6 58 R-B3+ K-Q5 59 R/7-B4+ K-K4 60 R-B5+ K-B5 61 R-KR5 R-N8+ 62 K-R2 R/N1-N7+ 63 K-R3 R-Q7 64 Resigns (1-30; 0-30)

20   Kolishkin-Karpov
Ruy Lopez
1 P-K4 P-K4 2 N-KB3 N-QB3 3 B-N5 P-QR3 4 B-R4 N-B3 5 0-0 B-K2 6 R-K1 P-QN4 7 B-N3 P-Q3 8 P-B3 0-0 9 P-KR3 N-QR4 10 B-B2 P-B4 11 P-Q4 Q-B2 12 QN-Q2 N-B3 13 PxBP PxP 14 N-B1 R-Q1 15 Q-K2

B-K3 16 B-N5 R-Q2 17 N-K3 P-R3 18 BxN BxB 19 R/K1-Q1 QR-Q1 20 RxR RxR 21 P-QR4 P-B5 22 PxP PxP 23 N-Q2 N-R4 24 R-N1 Q-Q1 25 N/Q2-B1 B-K2 26 R-Q1 B-QB4 27 RxR QxR 28 N-N3 P-N3 29 P-R4 P-R4 30 N/N3-B1 P-N5 31 N-Q2 P-N6 32 B-N1 Q-N4 33 N-Q5 Q-R5 34 Q-Q1 K-N2 35 N-B3 B-KN5 36 Q-Q2 Q-R8 37 Q-B1 P-B3 38 N-Q2 B-K7 39 N-B7 K-B2 40 N-R6 N-N2 41 N-B7 N-Q3 42 N-Q5 B-Q6 43 Q-Q1 NxP 44 NxN BxN 45 N-K3 QxB 46 QxQ BxQ 47 N-B1 K-K3 48 N-Q2 B-B7 49 K-B1 K-B4 50 K-K2 P-N4 51 PxP PxP 52 N-B3 P-N5 53 N-K1 P-R5 54 P-B3 P-N6 55 Resigns

21   Kalashnikov-Karpov
Ruy Lopez
1 P-K4 P-K4 2 N-KB3 N-QB3 3 B-N5 P-QR3 4 B-R4 N-B3 5 0-0 B-K2 6 R-K1 P-QN4 7 B-N3 P-Q3 `8 P-B3 0-0 9 P-KR3 N-QR4 10 B-B2 P-B4 11 P-Q4 Q-B2 12 QN-Q2 B-Q2 13 N-B1 KR-B1 14 P-Q5 B-B1 15 P-KN4 N-B5 16 P-N3 N-N3 17 B-K3 P-QR4 18 P-R3 P-R5 19 P-N4 PxP 20 BPxP QxB 21 QxQ RxQ 22 BxN R-N1 23 B-R5 R/N1-B1 24 N-N3 R/1-B6 25 K-N2 P-R3 26 B-N6 B-K2 27 R-K3 RxR 28 BxR N-K1 29 R-QB1 RxR 30 BxR B-Q1 31 B-K3 K-R2 32 P-N5 PxP 33 NxNP+ BxN 34 BxB K-N3 35 B-Q8 P-B4 36 P-B3 P-B5 37 Drawn

Cheliabinsk 1962
(RSFSR Junior Championship)
22   Korgnoy-Karpov
Scotch Four Knights'
1 P-K4 P-K4 2 N-KB3 N-QB3 3 P-Q4 PxP 4 NxP N-B3 5 N-QB3 P-Q3 6 B-QN5 B-Q2 7 0-0 B-K2 8 R-K1 0-0 9 B-B1 R-K1 10 P-KR3 NxN 11 QxN B-B3 12 B-K3 Q-Q2 13 QR-Q1 B-B1 14 B-KN5 B-K2 15 B-B1 P-QR3 16 P-KN4 P-R3 17 P-B4

QR-Q1 18 B-N2 Q-B1 19 Q-Q3 P-QN4 20 P-R3 Q-N2 21 Q-B3 B-B1 22 P-KR4 P-QR4 23 P-N5 PxP 24 RPxP N-R2 25 B-R3 P-Q4 26 PxP RxR+ 27 RxR BxQP 28 NxB QxN 29 QxQ RxQ 30 P-N6 B-B4+ 31 Drawn

23   Karpov-Marvinin
Ruy Lopez
1 P-K4 P-K4 2 N-KB3 N-QB3 3 B-N5 P-QR3 4 B-R4 P-Q3 5 BxN+ PxB 6 P-Q4 P-B3 7 0-0 B-N5 8 PxP BPxP 9 Q-Q3 B-K2 10 P-B4 N-B3 11 P-KR3 BxN 12 QxB 0-0 13 N-B3 N-Q2 14 Q-N4 B-B3 15 B-K3 Q-K1 16 QR-Q1 R-N1 17 P-QN3 R-B2 18 R-Q3 N-B1 19 N-K2 Q-Q2 20 QxQ RxQ 21 KR-Q1 R/N1-Q1 22 N-B3 K-B2 23 P-N3 K-K3 24 K-N2 K-B2 25 P-B4 PxP 26 PxP BxN 27 RxB P-B4 28 K-B3 P-N3 29 B-B2 N-K3 30 R/3-Q3 P-B3 31 B-R4 N-Q5+ 32 RxN PxR 33 BxR RxB 34 RxP K-K2 35 P-QB5 P-Q4 36 PxP PxP 37 R-R4 R-QR1 38 K-K3 K-Q2 39 K-Q4 K-B3 40 R-N4 P-QR4 41 R-N6+ K-B2 42 KxP R-Q1+ 43 R-Q6 R-KB1 44 R-R6 R-B4+ 45 K-B4 RxKBP+ 46 K-N5 P-R5 47 R-R7+ K-N1 48 RxKRP PxP 49 PxP R-B3 50 P-B6 R-B6 51 P-N4 R-B5 52 K-R5 R-B5 53 P-N5 Resigns (0-48; 2-20)

24   Kolvinkin-Karpov
Ruy Lopez
1 P-K4 P-K4 2 N-KB3 N-QB3 3 B-N5 P-QR3 4 B-R4 N-B3 5 0-0 B-K2 6 Q-K2 P-QN4 7 B-N3 P-Q3 8 P-QR4 B-N5 9 P-B3 BxN 10 QxB 0-0 11 R-Q1 N-QR4 12 B-B2 P-B4 13 P-Q4 Q-B2 14 P-Q5 P-B5 15 N-Q2 KR-N1 16 PxP PxP 17 N-B1 N-Q2 18 N-K3 N-B4 19 N-B5 B-B1 20 Q-N3 K-R1 21 P-B4 P-B3 22 PxP BPxP 23 R-B1 N/4-N6 24 RxR RxR 25 BxN NxB 26 B-K3 R-R8 27 RxR NxR 28 Q-B2 Q-B2 29 P-KN4 N-N6 30 P-R4

P-N3 31 N-N3 QxQ+ 32 KxQ B-K2 33 P-R5 K-N2 34 PxP PxP 35 N-B1 B-R5+ 36 K-K2 K-B3 37 N-R2 B-N4 38 N-B3 N-B8+ 39 K-Q2 Drawn (1-15; 0-45)

25   Karpov-Karlin
Modern Defence
1 P-K4 P-KN3 2 P-Q4 B-N2 3 P-QB4 P-QB4 4 P-Q5 P-Q3 5 N-QB3 N-QR3 6 B-K3 N-B2 7 Q-Q2 P-QR3 8 B-Q3 B-Q2 9 KN-K2 P-QN4 10 0-0 R-N1 11 QR-N1 N-B3 12 B-R6 0-0 13 BxB KxB 14 P-B4 N/B3-K1 15 N-N3 P-K3 16 P-N3 KPxP 17 NxQP NxN 18 BPxN R-B1 19 B-B2 K-N1 20 P-K5 N-N2 21 R/N1-K1 R-K1 22 N-K4 PxP 23 PxP N-B4 24 N-B6+ K-N2 25 BxN BxB 26 RxB R-KR1 27 R-B3 P-B5 28 PxP PxP 29 Q-Q4 Q-R4 30 R/K1-KB1 Q-B4 31 QxQ RxQ 32 N-N4 R-KB1 33 N-B6 R/B1-B1 34 R-B3 R-R4 35 P-QR3 R/4-B4 36 K-B2 P-QR4 37 R-QN1 R/4-B2 38 K-K3 R-K2 39 K-Q4 Resigns (0-33; 2-00)

26   Aranov-Karpov
French Defence
1 P-K4 P-K3 2 P-Q4 P-Q4 3 N-QB3 PxP 4 NxP N-KB3 5 B-Q3 QN-Q2 6 N-K2 B-K2 7 0-0 NxN 8 BxN N-B3 9 B-B3 0-0 10 P-B4 P-B3 11 B-B4 B-Q3 12 B-N5 P-KR3 13 BxN QxB 14 N-B3 B-B2 15 N-K4 Q-K2 16 Q-N3 R-N1 17 QR-B1 R-Q1 18 KR-Q1 P-K4 19 P-Q5 PxP 20 PxP B-B4 21 N-N3 B-KN3 22 Q-B3 B-Q3 23 B-K4 BxB 24 NxB R-Q2 25 Q-R5 R-R1 26 R-B4 P-B4 27 N-B3R/R1-Q1 28 P-KR3 P-K5 29 N-N5 B-B4 30 N-B3 P-QN3 31 Q-R4 P-K6 32 PxP QxP+ 33 K-R1 R-K2 34 Q-B2 Q-N6 35 N-K2 Q-B7 36 N-N1 R/K2-Q2 37 Q-N3 RxP 38 R-B2 Q-K6 39 QxQ BxQ 40 RxR RxR 41 R-K2 P-B5 42 N-B3 P-KN4 43 P-KN3 K-B2 44

K-N2 K-B3 45 R-QB2 R-QB4 46
RxR PxR 47 PxP BxP 48 P-N3 K-B4
49 K-B2 K-K5 50 K-K2 P-KR4 51
N-K1 K-Q5 52 N-Q3 B-Q3 53 N-B2
B-N6 54 N-Q3 P-N5 55 PxP PxP 56
N-N2 B-B5 57 N-Q3 B-Q3 58 K-Q2
P-N6 59 P-R4 P-N7 60 N-K1

60 ... P-N8(N)! 61 N-B2+ K-Q4 62
K-Q3 N-B6 63 N-K3+ K-B3 64 K-B4
P-R4 65 N-B5 N-K4+ 66 K-B3 K-Q4
67 N-K3+ K-K5 68 N-B4 NxN 69
KxN B-B5 70 KxP B-Q7 71 P-N4
BxP+ 72 Resigns (2-50; 2-20)

Zlatoust 1962
27 Zyuliarkin-Karpov
Hungarian Defence
1 P-K4 P-K4 2 N-KB3 N-QB3 3
B-B4 B-K2 4 P-Q4 P-Q3 5 P-B3
N-B3 6 PxP NxP/K4 7 NxN PxN 8
Q-B2 0-0 9 B-KN5 P-B3 10 BxN BxB
11 N-Q2 Q-K2 12 0-0-0 P-QN4 13
B-K2 B-K3 14 K-N1 QR-N1 15
P-KN4 P-B4 16 P-KR4 Q-B2 17
P-N5 B-K2 18 P-QB4 P-QR3 19
K-R1 R-N3 20 N-B1 PxP 21 N-K3
R-K1 22 BxP BxB 23 NxB R-N5 24
R-Q5 P-B3 25 PxP BxP 26 P-R3
R/N5-N1 27 N-Q6 R/K1-Q1 28
Q-B4 K-B1 29 KR-Q1 Q-N3 30
R/Q5-Q2 RxN 31 P-N4 RxR 32 RxR
PxP 33 R-Q7 B-K2 34 P-R4 P-N6 35
K-N1 QxP 36 Resigns (1-23; 0-57)

Koyensk 1962
28 Makakov-Karpov
Ruy Lopez
1 P-K4 P-K4 2 N-KB3 N-QB3 3
B-N5 P-QR3 4 B-R4 N-B3 5 0-0
B-K2 6 R-K1 P-QN4 7 B-N3 P-Q3 8
N-B3 0-0 9 N-Q5 B-N5 10 P-KR3
B-R4 11 P-B3 N-QR4 12 NxN+ BxN
13 B-B2 P-B4 14 P-QN4 N-B3 15
P-N4 B-N3 16 B-N2 PxP 17 PxP NxP
18 B-N3 N-Q6 19 B-Q5 NxR 20 BxR
NxN+ 21 QxN QxB 22 P-Q3 R-B1
23 B-R3 Q-N1 24 B-N4 B-N4 25
Q-Q1 Q-N3 26 P-Q4 QxP 27 Q-K1
and White resigned

Zlatoust 1962
29 Karpov-Giskunov
Alekhine's Defence
1 P-K4 N-KB3 2 P-K5 N-Q4 3
P-QB4 N-N3 4 P-Q4 P-Q3 5 PxP
KPxP 6 N-QB3 N-B3 7 P-QR3 B-B4
8 B-K3 P-N3 9 B-Q3 Q-Q2 10
KN-K2 B-N2 11 0-0 0-0 12 P-QN3
QR-Q1 13 Q-B2 BxB 14 QxB N-K2
15 N-N3 P-QB3 16 KR-K1 P-Q4 17
P-B5 N/3-B1 18 R-K2 P-B4 19 B-B4
K-B2 20 QR-K1 KR-K1 21 B-K5
N-N1 22 N-B1 N-B3 23 N-Q2 N-K5
24 BxB KxB 25 N-B3 R-K2 26
P-QN4 R/1-K1 27 N-K5 Q-Q1 28
P-B3 NxN 29 QxN R-K3 30 P-N3
Q-B2 31 Q-Q2 N-K2 32 N-Q3 RxR
33 QxR P-KR4 34 Q-K6 P-R5 35
Q-Q6 Resigns (1-10; 1-55)

Zlatoust 1963
30 Korotayev-Karpov
Queen's Gambit Declined
1 P-Q4 N-KB3 2 P-QB4 P-K3 3
N-QB3 P-Q4 4 P-K3 P-QN3 5 N-B3
B-N2 6 PxP PxP 7 B-Q3 B-Q3 8 0-0
0-0 9 N-QN5 R-K1 10 NxB QxN 11
N-K5 QN-Q2 12 P-B4 N-K5 13 R-B3
P-KB3 14 N-N4 P-QB4 15 R-R3
N-B1 16 N-B2 P-B4 17 P-QN3 PxP
18 PxP QR-B1 19 P-R4 Q-KB3 20

B-N5 R-K2 21 B-N2 R/2-QB2 22
B-Q3 N-K3 23 Q-R5 P-N3 24 Q-R6
NxQP 25 N-Q1 N-B4 26 B-B2
N/4-K3 27 B-Q3 Q-B1 28 Q-R4
NxNP 29 R-N1 N-Q7 30 R-B1 Q-B2
31 R-R1 N-K5 32 R-N1 N/3-B4 33
B-KB1 B-R3 34 B-K5 R-Q2 35 BxB
NxB 36 N-B2 N/3-B4 37 N-Q1 NxP
38 R-R3 N/R5-B4 39 Q-K1 P-Q5 40
R/1-R1 N-N6 41 R/1-R2 R-B8 42
R-N2 N-B6 43 Resigns (2-07; 1-23)

31   Zyuliarkin-Karpov
Queen's Gambit Declined
1 P-Q4 N-KB3 2 P-QB4 P-K3 3
N-QB3 P-Q4 4 B-N5 QN-Q2 5 P-K3
B-K2 6 N-B3 0-0 7 Q-B2 P-QN3 8
PxP PxP 9 B-N5 B-N2 10 Q-B5 P-B3
11 B-Q3 P-KR3 12 B-KB4 B-B1 13
B-N1 B-N5 14 Q-B2 N-K5 15 0-0
BxN 16 PxB B-R3 17 R-K1 P-KB4
18 N-K5 NxN 19 BxN Q-R5 20
R-QB1 R-B2 21 P-R4 B-B5 22 P-B3
N-N4 23 Q-B2 QxQ+ 24 KxQ N-K3
25 B-R2 BxB 26 RxB P-B4 27 P-QB4
BPxP 28 BPxP N-B4 29 R-Q1 PxP+
30 KxP R-K2 31 P-B4 R-Q1 32 K-B3
R/2-Q2 33 P-Q6 N-N2 34 P-N4
PxP+ 35 KxP K-B2 36 P-B5 R-QB1
37 R-Q4 R-B4 38 K-B4 N-R4 39
R-KN2 RxB 40 KxR N-B3+ 41
K-Q5 NxR 42 KxN RxP+ 43 K-K5
R-QB3 44 R-Q2 R-B4+ 45 R-Q5
RxR+ 46 KxR P-R3 47 K-B6 P-QN4
48 PxP PxP 49 KxP K-B3 50 K-B4
KxP 51 K-Q3 K-N5 52 Resigns (2-10;
1-10)

32   Kalashnikov-Karpov
Ponziani
1 P-K4 P-K4 2 N-KB3 N-QB3 3 P-B3
B-K2 4 P-Q4 P-Q3 5 B-QN5 PxP 6
PxP B-Q2 7 N-B3 N-B3 8 0-0 P-QR3
9 B-R4 0-0 10 R-K1 B-N5 11 B-K3
P-Q4 12 P-K5 N-K5 13 P-QR3
B-KB4 14 R-QB1 N-R4 15 NxN BxN
16 N-Q2 P-QN4 17 NxB PxB 18 QxP
N-B5 19 RxN PxR 20 QxBP Q-N1 21

P-QN4 Q-N2 22 P-Q5 KR-Q1 23
R-Q1 P-QR4 24 N-B5 Q-B1 25 P-N5
Q-B4 26 B-Q4 BxN 27 QxB Q-K5 28
B-B3 QR-N1 29 P-B3 Q-K7 30 Q-Q4
RxNP 31 P-K6 P-KB3 32 R-K1 Q-R7
33 P-K7 R-K1 34 Q-KN4 QxQP 35
BxBP Q-B2 36 BxP P-R4 37 Q-Q7
R Q4 38 Q-R3 QxB 39 Q-K6+ Q-B2
40 Q-QB6 R-KN4 41 P-KR4 R-N2 42
R-K6 RxKP 43 Resigns

Vladimir 1964
(RSFSR Junior Championship)
33   Karpov-Fedin
Sicilian Defence
1 P-K4 P-QB4 2 N-QB3 N-QB3 3
P-KN3 P-KN3 4 B-N2 B-N2 5
KN-K2 P-Q3 6 0-0 P-K4 7 P-Q3
KN-K2 8 P-B4 0-0 9 P-KR3 P-B4 10
B-K3 N-Q5 11 Q-Q2 Q-B2 12 N-Q1
B-Q2 13 P-B3 N-K3 14 N-B2 QR-N1
15 QR-B1 B-QB3 16 P-QN4 P-N3 17
P-B4 N-Q5 18 BxN KPxB 19 P-N5
B-N2 20 P-N4 R-B2 21 P-QR4
R/1-KB1 22 R-B2 K-R1 23 R-R2
N-N1 24 P-N5 R-K1 25 P-R5 R/2-K2
26 N-N3 P-Q4 27 RPxP RPxP 28
PxBP R-K6

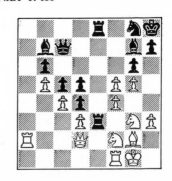

29 N/2-R1 QPxP 30 QPxP PxP 31
R-R7 R-N1 32 NxP R-K3 33 B-Q5
R-N3 34 N/R1-N3 Q-B1 35 B-B7
R-R1 36 RxR BxR 37 K-R2 Q-N2 38
BxR PxB 39 N-R4 K-R2 40 P-B5
PxP 41 Q-K2 N-K2 42 Q-R5+ K-N1

43 Q-K8+ K-R2 44 P-N6+ K-R3 45
QxN P-B5 46 N/3-B5+ Resigns
(1-15; 1-25)

34 Karpov-Petrov
French Defence
1 P-K4 P-K3 2 P-Q4 P-Q4 3 PxP
PxP 4 P-QB3 B-Q3 5 B-Q3 P-QB3 6
N-B3 N-K2 7 0-0 B-KN5 8 QN-Q2
Q-B1 9 R-K1 0-0 10 N-B1 N-N3 11
N-N3 N-Q2 12 P-KR3 BxN 13 QxB
Q-B2 14 N-B5 KR-K1 15 B-KN5
P-B3 16 NxB QxN 17 B-Q2 N/2-B1
18 Q-N4 Q-Q2 19 B-B5 Q-Q3 20
P-KR4 N-K2 21 B-Q3 P-KB4 22 BxP
NxB 23 QxN Q-N3 24 QxQ NxQ 25
P-KN3 K-B2 26 K-N2 P-KR4 27
B-N5 P-R4 28 K-B3 P-R5 29 P-KN4
PxP+ 30 KxP N-B1 31 P-KB4 N-R2
32 K-B5 P-KN3+ 33 K-N4 R-K5 34
K-B3 QR-K1 35 RxR RxR 36 R-R1
NxB+ 37 RPxN K-N2 38 P-N3 P-R6
39 P-N4 P-N4 40 R-QN1 R-K1 41
R-N3 R-QR1 42 K-N4 K-B2 43 P-B5
PxP+ 44 KxP K-N2 45 K-K5 K-N3
46 K-Q6 Resigns (0-55; 2-20)

35 Karpov-Simanov
Sicilian Defence
1 P-K4 P-QB4 2 N-QB3 N-QB3 3
P-KN3 P-KN3 4 B-N2 B-N2 5
KN-K2 P-K3 6 P-Q3 P-Q3 7 B-K3
N-Q5 8 0-0 N-K2 9 P-B4 0-0 10 R-N1
N/K2-B3 11 P-KR3 R-N1 12 K-R2
P-QN4 13 Q-Q2 Q-R4 14 P-R3 P-N5
15 PxP QxP 16 P-N3 B-Q2 17 Q-B1
NxN 18 NxN N-Q5 19 NxN PxN 20
B-Q2 Q-B4 21 R-QR1 B-N4 22 R-R2
KR-B1 23 Q-K1 P-QR3 24 Q-K2
P-B4 25 Q-K1 R-K1 26 R-B2 P-K4
27 PxKP BxKP 28 B-B4 PxP 29 QxP
Q-B2 30 Q-Q5+ K-N2 31 R-R1
R-KB1 32 R/1-KB1 Q-K2 33 R-K1
R/N1-K1 34 BxB+ PxB 35 R/B2-K2
R-KB4 36 P-KN4 R-N4 37 R-K4
P-KR4 38 RxQP PxP 39 PxP Q-B3
40 R/Q4-K4 B-B3 41 Q-B5 BxR 42

RxB Q-K3 43 K-N3 K-R3 44 Q-K3
R-KB1 45 P-N4 Q-KB3 46 P-B4
Q-K3 47 P-B5 Q-Q2 48 B-B3 P-R4
49 PxP Q-K2 50 P-B6 R-QR1 51
Q-K1 Q-B3 52 P-B7 R-KB1 53 Q-K3
R-B1 54 R-QB4 Q-Q3 55 R-B6 Q-Q2
56 K-R4 Q-K2 57 B-K4 K-N2 58
K-N3 R-KR1 59 P-B8(Q) Resigns
(2-00; 3-15)

36 Sazontsev-Karpov
Queen's Gambit Declined
1 P-Q4 N-KB3 2 N-KB3 P-K3 3
B-N5 P-Q4 4 P-B4 B-K2 5 N-B3 0-0
6 P-K3 QN-Q2 7 B-Q3 R-K1 8 0-0
N-B1 9 N-K5 P-B3 10 P-B4 N/B3-Q2
11 BxB QxB 12 R-B3 P-B3 13 N-N4
N-QN3 14 P-QB5 N/N3-Q2 15 R-N3
K-R1 16 N-B2 P-K4 17 Q-R5 P-K5
18 B-K2 P-KN3 19 Q-R6 P-N3 20
P-N4 P-R4 21 P-N5 B-N2 22 PxNP
NxP 23 PxP BxP 24 P-KR4 R/K1-B1
25 P-R5 Q-KN2 26 QxQ+ KxQ 27
PxP PxP 28 R-N1 QR-N1 29 B-R6
R-B2 30 N/B2-Q1 N/B1-Q2 31 R-R3
B-R5 32 R-R2 BxN 33 NxB N-R5
34 R-QR1 N-B6 35 P-N3 NxN 36
RxN R-B6 37 R-K1 P-R5 38 R-Q2
R-N3 39 B-B1 K-B2 40 R/K1-K2
P-R6 41 K-B2 R-N5 42 P-N4 N-N3
43 R-B2 RxR 44 RxR R-N7 45 K-R2
N-R5 46 K-K1 N-B6 47 R-Q2 NxP 48
Resigns (1-30; 0-40)

Moscow 1964
(Clock Exhibition)
37 Karpov-Botvinnik
Caro Kann defence
1 P-K4 P-QB3 2 P-Q4 P-Q4 3 N-QB3
P-KN3 4 N-B3 B-N2 5 B-KB4 B-N5 6
PxP PxP 7 N-QN5 K-B1 8 P-KR3
BxN 9 QxB N-QB3 10 P-B3 N-B3 11
B-Q3 P-QR3 12 N-R3 Q-N3 13 Q-K2
N-KR4 14 B-K3 Q-B2 15 0-0 N-B5
16 Q-Q2 NxB 17 QxN P-KR4 18
N-B2 B-B3 19 P-KB4 P-K3 20 N-K1
P-R5 21 N-B3 N-K2 22 N-K5 N-B4

23 B-B1 K-N2 24 R-B2 B-K2 25
Q-B3 P-QN4 26 B-Q2 P-N5 27 R-K2
P-R4 28 QR-K1 R-QR3 29 Q-Q3
Q-N2 30 R-QB1 R-QB1 31 B-K1
P-R5 32 P-B4 NxP 33 R-Q2 N-B4 34
R/2-QB2 N-K6 35 R-K2 PxP 36
NxQBP NxN 37 RxN R-Q3 38 Q-K4
RxR?? 39 QxQ B-B3 40 BxNP??
B-Q5+ 41 K-R2 R-N3 42 Q-K7
R/B5xB 43 Drawn (1-27; 1-27)

Vladimir 1965
(Clock Exhibition)
38   Karpov-Spassky
         Caro Kann Defence
1 P-K4 P-QB3 2 P-Q4 P-Q4 3 N-QB3
PxP 4 NxP N-Q2 5 KN-B3 KN-B3 6
NxN+ NxN 7 B-Q3 B-N5 8 P-B3
P-K3 9 P-KR3 B-R4 10 Q-K2 B-Q3
11 B-N5 Q-B2 12 0-0-0 B-B5+ 13
BxB QxB+ 14 Q-K3 N-Q4 15 QxQ
NxQ 16 P-KN4 B-N3 17 N-K5 BxB
18 NxB NxN+ 19 RxN R-Q1 20
K-Q2 K-K2 21 P-KB4 P-KR4 22
P-N5 R-Q4 23 K-K3 KR-Q1 24
P-KR4 P-QB4 25 KR-Q1 P-B5 26
R/Q3-Q2 R-N4 27 R-QN1 R-Q3 28
P-N3 R/Q3-N3 29 R/Q2-N2 P-R4 30
K-Q2 P-R5 31 P-N4 P-B3 32 K-K3
Drawn (0-38; 1-45)

Tula 1965
39   Khaliok-Karpov
         Ruy Lopez
1 P-K4 P-K4 2 N-KB3 N-QB3 3
B-N5 P-QR3 4 B-R4 N-B3 5 0-0
B-K2 6 R-K1 P-QN4 7 B-N3 P-Q3 8
P-B3 0-0 9 P-KR3 N-QR4 10 P-QR4
NxB 11 QxN B-K3 12 Q-Q1 P-B4 13
PxP PxP 14 RxR QxR 15 P-Q3 P-B5
16 B-N5 R-Q1 17 BxN BxB 18 P-Q4
P-Q4 19 Q-B2 QPxP 20 QxP B-Q4
21 Q-K3 BxN 22 PxP R-Q6 23 Q-B4
B-K2 24 PxB RxKBP 25 Q-N4 B-B4
26 R-KB1 P-R4 27 Q-N2 P-R5 28
K-R1 RxP+ 29 Resigns

40   Karpov-Orekhov
         French Defence
1 P-K4 P-K3 2 P-Q4 P-Q4 3 N-Q2
N-KB3 4 P-K5 KN-Q2 5 B-Q3
P-QB4 6 P-QB3 N-QB3 7 N-K2 P-B3
8 KPxP NxBP 9 N-B3 B-Q3 10 0-0
0-0 11 N-N3 Q-B2 12 B-KN5 B-Q2
13 Q-N1 P-KR3 14 BxN RxB 15
N-R5 R-B2 16 B-N6 R-K2 17 N-R4
B-K1 18 P-KB4 PxP 19 K-R1 PxP 20
PxP Q-Q2 21 Q-Q3 B-KB2 22 R-B3
P-K4 23 R-N3 BxB 24 QxB R-KB1
25 P-B5 P-K5 26 P-B6 R/2-B2 27
N-B5 RxP 28 NxR+ RxN 29 QxNP+
QxQ 30 RxQ+ K-R1 31 R-Q7 RxN
32 RxB P-K6 33 R-K6 N-K4 34
K-N1 K-N2 35 R-K1 K-B2 36 RxRP
N-B5 37 R-R3 R-K4 38 R-B3+ K-K3
39 K-R1 R-K5 40 P-KR3 K-K4 41
P-N4 P-Q5 42 R-B5+ K-K3 43 PxP
RxQP 44 R-B8 P-N4 45 P-N5 R-Q2
46 K-N2 P-R4 47 P-KR4 P-N5 48
P-N6 P-R5 49 P-R5 R-Q4 50 P-R6
R-KN4+ 51 K-B1 RxP 52 P-R7
R-R3 53 P-R8(Q) RxQ 54 RxR P-N6
55 PxP PxP 56 K-K2 P-N7 57
R-K8+ K-Q4 58 RxP NxR 59 KxN
K-B5 60 K-Q2 K-N6 61 R-QN1
K-R7 62 K-B2 Resigns

41   Karpov-Poliakov
         Ruy Lopez
1 P-K4 P-K4 2 N-KB3 N-QB3 3
B-N5 P-QR3 4 B-R4 P-QN4 5 B-N3
B-N2 6 0-0 B-B4 7 P-B3 N-R4 8 NxP
NxB 9 PxN Q-K2 10 N-B3 N-B3 11
P-Q4 B-N3 12 B-N5 BxKP 13 R-K1
0-0 14 N/B3-Q2 P-Q4 15 P-B3 BxBP
16 NxB Q-Q3 17 BxN QxB 18 P-QN4
Q-B5 19 Q-K2 P-R3 20 Q-K5 QxQ
21 NxQ KR-K1 22 N-Q2 P-QR4 23
PxP RxP 24 RxR BxR 25 P-QN4
B-N3 26 N/Q2-B3 R-R1 27 N-B6
R-R6 28 N-K7+ K-B1 29 NxP B-R2
30 NxP RxP 31 R-K8 Mate

42 Drizhgal-Karpov
Grunfeld Defence
1 P-Q4 N-KB3 2 P-QB4 P-KN3 3
N-QB3 B-N2 4 N-B3 0-0 5 P-K3
P-Q4 6 PxP NxP 7 NxN QxN 8 Q-B2
N-B3 9 B-B4 Q-Q3 10 0-0 B-N5 11
B-K2 N-N5 12 Q-Q2 P-QB4 13
P-QR3 N-B3 14 PxP QxBP 15 P-N4
Q-N3 16 B-N2 KR-Q1 17 Q-B2 B-B4
18 Q-N3 N-R4 19 Q-R2 B-K3 20
Q-N1 BxB 21 QxB N-B5 22 BxN BxB
23 KR-Q1 B-Q4 24 N-Q4 Q-KB3 25
Q-K2 P-K4 26 N-B3 P-QR3 27
QR-B1 P-QN4 28 R-Q2 B-B5 29
RxR+ RxR 30 Q-N2 Q-Q3 31 P-R3
P-B3 32 P-QR4 K-N2 33 PxP PxP 34
R-R1 R-Q2 35 R-QB1 Q-Q6 36 K-R2
R-R2 37 R-QR1 R-Q2 38 R-R3 Q-Q3
39 K-N1 P-R4 40 R-R1 Q-Q6 41
K-R2 P-N4 42 R-QB1 K-R3 43 R-B3
Q-Q3 44 K-N1 P-N5 45 PxP PxP 46
N-K1 K-N4 47 R-B1 P-B4 48 P-N3
Q-Q4 49 N-N2 Q-K5 50 Q-B2 QxQ
51 RxQ R-Q8+ 52 K-R2 R-QN8 53
R-Q2 RxP 54 N-K1 R-N8 55 N-N2
P-N5 56 N-R4 P-N6 57 N-N2 P-N7 58
Resigns

Moscow 1966
(USSR Schoolboys' Championship)
43 Karpov-Neponiliatsin
Ruy Lopez
1 P-K4 P-K4 2 N-KB3 N-QB3 3
B-N5 P-QR3 4 B-R4 N-B3 5 0-0
P-Q3 6 P-Q3 P-QN4 7 B-N3 N-QR4
8 N-B3 NxB 9 RPxN B-N2 10 N-K2
N-Q2 11 N-N3 P-N3 12 B-N5 P-KB3
13 B-Q2 B-N2 14 Q-B1 0-0 15 B-R6
P-Q4 16 BxB KxB 17 P-N4 P-QB4 18
NPxP NxP 19 Q-K3 P-Q5 20 Q-Q2
R-B1 21 N-K2 Q-N3 22 QR-Q1 P-N5
23 K-R1 P-N6 24 P-B3 PxP 25
NxP/B3 R-KB2 26 Q-K3 N-Q2 27
P-Q4 PxP 28 NxP K-N1 29 N-Q5?
BxN 30 PxB N-K4 31 P-Q6? R-Q2 32
P-B4 N-B2 33 P-B5 RxP 34 PxP PxP
35 QxP QxQ 36 Drawn

44 Shakarov-Karpov
Queen's Gambit Declined
1 P-Q4 N-KB3 2 P-QB4 P-K3 3
N-QB3 P-Q4 4 PxP PxP 5 B-N5 P-B3
6 P-K3 B-KB4? 7 Q-B3 B-N3 8 BxN
QxB 9 QxQ PxQ 10 KN-K2 B-Q3 11
P-KN3 N-Q2 12 N-B4 B-KB4 13
B-K2 0-0-0 14 B-R5 B-K3 15 0-0-0
N-N3 16 N/B3-K2 K-N1 17 K-N1
N-B1 18 R-QB1 N-K2 19 P-QR3
P-N3 20 KR-Q1 K-N2 21 B-B3 N-B1
22 K-R1 Drawn

45 Karpov-Tsikhelashvili
Sicilian Defence
1 P-K4 P-QB4 2 N-QB3 N-QB3 3
P-KN3 P-KN3 4 B-N2 B-N2 5
KN-K2 P-Q3 6 0-0 P-K4 7 P-B4
KN-K2 8 P-Q3 B-K3 9 B-K3 0-0 10
Q-Q2 N-Q5 11 N-Q1 Q-Q2 12 P-B3
NxN+ 13 QxN QR-B1 14 N-B2 P-Q4
15 B-Q2 P-Q5 16 P-B4 P-QN4 17
P-N3 NPxP 18 NPxP R-N1 19
KR-N1 N-B3 20 Q-Q1 P-QR4 21
P-QR3 Q-R2 22 P-B5 B-Q2 23 P-N4
N-K2 24 P-KR4 P-R5 25 Q-B3 P-B3
26 B-R3 R-N6 27 R-KB1 Q-N2 28
K-R1 P-R3 29 PxP P-B4 30 NPxP

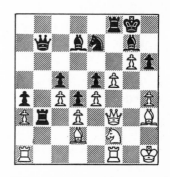

30 ... BxP 31 BxB RxB 32 Q-N2
R-R4? 33 Q-N4 N-B4 34 K-N1 R-N7
35 PxN RxB 36 QxR P-K5 37 PxP
Q-QB2 38 Q-B3 P-Q6 39 QR-Q1
Resigns

46   Samagov-Karpov
              Caro Kann Defence
1 P-K4 P-QB3 2 P-Q4 P-Q4 3 N-QB3
PxP 4 NxP N-B3 5 NxN+ KPxN 6
P-KN3 B-Q3 7 B-N2 0-0 8 N-B3
Q-R4+ 9 P-B3 R-K1+ 10 B-K3
Q-R4? 11 N-Q2 B-KN5 12 Q-N3
P-QN3 13 0-0 B-KR6 14 B-B3
Q-KB4 15 KR-B1 Q-B1 16 N-K4
B-B2 17 P-QB4 N-Q2 18 Q-R4 N-N1
19 N-B3 B-Q3 20 P-QN4 Q-B4 21
B-K2 R-QB1 22 P-B5 B-B2 23 P-N5
NPxP 24 QPxP PxP 25 NxP Q-Q4 26
B-B1 BxB 27 KxB B-K4 28 N-Q6
R-B1 29 R-Q1 Q-K3 30 QR-B1 N-Q2
31 N-N7 N-N1 32 P-B6 P-N4 33 B-B5
R-B1 34 B-Q6 P-QR4 35 BxB PxB 36
P-B7 N-R3 37 R-Q8+ K-N2 38 Q-R3
N-N5 39 Q-QB3 P-R3 40 Q-B5 N-R3
41 Q-B8+ K-N3 42 Q-N8+ K-R4 43
Q-B8 NxP 44 RxN RxR/B2 45 RxR
R-B8+ 46 Resigns

47   Karpov-Lilein
              Sicilian Defence
              Notes by Karpov
**1 P-K4 P-QB4 2 N-QB3 N-QB3 3
P-KN3 P-KN3 4 B-N2 B-N2 5
KN-K2 P-Q3 6 0-0 P-K3 7 P-B4
KN-K2 8 P-Q3 R-N1 9 B-K3 N-Q5
10 Q-Q2 P-QN4 11 P-KN4 P-N5?!**
Black should castle. **12 N-Q1 Q-R4
13 N-N3 Q-R5?!** Castling is still best.
14 P-B3 Weak is 14 R-B2? P-N6 15
BPxP (or 15 P-B3 N-B7) 15...NxP 16
Q-B2 B-Q2 with a very good game
for Black. **14...PxP 15 PxP N-B7 16
R-B1 NxB 17 NxN P-B4?! 18
P-KR3?** 18 NPxP NxP 19 PxP PxP
20 N-R5 is clearly good for White.
18...0-0 19 NPxP?! Weak. White
should try 19 KPxP KPxP 20 N-Q5
when Black is better but not so much
as in the game. **19...KPxP 20 PxP
NxP 21 N/N3xN BxN 22 NxB?!** 22
N-Q5 gives White more counterplay.
22...RxN 23 B-K4 R-R4 24 K-R2

R-KB1 **25 R-KB2 Q-Q2 26 B-N2
B-R3 27 P-B4 R/4-B4 28 R/1-B1
Q-K2 29 B-Q5+ K-R1 30 Q-N2+
B-N2 31 Q-K2 Q-R5 32 Q-N4 QxQ?**
After 32...Q-K2 33 Q-K2 Q-Q1
Black's strong dark squares give him
a clear plus. **33 PxQ RxP 34 RxR
B-K4 35 K-N2 BxR 36 R-QN1
Drawn**

48   Karpov-Diditsko
              Centre Counter
1 P-K4 P-Q4 2 PxP N-KB3 3 P-Q4
NxP 4 P-QB4 N-N3 5 N-QB3 P-K4 6
N-B3 PxP 7 QxP N-B3 8 QxQ+ NxQ
9 N-Q4 N-B3 10 N-B2 P-N3 11
P-QN3 B-N2 12 B-N2 B-Q2 13 0-0-0
0-0-0 14 N-Q5 BxB+ 15 KxB NxN 16
PxN N-K4 17 B-B4? N-N5 18 P-B3??
N-B7 19 P-Q6 NxR+ 20 RxN B-K3
21 Resigns

49   Timoshenko-Karpov
              Ruy Lopez
1 P-K4 P-K4 2 N-KB3 N-QB3 3
B-N5 P-QR3 4 B-R4 N-B3 5 0-0
B-K2 6 R-K1 P-QN4 7 B-N3 P-Q3 8
P-B3 0-0 9 P-Q4 B-N5 10 B-K3
N-QR4 11 B-B2 N-B5 12 B-B1 PxP
13 PxP P-B4 14 QN-Q2 NxN 15 QxN
BxN 16 PxB Q-N3 17 PxP PxP 18
K-R1 KR-Q1 19 Q-K2 P-B5 20
R-KN1 N-Q2 21 R-N4 N-K4 22 B-K3
B-B4 23 QR-KN1 P-N3 24 P-B4
N-Q6 25 P-K5 QR-B1 26 P-KR4
Q-N2 27 BxB RxB 28 Q-K3 Q-Q4 29
P-N4 R-B3 30 P-R5 Q-Q5 31 Q-B3
R-N3 32 P-B5 NxKP 33 Q-KR3
R/Q1-Q3 34 R-R2 Q-Q4+ 35
R/N1-N2 N-B6 36 R-N4 NxR+ 37
KxN Q-Q7 38 RPxP RPxP 39 PxP
PxP 40 R-K4 QxBP+ 41 K-R1 Q-B2
42 R-R4 Q-B3 43 R-N4 Q-R1 44
R-R4 Q-R8+ 45 K-N2 R-Q7+ 46
Resigns

50 Karpov-Sazontsev
Queen's Pawn

1 P-Q4 N-KB3 2 P-KN3 P-Q4 3
B-N2 P-B3 4 N-KB3 B-N5 5 0-0
QN-Q2 6 QN-Q2 P-K3 7 P-B3 B-Q3
8 Q-B2 0-0 9 P-K4 PxP 10 NxP NxN
11 QxN N-B3 12 Q-B2 Q-R4 13
R-K1 B-KB4 14 Q-K2 Q-B2 15 N-K5
N-Q4 16 P-QR3 QR-Q1 17 P-QB4
N-K2 18 N-B3 Q-R4 19 B-K3 B-N1
20 QR-B1 B-N5 21 P-R3 BxN 22
BxB N-B4 23 R/K1-Q1 NxB 24 QxN
R-Q3 25 P-QN4 Q-KB4 26 K-N2
R/B1-Q1 27 R-B3 P-QR3 28 P-QR4
B-R2 29 P-B5 R/Q3-Q2 30 P-N5
RPxP 31 PxP PxP 32 R-R3 B-N1 33
R-N3 Q-B3 34 RxP RxP 35
R/Q1-QN1 R-Q6 36 Q-K2 R-Q7 37
Q-K4 R/Q1-Q5 38 Q-K1 R/Q5-Q6
39 B-K2 Q-N4 40 P-B6 RxP+ 41
PxR RxB+ 42 QxR QxP+ 43 K-B1
Resigns

51 Kudishchevitch-Karpov
Queen's Gambit Declined

1 P-Q4 N-KB3 2 P-QB4 P-K3 3
N-QB3 P-Q4 4 PxP PxP 5 B-N5 P-B3
6 P-K3 B-K2 7 R-B1 B-KB4 8 B-Q3
N-K5 9 BxB QxB 10 KN-K2 0-0 11
0-0 N-Q2 12 R-K1 KR-K1 13 B-N1
N/Q2-B3 14 P-B3 NxN 15 NxN BxB
16 RxB P-B4 17 PxP QxBP 18 Q-Q4
QxQ 19 PxQ K-B1 20 K-B2
R/K1-Q1 21 R-K5 R-Q2 22 P-KN4
P-KR3 23 P-KR4 N-K1 24 R/N1-K1
N-B2 25 K-N3 R-K1 26 RxR+ NxR
27 P-B4 N-B2 28 P-B5 R-K2 29 RxR
KxR 30 K-B4 P-B3 31 K-K3 K-Q3
32 K-Q3 K-B3 33 N-K2 K-Q3 34
K-K3 K-B3 35 N-B4 K-Q3 36 K-Q3
K-B3 37 N-R5 N-K1 38 K-K3 K-Q3
39 K-B4 K-K2 40 P-N5 RPxP+ 41
PxP K-B2 42 K-N4 K-K2 43 N-B4
N-B2 44 K-R5 K-B2 45 P-R4 P-R4
46 K-N4 K-K2 47 PxP+ KxP 48
N-R5+ K-B2 49 K-B4 P-KN3 50
Drawn

Leningrad 1966
(Tournament of Masters and Candidate Masters — Scheveningen system)

	Chistiakov	Alexeev	Noakh	Ravinsky	I. Zaitsev	
Karpov	½11	½½½	11½	1½½	½½½	10

52 Karpov-Chistiakov
Sicilian Defence

1 P-K4 P-QB4 2 N-QB3 N-QB3 3
P-KN3 P-KN3 4 B-N2 B-N2 5 P-Q3
P-KR4 6 P-KR3 P-Q3 7 B-K3 B-Q2
8 Q-Q2 P-R3 9 KN-K2 N-Q5 10
N-Q1 Q-B2 11 N-B4 P-K3 12 P-QB3
N-K2 13 PxN PxP 14 NxKP? PxN 15
B-N5 R-QB1 16 0-0 N-B3 17 P-B4
N-Q1 18 P-B5 KPxP 19 PxP BxP 20
R-B1 QxR 21 Q-K2+ B-K4 22 BxQ
RxB 23 N-B2 RxR+ 24 KxR 0-0 25
B-Q5+ K-N2 26 K-N2 N-K3 27
P-KR4 R-B2 28 P-QN4 P-QN4 29

B-K4? K-R3 30 BxB? PxB 31
Q-Q2+ K-N3 32 K-B3 R-KN2 33
Q-B2 K-B3 34 N-R1 R-QB2 35 Q-Q2
K-N3 36 N-B2 R-KN2 37 N-R3 K-R2
38 N-N5+ NxN 39 PxN K-N3? 40
Q-B1 R-KB2 41 Q-B8 KxP 42
Q-KN8+ R-N2 43 Q-Q8+ K-N3 44
Q-K8+ K-B3 45 Q-KB8+ Drawn

53 Alexeev-Karpov
Torre-Attack

1 P-Q4 N-KB3 2 N-KB3 P-K3 3
B-N5 P-Q4 4 QN-Q2 B-K2 5 P-K3

P-QN3 6 N-K5 B-N2 7 B-Q3 KN-Q2
8 BxB QxB 9 Q-N4 P-N3 10 P-KB4
P-KB4 11 Q-R3 NxN 12 BPxN N-Q2
13 P-B3 0-0-0 14 Q-B3 P-KN4 15
P-QR4 P-B4 16 P-R5 P-B5 17 B-B2
K-B2 18 P-QN3 P-N4 19 P-R6 B-B3
20 PxP NPxP 21 B-R4 BxB 22 RxB
R-QN1 23 0-0 R-N3 24 Drawn

54   Karpov-Noakh
Petroff Defence
1 P-K4 P-K4 2 N-KB3 N-KB3 3
P-Q4 NxP 4 PxP P-Q4 5 PxPep BxP
6 B-K2 0-0 7 QN-Q2 B-KB4 8 0-0
N-QB3 9 NxN BxN 10 N-N5 B-N3 11
B-Q3 Q-B3 12 BxB QxB 13 P-QB3
QR-Q1 14 Q-N3 P-N3 15 N-B3
KR-K1 16 B-N5 N-R4 17 Q-N5
P-KB3 18 B-R4 Q-B2 19 KR-Q1
Q-B5 20 QxQ NxQ 21 P-QN3 N-K4
22 N-Q4 P-QR3 23 B-N3 P-N3 24
K-B1 K-B2 25 R-Q2 P-QB4 26 N-K2
B-B2 27 QR-Q1 RxR 28 RxR P-KN4
29 P-KB4 N-N3 30 R-Q7+ R-K2 31
RxR+ KxR 32 PxP BxB 33 PxP+
KxP 34 PxB K-K4 35 N-N1 K-K5 36
K-K2 N-K2 37 N-R3 N-Q4 38
N-B2+ K-B4 39 K-Q3 P-KR4 40
P-R4 P-N4? 41 PxP PxP 42 P-B4
PxP+ 43 KxP N-K6+ 44 KxP K-K3
45 P-QN4 K-Q2 46 N-K4 Resigns

55   Ravinsky-Karpov
Ruy Lopez
1 P-K4 P-K4 2 N-KB3 N-QB3 3
B-N5 P-QR3 4 B-R4 N-B3 5 0-0
B-K2 6 Q-K2 P-QN4 7 B-N3 P-Q3 8
P-B3 0-0 9 R-Q1 N-QR4 10 B-B2
P-B4 11 P-Q4 Q-B2 12 P-KR3 R-K1
13 PxKP PxP 14 QN-Q2 R-Q1 15
N-B1 RxR 16 QxR P-B5 17 B-N5
Better is 17 N-K3. **17...B-K3 18**
Q-K2 N-N2 19 N-N3 P-N3 Now
White's knight on N3 has no
attacking prospects. **20 R-Q1 R-Q1**
21 RxR+ BxR 22 Q-K3 N-Q2 23
BxB NxB 24 Q-R6 P-B3 25 Q-K3
P-QR4 26 P-KR4 P-N5 27 P-R5

K-N2 28 B-Q1 N-B2 29 RPxP RPxP
30 N-Q2 N-B4

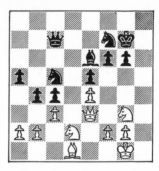

31 P-N3 White wants to undermine
Black's QBP so as to prevent the
knight coming in at Q6. If 31 B-B2
then 31...P-N6. **31...BPxP 32 RPxP**
Q-N3 33 N/3-B1 N-Q3 Threatening
34...PxP 35 QxP N/4xKP. **34 P-QB4**
If 34 PxP QxP . **34...Q-B3 35 B-B2**
P-R5 36 PxP BxP 37 N-KN3 B-B2 38
P-R5 Q-N4 39 P-B4 The only chance
— an attack on the Black king. **39...**
QxP 40 PxP Q-R8+ 41 K-B2 QxP 42
N-B3 Q-N7! 43 QxN P-N6 44 N-Q4
PxB 45 Resigns If 45 NxP N-B5.

56   Karpov-I.Zaitsev
Sicilian Defence
1 P-K4 P-QB4 2 N-QB3 N-QB3 3
P-KN3 P-KN3 4 B-N2 B-N2 5 P-Q3
P-K3 6 B-K3 P-Q3 7 Q-Q2 Q-R4 8
P-B3 KN-K2 9 R-N1 N-Q5 10 P-QR3
0-0 11 KN-K2 N/K2-B3 12 0-0
NxN+ 13 NxN QxQ 14 BxQ P-QN4
15 P-B3 P-B5 16 P-Q4 B-N2 17 P-B4
KR-K1 18 P-KN4 N-K2 19 N-N3
P-B4 20 NPxP KPxP 21 P-N3 PxNP
22 RxP PxP 23 NxP Drawn

57   Chistiakov-Karpov
Queen's Gambit Declined
1 P-Q4 N-KB3 2 P-QB4 P-K3 3
N-QB3 P-Q4 4 B-N5 B-K2 5 BxN
BxB 6 PxP PxP 7 P-K3 0-0 8 B-Q3

P-B4 9 PxP P-Q5! 10 N-K4 PxP 11 PxP BxP 12 R-N1 B-B3 13 N-KB3 B-R5+ 14 P-N3 B-K2 15 0-0 B-R6 16 R-B2 N-Q2 17 N-Q4 P-KN3 18 R-B2? R-B1

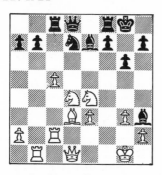

19 N-B2 Intending, after 19...B-K3 20 NxB PxN 21 Q-N4 NxP, to sacrifice the bishop on KN6 with a strong attack. 19...B-N4! 20 R-K2 NxP Indirectly protecting the bishop, since 21 NxB is met by 21...BxP+ 22 RxB QxN 23 Q-K2 R-K1−+. 21 BxP RPxB 22 NxB N-K5 23 N-N5 Q-K2 24 NxB NxN Now Black threatens 25...Q-K5. 25 Q-Q5 KR-Q1 26 Q-N2 R-Q6 27 NxP R-B2 28 P-K4 A blunder in a hopeless position. 28...Q-B4+ 29 K-R1 QxN 30 P-KR4 N-K3 31 R-KB1 Q-R6 32 K-R2 R/2-B6 33 Q-B2 R-B6 34 Q-K1 RxP 35 R/2-KB2 R-R6+ 36 K-N1 Q-B4 37 **Resigns**

58   Karpov-Alexeev
          Sicilian Defence
1 P-K4 P-QB4 2 N-QB3 N-QB3 3 P-KN3 P-KN3 4 B-N2 B-N2 5 P-Q3 P-Q3 6 KN-K2 P-K4 7 N-Q5 B-K3 8 N/2-B3 KN-K2 9 B-N5 P-KR3 10 B-B6 0-0 11 0-0 BxB 12 NxB+ K-N2 13 N/6-Q5 BxN 14 NxB NxN 15 PxN N-K2 16 P-QB3 Q-N3 17 Q-Q2 QR-B1 18 KR-K1 R-B2 19 K-R1 N-N1 20 P-KR3 R-K2 21 R-K2

KR-K1 22 QR-K1 Q-R4 23 P-R3 P-QN4 24 K-R2 Q-N3 25 P-QN4 P-QR4 26 R-QN1 KR-QB1 27 PxRP QxP 28 Q-N2 R-B2 29 QxP QxQ 30 Drawn

59   Noakh-Karpov
          Ruy Lopez
1 P-K4 P-K4 2 N-KB3 N-QB3 3 B-N5 P-QR3 4 BxN QPxB 5 N-B3 B-KN5 6 P-KR3 BxN 7 QxB B-B4 8 P-Q3 Q-B3 9 QxQ NxQ 10 B-N5 N-Q2 11 B-K3 0-0-0 12 R-Q1 KR-K1 13 K-K2 P-B3 14 K-B3 P-QN4 15 N-K2 BxB 16 PxB P-QB4 17 P-QN3 N-N3? 18 P-KN4 R-Q2 19 P-KR4 R/1-Q1 20 R/Q1-KB1 R-B2 21 K-N2 N-Q2 22 R-B2 R-K2 23 N-N3 N-B1 24 P-N5 PxP 25 PxP P-N3 26 K-R3 N-K3 27 K-N4 R-Q3 28 R/B2-R2 N-B1 29 N-B1 P-B5?

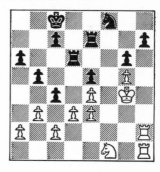

30 QPxP PxP 31 N-Q2 PxP 32 RPxP R-B2 33 N-B4 R-K3 34 R-R3 R/3-K2 35 R-R1 R-K3 36 R-QR5 N-Q2 37 R-B3 RxR 38 KxR R-Q1 39 K-K2 K-B1 40 R-Q5 K-Q1 41 N-N2 K-B1 42 N-Q3 R-K2 43 N-N4 K-N2 44 R-R5 R-K3 45 R-R1? N-B4 46 N-Q3 NxKP 47 K-B3 N-Q7+ 48 K-K2 N-K5 49 K-B3 N-Q7+ 50 K-N4 R-QB3 51 R-R2 P-K5 52 N-K5 R-B4 53 N-Q7 R-B4 54 N-B6 N-B8 55 NxKP NxP+ 56 K-N3 N-B8+ 57 K-N4 N-R7+ 58 K-N3 N-B6 59 K-N4 N-K4+ 60 K-N3 N-B2 61 K-N4

K-N3 62 R-R1 N-K4+ 63 K-N3
R-B6+ 64 K-N2 R-K6 65 N-B6
R-K7+ 66 K-N3 RxP 67 K-B4
N-Q6+ 68 K-K3 N-B4 69 P-N4 N-K3
70 NxP R-KR7 71 N-B6 R-R6+ 72
K-B2 R-Q6 73 N-R7 R-Q4 74 R-KN1
K-N4 75 R-N4 R-Q5 76 RxR NxR

77 N-B8 P-B3 78 NxP N-K3 79 K-K3
NxP 80 N-K5 N-K3 81 K-Q3 N-B5+
82 K-B3 N-Q4+ 83 K-N3 NxP 84
N-B4 K-B4 85 N-Q2 N-Q4 86 K-R4
N-N3+ 87 K-N3 P-R4 88 K-B3
N-Q4+ 89 K-N3 K-N4 90 N-K4
P-R5+ 91 K-R3 N-N3 92 N-Q6+
K-B4 93 N-N7+ K-B5 94 N-Q6+
K-Q4 95 N-K8 P-B4 96 N-B7+ K-Q5
97 N-K6+ K-B5 98 N-B7 K-B6 99
N-R6 P-B5 100 N-B5 K-Q5 101
Resigns

60   Karpov-Ravinsky
             Ruy Lopez

1 P-K4 P-K4 2 N-KB3 N-QB3 3
B-N5 P-QR3 4 B-R4 N-B3 5 P-Q3
P-Q3 6 P-B3 B-Q2 7 0-0 P-KN3 8
P-QN4 B-N2 9 B-N3 0-0 10 R-K1
P-R3 11 QN-Q2 K-R2 12 B-N2
N-KR4 13 P-QR3 P-B4 14 Q-B2 PxP
15 N/2xP N-B5 16 K-R1 B-N5 17
N-N1 P-Q4 18 N-N3 P-KR4 19 P-B3
B-K3 20 N/N3-K2 Q-Q2 21 QR-Q1
P-R5 22 NxN RxN 23 B-B1 R-B2 24
B-N5 B-B3 25 BxB RxB 26 Q-B2
P-KN4 27 P-Q4 PxP 28 PxP B-B4 29
B-R4 R-K1 30 BxN RxB 31 Q-Q2

K-N3 32 RxR QxR 33 R-K1 R-K3 34
RxR QxR 35 P-N4 PxPep 36 PxP
P-N5 37 K-N2 PxP+ 38 NxP B-K5
39 Q-N5+ K-B2 40 Q-B4+ Drawn

61   I.Zaitsev-Karpov
             Petroff Defence

1	P—K4	P—K4
2	N—KB3	N—KB3
3	P—Q4	NxP
4	B—Q3	P—Q4
5	NxP	N—Q2

5...B-K2 and 5...B-Q3 are more
usual.

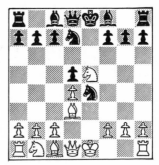

6 NxP!?
Theory recommends 6 NxN fol-
lowed by 7 Q-K2.
6 ...   Q—K2
6...KxN also leads to a forced
draw: 7 Q-R5+ K-K2 (no better is
7...K-K3 8 Q-K2 and if 8...Q-R5
then 9 P-KN3 and 10 P-B3) 8 Q-K2
(not 8 QxQP N/2-B3 9 Q-K5+ K-B2
10 BxN B-QN5+ and 11...R-K1) 8...
K-Q3 (or 8...K-B2 9 Q-R5+ K-K2 10
Q-K2 etc.) 9 B-KB4+ K-B3 10 BxN
PxB 11 Q-B4+ K-N3 12 Q-N3+
K-R3 13 Q-R4+ drawing.
7 NxR
After 7 N-K5 NxN 8 PxN QxP
Black has an excellent game.

7	...	N—B6+
8	K—Q2	NxQ
9	R—K1	NxBP
10	BxP	

If 10 RxQ+ BxR 11 BxP B-N4+
White is lost.

10 ...   N—K5+

Black can save his queen by 10...
N-K4 11 RxN B-K3 but in doing so
he incurs great risks.

11 RxN	**PxR**
12 B—N6+	**K—Q1**
13 N—B7+	**K—K1**
14 N—Q6++	**K—Q1**
15 N—B7+	**Drawn**

62   Karpov-Chistiakov
Sicilian Defence
1 P-K4 P-QB4 2 N-QB3 N-QB3 3
P-KN3 P-Q3 4 B-N2 N-B3 5 KN-K2
P-KN3 6 P-Q3 B-N2 7 0-0 P-KR4 8
P-KR3 B-Q2 9 K-R2 N-K4 10 P-B3
Q-B2 11 B-N5 B-B3 12 Q-Q2 N-R2
13 B-B4 P-R5 14 QR-N1 PxP+ 15
BxP N-B3 16 P-B4 N/4-Q2 17 P-N4
PxP 18 RxP N-R4 19 B-B2 R-QB1 20
P-Q4 P-N3 21 R-B4 Q-N1 22 P-Q5
B-N2 23 RxR+ QxR 24 B-Q4 B-QR3
25 R-B3 P-B3 26 N-N3 NxN 27 RxN
K-B2 28 B-B3 N-B1 29 P-K5 QPxP
30 PxP PxP 31 B-K3 R-R5 32 B-N4
Q-B5

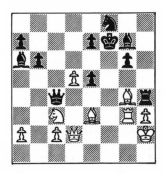

33 B-N5 RxB 34 RxR Q-B2 35 N-K4
K-N1 36 P-Q6 PxP 37 Q-Q5+ Q-B2
38 QxQ+ KxQ 39 NxP+ K-N1 40
R-QR4 B-K7 41 RxP N-K3 42 B-K3
B-B6 43 N-K8 B-KR1 44 N-Q6 P-K5
45 R-R8+ K-R2 46 N-B7 B-B3 47

R-K8 N-B2 48 R-QB8 N-Q4 49
N-N5+ K-N2 50 NxB PxN 51 B-Q2
B-K4+ 52 K-N1 B-Q5+ 53 K-B1
K-B2 54 R-Q8 K-B3 55 P-B4 N-K6+
56 BxN BxB 57 R-Q3 B-B4 58 RxP+
K-K4 59 R-Q3 K-K5 60 K-K2
P-KN4 61 R-Q5 B-K2 62 K-Q2
B-N5+ 63 K-B2 B-K2 64 K-N3 K-B5
65 K-R4 K-N6 66 R-Q3+ K-N7 67
K-N5 B-B4 68 P-R4 B-B7 69 P-B5
PxP 70 P-R5 P-B5 71 KxP Resigns

63   Alexeev-Karpov
Torre Attack
1 P-Q4 N-KB3 2 N-KB3 P-K3 3
B-N5 P-Q4 4 P-K3 B-K2 5 QN-Q2
P-QN3 6 B-Q3 B-N2 7 0-0 0-0 8 P-B4
QN-Q2 9 PxP PxP 10 R-B1 P-B4 11
PxP NxP 12 B-K2 N/B3-K5 13 BxB
QxB 14 P-QN4 N-K3 15 P-N5
QR-B1 16 B-Q3 KR-Q1 17 N-N3
Q-R6 18 Q-K2 N-B6 19 Q-Q2 NxP
20 R-R1 QxN 21 RxN N-B4 22 RxP
Drawn

64   Karpov-Noakh
Philidor Defence
1 P-K4 P-K4 2 N-KB3 P-Q3 3 P-Q4
N-Q2 4 N-B3 P-QB3 5 B-QB4 Q-B2
6 0-0 P-KR3 7 P-QR4 B-K2 8 P-R5
KN-B3 9 R-K1 0-0 10 P-R3 R-K1 11
B-K3 B-B1 12 P-Q5 PxP 13 BxQP
NxB 14 NxN Q-Q1 15 P-B4 N-B3 16
Q-Q3 NxN 17 QxN B-K3 18 Q-Q3
Q-B1 19 KR-B1 P-B4 20 N-R4 PxP
21 QxKP B-K2 22 N-B3 B-B3 23
R-R3 Q-B3 24 Q-N6 B-B2 25 Q-N4
B-K3 26 Q-N3 K-R2 27 P-B5 QR-Q1
28 R/R3-B3 P-Q4 29 NxP BxN 30
QxB BxP 31 Q-N3 P-Q5 32 BxQP
QxP+ 33 QxQ BxQ 34 KxB RxB 35
P-R6 PxP 36 P-B6 R-QB1 37 R-QR1
R-B2 38 RxP R-Q3 39 P-N4 K-N3 40
P-N5 K-R2 41 R-R5 R-B3 42
R/B3-QR3 R/B3-B2 43 P-B4
R/QB2-K2 44 K-N3 P-N3 45 R-QB3
R-B2 46 RxP RxR 47 P-N6 R/R2-B2
48 PxR RxQBP 49 K-B3 K-N2 50

K-K4 K-B3 51 K-Q5 K-B4 52
R-KN3 P-N4 53 Drawn

65   Ravinsky-Karpov
         Scotch Four Knights'
1 P-K4 P-K4 2 N-KB3 N-QB3 3
N-B3 N-B3 4 P-Q4 P-Q3 5 B-QN5
B-Q2 6 BxN BxB 7 Q-Q3 Q-K2 8
B-N5 P-KR3 9 B-R4 P-KN4 10 B-N3
PxP 11 QxP B-N2 12 0-0-0 N-KR4 13
Q-Q3 0-0-0 14 N-Q4 BxN 15 QxB
K-N1 16 P-B3 NxB 17 PxN P-KR4
18 P-QN4 P-N5 19 P-N5 BxNP 20
Drawn

66   Karpov-I.Zaitsev
         Modern Defence
1 P-K4 P-QB3 2 P-Q4 P-KN3 3 B-K3
B-N2 4 P-QB3 N-B3 5 N-Q2 P-Q3 6
P-B3 QN-Q2 7 B-Q3 0-0 8 N-K2
P-K4 9 0-0 P-Q4 10 K-R1 R-K1 11
R-B1 P-N3 12 N-KN3 B-N2 13 N-N3
Q-B2 14 Q-Q2 P-QR3 15 R/QB1-K1
P-B4 16 PxBP PxP 17 P-QB4 P-Q5
18 B-N5 Q-N3 19 Q-R5 Drawn

67   Karpov-Kozlov
         Pirc Defence
1 P-K4 P-Q3 2 P-Q4 N-KB3 3
N-QB3 P-KN3 4 P-B3 P-B3 5 B-K3
Q-N3 6 Q-B1 B-N2 7 B-QB4 P-Q4 8
PxP Q-N5 9 B-N3 NxP 10 P-QR3
Q-R4 11 B-Q2 Q-Q1 12 KN-K2 NxN
13 BxN N-R3 14 Q-Q2 0-0 15 0-0-0
N-B2 16 P-Q5 PxP 17 BxB KxB 18
P-KR4 P-KR3 19 P-QB4 P-K3 20
N-B3 Q-B3 21 PxP PxP 22 BxP R-Q1
23 Q-K3 NxB 24 NxN Q-B3+ 25
N-B3 B-K3 26 RxR RxR 27 QxQRP
R-Q6 28 Q-R5 Q-Q3 29 Q-R4 Q-K4
30 R-Q1 Q-K6+ 31 K-N1 RxN 32
PxR B-B4+ 33 K-N2 Q-K7+ 34
K-B1 Q-K6+ 35 R-Q2 QxQBP+ 36
K-Q1 B-Q6 37 K-K1 P-QN4 38
Q-QN4 Q-B8+ 39 K-B2 Q-B8+ 40
K-N3 Q-K8+ 41 R-B2 Q-K4+ 42

Q-B4 Q-QB4 43 R-R2 P-N4 44 PxP
PxP 45 Q-QN4 Q-B2+ 46 K-N4
Q-R7 47 Q-Q4+ P-B3 "I cannot
remember the ending of the game. I
cannot remember the result exactly
but I think it was drawn" — Karpov.

Vladimir 1966
(USSR Junior Team Championship)
68   Kudishchevitch-Karpov
         Ruy Lopez
         Notes by Karpov
1 P-K4 P-K4 2 N-KB3 N-QB3 3
B-N5 P-QR3 4 B-R4 N-B3 5 0-0
B-K2 6 R-K1 P-QN4 7 B-N3 P-Q3 8
P-B3 0-0 9 P-KR3 N-QR4 10 B-B2
B-N2
     11 P-Q4   **N—B5**
The idea of this variation is to
transfer the knight from its unhappy
post on QR4 and at the same time to
hinder the development of White's
QN. If 12 QN-Q2 NxN and one of
the most dangerous Lopez pieces
disappears.
     12 P—QN3   **N—N3**
     13 QN—Q2
Obviously, after 13 PxP PxP 14
QxQ (or 14 NxP) 14...QRxQ 15 NxP,
Black regains the pawn by ...NxP
with a good game.
     13 ...   **KN—Q2**
     14 N—B1   **P—QB4**
     15 P—Q5
This leads to very sharp play. 15
N-K3 seems to be a more peaceful
continuation for White.
     15 ...   **P—B4**
Black accepts the challenge.
     16 PxP   **BxP**
An inaccuracy. Better was 16...NxP
17 P-B4 N-N5 with equality. But I
was afraid that White would organize
a blockade of the centre so I did not
want to allow P-QB4.
     17 P—QR4   **B—QB3**
     18 N—K3

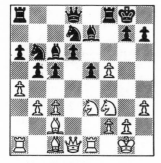

A very original and interesting position has arisen. On the one hand Black has a pawn majority in the centre but his K-side is somewhat weakened. White threatens, by means of P-QB4 (or P-R5) and N-Q5, to blockade the pawns and turn his attention to Black's weaknesses. There is only one good defence to this plan.

| 18 ... | P—K5 |
| 19 N—Q2 | P—Q4 |

At first glance it seems that Black has achieved an excellent position but with a few energetic moves White shows that this is not quite so.

| 20 P—R5 | N—B1 |
| 21 P—QB4! | |

A blow in the centre. Black is one move short of being able to strengthen his centre (the Q2 knight wants to be on KB3) so now he plunges into a pool of head-breaking complications.

21 ...	P—Q5
22 N—Q5	BxN
23 PxB	P—Q6
24 B—N1	

Black's pawns have penetrated far into his opponent's position and harried White's pieces, but at the same time they have put themselves in colossal danger. How should Black defend them?

After 24...B-B3 25 R-R2 N-K4 26 NxP QxP 27 P-B4, White wins the QP. More complicated is 24...N-B3 25 NxP NxN 26 RxN N-Q3 27 R-N4 P-B5 28 PxP PxP 29 B-R2 RxP 30 B-R3 and then, on 30...RxQP, 31 RxBP! NxR 32 BxN with a clear advantage to White.

Having worked this out I decided on ...

24 ...	N—K4
25 NxP	QxP
26 B—N2	

An inaccuracy. Better was the immediate 36 N-B3 Q-Q5 27 B-N2 B-B3 28 R-R2! with a great advantage to White. Perhaps my opponent did not see 28 R-R2 and so chose a different move order. Now I managed to get out of this extremely unpleasant variation.

| 26 ... | P—B5 |
| 27 N—B3 | |

Now there was the very interesting and strong move 27 PxP! at White's disposal. During the game I didn't like Black's position after this move. e.g. (i) 27...PxP 28 B-R2 and after 28...RxP 29 N-N3±, or 28...B-N5 29 N-B3 Q-Q3 30 Q-R4± ; (ii) 27...NxP 28 B-B3 P-N5 29 P-B6! and wins. Only in the peace of my home did I find a satisfactory continuation: 27...PxP 28 B-R2 N-Q3! (hard to find over the board with all the pieces hanging in the centre). White cannot win a pawn by 29 NxN BxN 30 BxN BxB 31 Q-N4 QR-B1 32 BxP because of 32...QxB, and on 29 N-B3 there is the reply 29...Q-N2 with the threats of ...QxB and ...RxP.

27 ...	Q—B4
28 N—R4	

It was better to go in for the variations examined in the previous note, as after 28 N-K4 Black cannot play 28...Q-B2 because of 29 P-B4.

After the text move Black seizes the initiative.

28 ...   PxN

Who would have thought that this pawn would decide the outcome of the game?

29 RxN	Q—B2
30 PxBP	B—B3
31 QxQP	R—N1
32 Q—Q5+	K—R1
33 B—Q4	N—K2
34 Q—K4	N—B3
35 R—B5	Q—R2

Having taken the initiative Black clearly executes this part of the game. White's pieces are tied up and every move leads to the loss of material.

36 B—K3	BxR
37 P—B6	P—N3
38 RxN	Q—Q2
39 B—B2	P—R6

Another queen is coming and none of White's pieces can stop it.

40 B—R6	RxP
41 RxR	BxR
42 Q—B4	Q—Q1
43 Resigns	

69   Karpov-Arbakov
              Ruy Lopez
1 P-K4 P-K4 2 N-KB3 N-QB3 3 B-N5 P-QR3 4 B-R4 N-B3 5 0-0 B-K2 6 R-K1 P-QN4 7 B-N3 0-0 8 P-QR4 R-N1 9 P-B3 P-Q3 10 P-KR3 N-Q2 11 P-Q4 B-B3 12 P-Q5 N-K2

13 N-R3 P-N3 14 B-B2 PxP 15 BxP B-KN2 16 B-B2 P-R3 17 N-Q2 P-KB4 18 N/3-B4 N-KB3 19 N-K3 Q-K1 20 B-Q3 N-R4 21 BxP B-Q2 22 B-B1 N-B5 23 P-KN3 N-R4 24 B-N2 P-B5 25 N/3-B1 PxP 26 PxP Q-B2 27 R-K3 P-N4 28 R-B3 Q-N3 29 R-R7 P-N5 30 RxR+ RxR 31 P-R4 Q-B2 32 Q-K1 N-N3 33 RxP N/4-B5!! 34 PxN PxP 35 N-R2 N-K4

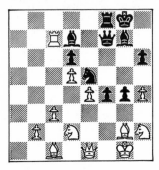

36 N/Q2-B3 PxN 37 NxP Q-N3! 38 K-B1 If 38 K-R1 B-N5 is still strong. 38...B-N5 Better was 38...B-N4+ but Black was in severe time trouble. 39 Q-B2 N-Q6 Also good is 39...QxP. 40 Q-Q2 NxB 41 QxN QxP 42 Q-K1 BxN?? After 42...QxP Black has good winning chances. 43 QxQ BxQ 44 BxB and White won.

Stockholm 1966
(USSR-Scandinavia Juniors Match)
70   Hattelbakk-Karpov
              Ruy Lopez
1 P-K4 P-K4 2 N-KB3 N-QB3 3 B-N5 P-QR3 4 B-R4 N-B3 5 0-0 B-K2 6 R-K1 P-QN4 7 B-N3 P-Q3 8 P-B3 0-0 9 P-KR3 N-QR4 10 B-B2 B-N2 11 P-Q4 N-B5 12 P-QN3 N-N3 13 QN-Q2 N/B3-Q2 14 N-B1 P-QB4 15 N-K3 P-N3 16 B-N2 B-KB3 17 Q-K2 Q-B2 18 PxKP NxP 19 NxN BxN 20 B-Q3 P-B5 21 PxP N-R5 22 QR-B1 P-N5 23 N-Q1 P-QR4 24

B-R1 KR-Q1 25 Q-B2 B-QB3 26
R-N1 N-B4 27 N-K3 B-R5 28 N-Q5
Q-R2 29 Q-Q2 P-N6

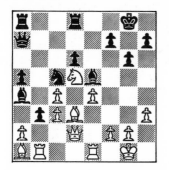

30 B-B1 PxP 31 QxP R/Q1-N1 32
Q-K2 B-QN6 33 K-R1 P-R5 34 P-B4
B-N2 35 P-B5 R-K1 36 Q-N4 B-B7
37 R-N2 RxP 38 RxR BxR 39 PxP
RPxP 40 R-Q2 N-N6 41 R-Q1 B-B7
42 R-K1 Q-B7 43 Q-K2 QxQ 44 BxQ
R-K1 45 B-N2 B-Q6 46 N-B4 BxP/5
47 K-N1 P-N4 48 K-B2 N-Q7 49
B-Q3 R-N1 50 Resigns

Q-Q4+ K-R2 42 Q-KB4 Q-K8 43
Q-B7+ K-R1 44 Q-K6 K-R2 45
Q-Q7+ K-N1 46 Q-B8+ K-N2 47
Q-N7+ K-N1 48 Q-R8+ K-R2 49
Q-R7+ K-N1 50 Q-Q4 K-B2 51
Q-K5 K-N3 52 Drawn

Yalta 1966
(Training games)
72   Karpov-Kushnir
Ruy Lopez
1 P-K4 P-K4 2 N-KB3 N-QB3 3
B-N5 P-QR3 4 B-R4 N-B3 5 0-0
B-K2 6 R-K1 P-QN4 7 B-N3 0-0 8
P-QR4 B-N2 9 P-B3 P-Q4 10 KPxP
NxP 11 PxP PxP 12 RxR BxR 13
N-R3 N-B5 14 P-Q4 P-N5 15 N-B4
NPxP 16 NPxP N-Q4 17 N/B4xP
NxBP 18 Q-Q3 N-Q4 19 NxN BxN 20
B-B2 P-N3 21 N-K5 N-N5 22 Q-QB3
B-Q4 23 B-R6 NxB 24 QxN R-K1 25
N-B6 Q-Q3 26 NxB+ RxN 27 R-N1
B-N2 28 Q-N3 Q-K3 29 Q-N4 BxP??
30 QxR Resigns

71   Karpov-Hattelbakk
Ruy Lopez
1 P-K4 P-K4 2 N-KB3 N-QB3 3
B-N5 P-QR3 4 B-R4 N-B3 5 0-0 NxP
6 P-Q4 P-QN4 7 B-N3 P-Q4 8 NxP
NxN 9 PxN P-QB3 10 P-QB3 B-QB4
11 QN-Q2 B-B4 12 NxN BxN 13
B-B2 BxB 14 QxB 0-0 15 B-B4 Q-Q2
16 QR-K1 QR-K1 17 B-K3 BxB 18
RxB P-B3 19 PxP RxR 20 PxP QxP
21 PxR RxR+ 22 KxR Q-K4 23
Q-K2 Q-B4+ 24 K-N1 Q-N8+ 25
K-B2 QxRP 26 P-QN4 Q-N8 27
Q-N4+ K-B2 28 Q-Q7+ K-B1 29
Q-Q6+ K-B2 30 Q-B7+ K-N1 31
Q-K5 Q-B7+ 32 K-B3 Q-Q8+ 33
K-N3 Q-K7 34 K-R3 P-R3 35
Q-K6+ K-R2 36 Q-B7+ K-R1 37
Q-B4 K-R2 38 P-KN4 Q-K8 39
Q-B5+ K-N2 40 Q-Q3 Q-B7 41

73   Karpov-Wolpert
Sicilian Defence
1 P-K4 P-QB4 2 N-QB3 N-QB3 3
P-KN3 P-KN3 4 B-N2 B-N2 5 P-Q3
P-Q3 6 KN-K2 P-K4 7 0-0 KN-K2 8
B-K3 0-0 9 Q-Q2 B-K3 10 P-KR3
Q-Q2 11 K-R2 P-B4 12 P-B4 P-N3
13 QR-K1 QR-K1 14 BPxP QPxP 15
B-R6 N-Q5 16 BxB KxB 17 PxP PxP
18 NxN BPxN 19 N-K2 P-KR3 20
P-B3 PxP 21 QxBP K-R2 22 QxP
BxP 23 N-B4 N-N3 24 NxN KxN 25
Q-B4 B-Q4 26 BxB QxB 27 P-Q4
RxR 28 RxR R-B1 29 R-K2 R-B3 30
P-KN4 PxP 31 QxNP+ K-B2 32
R-K5 R-B7+ 33 K-N1 R-B8+ 34
K-B2 R-B7+ 35 K-K3 Q-N6+ 36
K-K4 R-B2 37 R-B5+ K-K1 38
Q-N6+ K-Q2 39 R-B7+ K-B1 40
Q-N8+ Resigns

Trinec 1966-67
(No cross table of this event has ever been published)

1	Karpov	11
2	Kupka	9½
3	Kupreichik	9½
4	Smejkal	8½
5	E. Novak	8
6	Sikora	8
7	Augustin	7½
8	Schoupal	5½
9	Blatny	5
10	Marosczyk	5
11	Kornasiewicz	5
12	Walica	4
13	V. Novak	3
14	Rutka	1½

74   Kupreichik-Karpov
           Ruy Lopez
1 P-K4 P-K4 2 N-KB3 N-QB3 3
B-N5 P-QR3 4 B-R4 N-B3 5 Q-K2
P-QN4 6 B-N3 B-B4! 7 P-B3 0-0 8
P-Q3 P-R3 9 0-0 P-Q3 10 P-KR3
R-N1 11 R-Q1 R-K1 12 QN-Q2
N-KR4! 13 N-B1 N-B5 14 BxN PxB
15 P-Q4 B-R2 16 P-QR4 P-N5

17 **BxP+?** This combination has a
simple refutation. **17...KxB**   **18**
Q-B4+ P-Q4! So that 19 QxN loses
the queen to 19...B-N2. **19 KPxP**
N-R4 20 Q-Q3 QxP 21 R-K1 B-N2
22 Q-R7 N-B5 23 P-QN3 N-Q3 24
R-K5 QxNP 25 N/1-Q2 QxBP 26

QR-K1 BxP **27 N-N5+ PxN 28**
Q-R5+ P-N3 **29 Q-R7+ K-B3 30**
R-K7 BxBP+! **31 K-B1 Q-Q6+ 32**
R-K2 BxP+ **33 KxB/B2 Q-N6+ 34**
Resigns

75   Karpov-Smejkal
        Sicilian Defence
1 P-K4 P-QB4 2 N-QB3 N-QB3 3
P-KN3 P-KN3 4 B-N2 R-N1 5 P-Q3
P-QN4 6 B-K3 P-N5 7 N/3-K2
B-KN2 8 Q-B1 P-Q3 9 P-KB4 B-Q2
10 N-KB3 P-B4 11 0-0 Q-N3 12
P-KR3 P-K3 13 R-Q1 KN-K2 14
P-N4 0-0 15 N-N3 N-Q5 16 K-R1
P-K4 17 NPxP NPxP 18 N-R5! B-R3
19 BPxP P-KB5 20 BxN PxB 21
N-B6+ RxN 22 PxR N-N3 23 Q-Q2
Q-Q1 24 P-R3 P-N6 25 PxP QxP 26
QR-B1 RxP 27 Q-KB2 N-K4 28 QxP
Black lost on time.

76   Blatny-Karpov
         Ruy Lopez
1 P-K4 P-K4 2 N-KB3 N-QB3 3
B-N5 P-QR3 4 B-R4 N-B3 5 0-0
B-K2 6 Q-K2 P-QN4 7 B-N3 0-0 8

P-B3 P-Q3 9 P-QR4 B-N2 10 P-Q4
KPxP 11 BPxP PxP 12 RxP P-Q4 13
P-K5 N-K5 14 N-B3 N-QN5 15 R-Q1
P-QR4 16 N-Q2 NxN/Q7 17 BxN
P-QB4 18 Drawn

77   Karpov-Augustin
Sicilian Defence
1 P-K4 P-QB4 2 N-QB3 N-QB3 3
P-KN3 P-KN3 4 B-N2 B-N2 5
KN-K2 R-N1 6 0-0 P-K3 7 P-B4
P-Q3 8 P-KN4 P-KR4 9 P-N5
KN-K2 10 P-Q3 P-N4 11 Q-K1 N-N5
12 Q-Q2 N/5-B3 13 K-R1 P-Q4 14
P-B5 KPxP 15 NxQP NxN 16 PxN
N-K4 17 Q-B3 Q-Q3 18 B-B4 P-N5
19 Q-N3 0-0 20 P-Q4 PxP 21 NxP
B-N2 22 N-B6 BxN 23 PxB Q-B4 24
QR-Q1 QR-Q1 25 B-K3 Q-N4 26
P-QR4 Q-B5 27 BxP QxQ 28 PxQ
RxR 29 RxR R-B1 30 R-QB1 N-Q6
31 R-B4 B-K4 32 B-N6 NxP 33 RxP
B-B6 34 R-N5 N-Q6 35 P-B7 R-K1
36 B-R5 R-K8+ 37 B-B1 RxB+ 38
K-N2 R-B7+ 39 K-N1 B-Q5 40
P-B8(Q)+ K-R2 41 R-Q5 R-B7+ 42
RxB Resigns

78   Maroczyk-Karpov
Queen's Gambit Declined
1 P-Q4 N-KB3 2 P-QB4 P-K3 3
N-QB3 P-Q4 4 B-N5 B-K2 5 P-K3
0-0 6 N-B3 QN-Q2 7 R-B1 P-QN3 8
PxP PxP 9 B-Q3 B-N2 10 0-0 P-B4
11 B-KB4 P-QR3 12 N-K5 R-B1 13
B-B5 P-N3 14 B-R3 R-R1 15 B-R6
Drawn

79   Karpov-Walica
Sicilian Defence
1 P-K4 P-QB4 2 P-KN3 N-QB3 3
B-N2 P-KN3 4 N-K2 B-N2 5 0-0
P-Q3 6 P-QB3 P-K4 7 N-R3 KN-K2
8 N-B2 0-0 9 P-Q4 KPxP 10 PxP
P-B4 11 B-K3 KBPxP 12 PxP PxP 13
BxBP B-N5 14 QxQ KRxQ 15 N-B3
N-Q5 16 NxP B-K7 17 KR-K1 B-Q6?

18 N-Q6 N/Q5-B3 19 NxP BxN 20
NxR RxN 21 QR-B1 R-QB1 22
BxN/B6 RxB 23 RxB Resigns

80   V.Novak-Karpov
Nimzo-Indian Defence
1 P-Q4 N-KB3 2 P-QB4 P-K3 3
N-QB3 B-N5 4 Q-N3 P-B4 5 B-Q2
N-B3 6 PxP 0-0 7 P-K3 BxP 8 B-K2
P-Q4 9 PxP PxP 10 N-B3 B-K3 11
N-KN5 B-B4 12 N-R4 B-Q3 13
QxNP N-QN5 14 BxN R-N1 15 Q-B6
BxB+ 16 K-B1 B-Q2 17 Q-B2 Q-R4
18 N-QB3 KR-B1 19 R-B1 P-Q5 20
Resigns

81   Karpov-Sikora
Sicilian Defence
1 P-K4 P-QB4 2 N-QB3 N-QB3 3
P-KN3 P-K3 4 B-N2 KN-K2 5
KN-K2 P-Q4 6 PxP NxP 7 NxN PxN
8 P-Q4 B-N5 9 P-KR3 B-K3 10 B-K3
P-B5 11 P-N3 P-QN4 12 P-QR4
BPxP 13 RPxP PxP 14 QxP N-N5 15
Q-N3 B-K2 16 R-R4 P-QR4 17
PxPep Q-N3 18 B-Q2 0-0 19 0-0
KR-N1 20 R-N1 RxP 21 RxN BxR 22
QxB QxQ 23 RxQ RxR 24 BxR
R-R8+ 25 K-R2 R-R7 26 B-KB3
P-N4 27 K-N2 P-R4 28 N-B3 R-N7
29 B-B5 R-N6 30 NxP BxP+ 31 KxB
RxB 32 K-N2 R-Q6 33 N-B6+ K-N2
34 NxP+ K-N3 35 P-N4 P-B4 36
N-N3 PxP 37 N-B1 K-B4 38 N-K3+
K-B5 39 P-Q5 R-Q7 40 B-Q6+ K-K5
41 K-N3 K-Q5 42 B-K7 Resigns

82   Karpov-E.Novak
Ruy Lopez
1 P-K4 P-K4 2 N-KB3 N-QB3 3
B-N5 P-QR3 4 B-R4 N-B3 5 0-0
B-K2 6 R-K1 P-QN4 7 B-N3 P-Q3 8
P-B3 0-0 9 P-KR3 N-QR4 10 B-B2
P-B4 11 P-Q4 Q-B2 12 QN-Q2 N-B3
13 P-Q5 N-Q1 14 N-B1 N-K1 15
P-KN4 P-B3 16 P-QR4 R-N1 17

N-N3 P-N3 18 K-R1 N-B2 19 N-R2
N-N2 20 P-R4 B-Q2 21 R-KN1 Q-B1
22 Q-K2 B-Q1 23 Drawn

83   Kornasiewicz-Karpov
Ruy Lopez
1 P-K4 P-K4 2 N-KB3 N-QB3 3
B-N5 P-B4 4 P-Q4 BPxP 5 NxP NxN
6 PxN P-B3 7 B-QB4 Q-R4+ 8 B-Q2
QxKP 9 BxN RxB 10 N-B3 P-Q4 11
Q-K2 B-Q3 12 0-0-0 B-Q2 13 P-B3
0-0-0 14 PxP QR-K1 15 QR-K1 P-Q5
16 N-Q1 B-K3 17 K-N1 P-B4 18
P-QN3 P-B5 19 PxP B-QR6 20 Q-Q3
Q-QB4 21 N-N2 BxN 22 KxB K-N1
23 Q-QN3 BxP 24 Q-N4 Q-B3

25 P-K5? 25 B-B4+ K-R1 26 B-Q6
would offer better defensive chances.
25...R-K3 26 P-QR4 R-QB1 27
KR-N1 To defend the KNP. 27...
Q-Q4 28 P-R5 R-B4 29 Q-R3 P-QN3
30 R-QR1 P-Q6! 31 RPxP If 31
BPxP R-N4+ 32 K-B2 BxP+! 31...
Q-Q5+ 32 Q-B3 R-N4+ 33 **Resigns**

84   Karpov-Kupka
Ruy Lopez
1 P-K4 P-K4 2 N-KB3 N-QB3 3
B-N5 P-QR3 4 BxN QPxB 5 0-0
B-N5 6 P-KR3 P-KR4 7 P-B3 Q-B3 8
P-Q4 BxN 9 QxB QxQ 10 PxQ PxP
11 PxP 0-0-0 12 B-K3 P-KB4 13
N-B3 N-B3 14 QR-Q1 R-K1 15 P-K5
N-Q4 16 NxN PxN 17 K-R2 R-K3 18
R-KN1 K-Q2 19 R-QB1 P-KN3 20

R-B2 B-K2 21 B-N5 BxB 22 RxB
P-R5 23 R-B5 P-N3 24 R-B3 P-R4 25
R-N1 R-QB1 26 R/N1-QB1 P-B3 27
P-B4 Drawn

85   Karpov-Shoupal
Petroff Defence
1 P-K4 P-K4 2 N-KB3 N-KB3 3 NxP
P-Q3 4 N-B3 NxP 5 P-Q4 B-K2 6
B-Q3 P-Q4 7 P-B4 B-KN5 8 Q-N3
N-QB3 9 PxP NxBP 10 KxN BxN 11
PxB B-R5+ 12 K-N2 N-K2 13 N-B3
0-0 14 B-KB4 N-N3 15 BxN BPxB 16
B-N3 B-B3 17 P-Q6+ K-R1 18 PxP
QxQP 19 QR-Q1 Q-B4 20 R-Q5
Q-B3 21 R-Q6 Resigns

86   Rutka-Karpov
Ruy Lopez
1 P-K4 P-K4 2 N-KB3 N-QB3 3
B-N5 P-QR3 4 B-R4 N-B3 5 P-Q3
P-QN4 6 B-N3 B-K2 7 P-B3 0-0 8
QN-Q2 P-Q3 9 N-B1 N-QR4 10 B-B2
P-B4 11 P-KR3 Q-B2 12 P-KN4
R-Q1 13 Q-K2 B-N2 14 N-N3 P-Q4
15 P-N5 PxP 16 PxP N-Q2 17 N-B5
B-KB1 18 P-KR4 P-B5 19 P-R5
N-B4

20 P-N6 N-Q6+ 21 BxN PxB 22
PxRP+ K-R1 23 Q-K3 N-B5 24
Q-N5 BxP 25 P-R6 P-B3 26 PxP+
QxP 27 Q-R5 Q-Q2 28 Q-N4 B-B4
29 QxB P-Q7+ 30 BxP NxB 31
N/3-R4 BxP+! Not 31...NxQ?? 32

N-N6 mate. **32 Resigns** On 32 K-K2
BxN wins a piece.

Vladimir 1967
(RSFSR Team Championship)
87   Sagovsky-Karpov
        English Opening
1 P-QB4 N-KB3 2 N-QB3 P-K4 3
P-KN3 P-KN3 4 B-N2 B-N2 5 P-K4
P-Q3 6 KN-K2 B-K3 7 P-Q4 0-0 8
P-Q5 B-Q2 9 0-0 N-R4 10 B-K3
P-KB4 11 Q-Q2 N-R3 12 P-B3 R-B2
13 P-QR3 N-B4 14 Q-32 Q-K1 15
P-QN4 N-R5 16 P-B5 P-B5 17 B-B2
PxNP 18 PxNP NxN 19 NxN Q-K2
20 Q-Q2 QR-KB1 21 Q-K3 P-QR3
22 P-R4 B-KB3 23 Q-Q3 B-KN4 24
R-R3 N-N2 25 N-K2 Q-K1 26 Q-B2
P-KR4 27 B-K1 R-B3 28 B-B2 K-R2
29 B-K1 B-R3 30 B-B2 B-B1 31
R/B1-R1 B-N5 32 P-B4 BxN 33 QxB
KPxP 34 B-Q4 R/B3-B2 35 P-N5
N-B4 36 B-B2 PxKNP 37 BxP NxB
38 RxN Q-K4 39 R/R1-R3 RPxP 40
BPxP P-N5 41 R/R3-Q3 PxP 42
Q-K1 R-B2 43 R/N3-KB3 RxR 44
BxR R-B7 45 B-N2 R-B8 46 R-Q1
B-K6+ 47 K-R1 RxR 48 QxR P-N6
49 QxNP Q-N6 50 QxP+ K-R3 51
Resigns

88   Antoshin-Karpov
        (Karpov's first grandmaster
        opponent)
        Queen's Indian Defence
1 P-Q4 N-KB3 2 P-QB4 P-K3 3
N-KB3 P-QN3 4 N-B3 B-N2 5 P-QR3
B-K2 6 P-Q5! 0-0 7 P-K4 P-Q3 8
B-Q3 QN-Q2 9 0-0 N-K4 10 NxN
PxN 11 P-B4 N-Q2 12 Q-N4 B-B4+
13 K-R1 Q-K2 14 Q-N3 B-Q5 15
N-N5 KPxP 16 KPxP P-QB3 17
P-Q6 Q-Q1 18 NxB PxN 19 P-KB5
P-B3 20 B-R6 R-B2 21 QR-K1 N-B4
22 B-N1 Q-Q2 23 P-N4 N-R5 24
P-B5 N-B6 25 B-Q3 P-QR4 26 B-Q2
N-Q4 27 R-K4 RPxP 28 RPxP R-R2

29 Q-K1 B-R3 30 BxB RxB 31
R-K8+ R-B1 32 Q-K6+ QxQ 33
RxR+ KxR 34 PxQ P-QN4 35 P-N4
R-R7 36 P-N5 RxB 37 R-R1 P-N3 38
PxP Resigns

89   Karpov-Detkov
        Ruy Lopez
1 P-K4 P-K4 2 N-KB3 N-QB3 3
B-N5 P-QR3 4 B-R4 N-B3 5 0-0
B-K2 6 R-K1 P-QN4 7 B-N3 P-Q3 8
P-B3 0-0 9 P-Q4 B-N5 10 B-K3 Q-Q2
11 QN-Q2 PxP 12 PxP P-Q4 13 P-K5
N-K5 14 P-QR3 N-R4 15 B-B2
P-KB4 16 PxPep NxP/3 17 Q-N1
QR-K1 18 N-K5 Q-B1 19 B-N5 K-R1
20 BxP NxB 21 N-N6+ K-N1 22
NxB+ RxN 23 BxR R-B5 24 Q-Q3
N-QB3 25 QR-B1 Q-Q2 26 Q-K3
R-B2 27 B-R4 R-B1 28 Q-QB3 N-Q1
29 P-B3 B-B4 30 R-K7 Resigns

90   Zakhvatov-Karpov
        Catalan
1 P-Q4 N-KB3 2 P-QB4 P-K3 3
P-KN3 P-Q4 4 B-N2 B-K2 5 N-KB3
0-0 6 0-0 P-B4 7 BPxP NxP 8 N-B3
QN-B3 9 P-K4 NxN 10 PxN P-QN3
11 B-N4 PxP 12 PxP B-R3 13 R-K1
B-N5 14 R-K3 B-B5 15 P-Q5! PxP 16
PxP BxQP 17 R-Q3 BxN 18 BxB
Q-B3 19 R-B1 B-B4 20 RxB PxR 21
R-Q6 QR-Q1 22 BxN RxR 23 QxR
QxQ 24 BxQ R-Q1 25 B-B4 R-Q8+
26 K-N2 P-B5 27 K-B3 R-QR8 28
B-Q5 P-B6 29 B-N3 P-KR3 30 K-K2
P-B7 31 BxQBP RxP 32 K-Q2
P-QR4 33 P-R4 P-N4 34 PxP PxP 35
B-K3 K-N2 36 K-B3 P-B3 37 K-N3
R-R8 38 B-Q4 R-QB8 39 Drawn

91   Karpov-Nizhovsky
        Ruy Lopez
1 P-K4 P-K4 2 N-KB3 N-QB3 3
B-N5 P-QR3 4 B-R4 N-B3 5 Q-K2
B-K2 6 P-B3 0-0 7 0-0 P-Q3 8 P-Q4
B-N5 9 R-Q1 N-Q2 10 P-KR3 B-R4
11 P-KN4 B-N3 12 BxN PxB 13 PxP

Q-K1 14 PxP BxQP 15 R-K1 N-B4
16 QN-Q2 R-Q1 17 Q-B4 N-Q6 18
R-K3 N-K4 19 NxN BxN 20 R-K1
P-KR4 21 N-B3 PxP 22 PxP Q-K2 23
K-N2 KR-K1 24 B-N5 B-B3 25 BxB
QxB 26 P-K5 Q-K3 27 QxQ PxQ 28
K-N3 P-B4 29 P-B4 K-B2 30 R-K3

B-Q6 31 R-QB1 R-Q2 32 R-B3
R/K1-Q1 33 N-N5+ K-K2 34 R-B3
B-N3 35 R-R3 R-QR1 36 P-R5 P-B3
37 R/B3-R3 R-Q6+ 38 RxR BxR 39
RxBP K-Q2 40 P-N4 P-R4 41 RxRP
RxR 42 PxR BxP 43 K-B4 and White
won

Moscow 1967
(USSR Junior Championship)
Semi-Final A:

1 L. Grigorian	5½	These players
2 Bokuchava	5	qualified for
3 Lukin	4½	the final
4 Timoshenko	4½	
5 Karpov	3½	
6 Dvoretsky	2	
7 Vaganian	2	
8 Palatnik	1	

92　　Timoshenko-Karpov
Bishop's Opening
1 P-K4 P-K4 2 B-B4 N-KB3 3 P-Q4
PxP 5 N-KB3 NxP 5 QxP N-KB3 6
B-KN5 P-B3 7 N-B3 P-Q4 8 0-0-0
B-K2 9 KR-K1 B-K3 10 Q-R4
QN-Q2 11 B-Q3 P-B4 12 N-K5 NxN
13 RxN P-Q5 14 P-B4 N-Q2 15 B-N5
BxB 16 PxB Q-B2 17 BxN+ KxB 18
Q-K4 Q-B3

19 RxBP QxQ 20 NxQ KR-QB1 21

RxP+ K-K2 22 P-QR4 P-QN3 23
RxR RxR 24 K-Q2 B-B4 25 P-B4
R-B3 26 N-N3 B-K3 27 K-B3 R-B4
28 P-R4 P-KR3 29 P-N4 R-B1 30
N-K4 P-B4 31 N-B2 PxP 32 PxP
R-KR1 33 N-R3 B-Q2 34 P-N5 R-R4
35 K-N4 R-R1 36 P-R5 B-K3 37
P-R6 B-B2 38 K-B3 P-N3 39 K-N4
R-QB1 40 N-B4 R-B4 41 N-Q3 R-B1
42 P-B5 PxP+ 43 NxP B-K1 44
R-Q1 R-B2 45 P-N3 R-B1 46 R-K1+
K-Q1 47 N-N7+ K-Q2 48 R-K3
B-B2 49 R-Q3+ K-K2 50 R-QB3
RxR 51 KxR B-Q4 52 K-Q4 B-N7 53
K-B5 B-B8 54 N-R5 Resigns

93　　Karpov-Palatnik
Sicilian Defence
1 P-K4 P-QB4 2 N-QB3 N-QB3 3
P-KN3 P-KN3 4 B-N2 B-N2 5
KN-K2 P-K3 6 P-Q3 KN-K2 7 0-0
0-0 8 B-K3 N-Q5 9 Q-Q2 Q-R4 10
N-B4 P-Q3 11 QR-N1 N/K2-B3 12
P-QR3 P-QR3 13 Q-Q1 P-QN4 14

N/B3-K2 B-N2 15 P-QB3 NxN+ 16 QxN QR-B1 17 P-KR4 P-N5 18 RPxP PxP 19 P-Q4 P-K4 20 R-R1 Q-Q1 21 PxKP NxP 22 B-Q4 R-K1 23 KR-Q1 P-B4 24 Q-B2 PxKP 25 Q-N3+ N-B5 26 B-R3 B-R3 27 QxP B-R1 28 RxP BxN 29 BxR B-Q4 30 B-QN7 B-B2 31 R-R8 Q-Q2 32 RxR+ QxR 33 R-R1 P-K6 34 R-R8 Resigns

94   Lukin-Karpov
          Nimzo-Indian Defence
          Notes by Karpov

1 P-Q4 N-KB3 2 P-QB4 P-K3 3 N-QB3 B-N5 4 B-N5 P-KR3 5 B-R4 P-B4 6 P-Q5 P-Q3 7 P-B3 0-0 8 P-K4 R-K1 9 B-Q3? Better 9 B-K2 or KN-K2. **9...BxN+?** Correct is 9... PxP! 10 BPxP NxKP! 11 BxQ NxN+ and 12...NxQ winning. **10 PxB QN-Q2?** Black should still play 10... PxP!? 11 BPxP NxKP! 12 BxQ NxP+ 13 N-K2 (or 13 K-B1 NxQ 14 B-B7 N-N7 15 B-K2 B-B4∓) 13...NxQ 14 B-B7 N-N7 15 K-Q2 KxN B-B4+ 17 K-Q2 N-Q2 with a slight advantage. **11 PxP PxP 12 P-B4 Q-B2 13 N-B3 P-QN4! 14 BxN** If 14 PxP P-B5 15 B-B2 B-N2 with an unclear position. **14...NxB 15 P-K5 QPxP 16 PxKP N-Q2 17 0-0** If 17 Q-K2 B-N2 (threatening 18...BxN and 19...NxP). **17...B-N2** Not 17... NxP? 18 NxN QxN 19 Q-B3 winning a piece at least. **18 B-B2** Threatening 19 Q-Q3. **18...PxP 19 Q-K2 B-Q4 20 QR-K1** If 20 B-N1 R-KB1 21 Q-B2 R-B4 22 N-R4 RxR+ 23 KxR N-B1∓. **20...Q-R4 21 N-N5! QxBP** Not 21... PxN 22 Q-R5 winning. **27 B-R7+ K-R1 23 B-N1** 23 R-B7 is met by 23...NxP and 23 Q-R5? by 23... Q-Q7—+. **23...R-K2** If 23...R-KB1 24 N-B7+ K-N1 25 NxP+ PxN 26 Q-N4+ K-R1 27 Q-N6 Q-Q5+ 28 K-R1 RxR+ 29 RxR BxP+ 30 QxB R-KN1 31 O-R3 Q-Q7 32 B-K4±. **24**

Q-R5 Q-Q5+ **25 K-R1** Not 25 R-B2 R-KB1 26 N-B3 BxN 27 Q-N6 B-K5! winning. **25...BxP+! 26 KxB Q-Q7+ 27 K-R1 QxN 28 Q-B3 R-QN1 29 Q-K4 P-N3 30 R-N1 Q-B4 31 Q-K3**

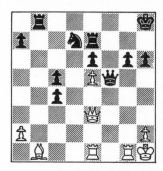

31...RxB 32 RxR K-N2 33 QR-K1 R-B2 34 Q-K2 Q-Q6 35 R-N3 Q-Q4+ 36 Q-N2 If 36 K-N1 R-B5∓. **36...QxQ+ 37 KxQ R-B4** Also possible was 37...N-N3!? **38 R-QR3 NxP 39 RxP+ K-B3 40 R-KB1 N-Q6 41 R-R4! N-N7!? 42 R-R5 N-Q6 43 R-R4 K-K4! 44 RxP K-Q4 45 R-QB2 R-N4+! 46 K-B3 K-Q5 47 P-KR4 R-K4 48 R-Q1 P-B5 49 P-R4 R-B4+! 50 K-N3 R-QR4 51 R-QR2 P-B6 52 R-KB1 N-B4 53 R-B4+ K-Q6 54 R-R3** If 54 R-B3+ K-B5 55 R-QR3 K-N5—+. **54...RxP! 55 R-B3+** Or 55 RxR NxR P-B7 57 R-R3+ K-Q7 58 R-R2 K-Q8—+. **55...K-Q7 56 R-B2+** If 56 R/R3xP N-K5+. **56...K-Q8 57 R-B1+ K-B7 58 R-B1+** Or 58 R-B2+ K-N8 59 R-B1+ K-N7. **58...K-N7! 59 Resigns**

95   Karpov-Dvoretsky
          King's Indian Defence
          Notes by Karpov

1 P-Q4 N-KB3 2 P-QB4 P-KN3 3 N-QB3 B-N2 4 P-K4 P-Q3 5 P-B3 0-0 6 KN-K2 P-K4 7 B-K3 PxP 8 NxP P-B3 9 B-K2 P-Q4 10 KPxP PxP 11 0-0 N-B3 12 P-B5 If 12 PxP

NxP 13 NxN/6 PxN 14 NxN QxN!
(but not 14...PxN 15 B-Q4!). **12...
Q-K2 13 B-B2 Q-K4? 14 N/3-N5
B-Q2 15 R-K1 Q-N4 16 B-B1 KR-K1
17 P-KN3** Interesting is 17 Q-B2!?
(to be able to recapture on K1 with
the rook) 17...P-QR3 18 NxN BxN 19
N-Q4±. **17...RxR 18 QxR R-K1 19
Q-B3 NxN 20 NxN Q-R4 21 R-K1
RxR 22 QxR P-KN4!? 23 Q-R5
Q-N3 24 P-KN4** Strong is 24 QxP
Q-N8 25 P-KN4 QxNP 26 Q-N8+
B-B1? (better 26...N-K1 27 N-B5±)
27 P-B6 winning. **24...P-R4**

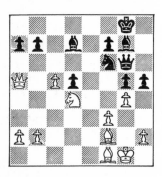

**25 QxP PxP 26 QxP PxP 27 P-B6
Q-K5 28 P-KR3** Also possible is 28
PxB Q-N5+ 29 K-R1 N-K5 and now
30 Q-N8+ K-R2 31 B-N3 is satisfac-
tory but not 30 P-Q8(Q)+?? K-R2!!
31 B-N3 (or 31 B-N1 P-B7 32 N-K2
P-B8(Q) 33 NxQ N-B7 mate) 31...
NxB+ 32 PxN Q-R4+ 33 K-N1
BxN+. **28 BxRP** If 28...N-N5 29 PxB
NxB 30 P-Q8(Q)+ K-R2 31 QxBP
NxP+ 32 K-R2! winning. **29 BxB
N-K1 30 N-B5** If 30 B-B5 Q-B5 31
Q-B8 BxN 32 QxN+ K-N2. **30...
Q-N8+ 31 K-R2 B-K4+ 32 N-N3
P-N5** If 32...Q-B7 33 K-N1 Q-B8+
34 N-B1 winning. **33 Q-B8** Not 33
BxP? Q-B7 34 K-N1 BxN 35 BxB
Q-N7 mate (or 35 Q-N6 Q-Q8 mate).
33...QxNP 34 QxP+? White can win
with 34 QxN+! K-N2 35 QxB+!

QxQ 36 B-Q4 QxB 37 N-B5+. **34...
K-B1 35 QxP B-Q5 36 K-N1** Possibly
stronger is 36 K-R1, threatening 37
B-K6. **36...Q-B8+ 37 B-B1 BxB+ 38
QxB QxP 39 Q-Q4 N-N2 40 B-N2
Q-KN3 41 N-B1 N-B4 42 QxP
Q-N3+ 43 K-R2 Q-KR3+ 44 B-R3
Q-B5+ 45 K-N1 N-Q5 46 Q-R8+
Resigns**

96   Vaganian-Karpov
        Queen's Indian Defence
1 P-Q4 N-KB3 2 N-KB3 P-K3 3 P-B4
P-QN3 4 P-KN3 B-N2 5 B-N2 B-K2
6 N-B3 0-0 7 0-0 P-Q4 8 N-K5 P-B4
9 QPxP NPxP 10 Q-N3 Q-N3 11
QxQ PxQ 12 R-Q1 R-Q1 13 B-N5
N-R3 14 PxP PxP 15 N-N4 N-B2 16
N-K3 K-B1 17 QR-N1 P-QN4 18
BxN BxB 19 N/K3xP BxN/Q4 20
NxB NxN 21 BxN R-R3 22 P-K4
P-N5 23 K-B1 B-Q5 24 K-K2 R-KB3
25 P-B3 K-K2 26 P-QR4 PxPep 27
PxP R-Q2 28 B-N7 P-N4 29 R-Q2
R-KR3 30 K-B1 P-B5 31 R-N4 B-B4
32 RxR+ KxR 33 RxP BxP 34 R-B2
R-QN3 35 B-B8+ K-K2 36 B-B5
P-R3 37 R-B8 R-N7 38 K-N1 B-Q3
39 R-B6 P-R4 40 P-R4 PxP 41
Drawn

97   L.Grigorian-Karpov
The score of this game is not
available.

98   Karpov-Bokuchava
The score of this game is not
available.

Leningrad 1967
(Schools' Spartakiad)
99   Karpov-Tsamryok
        Sicilian Defence
1 P-K4 P-QB4 2 N-QB3 N-QB3 3
P-KN3 P-KN3 4 B-N2 B-N2 5
KN-K2 P-Q3 6 0-0 N-B3 7 P-Q3 0-0
8 P-KR3 B-Q2 9 B-K3 R-N1 10
Q-Q2 P-QN4 11 N-Q1 Q-R4 12

P-QB3 KR-B1 13 B-R6 B-R1 14
P-KN4 N-K1 15 P-KB4 P-N5 16
P-B5 QNPxP 17 NPxP N-K4 18 N-B4
Q-Q1 19 N-K3 N-B2 20 Q-KB2
Q-K1 21 QR-Q1 R-N3 22 P-KR4
R/B1-N1 23 R-Q2 R-N8 24 P-Q4
BPxP 25 PxQP RxR+ 26 BxR N-B3
27 N/K3-Q5 NxN N-N5 29
N-B4 N-B3 30 P-R5 R-N5 31 N-K2
P-R4 32 R-Q3 R-B5 33 RPxP BPxP
34 PxP PxP 35 R-KB3 B-N2 36 BxB
KxB 37 P-N5 B-N5 38 R-B4 BxN 39
BxB RxP 40 B-N5 R-Q8+ 41 K-N2
R-QB8 42 Q-N2+ P-K4 43 QxR PxR
44 QxN Q-K4 45 Q-Q7+ K-R1 46
Q-K8+ Resigns

100 Abestsian-Karpov
Queen's Pawn
1 N-KB3 N-KB3 2 P-Q4 P-K3 3
B-B4 P-Q4 4 P-K3 P-QR3 5 QN-Q2
QN-Q2 6 P-B3 P-B4 7 B-Q3 P-QN4 8
0-0 B-N2 9 P-KR3 B-K2 10 N-K5 0-0
11 NxN QxN 12 N-B3 KR-B1 13
N-K5 Q-K1 14 R-B1 P-QR4 15 B-N5
P-N5 16 Q-K2 P-B5 17 B-N1 N-Q2
18 NxN QxN 19 BxB QxB 20 P-K4
P-R5 21 P-K5 P-R6 22 P-B4 P-N3 23
R-B3 P-N6 24 Q-KB2 B-B3 25 P-N4
R/B1-N1 26 NPxP QxP 27 R-B1
PxP 28 BxRP QxB 29 Q-N3 R-N8 30
P-B5 RxR+ 31 RxR B-Q2 32 PxNP
RPxP 33 Q-B3 B-K1 34 R-B2
Q-N8+ 35 K-R2 R-R8 36 R-N2
Q-Q6 37 Q-B6 R-KB8 38 Resigns

101 Karpov-Tchetchelin
Sicilian Defence
1 P-K4 P-K3 2 P-Q4 P-QB4 3 N-KB3
PxP 4 NxP N-KB3 5 B-Q3 N-B3 6
NxN QPxN 7 0-0 P-K4 8 N-Q2 Q-B2
9 P-QR4 B-K3 10 P-QN3 B-K2 11
B-N2 0-0 12 Q-K2 N-Q2 13 N-B4
B-B3 14 B-R3 KR-Q1 15 B-Q6 Q-B1
16 P-B4 BxN 17 BxB PxP 18 QR-Q1
N-K4 19 BxN BxB 20 BxP+ K-R1 21
Q-R5 Q-B2 22 B-N6 P-KR3 23 B-B5
Q-N3+ 24 K-R1 P-B4 25 R-Q5 RxR

26 PxR Q-KB3 27 B-Q3 B-Q5 28
P-N3 B-K6 29 PxP BxP 30 R-K1
R-KB1 31 R-K6 Q-Q5 32 R-K8
K-N1 33 RxR+ KxR 34 Q-B5+
Q-B3 35 Q-B8+ K-B2 36 Q-Q7+
K-B1 37 QxQNP Q-K2 38 Drawn

102 Popov-Karpov
Ruy Lopez
1 P-K4 P-K4 2 N-KB3 N-QB3 3
B-N5 P-QR3 4 BxN QPxB 5 0-0 P-B3
6 P-Q4 PxP 7 NxP P-QB4 8 N-N3
QxQ 9 RxQ B-Q3? 10 N-R5 P-QN3
11 N-B4 B-K2 12 B-B4 B-K3 13
N-K3 B-Q1 14 N-B3 P-KR4 15
N/B3-Q5 R-B1 16 P-KR4 P-B3 17
N-B3 P-B5 18 P-R4 N-K2 19 B-Q6
0-0 20 P-R5 P-QN4 21 B-B5 R-K1 22
N-K2 N-N3 23 P-KN3 B-N5 24 NxB
PxN 25 R-Q7 RxP 26 N-B3 R-K4 27
B-N6 P-N5 28 N-R4 B-K2 29 QR-Q1
R-K7 30 P-QB3 B-B1 31 PxP N-K4
32 K-B1 R-B7 33 R-Q8 RxR 34 RxR
K-B2 35 R-Q1 N-Q6 36 B-Q4 BxP 37
N-N6 P-QB4 38 B-B3 BxB 39 PxB
RxP+ 40 K-N1 R-B6 41 K-N2 N-K4
42 N-R4 R-Q6 43 R-QB1 R-Q7+ 44
K-B1 R-QR7 45 NxP RxP 46 N-K4
K-K3 47 K-K2 N-Q6 48 R-QN1
R-K4 49 Resigns

103 Karpov-Lilein
Sicilian Defence
**1 P-K4 P-QB4 2 N-KB3 P-Q3 3 P-Q4
PxP 4 NxP N-KB3 5 N-QB3 P-QR3 6
P-KN3 P-K4 7 N-N3 B-K2 8 B-N2
Q-B2 9 0-0 0-0 10 P-QR4 P-QN3 11
B-K3 B-N2 12 P-B4 QN-Q2 13 P-B5
B-B3 14 P-N4 P-R3 15 P-R4 N-R2 16
B-B2 KR-B1 17 Q-Q3 N/Q2-B3 18
B-B3 P-QN4 19 PxP PxP 20 N-Q2?
P-N5 21 N-K2 Q-N2 22 RxR RxR 23
P-B4 PxPep 24 NxP QxP 25 N-B4
Q-N1 26 R-Q1 N-K1 27 N-N6 R-R6
28 N-B4 B-N4 29 B-K2 P-Q4 30 QxP
RxN 31 NxP N-Q3 32 R-N1 N-B3 33
Q-R2 Q-K1 34 BxB NxB 35 Q-R5**

NxKP? 35...B-B4 wins. **36 QxN QxQ
37 RxQ NxB 38 KxN BxP+ 39 K-N2
B-N6 40 N-Q7 K-R2 41 R-R5 B-Q3
42 R-R6 R-KN6+ 43 K-B2 R-Q6 44
K-K2 R-Q5 45 K-K3 R-Q8 46 R-R8
R-KB8 47 K-K4 P-R4 48 PxP P-B3
49 N-B8+ BxN 50 RxB R-KR8 51
K-B4 RxP 52 K-N4 R-R8 53 K-B4
R-QN8 54 K-N4 R-N5+ 55 K-B3
K-R3 56 R-KN8 Drawn**

104   Karpov-Dobkin
            Sicilian Defence
**1 P-K4 P-QB4 2 N-QB3 N-QB3 3
P-KN3 P-KN3 4 B-N2 B-N2 5
KN-K2 P-Q3 6 0-0 P-K3 7 P-Q3
KN-K2 8 B-K3 N-Q5 9 Q-Q2 0-0 10
N-Q1 R-N1 11 N-B1 P-N3 12 P-QB3
N/5-B3 13 B-R6 P-Q4 14 BxB KxB
15 PxP NxP 16 N-K3 NxN 17 PxN
B-N2 18 P-Q4 P-K4 19 R-Q1 KPxP**

**20 BPxP PxP 21 PxP N-K2 22 P-Q5
Q-Q3 23 N-K2 KR-Q1 24 N-B3
Q-B4+ 25 K-R1 N-B4 26 P-KN4
N-Q3 27 Q-B4 Q-B1 28 R-Q3 Q-Q2
29 R-R3 P-B3 30 R-KB1 R-KB1 31
R/3-B3 K-N1 32 Q-N3 Q-Q1 33
R-K1 R-K1 34 R/3-K3 RxR 35 RxR
Q-KB1 36 R-K6 R-Q1 37 Q-B4 P-B4
38 P-N5 B-B1 39 R-K5 N-B2 40
R-K2 Q-Q3 41 Q-Q2 B-Q2 42 B-B3
R-K1 43 R-N2 Q-K2 44 P-KR4 Q-K6
45 R-B2 QxQ 46 RxQ R-K6 47 K-N2
N-K4 48 R-K2 RxR+ 49 BxR K-B1
50 K-B2 K-K2 51 K-K3 K-Q3 52
K-Q4 P-QR3 53 Drawn**

105   Palatnik-Karpov
            Ruy Lopez
**1 P-K4 P-K4 2 N-KB3 N-QB3 3
B-N5 P-QR3 4 BxN QPxB 5 0-0
B-KN5 6 P-KR3 Drawn**

PART TWO

THE MASTER

Groningen 1967-68
(European Junior Championship)

Preliminary Tournament (Seven rounds — Swiss system):

1 Jocha	5	
2 Hostalet	4½	
3 Karpov	4½	These players
4 Lewi	4½	qualified for
5 Ligterink	4½	final group A
6 Timman	4½	
7 Moles	4	
8 Zara	4	

— —

9 Jacobsen	3½	
10 Boersma	3	
11 Dudek	2½	
12 Maeder	2½	These players
13 Schaufelberger	2½	qualified for
14 Tate	2½	final group B
15 Fucak	2	
16 Meulders	2	

106 Karpov-Schaufelberger
Sicilian Defence
1 P-K4 P-QB4 2 N-QB3 N-QB3 3 P-KN3 P-KN3 4 B-N2 B-N2 5 P-Q3 P-Q3 6 KN-K2 Q-Q2 With this move Black prepares for ...P-N3. More natural however is 6...P-K3 and 7... KN-K2. **7 B-K3 P-N3 8 P-B4 B-N2 9 0-0 N-Q5** Inconsistent. Better is 9... N-B3 when 10 P-Q4 is not dangerous because of 10...N-KN5. **10 Q-Q2 P-KR4.** After this move White realised that he was facing a typical attacking player. Karpov meets his opponent's unjustified advance with healthy positional play. **11 P-KR3!** In order to meet ...P-R5 with P-KN4. **11...P-B4 12 B-B2!** Not only hindering ...P-R5 but also preparing to exchange on Q4. **12...0-0-0 13 NxN BxN 14 BxB PxB 15 N-K2 P-K4 16 P-B3!**

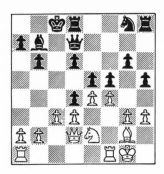

Reminding his opponent that the black king has not retreated far enough. White's advantage is obvious — Black cannot hold the centre and so throws caution to the wind by launching everything into an attack which Karpov easily refutes. **16... P-R5 17 PxQP PxNP 18 QPxP N-K2 19 Q-B3+ K-N1 20 NxP BPxP 21 PxKP P-Q4 22 QR-Q1 P-Q5 23 Q-Q2 RxP** White has two extra pawns and the outcome of the struggle is clear. This sacrifice of the exchange only hastens the end. **24 BxR QxB 25 Q-N2 Q-R5 26 R-B3 R-R1 27 RxP N-B4 28 PxN PxP 29 R/4-Q3 R-N1 30 Q-R2 Resigns**

107　　　　Karpov-Maeder
　　　　　　Sicilian Defence
1 P-K4 P-QB4 2 N-QB3 N-QB3 3 P-KN3 P-KN3 4 B-N2 B-N2 5 P-Q3 P-Q3 6 KN-K2 P-K4 7 N-Q5 KN-K2 8 N-K3 B-K3 9 0-0 0-0 10 N-B3 R-N1 11 N/B3-Q5 BxN 12 PxB N-Q5 13 P-QR4 N/5-B4 14 N-B4 P-KR4 15 B-Q2 N-R3 16 P-QN4 N-N5 17 R-N1 N-KB3 18 B-N5 PxP 19 RxP Q-Q2 20 BxN BxB 21 P-R5 P-R5 22 P-QB3 K-N2 23 Q-N3 R-KR1 24 R-N1 PxP 25 RPxP Q-B4 26 NxQP QxQP 27 NxNP R/N1-QB1 28 P-QB4 Q-K7 29 N-Q6 R/B1-Q1 30 N-K4 Q-R4 31 Q-KB3 Resigns

108　　　　Jocha-Karpov
　　　　　　Ruy Lopez
1 P-K4 P-K4 2 N-KB3 N-QB3 3 B-N5 P-QR3 4 BxN QPxB 5 0-0 B-KN5 6 P-KR3 P-KR4 7 P-B3 Q-Q6 8 PxB PxP 9 NxP B-Q3 10 NxQ B-R7+ 11 Drawn

109　　　　Karpov-Ligterink
　　　　　　Sicilian Defence
1 P-K4 P-QB4 2 P-KN3 P-Q4 3 P-Q3 PxP 4 PxP QxQ+ 5 KxQ N-QB3 6 B-K3 P-QN3 7 N-Q2 P-N3 8 P-QB3 B-KN2 9 P-B3 N-B3 10 N-R3 0-0 11 K-B2 B-N2 12 R-Q1 KR-Q1 13 Drawn

110　　　　Zara-Karpov
　　　　　　Petroff Defence
1 P-K4 P-K4 2 N-KB3 N-KB3 3 NxP P-Q3 4 N-KB3 NxP 5 Q-K2 Q-K2 6 P-Q3 N-KB3 7 B-N5 QN-Q2 8 N-B3 P-KR3 9 B-R4 QxQ+ 10 BxQ B-K2 11 0-0-0 P-R3 12 KR-K1 0-0 13 B-B1 R-K1 14 N-K4 K-B1 15 NxN BxN 16 RxR+ KxR 17 R-K1+ K-B1 18 BxB NxB 19 P-KR3 B-Q2 20 K-Q2 Drawn

111　　　　Timman-Karpov
　　　　　　Queen's Pawn
1 P-Q4 N-KB3 2 N-KB3 P-K3 3 B-N5 P-Q4 4 QN-Q2 QN-Q2 5 P-K3 B-K2 6 B-Q3 0-0 7 Q-K2 P-B4 8 P-B3 P-QN3 9 N-K5 NxN 10 PxN N-Q2 11 BxB QxB 12 P-KB4 P-B4 13 PxPep RxP 14 P-K4 B-N2 15 0-0 QR-KB1 16 PxP BxP 17 QR-K1 RxP 18 BxP+ Drawn

112　　　　Karpov-Hostelet
　　　　　　Torre Attack
1 P-Q4 N-KB3 2 N-KB3 P-Q4 3 B-N5 P-K3 4 QN-Q2 QN-Q2 5 P-K3 B-K2 6 B-Q3 P-B4 7 P-B3 PxP 8 KPxP Q-B2 9 0-0 0-0 10 R-K1 P-QR3 11 N-B1 P-N4 12 Drawn

Final Group A

	1	2	3	4	5	6	7	8	
1 Karpov	x	½	1	1	½	1	½	1	5½
2 Jocha	½	x	½	1	1	1	½	½	5
3 Lewi	0	½	x	1	0	1	1	1	4½
4 Timman	0	0	0	x	½	1	1	1	3½
5 Zara	½	0	1	½	x	0	½	1	3½
6 Hostelet	0	0	0	0	1	x	1	0	2
7 Ligterink	½	½	0	0	½	0	x	½	2
8 Moles	0	½	0	0	0	1	½	x	2

113   Zara-Karpov
Queen's Indian Defence
1 P-Q4 N-KB3 2 N-KB3 P-K3 3
P-KN3 P-QN3 4 B-N2 B-N2 5 0-0
B-K2 6 P-B4 0-0 7 N-B3 P-Q4 8
N-K5 Q-B1 9 PxP NxP 10 NxN PxN
11 B-B4 Q-K3 12 R-B1 B-Q3 13
N-Q3 N-Q2 14 Q-N3 KR-K1 15 P-K3
P-QB3 16 BxB QxB 17 R-B2 N-B1
18 KR-B1 N-K3 19 Q-N4 QxQ 20
NxQ N-Q1 21 B-B1 P-QR4 22 N-Q3
P-B3 23 R-B3 B-R3 24 N-B4 BxB 25
KxB K-B2

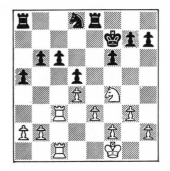

26 RxP NxR 27 RxN R/K1-QB1 28
RxNP QR-N1 29 NxP RxR 30 NxR
R-B7 31 N-R4 P-B4 32 P-R4 P-R3 33
P-R3 P-N4 34 PxP PxP 35 K-N2
P-N5 36 Drawn

114   Karpov-Moles
Ruy Lopez
Notes by Karpov

1 P-K4 P-K4 2 N-KB3 N-QB3 3
B-N5 P-QR3 4 B-R4 N-B3 5 Q-K2
B-K2 6 P-B3 P-QN4 7 B-N3 P-Q3 8
P-QR4 B-N2
A precise answer. On 8...R-QN1
would have come 9 PxP PxP 10
P-Q4.

    9 0—0   **0—0**
  10 P—Q3   **P—R3**
With this move Black starts to
establish his plan of attacking on the
K-side but, in my opinion, it is a
mistaken plan because at any
moment White can attack in the
centre.

  11 R—K1   **N—KR2**
  12 P—Q4   **N—N4**
  13 BxN   **PxB**
A mistake. He should have played
13...BxB. Black probably thought
that because of the two bishops he
would get a good game.

  14 P—Q5   **N—R2**
Better would have been 14...N-R4.

  15 R—Q1   **P—KN5**
Here I had to decide how to
arrange my knights. To meet a
K-side attack White must keep one
knight on KB1 but at the same time
there are a lot of good squares for a
knight on the Q-side. I decided to act
with the knights in such a way that
one of them was always near KB1.

  16 N—K1   **B—B1**
  17 PxP

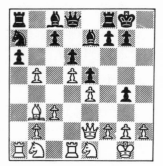

It is immediately obvious that Black has a lot of weaknesses. If he takes on N4 with the pawn then his knight will remain immobile.

17 ...	NxP
18 B—B4	B—Q2
19 N—B2	Q—B1
20 N—Q2	P—N3
21 N—N4	B—N4
22 R—R5	Q—N2

A good move. Black wants to play ...N-Q5, creating some play in the centre and distracting White's attention from the QRP.

23 N—N3	K—N2
24 R/1—R1	P—KB4
25 NxP	

White wins a pawn and completely occupies the Q-side. It seems that Black has failed to create any counterchances but that is only an illusion. Now the game becomes unexpectedly sharp.

25 ...	Q—N3!

Black's only chance. He sacrifices a piece and gets an ominous attack due to the fact that White's pieces are tied down.

26 BxN	PxP
27 P—QB4	

The best continuation. There was another variation but it leads to a draw: 27 BxB RxP 28 QxR B-K6 29 QxB QxQ+ 30 K-R1. White gets a rook and three pieces for the queen but all of them are on the same side,

too far away from the king: 30... R-R1 31 BxP Q-N6 32 B-R3 RxB 33 PxR Q-B6+ 34 K-N1 Q-K6+ 35 K-B1 Q-B6+ and draws. (36 K-K1 P-K6!)

27 ...	RxP
28 P—B5	RxQ
29 PxQ	B—K6+

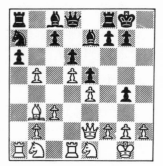

Now I had to think again. If 30 K-B1 R-B7+ 31 K-K1 PxP and Black has an excellent position. If I go to KR1 I might perhaps be mated.

30 K—R1   BxB

There was also the possibility of 30...R-R1 31 BxB! (White captures the bishop and not the rook. If 31 BxR? P-N6 32 P-R3 BxRP 33 PxB RxP+ 34 K-N2 R-R7+ 35 KxP B-B5+ 36 K-N4 R-N7+ and draws.) 31...B-B5 32 P-R3 RxP+ 33 PxR R-R7+ 34 K-N1 P-N6 and White's only defence is 35 R-K1.

31 P—N7	R—R1
32 P—N8(Q)	RxQ
33 NxR	

White is a rook ahead.

33...B-QB5 34 R/5-R3 RxQNP 35 N-R5 RxN 36 NxB B-Q5 37 R-Q1 R-N5 38 N-K3 R-N4 39 P-N3 R-B4 40 K-N2 R-N4 41 R-QB1 Resigns

115   Lewi-Karpov
English Opening
1 P-QB4 P-K4 2 N-QB3 P-Q3 3 P-KN3 P-KN3 4 P-Q4 N-QB3 5 PxP PxP 6 QxP+ NxQ 7 N-B3 B-Q3 8

N-QN5 B-Q2 9 NxB+ PxN 10 P-N3
P-B3 11 B-QR3 N-B2 12 R-Q1 K-K2
13 B-KN2 B-B3 14 0-0 P-B4 15 N-K1
N-B3 16 N-B2 KR-Q1 17 N-N4
QR-B1 18 R-Q2 P-K5 19 P-B3 K-K3
20 KR-Q1 N-K4 21 R-Q4 PxP 22
NxB RxN 23 PxR R-R3 24 B-N4 RxP
25 R-K1 P-KN4 26 P-B4 PxP 27 PxP
R-KN1 28 R-Q2 RxR 29 BxR N-K5
30 RxN PxR 31 PxN KxP 32 B-B3+
K-B5 33 K-B2 P-K6+ 34 K-B1 P-N4
35 B-Q5 R-N4 36 B-N4 K-K4 37
B-B3+ K-B5 38 B-N4 R-N3 39 PxP
K-K4 40 B-B6 K-Q5 41 B-KB3 K-Q6
42 B-K2+ K-K5 43 B-Q1 R-B3+ 44
K-K1 K-Q5 45 B-R3 K-B6 46 B-B1
K-Q6 47 B-K2+ K-K5 48 B-B1 R-B7
49 B-B4 RxP 50 K-Q1 K-Q5 51 B-K2
P-Q4 52 B-R3 K-B6 53 B-B3 P-Q5
54 B-B5 R-KB7 55 Resigns

116   Karpov-Timman
         English Opening
         Notes by Karpov

1	P—QB4	P—K3
2	N—QB3	N—KB3
3	N—B3	B—N5
4	Q—N3	P—B4
5	P—QR3	B—R4

The bishop's position on QR4 is
rather lacking in prospects and
White's future plans are all built
around this circumstance. I think it
that it was necessary to exchange on
QB6 and then play ...N-B3, ...P-Q3
and ...P-K4.

6	P—K3	0—0
7	B—K2	P—Q4
8	0—0	N—B3

Of course 8...P-Q5 is bad because
of 9 N-QR4 with advantage to White.

9 N-QR4

White springs into action. His plan
is simple: while Black's KB is on
QR4 the move ...P-QN3 is not pos-
sible and so it is difficult to defend
the QBP.

9	...	Q—K2

10	Q—B2	N—Q2

If 10...P-Q5 11 NxBP PxP (11...
QxN is no good because of 12 P-QN4
NxP 13 PxN BxP 14 PxP; and if
12...BxP 13 PxB NxP then 14 Q-N3
PxP 15 B-R3 with an extra piece) 12
BPxP QxN 13 P-QN4 NxP (13...BxP
14 PxB NxP is still met by 15 Q-N3
followed by B-R3) 14 PxN BxP 15
P-Q4 and although White is a pawn
down his position is promising.

11 P—Q4

At last White plays P-Q4. Black
isn't well developed whereas White's
pieces are actively placed.

11	...	PxBP?

Black's position is worse but this is
an outright blunder. He could have
played 11...PxQP 12 KPxP PxP but
after 13 BxP White still has the
advantage.

12	PxP	P—K4
13	P—K4	N—Q5
14	NxN	PxN
15	BxP	N—K4
16	P—QN4	

Not precise. Just as the game is
almost won White makes a mistake.
Correct was 16 B-Q5.

16	...	B—B2
17	B—Q5	P—Q6?

Black missed an excellent chance
to sharpen the struggle by 17...
N-B6+ 18 PxN Q-R5 19 P-K5 BxP
20 P-B4 P-Q6.

18	Q—Q1	B—N5

On 18...N-N5 would have come 19
P-B4 Q-R5 (or 19...Q-B3 20 R-R2) 20
P-R3.

| 19 | P—B3 | B—KR4 |
| 20 | R—R2 | |

Now Black's attacking prospects
have completely disappeared. As the
opportunity presents itself White will
attack on the K-side.

20	...	K—R1
21	P—N4	B—N3
22	P—B4	

22 R-KN2 would have been safer
and then B-N2 and N-B3.

22	...	NxP
23	QxN	P—B4
24	PxP	B/N3xP
25	Q—B3	QR—Q1
26	N—B3	

The bishop must be overprotected
so that Black is left without any tac-
tical possibilities.

26	...	Q—B3
27	R—KN2	Q—Q5+
28	K—R1	R—B3
29	B—Q2	

29 B-N2 would have been better
but being in time trouble I decided
that it was safer to blockade the QP.

| 29 | ... | R—KR3 |
| 30 | Q—B2 | |

We were both in time trouble and
I overlooked that my opponent could
capture on Q4. Fortunately this
didn't throw away the win.

| 30 | ... | RxB |

31	R—K1	R—K3
32	NxR	QxN
33	RxR	BxR
34	K—N1	Q—N6

The threat was 35 B-B3.

| 35 | Q—K1 | K—N1? |

Relatively best was 35...P-KN3.

36	P—B5	B—B2
37	B—R6	P—KN3
38	Q—R1	B—K4
39	QxB	Q—Q8+
40	K—B2	Q—B7+
41	K—N3	**Resigns**

117   Hostelet-Karpov
Nimzo-Indian Defence

**1 P-Q4 N-KB3 2 P-QB4 P-K3 3
N-QB3 B-N5 4 P-K3 0-0 5 Q-B2
P-B4 6 P-QR3 BxN+ 7 QxB N-B3 8
B-Q3?** Better is 8 PxP N-K5 9 Q-B2
Q-R4+ 10 B-Q2 NxB 11 QxN QxQ+
12 KxQ=. **8...PxP! 9 PxP P-Q4 10
N-K2 PxP 11 BxBP P-K4!** 12 B-K3
Or 12 PxP N-K5 13 Q-K3 Q-R4+ 14
N-B3 NxN 15 PxN NxP∓. **12...N-K5
13 Q-N3 Q-R4+ 14 K-B1**

**14...NxQP 15 NxN PxN 16 P-B3 PxB
17 PxN Q-Q7 18 Resigns** Because of
18 B-K2 B-N5 19 R-K1 QR-B1 20
Q-Q1 R-B8!! 21 QxR BxB+ 22 K-N1
B-B6! etc.

118   Karpov-Jocha
Sicilian Defence

**1 P-K4 P-QB4 2 N-QB3 N-QB3 3
P-KN3 P-KN3 4 B-N2 B-N2 5 P-Q3**

P-Q3 6 KN-K2 P-K4 7 N-Q5 KN-K2
8 B-N5 P-KR3 9 B-B6 0-0 10 NxN+
NxN 11 BxB KxB 12 Q-Q2 B-K3 13
P-KB4 Q-Q2 14 0-0 P-B3 15 R-B2
QR-Q1 16 QR-KB1 P-N3 17 Drawn

119 Ligterink-Karpov
Queen's Gambit Declined
1 P-Q4 N-KB3 2 P-QB4 P-K3 3
N-QB3 P-Q4 4 B-N5 B-K2 5 P-K3
0-0 6 N-B3 QN-Q2 7 R-B1 P-B3 8
B-Q3 R-K1 9 0-0 PxP 10 BxBP N-Q4
11 N-K4 BxB 12 N/4xB P-KR3 13
N-K4 Q-K2 14 N-N3 N/4-N3 15
B-Q3 P-K4 16 B-N1 PxP 17 Q-Q3
N-B1 18 NxP B-Q2 19 P-K4 QR-Q1
20 Q-QB3 B-B1 21 P-B4 N-R5 22
Q-K3 Q-N5 23 N/4-B5 QxNP 24
B-B2 N-B6 25 P-K5 BxN 26 NxB
Q-N3 27 QxQ Drawn

120
This game is from a clock exhibition held on the day before the last round. The Yugoslav Grandmaster Dragoljub Ciric took on ten players as did Donner and Bouwmeester. As well as the sixteen participants of Groningen tournament, fourteen local juniors also took part.

Ciric-Karpov
Ruy Lopez
1 P-K4 P-K4 2 N-KB3 N-QB3 3
B-N5 P-QR3 4 B-R4 N-B3 5 0-0
B-K2 6 R-K1 P-QN4 7 B-N3 P-Q3 8
P-B3 0-0 9 P-KR3 N-QR4 10 B-B2
B-N2 11 P-Q3 P-B4 12 QN-Q2 R-K1
13 N-B1 Q-B2 14 N-N3 P-N3 15
B-R6 N-Q2 16 N-N5 N-B1 17 P-N4
PxP 18 PxP BxN 19 BxB N-B3 20
Q-Q2 N-Q5 21 B-Q1 N/5-K3 22
B-R6 QR-B1 23 N-K2 P-Q4 24 Q-K3
Q-Q3 25 P-R3 PxP 26 PxP R-B5 27
P-B3 N-Q5 28 NxN RxN 29 B-K2
N-K3 30 Q-B2 Q-Q2 31 P-KR4 R-Q3
32 B-K3 N-Q5 33 B-KB1 Drawn

Sochi 1968
(USSR-Yugoslavia Match)
121 Karpov-Vujakovic
Pirc Defence
1 P-K4 P-Q3 2 P-Q4 N-KB3 3
N-QB3 P-KN3 4 P-B3 QN-Q2 5
B-K3 P-B3 6 KN-K2 B-N2 7 Q-Q2
0-0 8 P-KN3 P-QN4 9 B-N2 N-N3 10
P-N3 Q-B2 11 0-0 B-N2 12 N-B4
KR-Q1 13 Q-B2 P-QR4 14 N-Q3
QR-B1 15 P-KR3 B-QR3 16 P-E4
P-N5 17 N-K2 N/B3-Q2 18 KR-Q1
P-QB4 19 P-B5 R-B1 20 R-Q2 BPxP
21 BxP BxN 22 PxB BxB 23 NxB
Q-N1 24 P-KR4 N-B3 25 B-R3
N/N3-Q2 26 Q-K3 R-B4 27 N-K2
Q-B2 28 P-N4 R-B7? 29 RxR QxR
30 P-N5 N-R4 31 PxP N-K4 32
PxRP+ KxP 33 P-Q4 N-QB3 34
R-QB1 Resigns

122 Vujakovic-Karpov
Ruy Lopez
1 P-K4 P-K4 2 N-KB3 N-QB3 3
B-N5 P-QR3 4 B-R4 N-B3 5 P-Q4
PxP 6 0-0 B-K2 7 P-K5 N-K5 8 NxP
NxN 9 QxN N-B4 10 N-B3 0-0 11
B-K3 NxB 12 QxN P-Q4 13 PxPep
BxP 14 B-B4 BxB 15 QxB B-K3 16
KR-K1 Q-Q2 17 QR-Q1 Q-B3 18
R-Q3 QR-K1 19 P-KR4 P-B3 20
R/3-K3 B-Q2 21 P-R5 P-R3 22 Q-Q4
RxR 23 RxR B-K3 24 R-N3 R-B2 25
Q-Q8+ K-R2 26 Q-Q3+ P-B4 27
R-N6? Q-Q2 28 QxQ BxQ 29 N-Q5
P-B5 30 P-KN3 PxP 31 RxP/3 R-B4!
32 NxP R-B4 33 R-QB3 RxR 34 PxR
B-N5 35 K-N2 BxP 36 N-K6 B-B2 37
N-B5 BxP 38 Resigns

123 Karpov-Vujakovic
Pirc Defence
1 P-K4 P-Q3 2 P-Q4 N-KB3 3
N-QB3 P-KN3 4 P-KR3 B-N2 5
B-K3 0-0 6 Q-Q2 P-B3 7 P-KN4

P-K4 8 0-0-0 Q-K2? 9 P-Q5 P-B4 10 KN-K2 N-R3 11 N-N3 N-B2 12 K-N1 N/B3-K1 13 P-B3 R-N1 14 B-K2 P-QN4 15 QR-KN1 P-N5 16 N-Q1 N-N4 17 P-KR4 P-B5 18 QxP N/1-B2 19 Q-Q2 B-Q2 20 P-R5 R-N2 21 P-B3 P-R4 22 K-R1 P-R5?

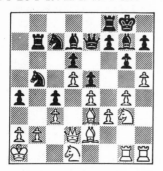

23 N-B5! BxN 24 NPxB P-R6 25 RPxP QRPxP+ 26 KxP BPxP 27 PxP Resigns

124   Vujakovic-Karpov
        Ruy Lopez
1 P-K4 P-K4 2 N-KB3 N-QB3 3 B-N5 P-QR3 4 B-R4 N-B3 5 P-Q4 PxP 6 0-0 B-K2 7 P-K5 N-K5 8 NxP · 0-0 9 N-B5 P-Q4 10 BxN PxB 11 NxB+ QxN 12 R-K1 B-B4 13 P-KB3 N-B4 14 P-QN3 N-K3 15 B-R3 P-B4 16 N-B3 P-QB3 17 Q-Q2 KR-Q1 18 N-R4 Q-R2 19 Q-B2 P-B5 20 N-B5 BxP 21 QR-B1 PxP 22 PxP B-N3 23 P-R3 R/Q1-N1 24 R-B3 Drawn

Tallin 1968
(USSR-Scandanavia Junior Match)
125   Karpov-B. Jacobsen
        Dutch Defence
1 P-QB4 P-KB4 2 P-KN3 N-KB3 3 B-N2 P-KN3 4 N-QB3 B-N2 5 N-B3 0-0 6 0-0 N-B3 7 P-Q4 P-Q3 8 P-Q5 N-K4 9 NxN PxN 10 P-K4 P-B5 11 P-N3 Possibly 11 PxBP PxBP 12 P-K5 gives White the better game, but not 12 BxP NxKP. **11...P-KN4 12**

P-B3 Q-Q3! 13 P-KN4 P-KR4 14 P-KR3 PxP 15 BPxP B-Q2 16 P-QR4 Q-N3+ 17 K-R2 After 17 R-B2 comes 17...P-B6! 18 BxBP (18 QxP NxNP) 18...BxNP! **17...K-B2 18 B-B3 R-R1 19 K-N2 R-R5 20 P-R5 Q-B4 21 B-R3 Q-K6 22 Q-K1**

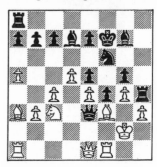

22...BxP! This sacrifice offers good chances. **23 PxB NxNP 24 R-R1 RxR 25 QxQ NxQ+ 26 KxR P-N5 27 B-K2** 27 B-Q1 offered more resistance. But after 27...P-B6 28 R-R2 B-R3 29 R-KB2 NxB 30 NxN B-B5, Black soon gets good chances by opening lines on the Q-side. **27... P-B6 28 B-B5 B-R3 29 R-K1 P-N3 30 BxBP** Or 30 BxN BxB 31 BxP R-R1+ 32 K-N2 PxB+ 33 KxP B-B5! **30...PxB/4 31 B-Q1 K-N3 32 N-N5 B-B5 33 RxN** Or 33 NxBP R-R1+ 34 K-N1 R-R6 with the threat 35...B-R7+ 36 K-B2 B-N6+! **33...BxR 34 NxBP R-R1+ 35 K-N2 R-R5 36 P-R6 B-B5 37 K-N1 P-N6 38 B-B3 R-R7 39 B-N2 K-B2 40 K-B1 R-R3 41 K-K2??** After 41 N-K6 Black wins with the manoeuvre B-K6-B7 and penetration with the rook via the KR, KB or QN-file. **41... R-QN3 42 Resigns**

126   B. Jacobsen-Karpov
        Bird's Opening
1 P-KB4 P-Q4 2 N-KB3 P-KN3 3 P-KN3 B-N2 4 B-N2 N-KB3 5 0-0 0-0

6 P-Q3 P-N3 7 P-K4 B-N2 8 P-K5
N-K1 9 P-KN4 P-KB3 10 Q-K1 P-K3
11 N-B3 P-KB4 12 PxP NPxP 13
K-R1 P-Q5 14 N-K2 P-B4 15 R-KN1
N-QB3 16 B-Q2 P-QR4 17 P-QR3
P-R5 18 N-N3 N-K2 19 N-R5 BxN 20
BxB R-R2 21 RxB+ NxR 22 N-B6+
K-B2 23 Q-N3 R-KR1 24 R-KN1
Q-KB1 25 Q-N5 N-N3 26 P-R4 N-K1
27 P-R5 Q-K2 28 NxN KxN 29 PxN
PxP+ 30 K-N2 QxQ+ 31 PxQ
R-QB2 32 R-KR1 R-N1 33 R-R4
K-B2 34 R-R7+ R-N2 35 R-R8 R-N1
36 R-R7+ R-N2 37 R-R4 R-N1 38
B-Q1 K-N2 39 K-B2 R-Q1 40 B-K2
R/2-Q2 41 Drawn

Riga 1968
(USSR Team Championship)
127   Popov-Karpov
       Ruy Lopez
1 P-K4 P-K4 2 N-KB3 N-QB3 3
B-N5 P-QR3 4 B-R4 N-B3 5 O-O
B-K2 6 R-K1 P-QN4 7 B-N3 P-Q3 8
P-B3 O-O 9 P-Q4 B-N5 10 P-Q5
N-QR4 11 B-B2 P-B3 12 PxP Q-B2
13 P-KR3 B-R4 14 QN-Q2 QR-Q1
15 Q-K2 NxBP 16 N-B1 KR-K1 17
B-N5 N-Q2 18 B-K3 B-N3 19 P-QR4
Q-N2 20 PxP PxP 21 R/K1-Q1 N-B3
22 B-N5 N-KR4 23 P-KN3 BxB 24
NxB N-B3 25 B-Q3 P-N5 26 N-B3
N-N1 27 N/1-Q2 P-Q4 28 N-R4 PxP
29 B-N5 R-KB1 30 NxB RPxN 31
R-R4 PxP 32 PxP P-K6 33 PxP N-Q4
34 N-K4 NxKP 35 R-N1 N-Q4 36
P-B4 N-K2 37 P-B5 N-B4 38 B-Q3
Q-Q4 39 B-B4 Q-Q2 40 B-N5 N-B3
41 BxN QxB 42 R-R6 Q-B1 43 K-R2
R-Q5 44 R/R6-N6 R/B1-Q1 45
R/N1-N2 R/Q5-Q2 46 P-R4 N-Q5 47
Q-K3 Q-R1 48 N-Q6 Q-Q4 49 R-N8
RxR 50 RxR+ K-R2 51 N-K4 P-B3
52 R-N2 R-R2 53 R-KB2 Q-R1 54
K-R3 R-R6 55 Q-K1 N-B4 56 P-R5
R-K6 57 NxP+ PxN 58 Q-Q1 RxP+
59 K-R2 Q-K5 60 Resigns

128   Sangla-Karpov
       Queen's Pawn
**1 P-Q4 N-KB3 2 N-KB3 P-K3 3
B-N5 P-B4 4 P-B3 PxP 5 PxP Q-N3 6
Q-N3 N-K5 7 B-B4 N-QB3 8 P-K3
B-N5+**

9 QN-Q2? P-N4 10 BxP If 10 B-N3
P-N5−+. **10...BxN+ 11 NxB Q-R4
12 Resigns**

129   Karpov-Vaganian
       Alekhine's Defence
1 P-K4 N-KB3 2 P-K5 N-Q4 3 P-Q4
P-Q3 4 N-KB3 P-KN3 5 B-K2 B-N2
6 P-B4 N-N3 7 PxP KPxP 8 P-QN3
O-O 9 B-N2 N-B3 10 O-O B-N5 11
P-KR3 BxN 12 BxB P-Q4 13 P-B5
N-B1 14 Q-Q2 P-B3 15 P-QN4
P-QR3 16 P-QR4 N/B1-K2 17 N-R3
N-B4 18 N-B2 P-KR4 19 P-N5 N-R4
20 Q-N4 N-B5 21 B-K2 P-R4 22
Q-B3 NxB 23 QxN Drawn

130   Nisman-Karpov
       Nimzo-Indian Defence
1 P-QB4 N-KB3 2 N-QB3 P-K3 3
P-Q4 B-N5 4 P-QR3 BxN+ 5 PxB
P-B4 6 P-K3 N-B3 7 N-K2 P-QN3 8
N-N3 B-R3 9 B-Q3 N-QR4 10 Q-K2
P-Q3 11 B-N2 Q-Q2 12 P-K4 O-O-O
13 P-QR4 P-KR4 14 O-O P-R5 15
N-R1 P-K4 16 P-B4 N-R4 17 BPxP
QPxP 18 P-Q5 N-B5 19 RxN PxR 20
P-K5 P-R6 21 P-N4 K-N1

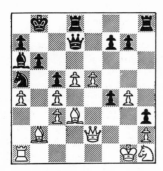

22 B-B1 BxP 23 BxB NxB 24 QxN
QxNP+ 25 N-N3 R-R5 26 QxKBP
QxQ 27 BxQ RxB 28 R-Q1 P-N3 29
R-Q2 RxRP 30 K-B2 R-QB5 31
R-Q3 P-R4 32 K-K3 R-K1 33 P-K6
PxP 34 P-Q6 R-Q1 35 N-K4 K-B1 36
N-B6 R-Q2 37 NxR KxN 38 K-Q2
R-KR5 39 K-B2 P-QN4 40 R-N3
KxP 41 RxP R-KB5 42 K-N3 P-B5+
43 K-R3 R-B6 44 K-N2 P-N5 45 PxP
PxP 46 R-N4 K-Q4 47 Resigns

131 Karpov-Peshina
English Opening
1 P-QB4 P-KN3 2 P-KN3 B-N2 3
B-N2 P-QB4 4 N-KB3 N-QB3 5 0-0
P-Q3 6 N-B3 P-KR4 7 P-Q3 N-R3 8
P-K4 0-0 9 P-KR3 R-N1 10 B-N5
P-R3 11 N-Q5 K-R2 12 R-B1 B-Q2
13 P-R3 P-N4 14 P-QN4 P-B3 15
B-Q2 BPxP 16 RPxP PxP 17 PxP
P-K3 18 N-B4 NxP 19 BxN RxB 20
QxP R-N3 21 Q-R3 P-K4 22 N-Q5
R-B3 23 P-B5 P-R4 24 N-Q2 R-K1
25 N-B4 B-KB1 26 N/B4-N6 N-N1
27 KR-Q1 B-K3 28 QxP Q-N1 29
N-N4 R-B2 30 N-R6 Q-R2 31 Q-N5
R/K1-B1 32 NxR RxN 33 P-B6
Resigns

132 Kirpichnikov-Karpov
Ruy Lopez
1 P-K4 P-K4 2 N-KB3 N-QB3 3
B-N5 P-QR3 4 B-R4 N-B3 5 0-0
B-K2 6 BxN QPxB 7 N-B3 N-Q2 8

P-Q4 P-B3 9 B-K3 0-0 10 Q-K2
Q-K1 11 N-KR4 P-KN3 12 N-B3
B-Q3 13 QR-Q1 R-B2 14 N-Q2
P-QN4 15 P-B4 PxQP 16 BxP P-QB4
17 B-K3 B-N2 18 P-QR4 P-N5 19
N/B3-N1 BxKP 20 NxB QxN 21
Q-Q3 R-K2 22 QxQ RxQ 23 B-Q2
N-N3 24 P-QN3 P-B5 25 P-R5 N-Q4
26 B-B1 NxP 27 K-B2 QR-K1 28
K-B3 N-K7 29 Resigns

133 Karpov-Lisenko
Sicilian Defence
1 P-K4 P-QB4 2 N-KB3 N-QB3 3
B-N5 P-KN3 4 P-B3 B-N2 5 0-0 N-B3
6 R-K1 0-0 7 P-KR3 Q-N3 8 N-R3
P-Q4 9 P-Q3 R-Q1 10 Q-K2 P-Q5 11
BxN PxB 12 PxP PxP 13 N-B4 Q-B2
14 B-Q2 P-QR4 15 KR-B1 B-K3 16
Q-K1 BxN 17 RxB Q-N3 18 P-QN3
P-B4 19 R-R4 Q-N4 20 N-K5 N-Q2
21 N-B4 N-K4 22 NxN BxN 23 Q-K2
B-B2 24 P-B4 Q-B3 25 R-QB1 Q-Q3
26 Q-B3 B-N3 27 P-B5 B-B2 28 K-B1
PxP 29 QxP Q-N6 30 Q-B3 QxQ+
31 PxQ B-N3 32 K-B2 P-B3 33
R-N1+ K-B2 34 P-B4 P-K3 35 K-B3
P-B4 36 R-K1 K-B3 37 PxP PxP 38
P-R4 R-KN1 39 P-R3 R-R2 40
R-QB1 R/N1-QR1 41 P-R5 R-QB1
42 R/R4-B4 R-K1 43 R-K1 RxR 44
BxR R-QN2 45 P-N4 BPxP 46 PxP
P-R5 47 P-N5 P-R6 48 R-B2 R-R2 49
R-QR2 B-B4 50 P-N6 BxP 51 B-N4
R-R5 52 Drawn

134 Tsikhelashvili-Karpov
Vienna Opening
1 P-K4 P-K4 2 N-QB3 B-B4 3 Q-N4
N-KB3 4 QxNP R-N1 5 Q-R6 BxP+
6 K-Q1 R-N3 7 Q-R3 P-Q4 8 Q-Q3
B-N3 9 NxP NxN 10 QxN Q-B3 11
N-B3 N-B3 12 P-B3 B-N5 13 Q-Q3
Q-K2 14 P-KR3 B-Q2 15 P-KN4
0-0-0 16 Q-K2 P-KR4 17 P-N5 P-B4
18 P-KR4 R-Q3 19 B-R3 PxP 20
QxP BxB 21 RxB R-B1 22 P-Q3

Q-Q2 23 R-N3 B-B7 24 R-N2 RxP+ 25 N-Q2 R-K6 26 RxB RxQ 27 RxR+ N-Q1 28 K-B2 R-K8 29 P-N4 P-K5 30 P-N6 Q-N2 31 RxN+ KxR 32 NxP RxN 33 B-N5+ K-B1 34 R-Q1 P-N3 35 Resigns

135   Karpov-Romanishin
Queen's Gambit Declined

1 P-Q4 P-Q4 2 N-QB3 N-KB3 3 B-N5 P-B3 4 N-B3 QN-Q2 5 P-K3 P-KN3 6 B-Q3 B-N2 7 0-0 0-0 8 R-K1 R-K1 9 P-KR3 Q-N3 10 R-N1 P-K4 11 B-K2 N-K5 12 B-R4 PxP 13 NxN PxN 14 NxP N-K4 15 P-QB4 P-QB4 16 N-N5 B-K3 17 Q-R4 Q-B3 18 R/K1-QB1 P-KR3 19 R-B2 P-KN4 20 B-N3 R/K1-Q1 21 P-N4 PxP 22 QxNP N-Q6 23 Q-R3 P-R3 24 N-B7 QR-B1 25 Q-R5 P-N4 26 NxB PxN 27 B-N4 N-K4 28 BxN BxB 29 R/N1-QB1 R-Q3 30 P-N3 Q-N3 31 Q-K1 PxP 32 RxP RxR 33 RxR Q-N2 34 Q-QB1 R-N3 35 R-B8+ K-N2 36 Q-B5 B-Q3 37 Q-B3+ P-K4 38 K-N2 R-N8 39 P-QR4 Q-KB2 40 R-Q8 Resigns

136   Raiman-Karpov
Nimzo-Indian Defence

1 P-Q4 N-KB3 2 P-QB4 P-K3 3 N-QB3 B-N5 4 P-K3 P-B4 5 B-Q3 0-0 6 N-B3 P-Q4 7 0-0 QN-Q2 8 BPxP KPxP 9 P-QR3 B-R4 10 R-N1 B-B2 11 P-QN4 PxQP 12 PxP P-KR3 13 R-K1 R-K1 14 P-R3 RxR+ 15 QxR N-B1 16 B-K3 B-Q2 17 Q-Q2 R-B1 18 N-K5 N-K3 19 B-B5 BxN 20 PxB P-Q5 21 PxN PxB 22 QxP QxP 23 N-Q5 Q-Q1 24 R-Q1 P-QN3 25 N-B4 Q-K2 26 N-Q5 Q-K1 27 R-Q3 B-N4 28 Q-N3 Q-Q1 29 R-QB3 RxR 30 NxR B-B5 31 N-K4 B-Q4 32 N-B3 N-Q5 33 Q-K5 BxP 34 KxB Q-N4+ 35 K-B1 NxB 36 Q-K4 Q-N3 37 Q-B3 and White lost on time.

137   Karpov-Miklayev
Ruy Lopez

1 P-K4 P-K4 2 N-KB3 N-QB3 3 B-N5 P-QR3 4 B-R4 P-Q3 5 P-B3 B-Q2 6 0-0 P-KN3 7 P-Q4 B-N2 8 P-KR3 N-B3 9 QN-Q2 0-0 10 R-K1 R-K1 11 B-B2 P-R3 12 P-R3 K-R2 13 N-B1 P-QN4 14 N-N3 N-QR4 15 P-N3 P-B4 16 P-Q5 P-B5 17 P-N4 N-N2 18 B-K3 Q-B2 19 N-R2 P-QR4 20 Q-Q2 R-R3 21 R-KB1 R/K1-QR1 22 QR-B1 PxP 23 RPxP N-N1 24 P-B4 P-B3 25 P-R4 B-K1 26 N-N4 P-R4 27 N-R2 PxP 28 BxP N-Q1 29 Q-Q1 K-R1 30 N-K2 N-B2 31 P-N4 N-K4 32 PxP PxP 33 N-N3 Q-B2 34 N-B3 N-N5 35 N-Q4 B-R3 36 Q-Q2 BxB 37 QxB N/N1-R3 38 N/N3-B5 NxN 39 NxN Q-B1 40 B-Q1 N-K4 41 R-QB2 R-R7 42 RxR RxR

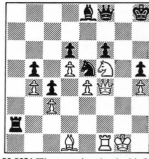

43 N-N3! Threatening both 44 QxP+ and 44 BxP. **43...Q-N2?** Suetin has discovered a complex drawing line beginning with 43...R-R6!: 44 QxP+ (if 44 Q-Q2 Q-N2!) 44...QxQ 45 RxQ B-Q2! (if 45...RxP 46 K-B2!) 46 R-R6+ K-N1 47 RxQP RxP 48 NxP R-B8! 49 N-B6+ K-B2! 50 NxB RxB+ 51 K-B2 K-K2! (found in analysis with Furman and Geller) 52 R-K6+ KxN 53 K-K2!! (not 53 RxN? P-B6! and the pawn promotes) 53...R-Q5 54 RxN P-B6 55 P-Q6 and the position is a draw. The text move is a fatal waste of time. **44 QxP QxQ 45 RxQ R-R8 46 R-B1 R-B8 47 N-K2!**

The beginning of a winning knight manoeuvre, aiming for the KB5 square with gain of tempo. **47...R-R8 48 N-Q4 K-N1 49 N-B5! R-R3 50 K-B2 B-N3 51 K-K3 BxN 52 PxB R-R7 53 K-Q4 R-R8 54 B-K2! R-R7 55 BxRP** White has a decisive advantage. Black has no defence to the advance of the KBP. **55...R-R7 56 R-B4 R-Q7+ 57 K-K4 R-Q6 58 P-B6 RxBP 59 K-B5!** An instructive moment in the realization of an advantage. White's king penetrates Black's position and takes an active part in the final attack. **59...R-K6 60 R-B1 N-Q2 61 R-N1+ K-B1 62 R-QR1 R-K4+ 63 K-N6 R-K1 64 R-R7 R-Q1 65 R-B7!** An essential accuracy. Karpov dashes any hopes of counterplay based on the advance of the QBP. **65...K-N1 66 K-N5 K-R1 67 B-N6 K-N1 68 P-R5 K-R1 69 P-R6 P-B6 70 RxP R-KB1 71 P-B7 Resigns**

Moscow University Championship 1968

	1	2	3	4	5	6	7	8	9	10	11	12	13	14	
1 Karpov	x	½	1	½	1	½	½	½	½	1	1	1	1	1	10
2 Ageichenko	½	x	0	½	1	1	1	0	½	1	1	1	½	1	9
3 Gik	0	1	x	1	½	1	0	½	½	1	1	1	½	1	9
4 Vatnikov	½	½	0	x	1	0	1	½	1	0	½	1	1	1	8
5 Vibornov	0	0	½	0	x	1	½	1	0	1	1	1	1	1	8
6 Skvortsov	½	0	0	1	0	x	0	1	½	1	1	1	1	1	8
7 Krasnov	½	0	1	0	½	1	x	0	1	½	0	1	1	1	7½
8 Lepeshkin	½	1	½	½	0	0	1	x	½	½	½	½	½	1	7
9 Estrin	½	½	½	0	1	½	0	½	x	½	½	0	1	1	6½
10 Bitman	0	0	0	1	0	0	½	½	½	x	0	1	1	1	5½
11 Sukhanov	0	0	0	½	0	0	1	½	½	1	x	1	0	0	4½
12 Khramtsov	0	0	0	0	0	0	0	½	1	0	0	x	1	1	3½
13 Zilburt	0	½	½	0	0	0	0	½	0	0	1	0	x	½	3
14 Pronin	0	0	0	0	0	0	0	0	0	0	1	0	½	x	1½

138   Khramtsov-Karpov
English Opening
Notes by Karpov
1 P-QB4 P-K3 2 P-KN3 P-Q4 3 B-N2 N-KB3 4 N-KB3 N-B3 5 0-0 B-K2 6 P-QN3?! Better 6 P-Q4. **6...0-0 7 B-N2 P-Q5! 8 P-Q3** If 8 P-K3!? P-K4 9 PxP PxP 10 P-Q3 B-N5. **8...P-K4 9 P-QR3** Better is 9 N-R3 followed by N-B2, P-QR3, Q-Q2 and P-QN4. **9... P-QR4 10 QN-Q2 P-R3** Intending ...B-K3 or ...B-KB4 followed by ...B-R2 (after N-R4 by White). **11 N-K1 B-K3 12 N-B2 Q-Q2 13 R-K1 B-R6 14 B-R1 N-KN5 15 R-N1 K-R1** Also possible was 15...P-B4. **16 B-B1**

P-B4 17 P-QN4 P-R5 If 17 ...PxP 18 NxNP! **18 P-B5 Q-K3 19 P-K3** If 19 N-B4 P-K5. **19...PxP 20 NxP NxN 21 PxN**

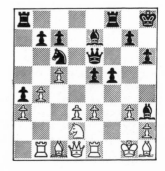

21...P-K5?! Correct is 21...QR-Q1 22
Q-B2 P-K5! . **22 PxP N-K4?** Better
is first 22...PxP (preventing 23 N-B3)
and then ...N-K4. **23 N-B3!** PxP If
23...QR-Q1 24 N-Q4. **24 NxN QxN
25 B-QN2 Q-B4 26 Q-B2 B-N4 27
BxKP BxP+ 28 K-R1** Not 28 RxB??
Q-B8+ and mates. **28...Q-N4 29
BxP+ QxB** If 29...KxB 30 Q-B3+
K-N1 31 RxB (31 QxB?? R-B8+! 32
RxR QxQ+) 31...QR-Q1 32 P-N4. **30
RxB QR-K1 31 R-KB3** Better is 31
P-N4. **31...RxR 32 BxR R-K6 33 BxP
RxRP 34 Q-K4 Q-B3 35 Q-K8+
K-N2 36 B-Q5 P-R4!** 37 Q-K2 Or 37
QxP R-R8 38 Q-Q1 RxR 39 QxR
P-R6 40 B-N2 BxB+ 41 KxB Q-N7+
winning. The only move was 37
Q-K1. **37...R-R8 38 Q-QB2** Or 38
Q-Q1 RxR 39 QxR P-R6 winning.
38...Q-B8+!! 39 Resigns

---

139   Karpov-Pronin
        Franco-Sicilian Defence
        Notes by Karpov

**1 P-K4 P-K3 2 P-Q4 P-QB4 3 P-Q5
PxP 4 PxP P-Q3 5 N-KB3 B-N5 6
B-K2** If 6 B-QN5+ N-Q2 7 0-0
P-QR3. **6...P-QR3 7 P-QR4** White
can castle and if 7...P-QN4 8
P-QR4. **7...BxN** If 7...N-KB3 8 0-0
B-K2 9 N-B3 0-0 10 N-Q2. **8 BxB
B-K2 9 0-0 P-QN3 10 N-Q2 N-Q2**
Better 10...KN-B3. **11 R-K1** Strong is
11 N-B4! (intending 12 B-B4 and 13
R-K1) 11...P-QN4 12 PxP PxP 13
RxR QxR 14 N-R3 Q-N2 15 P-B4±.
11...N-K4 If 11...KN-B3 12 N-B4 0-0
13 B-B4 winning the QP. **12 RxN!
PxR 13 P-Q6 BxP 14 B-B6+ K-B1?**
Better is 14...K-K2 15 BxR QxB 16
N-B4 Q-N1 17 B-N5+ when White
has good compensation for the pawn.
15 BxR QxB 16 N-B4 B-B2 17 B-K3!
N-K2 If 17...P-QR4 18 Q-Q7 Q-Q1
19 R-Q1 winning. **18 P-R5 PxP** If
18...P-QN4 19 N-N6 Q-B3 20 BxP

P-B3 21 Q-Q5 QxQ 22 NxQ B-Q1 23
N-N4 winning. **19 BxP Q-B3** Or
19...Q-Q1 20 NxKP! (threatening 21
N-B6) 20...QxQ+ 21 RxQ BxN 22
R-Q8 mate! **20 NxKP! Q-K1** Or 20...
BxN 21 Q-Q8+ Q-K1 22 BxN+ and
mates. **21 Q-Q4 P-R4 22 R-K1
Resigns**

---

140   Vibornov-Karpov
        Sicilian Defence
        Notes by Karpov

**1 P-K4 P-QB4 2 N-KB3 P-QR3?! 3
N-B3 P-QN4 4 P-QR4? P-N5 5
N-Q5 B-N2!** Also good is 5...P-K3 6
N-K3 B-N2. **6 P-Q3 BxN!? 7** PxB
N-KB3 8 P-Q4 NxP 9 B-QB4 If 9
PxP P-K3∓. **9...N-KB3** But now 9...
P-K3 is bad because of 10 BxN PxB
11 PxP± and 9...N-N3?? is even
worse because of 10 BxBP+! KxB 11
N-K5+ K-N1 12 Q-B3 Q-K1 13 P-R5
winning. **10 PxP** Interesting is 10
P-Q5!? P-N3 11 0-0 P-Q3 12 R-K1
B-N2 13 Q-K2 R-R2 14 P-R5 with
compensation. **10...P-K3 11 B-K3
Q-B2 12 Q-Q4 N-B3 13 Q-Q3 N-N5
14 BxRP** The only move. If 14 0-0
NxB 15 QxN N-R4* followed by
...BxP. **14...NxB 15 PxN BxP 16
B-N5 0-0 17 0-0 P-Q4 18 K-R1** Better
18 BxN. **18...N-K4! 19 Q-K2** If 19
NxN QxN threatening the KP and
QNP. **19...P-B4!?** Also possible is
19...N-N5 20 P-K4 PxP 21 QxP
N-B7+ 22 RxN BxR 23 B-Q3
P-N3. **20 QR-K1 N-N5 21 Q-Q2
R-B3 22 P-KN3 R-KR3 23 K-N2
Q-N3 24 N-R4 NxP+ 25 RxN BxR
26 QxNP P-B5 27 Q-K7 R-B3 28
N-B3 B-B4 29 Q-Q7 B-Q3 30 P-B3
R-Q1 31 Q-B6 Q-K6! 32 Resigns**

---

141   Krasnov-Karpov
        Queen's Indian Defence

**1 P-Q4 N-KB3 2 P-QB4 P-K3 3
N-KB3 P-Q4 4 N-B3 B-N5 5 B-N5**

P-KR3 6 BxN QxB 7 P-K3 0-0 8
B-K2 PxP 9 BxP P-QN3 10 0-0 B-N2
11 R-B1 P-B4 12 N-QN5 P-R3 13
N-Q6 BxN 14 PxB PxP 15 N-K4
Q-K4 16 PxP Q-B5 17 P-Q5 P-QN4
18 B-N3 N-Q2 19 PxP N-K4 20
PxP+ K-R1 21 K-N2 N-N3 22 N-N3
QR-Q1 23 Q-K2 QxR 24 RxQ
N-B5+ 25 K-B1 NxQ 26 NxN
R/Q1-B1 27 R-QR1 B-Q3 28 P-B4
P-N3 29 K-N2 R/KB1-Q1 30 K-B3
B-K2 31 P-B5 P-N4 32 N-N3 R-Q6+
33 K-N2 K-N2 34 N-R5+ K-B1 35
R-K1 P-R4 36 P-B6 B-N5 37 R-K4
RxB 38 PxR KxP 39 R-K5 R-B4 40
R-K7+ K-N3 41 N-N3 KxP 42 R-K2
R-K4 43 R-B2 R-K3 44 K-B3 K-K4
45 R-B8 B-Q3 46 K-K2 R-B3 47
P-B3 R-B5 48 N-K4 B-N5 49 K-K3
R-R5 50 R-K8+ K-B4 51 N-N3+
K-B3 52 R-QN8 RxP 53 R-N6+
K-B2 54 RxP RxP 55 N-B5 RxP+ 56
K-K4 P-R5 57 N-Q4 R-N7 58 R-N7+
K-K1 59 N-B6 B-B6? 60 R-QR7
R-QR7 61 K-B5 P-R6 62 R-K7+
K-B1 63 K-N6 Drawn

142   Karpov-Gik
Sicilian Defence
Notes by Karpov
**1 P-K4 P-QB4 2 N-KB3 P-Q3 3 P-Q4
PxP 4 NxP N-KB3 5 N-QB3 P-KN3 6
B-K3 B-N2 7 P-B3 0-0 8 B-QB4
N-B3 9 Q-Q2 Q-R4 10 0-0-0 B-Q2**
A year ago this variation was
popular. It occurred in the games
Gheorghiu-Geller (Moscow 1967),
Spassky-Stein (match RSFSR-
Ukraine 1967), Minic-Bihovsky (Bel-
grade 1967) and also at the Inter-
zonal tournament in Sousse.
In a game Bihovsky-Gik White
played 11 P-KN4 and won the game.
I think that an alternative plan
involving the sacrifice of the KRP is
more promising. This was the plan
used by Spassky.

11	P—KR4	N—K4
12	B—N3	KR—B1
13	P—R5	NxRP

In the game Spassky-Stein White
played 14 K-N1 and Black got good
counterplay by sacrificing the ex-
change: 14...RxN 15 QxR QxQ 16
PxQ R-QB1 17 K-N2 P-R4.
At the last Student's Olympiad in
Austria (Ybbs 1968) the German
players managed to strengthen
White's play: He need not lose time
moving his king. (Karpov is referring
to the well known game Dueball-
Mista — DNLL)

14	B—R6	BxB

14...N-Q6+ leads to an extremely
complicated position: 15 K-N1 NxP
(not 15...BxN 16 N-Q5!) 16 KxN BxB
17 QxB QxN+ 18 K-N1. (Now it is
known that 17...RxN is correct and
not 17...QxN+ — DNLL)

15	QxB	RxN
16	PxB	QxBP

(16...R-QB1 is now known to
equalize —DNLL)

17	N—K2	

Black overlooked this move. Now
he cannot play 17...N-Q6 18 RxN
Q-R8+ 19 K-Q2 QxR 20 P-N4 N-N6
21 QxQ NxQ 22 K-K3 and the
knight is trapped. So Black must
retreat his queen.

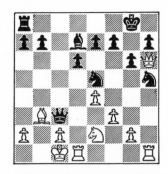

17 ...		Q—B4

18 P—N4	N—KB3
19 P—N5	N—R4

Here I almost played 20 N-N3 but I noticed in time that after 20...B-N5! White's queen is kept out of play. On 21 N-B5 comes 21...BxN 22 PxB Q-K6+ 23 K-N1 Q-B5 and it is not clear how to continue the attack.

20 RxN!

The only way to make progress.

20 ...	PxR
21 R—R1	Q—K6+
22 K—N1	QxBP

Naturally not 22...QxN because of 23 QxP/R5 followed by mate.

23 RxP	P—K3

23...QxP fails to 24 P-N6! The brave pawn is under fourfold attack but it is untouchable. Perhaps there were better chances of salvation in 23...N-N3 24 QxP+ K-B1 25 R-R6 P-K3 26 RxN PxR 27 QxB QxN.

(Subsequent Soviet analysis showed that this line saves Black: 28 QxQP+ K-N2 29 Q-K7+ K-R1 30 Q-B6+ K-R2 31 Q-B7+ K-R1 32 QxNP Q-Q8+ 33 K-N2 Q-Q5+ 34 P-B3 Q-Q7+ 35 B-B2 (otherwise perpetual check) 35...Q-Q2 with counterchances. 36 Q-B6+ (36 P-K5 R-K1) 36...K-N1 37 P-N6 R-K1 38 Q-Q4 QxQ 39 PxQ P-K4 +; or 36 Q-R6+ K-N1 37 P-N6 Q-N2 +. So White probably has no more than a draw. — DNLL)

24 P—N6!	NxP

Forced, since after 24...BPxP comes 25 QxRP+ K-B1 26 Q-R8+ K-K2 27 R-R7+ N-B2 28 QxR QxN 29 QxNP and White wins.

25 QxP+	K—B1

It looks as though Black has weathered the storm. His K-side appears to be holding together and White's attacking forces are limited. But now comes a shattering blow.

26 R—KB5!

My opponent had not seen this move. If 26...PxR White mates at once. Now Black must give up material.

26 ...	QxB+
27 RPxQ	PxR
28 N—B4	R—Q1

Or 28...NxN 29 Q-R8+ and 30 QxR.

29 Q-R6+ K-K1 30 NxN PxN 31 QxP+ K-K2 32 Q-N5+ K-K1 33 PxP R-B1 34 Q-N8+ K-K2 35 Q-N7+ K-Q1 36 P-B6 **Resigns**

143   Ageichenko-Karpov
The score of this drawn game is not available.

144   Karpov-Zukhanov
    Sicilian Defence
1 P-K4 P-QB4 2 N-QB3 N-QB3 3 P-KN3 P-KN3 4 B-N2 B-N2 5 P-Q3 N-B3 6 B-K3 P-Q3 7 P-KR3 N-Q5 8 N/3-K2 Q-N3 9 P-QB3 NxN 10 QxN B-Q2 11 N-B3 Q-R3 12 N-R4? B-B3 13 Q-B2 P-Q4 14 P-K5 N-Q2 15 P-KB4 B-N4 16 BxP BxP 17 Q-N2 0-0-0 18 R-Q1 P-B5 19 P-N3 P-K3 20 BxP BxB 21 PxB QxBP 22 Q-K2 QxQ+? 23 KxQ P-B3 24 PxP BxP 25 N-B3 P-K4 26 PxP NxP 27 BxP QR-K1 28 NxN BxN 29 K-Q3 BxNP 30 KR-B1 R-K3 31 B-Q4

R-Q1 32 R-B7 P-R4 33 R-QN1
P-N3? 34 P-QR4 B-B2 35 K-B4
R-B3+ 36 K-N5 K-N2 37 R-K1
R-Q4+ 38 K-N4 R-KB4 39 RxR PxR
40 K-N5 R-Q3! 41 K-B4 R-N3 42
R-K7 K-B3 43 R-R7 P-B5 44 RxP
P-B6 45 K-Q3 R-N7 46 R-B5 R-QR7
47 RxP Resigns

145   Vatnikov-Karpov
          Four Knights Game
1 P-K4 P-K4 2 N-KB3 N-QB3 3
N-B3 N-B3 4 B-N5 N-Q5 5 NxN PxN
6 P-K5 PxN 7 PxP QxP 8 QPxP
Q-K4+ 9 Q-K2 Drawn

146   Karpov-Estrin
          Ruy Lopez
1 P-K4 P-K4 2 N-KB3 N-QB3 3
B-N5 P-QR3 4 B-R4 N-B3 5 0-0
B-K2 6 Q-K2 P-QN4 7 B-N3 P-Q3 8
P-KR3 N-QR4 9 N-B3 0-0 10 P-Q3
P-B3 11 N-R2 NxB 12 RPxN B-K3
13 P-B4 PxP 14 BxP P-Q4 15 P-K5
N-K1 16 P-Q4 Q-Q2 17 N-B3 N-B2
18 B-N5 BxB 19 NxB B-B4 20 P-QN4
B-N3 21 Q-Q2 QR-K1 22 N-K2
Q-K2 23 N-KB3 B-K5 24 QR-K1?
BxN 25 RxB P-B3 26 N-B1 PxP 27
RxP Q-Q3 28 R/B3-K3 RxR 29 PxR
Q-R3 30 N-N3 N-K3 31 P-B3 Drawn

147   Skvortsov-Karpov
The score of this drawn game is
not available.

148   Karpov-Zilburt
          Ruy Lopez
1 P-K4 P-K4 2 N-KB3 N-QB3 3
B-N5 P-QR3 4 B-R4 P-Q3 5 P-Q4
P-QN4 6 B-N3 NxP 7 NxN PxN 8
P-QR4 B-N2 9 Q-K2 Q-Q2 10 P-QB3
P-Q6 11 QxP N-B3 12 PxP PxP 13
RxR+ BxR 14 0-0 B-K2 15 R-K1 0-0
16 N-R3 R-K1? 17 QxNP B-B3 18
Q-KB5 BxP 19 QxQ NxQ 20 RxB
N-B4 21 B-R4 Resigns

149   Lepeshkin-Karpov
The score of this drawn game is
not available.

150   Karpov-Bitman
          Sicilian Defence
**1 P-K4 P-QB4 2 N-KB3 P-K3 3 P-B3
P-Q4 4 PxP PxP 5 B-N5+ N-B3 6 0-0
B-Q3 7 P-Q4 PxP? 8 NxP Q-B2 9
Q-R5 N-K2 10 B-Q3! P-QR3 11
R-K1 N-K4 12 B-N5+! K-B1 12...
PxB loses a pawn: 13 NxP followed
by 13 NxB and 14 QxN. 13 B-K2?
P-R3 14 P-KR3 N-N1 15 B-B1
N-KB3 16 Q-Q1 P-KN4?! 17 N-B3!
N-B3 18 P-QN3 P-N5 19 PxP BxP 20
B-R3 BxB 21 NxB R-KN1 22 Q-Q2
Q-Q3? 23 N-B4 Q-Q1 24 QxRP+
R-N2 25 N/4-K5 BxN 26 NxB
N-KN5 27 Q-B4 Q-N3 28 R-K2 Q-B4
29 R-B2 K-N1 30 R-K1 R-KB1 31
B-Q3 N-Q1 32 B-B5 N-KB3 33 R-K3
P-N4 34 Q-R6 N-N5 35 BxN RxB 36
N-N5 Black lost on time.**

Leningrad 1969
(World Junior Championship Qualifying Event)

	Karpov	Vaganian	Steinberg	
1 Karpov	—	1½10½½	1½110½	7½
2 Vaganian	0½01½½	—	½1½01½	6
3 Steinberg	0½001½	½0½10½	—	4½

151 Vaganian-Karpov
Queen's Indian Defence
Notes by Karpov

1 P-Q4 N-KB3 2 P-QB4 P-K3 3 N-KB3 P-QN3 3 P-K3 B-N2 5 B-Q3 B-K2 6 0-0 P-B4 7 N/N1-Q2 N-B3 8 P-QR3? PxP 9 PxP P-Q4 10 PxP QxP 11 B-B4 Q-Q3 12 N-N3 0-0 13 Q-K2 Better 13 B-KN5. **13...P-KR3 14 R-Q1 KR-Q1 15 B-K3 QR-B1 16 QR-B1 N-Q4 17 B-Q2?! P-QR4! 18 R-B2 Q-N1 19 N-B1 N-B5 20 BxN QxB 21 R/2-Q2** If 21 P-Q5!? PxP 22 BxP B-B3∓. **21...B-B3 22 N-Q3? Q-B2! 23 N/Q3-K5 NxP 24 RxN RxR 25 NxR** If 25 RxR BxN/6 26 QxB QxN 27 R-K4 RxB! winning. **25... QxN 26 N-N5 QxNP** 26...QxQ 27 BxQ B-Q4 is a simple win. **27 N-Q6 QxQ 28 BxQ R-B2 29 NxB RxN 30 P-QR4 R-B2 31 B-N5 R-B7 32 P-R3 P-N3 33 R-Q6 R-B8+ 34 B-B1 R-R8 35 RxP RxP 36 P-N3 B-Q5** Stronger is 36...R-R7! **37 B-B4 R-B7** and then ...B-Q5. **37 R-N8+ K-N2 38 B-K2 R-R7 39 K-B1 P-R5 40 R-N4 P-K4 41 R-N7 P-R6?? 42 RxP+ K-R1 43 R-B8+ K-N2 44 R-B7+ KxR 45 B-B4+ K-B3 46 BxR P-N4!** 47 P-B3 If 47 P-N4 P-K5 48 K-K2 K-K4 49 P-B3 K-B5 followed by ...K-N6, ...KxRP and the advance of the KRP. **47...P-R4 48 K-K2 P-K5! 49 PxP?** 49 P-N4 P-R5 50 PxP K-K4 51 K-B3 B-B4 produces a fantastic ending which Black wins! : 52 B-B7 K-Q5 53 B-N8 B-Q3 54 B-B7 K-Q6 55 B-N8 B-K4 56 B-B7 K-Q7 (56... K-B6 57 K-K2 K-N7 58 K-Q3 P-R7 only draws after 59 BxP KxB 60 K-B4 K-N7 61 K-Q5 B-B3 62 P-K5 B-Q1 63 P-K6 K-B6 64 K-Q6 K-Q5 65 P-K7 BxP 66 KxB K-K4) 57 B-K6 K-K8 58 B-B4 B-B5 59 K-N2 K-Q7 60 K-B3 K-B6 (winning a tempo!!) 61 B-B7 K-N7 62 K-K2 P-R7 63 BxP KxB 64 K-Q3 K-N6 65 K-Q4 K-N5! (65...K-B7 only draws) 66 P-K5 K-N4

67 K-Q5 K-N3 winning. **49...P-N5! 50 PxP PxP 51 B-N3 B-K4 52 K-B2 K-K2 53 K-K3 BxP 54 K-Q4 B-K4+! 55 Resigns**

152 Karpov-Steinberg
Sicilian Defence
Notes by Karpov

1 P-K4 P-QB4 2 N-QB3 N-QB3 3 P-KN3 P-KN3 4 B-N2 B-N2 5 P-Q3 P-Q3 6 P-B4 P-K4 7 N-B3 KN-K2 8 0-0 0-0 9 B-K3 N-Q5 10 Q-Q2 N/K2-B3 11 QR-N1 Not 11 N-Q5? PxP 12 BxP NxN+ 13 BxN BxP. **11... B-N5 12 N-Q5 N-K2 13 NxN QxN 14 P-B3 PxP 15 BxP NxN+ 16 BxN B-K3** Possible was 16...BxB 17 RxB P-B4. **17 P-N3 QR-K1 18 R/N-K1** Preventing 18...P-B4. **18...P-N3 19 P-Q4 PxP 20 PxP Q-Q2 21 Q-N4! R-Q1 22 B-N2 KR-K1 23 P-Q5** If 23 R-B1 B-R6! **23...B-N5 24 R-B1 Q-K2 25 R-B6 B-K4 26 KR-B1 BxB** On 26...R-QB1!? White should not continue 27 P-KR3 B-Q2 28 R-B7 BxB 29 PxB Q-R5∓ but 27 Q-Q2 when White is a little better. **27 PxB Q-R5** If 27...R-QB1?! 28 RxR RxR 29 RxR+ BxR 30 P-K5 with a good game for White. **28 Q-K1 Q-B3** The exchange of queens is good for White. **29 Q-Q2 Q-K2 30 R/B1-B3 R-QB1 31 P-KR3 RxR** Not 31...B-Q2 32 R-B7 Q-B3 (or 32...P-QR3 33 Q-Q4±) 33 P-K5! winning. **32 PxR B-K3 33 R-Q3 R-Q1 34 K-R2** Not 34 P-K5 P-Q4 35 BxP? Q-B4+ 36 Q-B2 RxB winning. **34...R-QB1** Possible was 34...P-B3. **35 RxP Q-B2 36 Q-Q4 Q-K2 37 K-N3** Preventing 37...Q-R5. **37...P-KR4 38 B-B3 P-R5+ 39 K-R2 Q-K1 40 Q-B6 Q-B1 41 P-K5 Q-K1 42 QxRP K-N2 43 Q-B6+ Resigns**

153 Karpov-Vaganian
Alekhine's Defence

1 P-K4 N-KB3 2 P-K5 N-Q4 3 P-Q4 P-Q3 4 N-KB3 P-KN3 5 B-K2 B-N2

6 P-QN3 N-QB3 7 P-B4 N-N3 8 PxP
BPxP 9 0-0 0-0 10 B-N2 B-N5 11
Q-Q2 P-K3 12 N-R3 P-Q4 13 KR-Q1
PxP 14 NxP NxN 15 PxN Q-N3 16
QR-N1 B-B4 17 B-Q3 BxB 18 QxB
KR-Q1 19 P-Q5? BxB 20 Q-K2 PxP
21 PxP N-N5 22 RxB Q-B4 23
P-KR3 P-QN3 24 P-Q6! RxP 25 RxR
QxR 26 Q-K4 N-Q4 27 R-Q2 R-Q1
28 N-K5 Q-B4 29 Q-B3 P-B4 30
P-KR4 R-Q3 31 R-Q1 K-N2 32 P-R5
K-B3 33 PxP PₓP 34 Q-KN3 K-N2
35 Q-N5 R-K3 36 N-B3 N-B3! 37
R-QB1 Q-K2 38 Q-B4 R-Q3 39 R-K1
N-K5 40 P-N4 Q-B3 41 P-N5 Q-K2
42 K-N2 K-N1 43 R-KR1 Q-KN2 44
R-QB1 Q-N2 45 R-KR1 Drawn

154   Steinberg-Karpov
        Queen's Indian Defence
1 P-Q4 N-KB3 2 P-QB4 P-K3 3
N-KB3 P-QN3 4 P-KN3 B-N2 5 B-N2
B-K2 6 0-0 0-0 7 N-B3 N-K5 8 Q-B2
NxN 9 QxN P-QB4 10 R-Q1 P-Q3 11
B-K3 Q-B2 12 QR-B1 N-Q2 13 P-N3
N-B3 14 N-K1 BxB 15 NxB Q-N2 16
Q-Q3 PxP 17 BxP KR-Q1 18 N-K3
QR-B1 19 Q-N1 P-KR3 20 R-Q3
R-Q2 21 R/B1-Q1 P-QN4 22 BxN
BxB 23 PxP QxP 24 N-B4 P-Q4 25
P-K4 R/B1-Q1 26 PxP RxP 27 RxR
RxR 28 Q-B2 B-Q5 29 R-Q2 Q-Q2
30 Q-K4 P-B4 31 Q-B3 K-R2 32
K-N2 Q-KB2 33 N-K3 R-Q1 34 Q-B6
Q-B3 35 N-B4 R-Q4 36 R-K2 P-B5
37 P-B3 PxP 38 PxP B-K4 39 N-K3
Q-N4 40 Q-B2+ K-N1 41 Q-B8+
K-R2 42 Q-B2+? P-N3 43 N-N4
B-N2 44 N-B2 Q-K2 45 N-Q3 Q-KB2
46 N-B2 R-KB4 47 Q-B6 R-K4 48
N-K4 P-N4 49 Q-B2 K-N1 50 P-KN3
P-KR4 51 N-Q6 Q-B5 52 N-B4 PxP
53 NxR BxN 54 PxP Q-R7+ 55 K-B1
Q-R8+ 56 K-B2 Q-R5+ 57 Drawn

155   Vaganian-Karpov
        Nimzo-Indian Defence
1 P-Q4 N-KB3 2 P-QB4 P-K3 3

N-QB3 B-N5 4 P-K3 0-0 5 N-B3
P-B4 6 B-K2 P-Q4 7 0-0 QN-Q2 8
PxQP KPxP
    9 Q—N3
A similar position has arisen to
one in the 1968 Candidates' Match
between Korchnoy and Tal in which
White had developed his KB at Q3
instead of K2. Tal played 9...N-N3
and after 10 N-K2 P-QR4 11 PxP
QN-Q2 12 P-QR3 NxP 13 BxP+
White gained the advantage.
    9 ...   BxN
Black parts with the bishop but in
exchange he gets a tempo and con-
trol of the K5 square. If now 10 PxB
P-B5 the position has a closed
character in which White's two
bishops cannot become active.
    If Black, in analogy with Korch-
noy-Tal, played 9...N-N3, then 10
N-N1 P-QR4 11 P-QR3 P-B5 12
Q-B2 B-Q3 13 N-B3 gives White the
advantage in view of the weakening
of his opponents' Q-side.
    10 QxB   N—K5
    11 Q—B2   P—QN3
    12 PxP
After 12 P-QN3 B-N2 13 B-N2
R-B1 this move would be forced.
    12 ...   PxP
    13 P—QN3   B—N2
    14 B—N2   R—B1
    15 KR—Q1

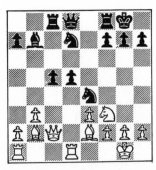

A stereotyped move. Stronger was

15 N-Q2 exchanging the active knight and giving his bishops more scope. On 15...P-B4 there could then follow 16 P-B3 Q-N4 (as Karpov had intended) 17 P-B4 with the better game for White.

15 ...   Q—K2
16 QR—B1   P—B4
17 N—K1?

An unhappy move. White doesn't think of taking the initiative but intends, by means of P-N3 and N-N2, to erect a defensive barrier on the K-side in order to stop the penetration of Black's KBP. Karpov quickly reveals the inadequacy of this plan. The logical continuation was 17 P-QN4. After 17...PxP 18 Q-R4 Black would have had to switch to a defensive mode. The extra pawn plays no useful role, especially as it cannot be held. e.g. 18...N/2-B4 19 QxRP R-R1 20 Q-N6 RxP 21 QxP NxP 22 B-Q4; or 18...P-QR3 19 P-QR3.

Evidently Black would have had to reply to 17 P-QN4 with 17...P-QB5 when 18 B-Q4 gives White reasonable prospects.

17 ...   Q—R5
18 P—N3   Q—R3
19 N—N2   K—R1!

Creating the threat 20...P-Q5. If then 21 PxP PxP 22 Q-Q3 NxBP 23 KxN QxP 24 R-KN1 (or 24 B-KB3 N-K4) 24...N-K4 25 QxQP N-N5+ 26 K-B1 RxR+ 27 BxR QxP (threat 28...N-R7 mate) 28 BxN PxB+ 29 N-B4 B-R3+ winning.

20 Q—Q3   R/QB1-K1

Now that White cannot play 21 B-N5, Karpov transfers his rook to the K-file, again threatening 21...P-Q5. On 22 PxP comes 22...NxBP 23 KxN QxP 24 R-KN1 (or 24 B-KB3) 24...P-B5! with a winning attack.

If 21 B-KB3 Black still continues

21...P-Q5 22 PxP B-R3 23 Q-B2 (or 23 Q-B3) 23...N-N4 with advantage.

21 P—B3

To halt the attack White should have played 21 P-B4, leaving the K4 square for the enemy knight. But Vaganian could not bring himself to do that and so he further weakens his position, bringing about its total collapse.

21 ...   N—N4

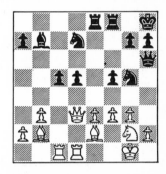

22 N—B4

Black's task would be harder after 22 P-KR4, though the following variations show that he should still win: 22...N-R6+ 23 K-B1 P-Q5 24 PxP (or 24 P-B4 Q-QB3) 24...P-KB5 and now, how can White continue? If (i) 25 P-KN4 then 25...R-K6 26 P-N5 (26 NxR QxP with a mating attack) 26...Q-R4 27 NxP RxN 28 QxP BxP 29 K-K1 BxB and wins; (ii) 25 PxBP PxNP 26 P-B6 (if 26 QxN BxP +) 26...BxP 27 RxB QxR 28 QxN RxP+ 29 K-K1 RxB+ 30 KxR Q-K5+ and mates; or (iii) 25 P-Q5 PxNP and White still cannot hold the position.

22 ...   P—Q5
23 P—KR4

On 23 PxP Black sacrifices the exchange with 23...RxB. e.g. 24 QxR NxP+ 25 K-B1 NxP+ 26 K-B2 N-B3 27 P-Q5 R-K1 28 N-K6 N/7-N5+ 29 K-K1 (or 29 K-N1 RxN!) 29...BxP 30 RxB Q-R8+ and wins.

23...BxP 24 PxP N-R6+ 25 NxN BxB 26 Q-Q2 R-K6 27 K-R2 N-B3 28 N-B4 N-N5+ 29 K-N2 B-B6+ 30 K-N1 BxR 31 Resigns

156   Karpov-Steinberg
Ruy Lopez

1 P-K4 P-K4 2 N-KB3 N-QB3 3 B-N5 P-QR3 4 B-R4 N-B3 5 Q-K2 P-QN4 6 B-N3 B-K2 7 P-B3 0-0 8 P-Q4 P-Q3 9 0-0 PxP 10 PxP B-N5 11 B-K3 N-QR4 12 B-B2 N-B5 13 B-B1 P-B4 14 P-QN3 N-N3 15 B-N2 N/B3-Q2 16 P-QR4! PxRP 17 PxRP P-QR4 18 R-Q1 R-B1 19 N-R3 P-B5 20 B-B3 P-Q4 21 P-K5 B-N5 22 N-QN5 N-N1 23 P-R3 B-R4 24 Q-K3 N-B3 25 R-Q2 BxN 26 QxB N-R1! 27 R-QB1 N-B2 28 B-B5 N-K3 29 Q-N4 Q-K2 30 P-B4 R-N1 31 K-R2 N-B2 32 NxN QxN 33 Q-B3 N-K2 34 B-B2 P-B4 35 R-B1 Q-Q2 36 P-N3 P-N3 37 R-N2 R-B2 38 Q-K3 Q-K3 39 B-Q2 K-R1 40 P-N4 R/N1-KB1 41 R-N3 Q-N3 42 R-N2 Q-QB3 43 R-B3 Q-K3 44 B-B1 Q-N3 45 K-R1! PxP? 46 PxP N-B3 47 P-K6 R-K2 48 P-B5 QxP 49 QxQ NxQ 50 B-N2 P-B6**

51 RxP! K-N1 52 R-K3 B-B4 53 R-K5 R-N1 54 B-B3 NxB 55 RxN P-Q5 56 BxRP B-Q3 57 R-Q5 Resigns

157   Karpov-Vaganian
Alekhine's Defence

1 P-K4 N-KB3 2 P-K5 N-Q4 3 P-Q4 P-Q3 4 N-KB3 P-KN3 5 B-K2 B-N2 6 P-B4 N-N3 7 PxP BPxP 8 P-KR3 0-0 9 0-0 N-B3 10 N-B3 B-B4 11 B-B4?! Karpov's dubious innovation. Better is 11 B-K3 P-Q4 12 P-B5 N-B5 13 BxN PxB 14 Q-R4 B-Q6 15 KR-Q1 Q-R4 with roughly equal chances. **11...P-KR3!** Threatening 12...P-K4. For 11...P-Q4 see game 185. **12 R-B1** In game 161 Karpov improves with 12 B-K3. **12...P-K4 13 B-K3 P-K5 14 N-Q2 R-K1** Not 14...NxQP 15 BxN BxB 16 N/2xP. **15 N-N3** After 15 P-KN4 Q-R5 16 PxB PxP Black has a strong attack. **15...P-Q4 16 PxP N-N5 17 Q-Q2 N/5xQP 18 N-B5?** Better is 18 NxN NxN 19 BxP P-K6 20 BxP NxB 21 PxN Q-N4 22 R-B3 BxRP 23 B-B3. **18...NxB 19 PxN Q-N4 20 K-R1 QR-Q1 21 R-QB2** Black was threatening 21...RxQP. **21...Q-N6 22 Q-B1 N-Q4**

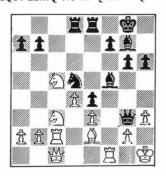

Black has a strong attack. He threatens to sacrifice on KR6 with at least a draw. **23 NxN RxN 24 B-N5 R-QB1 25 B-R4 P-N3 26 NxP** Better 26 B-N3. **26...BxN 27 RxR+ K-R2 28 R-QB2** There is nothing better. **28... R-KR4! 29 K-N1 RxP 30 RxP Q-R7+ 31 K-B1 Q-R8+ 32 K-K2 QxP+ 33 R-B2 Q-N5+ 34 K-Q2 R-R8 35 QxR BxQ 36 B-N3 B-B6 37**

B-K6 QxB 38 RxB P-KN4 39 R-QB7
K-N3 40 RxP P-N5 41 R-B1 P-R4 42
R-R6 P-N6 43 P-R4 B-B3 44 R-B3
P-R5 45 **Resigns**

158   Steinberg-Karpov
English Opening
1 P-QB4 P-K3 2 P-KN3 N-KB3 3
B-N2 P-B4 4 N-KB3 N-B3 5 0-0
P-Q4 6 PxP NxP 7 P-Q4 B-K2 8 PxP
BxP 9 N-N5 B-K2 10 N-K4 0-0 11
QN-B3 NxN 12 NxN Q-N3 13 R-N1
R-Q1 14 Q-R4 B-Q2 15 B-K3 Q-N5
16 QxQ BxQ 17 N-K4 B-K1 18
P-QR3 B-K2 19 KR-Q1 P-QN3 20
B-B4 RxR+ 21 RxR R-Q1 22 RxR
NxR 23 B-B7 B-QB3 24 P-QN4?
P-QN4! 25 B-N8? P-B4! 26 B-Q6
BxN! 27 BxB/K7 N-B3 28 BxB PxB
29 B-B5 P-QR3 30 K-N2 N-K4 31
B-K3 K-B2 32 B-B1 N-B5 33 K-B1
K-B3 34 K-K1 K-B4! 35 P-R3
P-KR4 36 K-Q1 P-N4 37 P-B3 P-K6!
38 P-N4+ PxP 39 RPxP+ K-K4 40
K-B2 K-Q5 41 K-N3 and White
resigned

159   Vaganian-Karpov
Nimzo Indian Defence
1 P-Q4 N-KB3 2 P-QB4 P-K3 3
N-QB3 B-N5 4 P-KN3 P-B4 5 P-Q5
N-K5 6 Q-B2? Q-B3 7 N-R3 NxN 8
B-Q2 NxQP 9 PxN BxB+ 10 QxB
P-K4 11 P-Q6 N-B3 12 B-N2 N-Q5?
13 R-Q1 0-0 14 N-N5 Q-N3 15 N-K4
P-QN3 16 P-K3 N-B3

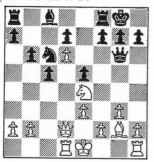

17 NxP PxN 18 BxN R-N1 19 B-B3
Q-B4 20 B-K2 Q-R6 21 B-B1 Q-K3
22 P-N3 B-N2 23 B-B4 Q-R6 24
B-Q5 B-R3 25 R-QB1 KR-B1 26
Q-R5? B-Q6 27 Q-Q2 B-N4 28 P-B3
R-N3 29 B-B4 BxB 30 RxB R/B1-B3
31 Q-QB2 P-N3 32 K-B2 RxQP 33
RxP R/N3-B3 34 P-QN4 P-KR4 35
P-K4 P-R5 36 P-N4 R-B3 37 Q-K2
RxR 38 PxR QxNP 39 R-QN1 Q-R6
40 K-K3 P-N4? 41 R-N1 R-KN3 42
R-N4 K-B1 43 P-R4 R-QB3 44 Q-Q2
Q-B8 45 RxNP Q-QR8 46 K-B2
K-K2 47 R-B5 R-KN3 48 RxBP+
KxR 49 QxP+ K-B1 50 Q-Q8+
K-B2 51 Q-Q7+ K-B1 52 Q-Q8+
K-N2 53 Q-K7+ K-N1 54 Q-Q8+
Drawn

160   Karpov-Steinberg
Sicilian Defence
1 P-K4 P-QB4 2 N-QB3 N-QB3 3
P-KN3 P-KN3 4 B-N2 B-N2 5 P-Q3
P-Q3 6 P-B4 P-K3 7 N-B3 KN-K2 8
0-0 0-0 9 B-K3 N-Q5 10 Q-Q2 P-N3
11 QR-K1? B-N2 12 B-B2 Q-Q2 13
NxN PxN 14 N-K2 P-K4 15 P-B3
PxQBP 16 NxP QR-Q1 17 K-R1
P-Q4 18 KPxP? PxP 19 QxP NxP 20
Q-Q2 NxN 21 PxN B-QR3! 22 B-Q4
BxB 23 PxB QxP 24 R-K7 BxP 25
R-Q1 Q-B3? 26 RxRP B-K5 27 R-Q7
RxR 28 QxR B-B4 29 Q-Q4 QxQ 30
RxQ R-B1 31 P-KR4 R-B6 32 K-R2
R-R6 33 B-Q5 R-Q6 34 RxR BxR 35
K-N2 K-N2 36 K-B3 B-B4 37 K-B4
K-B3 38 P-N4 B-K3 39 P-N5+ K-K2
40 K-K5 BxB 41 KxB P-B4 42 K-K5
K-Q2 43 K-Q5 K-B2 44 K-K5 K-B3
45 P-R5 PxP 46 KxP K-Q3 47
Resigns

161   Karpov-Vaganian
Alekhine's Defence
1 P-K4 N-KB3 2 P-K5 N-Q4 3 P-Q4
P-Q3 4 N-KB3 P-KN3 5 B-K2 B-N2
6 P-B4 N-N3 7 PxP BPxP 8 P-KR3
0-0 9 N-B3 N-B3 10 0-0 B-B4 11

B-B4 P-KR3 12 B-K3 P-Q4 13
P-QN3 PxP 14 PxP R-B1 15 R-B1
N-R4 16 P-B5 N/N3-B5 17 B-B4
P-KN4 18 B-N3 Q-Q2! 19 BxN NxB
20 Q-K2 Q-K3 21 KR-K1 QxQ 22
RxQ P-K3 23 N-K4 BxN 24 RxB
N-R4 25 B-K5 KR-Q1 26 R-N1
R-Q4? 27 BxB KxB 28 R-N5 P-N3 29
R-K5 N-B5 30 RxR PxR 31 PxP NxP
32 R-R5 R-B8+ 33 K-R2 R-B2 34
N-K5 K-B3 35 N-N4+ K-B4 36 R-B5
R-K2 37 NxP+ K-K5 38 R-B1 K-Q6
39 K-N3 P-B3 40 R-B6 R-K7 41
N-B5 RxRP 42 RxP R-N7 43 K-N4
P-R4 44 R-B7 N-B1 45 R-B8 N-N3
46 R-B7 RxP 47 P-N3 N-B1 48 R-Q7
K-K5 49 R-QB7 RxN 50 RxN R-B8
51 R-QR8 R-QR8 52 KxP KxP 53
P-R4 Drawn

162   Steinberg-Karpov
           Ruy Lopez
1 P-K4 P-K4 2 N-KB3 N-QB3 3
B-N5 P-QR3 4 B-R4 N-B3 5 0-0
B-K2 6 R-K1 P-QN4 7 B-N3 P-Q3 8
P-B3 0-0 9 P-KR3 P-KR3 10 P-Q4
R-K1 11 QN-Q2 B-B1 12 P-Q5 N-K2
13 P-QR4 B-N2 14 P-B4 Q-Q2 15
B-B2 N-N3 16 P-QN3 N-B5 17 N-B1
P-N3 18 BPxP PxP 19 BxN PxB 20
N-Q4 PxP 21 PxP B-N2 22 R-N1
P-B3 23 PxP BxP 24 NxB QxN 25
Drawn

Moscow 1969
(USSR-Yugoslavia Junior Match)
163   Karpov-Evrosimovski
           Sicilian Defence
1 P-K4 P-QB4 2 N-KB3 N-QB3 3
N-B3 P-KN3 4 P-Q4 PxP 5 NxP
B-N2 6 B-K3 N-B3 7 B-QB4 Q-R4 8
0-0 P-Q3 9 P-KR3 0-0 10 B-N3 B-Q2
11 Q-Q2? NxN 12 QxN N-N5 13
Q-Q5 QxQ 14 NxQ NxB 15 NxP+
K-R1 16 PxN QR-K1 17 N-Q5 RxP
18 N-B6 BxN 19 RxB RxP 20
QR-KB1 B-B3 21 R/B1-B2 R-K8+

22 K-R2 R-K2 23 RxQP P-B4 24
B-Q5 BxB 25 RxB R-B1 26 P-QR4
K-N2 27 P-B3 R-B5 28 P-R5
R/B5-K5 29 P-KN3 R/K5-K4 30
RxR RxR 31 P-QN4 K-B3 32 K-N2
K-K3 33 K-B3 R-K5 34 R-Q2 R-QB5
35 R-Q3 P-KN4 36 K-K2 P-KR4 37
R-K3+ K-B3 38 K-Q3 R-B2 39
R-K8 R-Q2+ 40 K-K3 Drawn

164   Evrosimovski-Karpov
           Hungarian Defence
1 P-K4 P-K4 2 N-KB3 N-QB3 3
B-B4 P-Q3 4 P-Q3 B-K2 5 P-KR3
N-B3 6 N-B3 N-QR4 7 B-N3 0-0 8
0-0 P-KR3 9 B-K3 P-B3 10 P-Q4
Q-B2 11 PxP PxP 12 Q-K2 P-QN3 13
KR-Q1 N-N2 14 N-K1 N-B4 15 P-B3
B-R3 16 Q-B2 KR-Q1 17 N-R4 NxN
18 BxN N-R4 19 P-KN3 R-Q3 20
RxR QxR 21 P-B3 Q-K3 22 K-R2
B-B5 23 P-R3 N-B3 24 R-Q1 N-K1
25 B-B2 N-Q3 26 N-Q3 P-KB4 27
N-N4 PxP 28 PxP R-KB1 29 Q-N2
N-B2 30 B-Q3 B-KN4 31 B-KN1
P-KR4 32 Q-K2 B-N6 33 R-KB1
P-R5 34 P-N4 B-KB5+ 35 K-N2
R-Q1 36 B-K3 P-B4 37 BxB PxB 38
N-Q5 BxN 39 PxB QxQP+ 40 B-K4
Q-Q7 41 R-B2 QxQ 42 RxQ N-N4 43
P-B4 R-Q5 44 B-N7 K-R2 45 R-K5
K-R3 46 R-Q5 RxP 47 R-Q6+ P-N3
48 B-R6 P-B6+ 49 Resigns

165   Karpov-Evrosimovski
           English Opening
1 P-QB4 P-KB4 2 N-QB3 N-KB3
P-KN3 P-K4 4 B-N2 N-B3 5 N-B3
B-K2 6 P-Q4 P-K5 7 N-KN5 0-0 8
0-0 Q-K1 9 P-B5 P-KR3 10 N-R3
P-Q4 11 R-N1 N-Q1 12 P-QN4 P-B3
13 B-B4 P-KN4 14 B-K5 Q-R4 15
P-B4 P-N5 16 N-B2 Q-N3 17 Q-N3
P-KR4 18 BxN BxB 19 P-K3 P-R5 20
KR-B1 K-N2 21 P-N5 R-R1 22 P-R4
Q-R4 23 N-K2 N-K3 24 N-R1 R-R2
25 K-B2 B-Q2 26 Q-R2 Q-B2 27
R-N1 P-R6 28 B-B1 K-R3 29 P-N6

29...PxP 30 RxP R-R2 31 Q-N3 B-B1 32 Q-N4 B-Q1 33 P-R5 BxR 34 RPxB R-R7 35 K-K1 B-Q2 36 N-B2 Q-B1 37 N-B1 R-R8 38 K-Q2 Q-QR1 39 N-Q1 R-R1 40 N-B3 Q-R6 41 QxQ RxQ 42 K-B2 R/1-R1 43 B-K2 K-N2 44 K-N2 K-B3 45 N-N3 B-K1 46 R-QB1 K-K2 47 B-Q1 B-Q2 48 R-R1 RxR 49 NxR N-N2 50 B-N3 R-R4 51 B-B2 N-R4 52 N-K2 N-B3 53 B-N3 B-K3 54 B-Q1 N-Q2 55 N-N3 R-R1 56 N-B3 N-N1 57 N-B1 N-R3 58 N-R4 N-N1 59 K-R3 N-Q2 60 K-N4 N-B1 61 N-N3 N-N3 62 N-Q2 N-R5 63 N-B1 N-B6 64 B-B2 K-B3 65 B-N1 B-Q2 66 B-B2 N-K8 67 B-N1 R-K1 68 K-B3 K-N3 69 N-Q2 K-R4 70 N-B1 R-QR1 71 K-N4 Drawn

166   Evrosimovski-Karpov
Sicilian Defence
1 P-K4 P-QB4 2 N-QB3 N-QB3 3 P-KN3 P-KN3 4 B-N2 B-N2 5 P-Q3 P-Q3 6 B-K3 P-K3 7 P-B4 KN-K2 8 N-B3 0-0 9 0-0 N-Q5 "I remember I had one pion more. After that I didn't see a two moved combination where I lost one horse. Because of that I think the game is not good" — Evrosimovski.

Warsaw 1969
(Fraternal Armies Championship)
167   Karpov-Konikowski
Catalan

1 P-Q4 N-KB3 2 N-KB3 P-Q4 3 P-B4 P-K3 4 N-B3 B-K2 5 P-KN3 0-0 6 B-N2 QN-Q2 7 0-0 PxP 8 P-K4 P-B3 9 P-QR4 P-QR4 10 Q-K2 N-N3 11 R-Q1 KN-Q2 12 B-B4 B-N5 13 N-Q2 Q-K2 14 B-K3 R-Q1 15 NxP NxN 16 QxN N-N3 17 Q-N3 B-Q2 18 N-R2 P-QB4 19 NxB RPxN 20 PxP NxP 21 P-K5 QR-N1 22 P-B6 BxP 23 BxB PxB 24 RxN P-QB4 25 RxR RxR 26 Q-B4 Resigns

Leningrad 1969
(Armed Forces Team Championship)
168   Karpov-Arekelov
Ruy Lopez
1 P-K4 P-K4 2 N-KB3 N-QB3 3 B-N5 N-Q5 4 NxN PxN 5 0-0 P-QB3 6 B-R4 N-B3 7 R-K1 B-K2 8 P-QB3 0-0 9 P-Q3 PxP 10 PxP P-Q4 11 P-K5 N-K1 12 P-Q4 B-KB4 13 N-Q2 Q-R4 14 B-N2 P-B4? 15 N-B1 P-QN4 16 N-K3 B-K5 17 B-B2 PxP 18 PxP BxB 19 QxB R-Q1 20 N-B5 B-N5 21 R-K3 P-N3 22 P-QR3 B-Q7 23 N-K7+ K-N2 24 R-K2 R-Q2 25 N-B6 R-R2 26 Q-QB5 Q-N3 27 QxQP RxN 28 RxB P-B3 29 Q-N3 R-B5 30 R-K1 PxP 31 PxP P-KR3 32 P-K6+ K-N1 33 Q-Q3 R-KB4 34 Q-Q7 Q-B3 35 P-R3 Q-B1 36 Q-K7 R-QB2 37 R-Q7 Resigns

169   Donchenko-Karpov
English Opening
1 P-QB4 P-QB4 2 N-QB3 P-KN3 3 P-KN3 B-N2 4 B-N2 N-QB3 5 P-K3 P-K4 6 KN-K2 KN-K2 7 P-N3 0-0 8 0-0 R-N1 9 B-N2 P-QR3 10 N-Q5 P-QN4 11 P-Q3 P-Q3 12 Q-Q2 N-B4 13 P-QR4 PxBP 14 NPxP B-K3 15 B-QB3 BxN 16 BxB N-N5 17 B-KN2 P-QR4 18 R-R3 N-K2 19 B-QR1 P-Q4 20 PxP N/2xP 21 N-B3 N-N3! 22 R-Q1 Q-K2 23 Q-K2 KR-Q1 24 B-N2 R-Q2 25 B-R3 P-B4 26 P-K4 Q-B2 27 PxP PxP 28 N-N5 R/N1-Q1

29 R/R3-R1 NxQP 30 B-B3 P-K5 31 BxRP? BxR 32 RxB N-KB5! 33 Q-K1 NxB+ 34 K-N2 Q-R4 35 BxN N-B5+ 36 Resigns

170   Karpov-Tserdakh
French Defence
1 P-K4 P-K3 2 P-Q4 P-Q4 3 N-Q2 P-QB4 4 KN-B3 P-QR3 5 KPxP KPxP 6 PxP BxP 7 N-N3 B-R2 8 B-KN5 N-KB3 9 Q-K2+ B-K3 10 N/B3-Q4 0-0 11 NxB PxN 12 QxP+ K-R1 13 0-0-0 N-B3 14 Q-R3 Q-B1 15 QxQ QRxQ 16 P-KB3 P-R3 17 B-Q2 P-Q5 18 B-Q3 N-Q4 19 KR-K1 N-K6 20 BxN PxB 21 B-K4 R-QB2 22 P-B3 R-K1 23 R-Q5 K-N1 24 K-Q1 K-B2 25 K-K2 R-K4 26 R/K1-Q1 K-K3 27 RxR+ KxR 28 R-Q5+ K-K3 29 N-B5+ K-B3 30 N-Q3 K-K2 31 P-KR4 R-Q2 32 RxR+ KxR 33 BxN+ KxB 34 N-K5+ K-Q4 35 N-N4 K-K3 36 NxKP K-K4 and Black Resigned

171   Karpov-Kogan
Sicilian Defence
1 P-K4 P-QB4 2 N-KB3 N-QB3 3 B-N5 P-KN3 4 0-0 B-N2 5 P-B3 N-B3 6 R-K1 0-0 7 P-KR3 P-QR3 8 B-B1 P-QN4 9 P-QR4? P-N5! 10 P-Q3 P-Q3 11 QN-Q2 N-Q2 12 PxP NxP 13 P-R5 B-N2 14 N-B4 B-QB3 15 B-Q2 B-N4 16 P-Q4 N-QB3 17 P-Q5 N/3-K4 18 N/3xN NxN 19 N-N6 R-R2 20 B-B3 N-Q2 21 N-B4 BxB 22 PxB BxN 23 BxB N-K4 24 B-B1 P-B5 25 Q-Q4 R-N2 26 R-R4 R-N4 27 R/1-R1 R-B4 28 P-B4 N-Q6 29 RxP RxR 30 QxR N-B4 31 Q-N4 Q-B2 32 R-N1 R-B1 33 K-R2 Q-Q2 34 B-K2 P-R4 35 Q-Q4 Q-R5? A time trouble error, but in any case Black was losing another pawn. **36 QxQ NxQ 37 BxQRP R-R1 38 R-QR1 NxP and Black lost on time.**

172   Ritov-Karpov
Alekhine's Defence
1 P-K4 N-KB3 2 N-QB3 P-Q4 3 P-K5 N-K5 4 NxN PxN 5 P-Q4 PxPep 6 BxP N-B3 7 N-B3 B-N5? 8 P-KR3 BxN 9 QxB Q-Q5 10 0-0 QxKP 11 B-KB4 Q-B3 12 QR-Q1 P-KN4! 13 BxBP QxQ 14 PxQ B-N2 15 B-B5! 0-0 16 B-K4 QR-B1 17 R-Q7 N-K4 18 BxN BxB 19 RxNP R-B2 20 R-N5 B-B5 21 R-Q1 P-K3 22 P-B3 P-B4 23 B-B2 K-B2 24 K-B1 K-B3 25 K-K2 P-KR4 26 R-Q4 R/B1-B2 27 B-Q3 P-R5 28 P-R4 R/KB2-Q2 29 RxR RxR 30 P-R5 R-Q4 31 P-N4 P-N5 32 BPxP PxP 33 PxP P-R6 34 RxR PxR 35 K-B3 K-N4 36 P-N5? P-R7 37 K-N2 KxP 38 B-K2+ K-B4 39 B-B3 K-K3 40 K-B1 B-B2 41 P-N6 PxP 42 P-R6 B-N1 43 K-K2 P-N4 44 Drawn

173   Karpov-Nebolsin
Sicilian Defence
1 P-K4 P-QB4 2 N-KB3 N-QB3 3 B-N5 P-KN3 4 0-0 B-N2 5 P-B3 P-QR3 6 BxN QPxB 7 P-Q3? N-B3 8 P-KR3 0-0 9 Q-K2 P-QR4 10 B-B4 P-R5 11 N-R3 R-K1 12 KR-Q1 N-Q2 13 P-Q4 PxP 14 PxP Q-R4 15 QR-B1 N-N3 16 B-B7 Q-R3 17 Q-K3 P-KB4

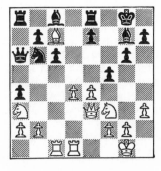

18 P-Q5 PxKP 19 BxN PxN 20 P-Q6? Q-K7 21 P-Q7 BxQP 22 RxB QxQ 23 PxQ BxN 24 R-B4 BxN 25 RxNP PxP 26 KxP B-Q3 27 RxBP

R/K1-QB1 28 B-B7 P-R6 29 K-B3
R-R4 30 P-K4 R-KN4! 31 BxB RxR
32 BxKP R-B6+ 33 K-B4 R-N7 34
B-B6 RxKRP 35 K-K5 R-K6 36
R-N7+ K-B1 37 RxRP RxRP 38
R-Q7 P-N4 39 BxP R-QN6 40
B-K7+ K-N1 41 R-R7 R-R8 42 B-B6
P-R7 43 K-Q5 R-KB8 44 B-Q4 R-N5
45 B-B3 R-Q8+ 46 K-B5 R-N6 47
B-K5 R-QB8+ 48 K-Q6 R-N3+ 49
K-Q7 R-B7 50 B-R1 R-N8 51 B-K5
R-B5 52 K-K6 R-N3+ 53 K-Q7 R-B7
54 R-R8+ K-B2 55 B-Q6? R-B7 56
R-R7 R-N2+ 57 Resigns

174 Karasev-Karpov
Nimzo Indian Defence
1 P-Q4 N-KB3 2 P-QB4 P-K3 3
N-QB3 B-N5 4 P-K3 0-0 5 N-K2
P-Q4 6 P-QR3 B-K2 7 PxP NxP 8
Q-B2 P-QN3 9 NxN PxN 10 N-B3
B-N2 11 B-Q3 P-KR3 12 0-0 N-Q2
13 P-QN4 P-R3 14 Q-N3 N-B3 15
P-B3 R-N1 16 B-N1 P-B4 17 R-Q1
Q-Q3 18 NPxP PxP 19 PxP QxBP 20
N-K2 Q-B5 21 N-Q4 QxQ 22 NxQ
B-B3 23 N-Q4 B-R5 24 R-Q2 N-Q2
25 B-B2 BxB 26 RxB B-B3 27 B-N2
KR-K1 28 K-B2 N-K4 29 R-Q1
R/K1-QB1? 30 RxR+ RxR 31
K-K2? N-B5 32 B-B1 N-N3 33 B-N2
N-R5 34 B-R1 P-N3 35 K-Q2 B-K2
36 N-B2 N-N3 37 B-Q4 N-B5+ 38
K-Q3 R-N1 39 P-QR4 P-B4 40 K-K2
K-B2 41 B-R1 K-K3 42 P-R3 P-KR4
43 B-Q4 B-Q3 44 R-Q3 R-N2 45
R-Q1 B-K4 46 P-R4? BxB 47 NxB+
K-K4 48 P-B4+ K-Q3 49 R-QR1
R-N7+ 50 K-B3 R-Q7 51 P-R5 R-Q6
52 N-B2 K-B4 53 R-R4 R-B6 54
R-R2 P-Q5 55 K-B2 P-Q6 56 N-Q4
P-Q7 57 R-R1 NxKP 58 Resigns

Stockholm 1969
(Junior World Championship)
Preliminary Group 1:

	1	2	3	4	5	6	7		
1 Karpov	x	½	1	½	½	1	1	4½	Final Group
2 McKay	½	x	0	1	½	1	1	4	A
3 Payrhuber	0	1	x	½	0	1	1	3½	Final Group
4 Torre	½	0	½	x	½	1	1	3½	B
5 Hug	½	1	½	½	x	0	½	3	Final Group
6 Sznapik	0	0	0	0	1	x	1	2	C
7 Fridjonsson	0	0	0	0	½	0	x	½	

175 Fridjonsson-Karpov
Ruy Lopez
1 P-K4 P-K4 2 N-KB3 N-QB3 3
B-N5 P-QR3 4 B-R4 N-B3 5 Q-K2
P-QN4 6 B-N3 B-B4 7 P-B3 P-Q3 8
P-KR3 0-0 9 0-0 Q-K2 10 P-Q3 P-R3
11 QN-Q2 N-KR4 12 P-Q4 N-B5 13
Q-K3 B-N3 14 R-Q1 N-QR4 15 B-B2
Q-B3 16 K-R2 P-B4 17 P-Q5 R-N1
18 N-KN1 Q-N3 19 P-KN3 NxQP 20
Q-K2 N-K2 21 P-KB4 PxP 22 PxP
Q-B3 23 N/2-B3 N-N3 24 P-K5 PxP
25 PxP B-B2 26 Resigns

176 Karpov-Hug
Sicilian Defence
1 P-K4 P-QB4 2 N-KB3 N-KB3 3
P-K5 N-Q4 4 P-Q4 A gap in
Karpov's theoretical knowledge. 4
N-B3 guarantees White the advan-
tage. 4...PxP 5 QxP P-K3 6 B-K2
N-QB3 7 Q-K4 P-Q3 8 0-0 PxP 9
NxP NxN 10 QxN/K5 Q-Q3 11
B-QN5+ B-Q2 12 BxB+ QxB 13
P-QB4 Q-B2 14 Q-K2 N-B3 15 N-B3
P-QR3 16 B-N5 B-K2 17 BxN BxB
18 N-Q5 Q-Q1 19 QR-Q1 0-0 20

NxB+ QxN 21 R-Q7 P-QN3 22
KR-Q1 QR-Q1 23 P-KN3 P-N3 24
P-QN4 RxR 25 RxR R-Q1 26 R-B7
Q-QB6 27 P-B5 PxP 28 PxP Q-Q6 29
Q-K5 Q-Q8+ 30 K-N2 Q-Q4+ 31
QxQ RxQ 32 K-B3 K-N2 33 K-K3
K-B3 34 P-B4 P-R3 35 P-QR4 P-N4
36 P-R3 PxP+ 37 PxP R-R4 38
K-Q4 R-R5 39 **Drawn**

177   Torre-Karpov
                  Ruy Lopez
1 P-K4 P-K4 2 N-KB3 N-QB3 3
B-N5 P-QR3 4 B-R4 N-B3 5 0-0
B-K2 6 P-Q4 PxP 7 P-K5 N-K5 8
P-QN4 N-B6 9 NxN PxN 10 P-QR3
0-0 11 Q-Q5 P-QN4 12 B-N3 P-QR4
13 B-K3 B-N2 14 QR-Q1 PxP 15
QxQP Q-B1 16 P-K6 PxKP 17 PxP
K-R1 18 BxP QxQ 19 RxQ B-B1 20
RxP BxB 21 RxN B-B5 22 R-N1
B-R7 23 R-Q1 BxP 24 P-R3 KR-B1
25 RxR+ RxR 26 R-R1 B-B5 27
N-K5 B-Q4 28 R-N1 B-R6 29 RxP
B-K5 30 B-Q4 P-R3 31 R-N3 B-N7
32 N-Q3 B-R8 33 R-R3 BxN 34 RxB
BxP 35 R-R7 R-KN1 36 P-R4 K-R2
37 BxBP P-R4

38 P-B3 B-B4 39 K-B2 K-N3 40
K-K3 B-K3 41 K-K4 B-B1 42 R-QB7
R-K1+ 43 B-K5 B-B4+ 44 K-B4
B-K3 45 RxP+ K-R3 46 P-N4 PxP
47 PxP R-KB1+ 48 K-N3 R-B2 49

R-N5 R-QR2 50 B-Q4 R-R6+ 51
K-B4 R-R5 52 K-K5 B-N6 53 R-R5+
K-N3 54 R-N5+ K-R3 55 K-B6
R-R3+ 56 K-B5 R-R4+ 57 B-K5
B-B7+ 58 K-B6 R-R3+ 59 K-K7
R-R2+ 60 K-Q6 R-R3+ 61 K-B5
R-R5 62 R-N8 B-R2 63 R-N5 B-B7
64 B-B3 B-Q8 65 B-N4 B-K7 66
R-R5+ K-N3 67 R-K5 B-B6 68
P-R5+ K-N2 69 R-K6 K-B2 70 R-N6
B-K7 71 R-N5 R-R1 72 K-Q5 R-KN1
73 R-B5+ K-N2 74 B-B3+ K-R3 75
R-B6+ K-N4 76 P-R6 R-Q1+ 77
R-Q6 **Drawn**

178   Karpov-Payrhuber
                  Sicilian Defence
1 P-K4 P-QB4 2 N-KB3 P-Q3 3
P-KN3 N-KB3 4 P-Q3 N-B3 5 B-N2
P-KN3 6 0-0 B-N2 7 R-K1 0-0 8 P-B3
N-K1 9 N-R3 P-B4 10 N-KN5
N-B2?? 11 Q-N3+ K-R1 12 PxP
QBxP 13 N-B7+ RxN 14 QxR P-K3
15 B-N5 **Resigns**

179   McKay-Karpov
                  Ruy Lopez
                  Notes by McKay
                  Specially for this volume
**1 P-K4 P-K4 2 N-KB3 N-QB3 3
B-N5 P-QR3 4 B-R4 N-B3 5 0-0
B-K2 6 Q-K2 P-QN4 7 B-N3 0-0 8
P-B3 P-Q3 9 P-Q4** White has other
moves here. He can play 9 R-Q1 so
as to meet 9...B-N5 with 10 P-KR3
and if 10...B-R4 then 11 P-Q3! fol-
lowed by QN-Q2-B1-N3 when Black's
QB is misplaced. Better for Black
after 9 R-Q1 is 9...N-R4 10 B-B2
P-B4 11 P-Q4 Q-B2 . **9...PxP 10
PxP B-N5 11 R-Q1 P-Q4 12 PxP** If
12 P-K5 N-K5 13 N-B3 NxN 14 PxN
Q-Q2 and Black has an easy game.
12...N-QR4 12...KNxP was consi-
dered inferior for a time because of

the variation 13 Q-Q4 B-K3 14 N-B3 and if 14...NxN 15 PxN BxB 16 PxB with a good game for White. Eventually the surprising improvement 14...N-B3! was found for Black. Then 15 QxN B-Q2 16 Q-N7 R-N1 17 QxRP R-R1 and Black draws. **13 B-B2 R-K1 14 Q-Q3 B-R4 15 B-N5 B-N3 16 Q-Q2 N-B5 17 Q-B1 BxB 18 Drawn** at Karpov's proposal. After 18 QxB NxP 19 BxB QxB 20 P-QN3 and 21 N-B3 the weakness of White's QP balances the backward Black QBP.

180 Karpov-Sznapik
Sicilian Defence
1 P-K4 P-QB4 2 N-KB3 P-Q3 3 P-B3 N-KB3 4 B-Q3 N-B3 5 0-0 P-KN3 6 B-B2 B-N2 7 P-KR3 0-0 8 R-K1 N-K1 9 B-N3 N-K4 10 P-Q3 NxN+ 11 QxN N-B2 12 P-QR4 B-Q2 13 N-Q2 R-N1 14 N-B1 P-N3 15 N-K3 P-QR3 16 N-Q5 N-K3 17 Q-N3 P-QN4 18 PxP PxP 19 R-R7 P-N5 20 B-QB4 PxP 21 PxP R-N8 22 P-B4 K-R1 23 Q-B2 B-QB3 24 NxP BxBP 25 NxB Q-N3 26 R-R6 Q-N2 27 B-Q2 N-Q5 28 BxB Resigns

---

Final Group A:

		1	2	3	4	5	6	7	8	9	10	11	12	
1	Karpov	x	½	1	½	1	1	1	1	1	1	1	1	10
2	Adorjan	½	x	1	½	½	½	1	1	½	½	0	1	7
3	Urzica	0	0	x	1	½	1	½	1	½	1	½	1	7
4	Kaplan	½	½	0	x	½	1	1	1	½	½	0	1	6½
5	Andersson	0	½	½	½	x	0	½	½	1	½	1	1	6
6	Neckar	0	½	0	0	1	x	1	1	½	1	1	½	5½
7	Juhnke	0	0	½	0	½	0	x	½	1	1	1	1	5½
8	Vujacic	0	0	0	0	½	½	½	x	½	1	1	½	4½
9	Vogt	0	½	½	½	0	0	0	½	x	½	1	1	4½
10	Diaz	0	½	0	½	½	0	0	0	½	x	1	1	4
11	McKay	0	1	½	1	0	½	0	0	0	0	x	1	4
12	Castro	0	0	0	0	0	1	0	½	0	0	0	x	1½

181 Karpov-Neckar
Alekhine's Defence
1 P-K4 N-KB3 2 P-K5 N-Q4 3 P-Q4 P-Q3 4 N-KB3 P-KN3 5 P-B4 N-N3 6 PxP BPxP 7 P-KR3 B-N2 8 N-B3 0-0 9 B-K2 N-B3 10 0-0 B-B4 11 B-B4 P-KR3 12 B-K3 P-Q4 13 P-QN3 PxP 14 PxP N-R4 15 P-B5 N/3-B5 16 B-B4 P-KN4 17 B-N3 Q-Q2 18 R-K1 P-N3 19 PxP PxP 20 N-K5 NxN 21 PxN Q-K3 22 B-B3 QR-Q1 23 B-Q5 Q-B1 24 Q-B3 P-K3 25 B-K4 N-B5 26 QR-B1 N-Q7

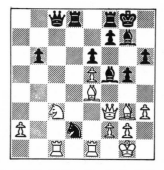

27 Q-R5 Q-R3 28 BxB PxB 29

P-KR4 P-B5 30 B-R2 Q-Q6 31 PxP
Q-B4 32 N-K2 P-B6 33 N-N3 QxNP
34 QxQ PxQ 35 N-B5 PxP 36 KxP
R-Q6 37 N-K7+ K-R2 38 R-KR1
B-R3 39 B-N3 N-K5 40 R-B6 P-B3
41 N-B5 K-N3 42 NxB NxB 43 PxP
R-Q7+ 44 K-B3 RxP 45 N-N4
R-R6+ 46 N-K3 P-N5+ 47 K-K4
R-R5+ 48 R-B4 P-B4+ 49 K-B4
RxR+ 50 NxR P-N4 51 N-Q6 R-QR1
52 P-K6 Resigns

182　　　　Vujacic-Karpov
　　　　　　　Ruy Lopez
1 P-K4 P-K4 2 N-KB3 N-QB3 3
B-N5 P-QR3 4 B-R4 N-B3 5 Q-K2
P-QN4 6 B-N3 B-B4 7 P-B3 P-Q3 8
P-Q3 P-R3 9 QN-Q2 0-0 10 N-B1
N-KN5 11 B-K3 BxB 12 PxB N-R4
13 N-N3 NxB 14 PxN P-N3 15 P-N4
Q-K2 16 0-0 P-KR4 17 P-R3 N-R3
18 P-Q4 B-N2 19 P-Q5 P-QB3 20
PxP BxP 21 N-Q2 Q-N4 22 Q-B2
K-N2 23 QR-Q1 QR-Q1 24 N-K2
P-B4

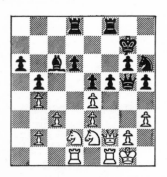

25 N-B3 Q-K2 26 PxP NxP 27 N-N3
N-R3 28 P-K4 P-R5 29 N-K2 BxP 30
QxP QxQ 31 NxQ RxR+ 32 KxR
B-N2 33 N-B3 N-B4 34 R-R1 R-KB1
35 K-N1 N-K6 36 N-N5 K-R3 37
P-R4 NxP 38 R-KB1 RxR+ 39 KxR
K-N2 40 Resigns

183　　　　Karpov-Andersson
　　　　　　　Ruy Lopez
1 P-K4 P-K4 2 N-KB3 N-QB3 3
B-N5 P-QR3 4 B-R4 N-B3 5 0-0
B-K2 6 R-K1 P-QN4 7 B-N3 0-0 8
P-B3 P-Q3 9 P-KR3 N-QR4 10 B-B2
P-B4 11 P-Q4 Q-B2 12 QN-Q2 B-N2
13 P-Q5 B-B1 14 N-B1 B-Q2 15
P-QN3 N-N2 16 P-B4 KR-N1 17
N-K3 B-KB1 18 N-B5 N-Q1 19 N-R2
N-K1 20 P-KR4 P-B3 21 P-R5 N-B2
22 R-K3 N-N4 23 N-R4 Q-Q1 24
R-N3 N-QB2 25 N/2-B3 P-R3 26
N-N6 P-R4 27 P-R4 PxBP 28 PxP
N-R3 29 Q-K2 R-R2 30 B-Q2
R/R2-N2 31 B-B3 N-N5 32 B-Q1
N-R3 33 N-Q2 N-N5 34 R-K3 B-K1
35 N-B1 Q-B1 36 N-N3 B-Q2 37
Q-Q2 N-R2 38 B-K2 K-B2 39 Q-Q1
B-K2 40 N-B1 B-Q1 41 N-R2 K-N1
42 B-N4 N-N4 43 BxB QxB 44 N-B1

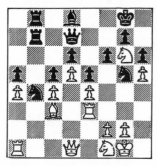

White is threatening to freeze
Black's K-side by N-N3-B5 followed
by P-N3 and P-B4. And so Black
tries to free himself. **44...P-B4 45 PxP
QxBP 46 N-N3 Q-B2** On 46...Q-B7
comes 47 P-B4 and if 47...PxP then
48 R-K8+. **47 Q-K2!** Hoping to
demolish Black's position with 48
P-B4! **47...B-B3 48 R-KB1!** Again
threatening P-B4. **48...Q-Q2** Black
cannot prevent the breakthrough. **49
P-B4 PxP 50 RxP BxB 51 RxB R-K1**
51...QxP 52 R-K3 leaves White with
a killing attack. **52 R-K3 R/N2-N1**

53 Q-KB2 Threatening 54 R-K7!
53...N-R2 Naturally not 53...RxR??
54 R-B8+. 54 N-B5 RxR 55 QxR
N-B3 There is no defence. On 55...
R-K1 56 N/5-K7+ is decisive. **56
N/6-K7+ K-R1 57 NxRP R-K1 58
N-B7+ K-R2 59 R-K4! RxN 60 RxR**
Resigns

184   Castro-Karpov
King's Gambit Accepted
**1 P-K4 P-K4 2 P-KB4 PxP 3 B-B4
N-KB3 4 N-QB3 B-N5
5 P—K5**
Better is 5 KN-K2.
5 ...   **P—Q4**
Black sacrifices two pawns with a
clear conscience. In return he gets a
lead in development.
6 B—N5+   **P—B3**
7 PxN   **PxB**
8 PxP   **R—N1**
9 Q—K2+   **B—K3**
10 QxP+   **N—B3**
11 QxNP
Otherwise White suffers for
nothing.
11 ...   **R—QB1**

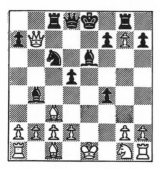

12 N—B3   **RxP**
The attack begins.
13 0—0   **B—KR6**
14 R—K1+   **K—B1**
15 R—K2   **B—N5!**
16 R—B2

Trying to escape from Black's
numerous threats White gives up the
exchange. But after 16 K-R1 BxN 17
PxB R-B2 and 18...Q-N4, he cannot
avoid mate.
16 ...   **B—QB4**
17 P—Q4   **NxP**
18 NxN   **BxN**
19 BxP   **BxR+**
20 KxB   **R—N3**
21 K—N1   **P—Q5**
Black's position has not been
weakened by the exchanges.
22 R—KB1   **Q—Q2**
Karpov is precise to the end. If
22...PxN?? 23 B-R6+ and White
wins.
**23 Q-N4+ K-N1 24 N-K4 Q-Q4 25
Q-K7 Q-K3 26 Q-N7 B-K7 27 R-K1
RxBP 28 N-N5 Q-B4 29 Resigns**

185   Karpov-McKay
Alekhine's Defence
Notes by McKay
Specially for this volume
**1 P-K4 N-KB3 2 P-Q5 N-Q4 3 P-Q4
P-Q3 4 N-KB3 P-KN3 5 P-B4 N-N3 6
PxP BPxP 7 P-KR3 B-N2 8 N-B3 0-0
9 B-K2 N-B3 10 0-0 B-B4 11 B-B4** A
favourite move of Karpov's at that
time. 11 B-K3 is more usual. **11...
P-Q4?** Better is 11...P-KR3. **12 P-B5
N-B5** If 12...N-B1 then possibly 13
Q-N3. **13 P-QN3 N/5-R4** Black is
already in a bad way because of this
misplaced knight. **14 R-B1 P-N3** Far
better was 14...B-K5, following up
with ...BxN, ...P-K3, ...N-K2 and
...N/4-B3 when Black can retain
some pressure on White's QP. The
text move leads to nothing. **15 PxP
PxP 16 Q-Q2 N-N2** hoping to bring
the wayward knight back into play.
**17 N-QN5 R-B1 18 R-B3 Q-Q2 19
KR-B1 P-B3** Hoping to gain some
counterplay by forcing ...P-K4. But it
is too late, as White's next move ele-
gantly illustrates.

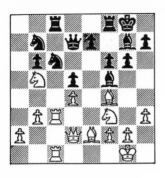

20 B-B7! Of course the bishop cannot be taken. Also, Black's knight on QB3 and his QNP are both threatened. So White wins a pawn. **20... N/3-Q1** Perhaps 20...N-N1 is slightly better, but in the long run Black is lost anyway. **21 BxP RxR 22 RxR P-K4 23 P-QR4 N-B3 24 P-QN4 P-K5** Of course not 24...NxNP?? 25 R-B7 winning a piece. **25 N-R2 R-B1 26 P-R5 B-B1 27 R-QN3 P-K6** A desperate move indeed, hoping to get into the game before White's Q-side pawns triumph. If 28 PxP NxNP 29 RxN? R-B7 and Black gains material. **28 QxP** Karpov naturally plays this safer move, returning one Q-side pawn but retaining the mighty QRP. **28...NxNP 29 N-N4 Q-N2** Hoping to drive away the knight with ...P-KR4. But 29...BxN may have been better. **30 R-B3 P-R4 31 RxR BxR 32 Q-K8** Vacating the K3 square for the attacking knight. **32... B-KB4** If 32...B-Q2 33 QxB, 33 N-K3 B-Q2 34 Q-N8 B-B3 35 N-R7 Q-Q2 36 P-R6 N-Q3 37 B-B5 **Resigns** If 37...N-R7 38 NxB QxN 39 P-R7 wins. A fine exploitation of Black's eleventh move.

186　　　Juhnke-Karpov
Ruy Lopez
1 P-K4 P-K4 2 N-KB3 N-QB3 3

B-N5 P-QR3 4 B-R4 N-B3 5 P-Q4 PxP 6 0-0 B-K2 7 P-K5 N-K5 8 NxP 0-0 9 N-B5 P-Q4! 10 BxN PxB 11 NxB+ QxN 12 R-K1 R-K1! Subtly played. Thanks to this move Black's knight is given the possibility of manoeuvering to KB4. The text is an improvement of Korelov's over the more usual 12...P-B3. **13 P-KB3** If 13 P-QN3 P-B3 14 P-B3 N-Q3! 15 B-N2 N-B2 16 P-KB4 PxP 17 PxP B-B4 . **13...N-Q3 14 P-QN3 N-B4 15 B-R3?** White's play is lacking in purpose. Not surprisingly his position is becoming difficult. Normal would be 15 B-N2 B-N2 and Black would consolidate with ...P-QB4.

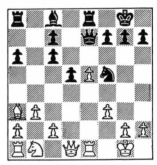

15...Q-N4 16 B-N2 N-R5 17 Q-K2 P-B3 18 Q-B2 B-R6 If 18...PxP 19 P-KB4. **19 P-KN4 PxP 20 N-Q2?? QxN 21 Resigns**

187　　　Karpov-Vogt
Modern Defence
1 P-K4 P-KN3 2 P-Q4 B-N2 3 N-KB3 P-Q3 4 P-B3 N-KB3 5 B-Q3 0-0 6 0-0 QN-Q2 7 QN-Q2 P-K4 8 R-K1 P-B3 9 P-QR4 Q-B2 10 B-B1 P-Q4 11 PxKP N/2xP 12 NxN QxN 13 PxP QxQP 14 B-B4 Q-QR4 15 N-N3 Q-B2 16 Q-B3 B-N5 17 Q-B4 Q-B1 18 P-R3 B-Q2 19 B-K3 B-K3 20 BxB QxB 21 N-B5 Q-B1 22 B-Q4

N-Q4 23 Q-Q2 R-Q1 24 BxB KxB 25
P-QB4 N-B3 26 Q-B3 Q-B4 27 R-K5
Q-B5 28 R-K7 K-N1 29 NxP R-Q7
30 R-KB1 R-N1 31 P-KN3 Q-Q5 32
QxQ RxQ 33 P-N3 K-B1 34 R/1-K1
R-K5 35 R/1xR NxR 36 R-B7 P-QB4
37 K-N2 P-QR3 38 P-R5 N-Q7 39
NxP NxNP **and Black resigned** rather
than wait for 40 N-Q7+.

188   Urzica-Karpov
          Four Knights' Game
          Notes by Karpov
By the eighth round I noticed an
interesting regularity in Urzica's
openings. He played two moves:
either 1 P-K4 or 1 P-QN4, strictly
alternating the sequence. In the sixth
round against Adorjan he had
opened 1 P-QN4 and so this time I
was expecting him to play 1 P-K4
(though naturally I was prepared for
1 P-QN4 as well).

 1 P—K4   P—K4
 2 N—KB3 N—QB3
 3 N—B3
In his previous game my opponent
had played the Ruy Lopez with an
early P-Q4. The Four Knights'
Opening came as a bit of a surprise.

 3 ...   N—B3
 4 B—N5   B—N5
 5 0—0   0—0
 6 P—Q3   P—Q3
 7 B—N5   BxN
 8 PxB   B—Q2
I was told after the game that this
move had never been played before.
(Karpov had been misinformed. The
move had been known for at least a
decade — DNLL.)

 9 P—Q4   P—KR3
 10 B—R4   R—K1
10...N-K2 is no good because of 11
BxB NxB 12 PxP PxP 13 NxP.
 11 R—K1   P—R3
And now on 11...N-K2 White has

12 R-N1!
 12 B—Q3   B—N5
 13 P—Q5
White chooses an unsuccessful
plan. After closing the centre his
bishops have a fruitless existence.
 13 ...   N—N1
 14 P—KR3 BxN
 15 QxB   QN—Q2
 16 B—N3   N—B4
 17 P—B4
Obviously he was afraid of 17...
P-QN4 after which Black has the ini-
tiative on the Q-side.
 17 ...   Q—K2
 18 R—K3   KN—Q2
 19 P—KR4 R/K1—N1
 20 Q —K2 P—QN3
Black's last two moves do not
appear to be very consistent. The
rooks should have been placed on
QN1 and QB1 and then Black would
open the Q-side with ...P-QB3.
 21 P—R3
So that this pawn will later be
defended by the rook on K3.
 21 ...   NxB
This bishop did not decorate
White's position but it did stand in
the way of Black's Q-side initiative.
 22 RxN
On 22 PxN, P-QN4 is good.
 22 ...   N—B4
 23 R/3—Q1 P—QB3!
Now White's doubled pawns
become weak.

24 P—R4

Preventing 24...N-R5 followed by ...P-QB4 and ...P-QN4.

24 ...	PxP
25 RxP	R—QB1
26 P—KB3	R—B3
27 P—R5	PxP
28 RxRP	Q—B2
29 B—K1	

White is trying to blockade Black's passed QRP.

29 ...	N—K3
30 P—N3	

This seems to be the only defence to the threat of 30...N-B5, but now all of Black's pieces are in White's camp.

30...RxP 31 Q-Q3 RxBP 32 RxRP RxR 33 QxR N-Q5 34 Q-Q3 Q-R2 35 K-B1 R-B8 36 Resigns

---

189   Karpov-Adorjan
Ruy Lopez

1 P-K4 P-K4 2 N-KB3 N-QB3 3 B-N5 P-QR3 4 B-R4 N-B3 5 0-0 B-K2 6 R-K1 P-QN4 7 B-N3 P-Q3 8 P-B3 0-0 9 P-KR3 N-QR4 10 B-B2 P-B4 11 P-Q4 Q-B2 12 QN-Q2 N-B3 13 PxKP PxP 14 N-B1 B-K3 15 N-K3 QR-Q1 16 Q-K2 P-B5 17 N-B5 BxN 18 PxB P-R3 19 NxP NxN 20 QxN B-Q3 21 Q-K2 KR-K1 22 B-K3 N-Q4 23 Q-B3 NxB 24 RxN RxR 25 QxR B-B4 26 Q-K2 Q-B5 27 R-Q1 RxR+ 28 Drawn

---

190   Kaplan-Karpov
King's Gambit Accepted

1 P-K4 P-K4 2 P-KB4 PxP 3 N-KB3 P-KN4 4 B-B4 B-N2 5 P-Q4 P-Q3 6 0-0 N-QB3 7 P-B3 P-KR3 8 P-KN3 P-N5 9 N-R4 P-B6 10 Q-N3 Q-Q2 11 N-Q2 N-R4 12 Q-B2 NxB 13 NxN N-K2 14 N-K3 Q-B3 15 P-Q5 Q-B4 16 K-R1 B-Q2 17 B-Q2 P-QR4 18 Q-Q3 P-R4 19 QR-K1 B-K4 20 N-B4 Drawn

---

191   Karpov-Diaz
English Opening

1 P-QB4 N-KB3 2 N-QB3 P-B4 3 N-B3 P-KN3 4 P-KN3 N-B3 5 B-N2 B-N2 6 0-0 0-0 7 P-Q4 PxP 8 NxP NxN 9 QxN P-Q3 10 Q-Q3 B-B4 11 P-K4 B-K3 12 P-N3 N-Q2 13 B-N2 N-B4 14 Q-Q2 Q-Q2 15 QR-B1 P-QR3 16 KR-Q1 KR-Q1 17 N-K2 BxB 18 QxB P-B3 19 N-B4 B-B2 20 Q-K2 P-K4 21 B-R3 P-B4 22 N-Q3 NxN 23 RxN QR-B1 24 R/1-Q1 P-QN4 25 PxBP PxKBP 26 RxP QxR 27 RxQ RxR 28 BxP R-B4 29 Q-K3 R/3-QB3 **and Black resigned** because of 30 B-K4 R-B2 31 Q-R6 B-N3 32 B-Q5+.

Budapest 1969
(RSFSR-Hungary Match)

192   Karpov-Adorjan
King's Indian Defence

1 P-Q4 P-KN3 2 P-QB4 B-N2 3 N-QB3 P-Q3 4 N-B3 N-KB3 5 P-KN3 0-0 6 B-N2 QN-Q2 7 0-0 P-QR3!? 8 P-K4 P-B4 9 R-K1 If 9 P-Q5 P-QN4! or 9 P-K5 N-K1 10 KPxP NxP 11 PxP N/2xP 12 B-K3 BxN! 13 PxB Q-B2 with a good game for Black. **9...PxP 10 NxP N-B4 11 P-KR3 B-Q2 12 B-K3 R-B1 13 R-QB1 Q-R4! 14 P-R3 N-R5! 15 P-QN4!?** If 15 NxN BxN 16 P-N3 B-K1! 17 P-QR4 N-Q2 and ...N-B4. **15...NxN 16 RxN Q-R5! 17 Q-N1 R-B2 18 R/1-QB1 R/1-B1 19 Q-Q3 B-K1!**

An unusual idea but one that has been seen in a position stemming from the Dragon Variation of the Sicilian. There, as here, the breaks ...P-QN4 and ...P-Q4 are inhibited by the Maroczy Bind (white pawns at K4 and QB4). Adorjan comes up with a manoeuvre that makes his knight the most powerful minor piece on the board. The plan is to play ...N-Q2 followed by ...N-K4.

20 B-B3 N-Q2 21 B-Q1? Better is 21
Q-B1 N-K4 22 B-K2 Q-Q2 23 P-B5
N-B3 24 R-Q1 NxN 25 BxN Q-R5 .
**21...N-K4 22 Q-B1 Q-Q2 23 P-B5
P-QN4! 24 B-N3 PxP 25 RxP RxR 26
PxR N-B5! 27 BxN BxN 28 R-Q1
P-K4 29 BxB PxB 30 B-Q5 RxP 31
RxP Q-B1! 32 P-KR4 R-B7 33 P-K5?**
33P-R5 would have created more
problems for Black. **33...Q-B6 34
R-Q3 QxKP 35 Q-N2 K-N2 36
Q-B3?** 36 Q-K4 QxQ 37 BxQ B-B3
38 BxB RxB would have left Black
with some technical problems. **36...
Q-K8+ 37 K-N2 R-B8 38 P-N4
Q-R8+ 39 K-N3 R-KN8+ 40 K-B4
Q-R7+ 41 K-K4 QxRP 42 Resigns**

193 Adorjan-Karpov
Ruy Lopez
1 P-K4 P-K4 2 N-KB3 N-QB3 3
B-N5 P-QR3 4 BxN QPxB 5 0-0 P-B3
6 P-Q4 B-KN5 7 P-B3 B-Q3 8 B-K3
Q-K2 9 QN-Q2 0-0-0 10 Q-B2
P-KR4 11 P-KR3 BxN 12 NxB
P-KN4 13 PxP BxP 14 NxB PxN 15
QR-Q1 RxR 16 RxR P-N5 17 Q-Q3
N-R3 18 BxN RxB 19 Q-K3 R-Q3 20
RxR PxR 21 PxP PxP 22 Q-R6
Q-KB2 23 P-QN3 K-B2 24 Q-N5
Q-Q2 25 Q-N6 P-Q4 26 Q-B6 Q-Q3
27 Q-N7+ K-N3 28 PxP PxP 29
QxNP P-Q5 30 PxP PxP 31 Q-Q1
P-Q6 32 Q-Q2 Q-Q5 33 P-N3 Drawn

194 Karpov-Ribli
Sicilian Defence
1 P-K4 P-QB4 2 N-QB3 N-QB3 3
P-KN3 P-KN3 4 B-N2 B-N2 5 P-Q3
P-Q3 6 P-B4 P-K3 7 N-B3 KN-K2 8
0-0 0-0 9 B-Q2 R-N1 10 R-N1 P-QN4
11 P-QR3 P-B4 12 P-QN4 PxNP 13
PxNP P-QR4 14 N-R2 PxNP 15
NxP? NxN 16 BxN N-B3 17 B-QR3
P-N5 18 B-N2 P-K4 19 PxBP BxP 20
N-Q2 Q-Q2 21 N-B4 B-N5 22 Q-Q2
PxP 23 BxB KxB 24 RxP P-Q4 25
RxR RxR 26 N-K3 B-B6 27 R-KB1
BxB 28 RxR KxR 29 QxB N-K2 30
Q-B3+ K-K1 31 Q-B6 Q-R2 32
Q-K5 P-R4 33 P-Q4 Q-N2 34 K-N2
K-Q2 35 K-B3 P-N6 36 PxP QxP 37
K-B4 Q-R7 38 K-N5 Q-Q7 39 P-R3
N-B4 40 QxP+ K-B2 41 Q-B7+
K-B1 42 KxP NxN 43 Q-K6+ K-B2
44 Q-K5+ K-Q2 45 KxP Q-K7+ 46
K-N6 Q-B6 47 Q-B4 Q-B3+ 48 K-N7
N-Q4 49 Q-B5+ K-Q1 50 P-N4 N-K2
51 Q-B6 Q-K5 52 P-N5 K-Q2 53
P-N6 Q-Q4 54 P-R4 Q-KR4 55 Q-N5
Q-Q8 56 Q-N5+ K-Q1 57 Q-K5
Q-N5 58 P-R5 Q-Q2 59 Q-R5+
K-K1 60 Q-K5 K-Q1 61 K-R8 Q-R6
62 K-R7 Q-Q6 63 K-N7 N-B4+ 64
K-B8 Q-KB6 65 Q-B6+ K-Q2 66
P-Q5 QxQP 67 Drawn

195 Ribli-Karpov
Ruy Lopez
**1 P-K4 P-K4 2 N-KB3 N-QB3 3
B-N5 P-QR3 4 B-R4 N-B3 5 P-Q4
PxP 6 0-0 B-K2 7 R-K1 P-QN4 8
P-K5 NxP 9 RxN P-Q3 10 R-K1 PxB
11 NxP B-Q2 12 Q-B3! 0-0 13 N-B6!
BxN 14 QxB R-K1 15 N-B3 Q-Q2 16
QxQ NxQ 17 NxP B-B3 18 B-Q2
R-K3 19 QR-Q1 QR-K1 20 K-B1
K-B1 21 P-QN3 RxR+ 22 BxR R-K4
23 P-QB4 P-N3 24 B-N4 R-KB4?**
Correct is 24...P-KR4 followed by
...K-K1. **25 B-Q2 B-Q5 26 B-R6+
B-N2 27 B-K3 N-K4 28 P-KR3!**
Keeping the knight out of KN5. **28...**

N-B3 29 P-B5 K-K2 30 P-KN4! R-K4
31 PxP+ PxP 32 N-N6 B-B1 33 B-B4
R-K3 34 R-B1! P-Q4 35 NxP+ K-Q2
36 N-B7! R-K5 37 B-N3 P-B4 38 PxP
PxP 39 NxP P-B5 40 B-R4 R-K4 41
R-B4! R-KB4 42 P-N4! K-Q3 43
P-N5! RxP 44 RxP B-N2 45 R-B7
B-K4 46 RxP R-R4 47 N-N4! NxN 48
B-K7+ K-K3 49 BxN RxP 50 B-B5
B-B5 51 K-N2 R-B7 52 B-N6 R-N7
53 B-K3 B-K4 54 B-R4 Resigns

Riga 1970
*(Semi-Final Armed Forces Team
Championship)*
196 · Karpov-Kosenkov
Sicilian Defence
1 P-K4 P-QB4 2 N-KB3 P-Q3 3 P-Q4
PxP 4 QxP N-QB3 5 B-QN5 B-Q2 6
BxN BxB 7 P-B4 N-B3 8 N-B3 P-K3
9 0-0 B-K2 10 R-Q1 P-KR3? 11
Q-Q3 0-0 12 B-B4 Q-R4? 13 P-QR3?
NxP 14 NxN Q-KB4 15 Q-K3 QxN
16 QxQ BxQ 17 BxP BxB 18 RxB
BxN 19 PxB KR-B1 20 R-Q7? RxP
21 RxNP P-QR4 22 R-Q1 R-B5 23
K-N2 R-QB1 24 K-N3 P-KN4 25
R-K1 R-B7 26 R-K4? R-KB4 27
P-QR4? R-Q4 28 P-R4 R-Q8 29 PxP
R-N8+ 30 K-B4 RxKNP 31 K-K3
R-KB4 32 R-N4+ K-B1 33 R-K4
K-N2 34 R-N8 K-B3 35 R-R4 R-K4+
36 R-K4 R-KB4 37 R-R4 Drawn

197 Alt-Karpov
Ruy Lopez
1 P-K4 P-K4 2 N-KB3 N-QB3 3
B-N5 P-QR3 4 B-R4 N-B3 5 0-0
B-K2 6 R-K1 P-QN4 7 B-N3 P-Q3 8
P-B3 0-0 9 P-KR3 N-QR4 10 B-B2
B-N2 11 P-Q4 N-B5 12 P-QN3 N-N3
13 QN-Q2 N/B3-Q2 14 N-B1 P-QB4
15 PxKP NxP 16 NxN PxN 17 N-N3
P-N3 18 B-K3 Q-B2 19 Q-K2 KR-Q1
20 R/K1-Q1 N-Q2 21 P-QR4 B-QB3
22 PxP PxP 23 B-Q3 Q-N2 24 P-B3
N-B1 25 Q-N2 RxR 26 QxR N-K3 27

N-K2 Q-B2 28 Q-B1 R-R1 29 Q-N2
B-N4 30 BxB NxB 31 N-B1 N-K3 32
B-B1 P-B3 33 Q-KB2 B-K1 34 Q-Q2
Q-B2 35 Q-K3 Q-K2 36 Q-Q2 R-R3
37 Q-Q5 K-B2 38 N-K2 B-B3 39
Q-Q2 R-R1 40 Q-K3 K-N2 41 N-B1
B-K1 42 Q-Q2 R-Q1 43 Q-K1 R-N1
44 Q-K3 B-B2 45 R-Q2 N-B1 46
R-R2 Q-B2 47 R-R3 N-K3 48 R-R2
P-R4 49 R-R3 P-R5 50 N-Q3 R-N2
51 P-QN4 P-B5 52 N-B1 B-K1 53
R-R8 Q-K2 54 N-K2 B-B3 55 R-R6
R-B2 56 Q-B2 P-N4 57 Q-N6 K-N3
58 Q-K3 B-N2 59 R-R5 Q-Q2 60
R-R7 Q-B3 61 Q-B2 R-R2 62 R-R5
B-R3 63 R-R2 Q-Q3 64 R-R5 R-Q2
65 Q-K3 Q-B3 66 R-R1 R-Q6 67
Q-B2 B-N2 68 K-R2 N-B1 69 N-B1
R-Q8 70 N-N3 RxB 71 RxR PxN 72
Q-N2 Q-B5 73 R-QN1 P-B4 74 PxP+
KxP 75 QxP QxQ 76 RxQ N-K3 77
R-R3 B-Q4 78 R-R5 B-B5 79 R-R6
N-B5 80 R-R8 P-K5! 81 R-B8+
K-K4 82 PxP KxP 83 P-N3 PxP+ 84
KxP K-Q6! 85 R-B5 NxP 86 R-K5
N-B5 87 RxKNP N-K3 88 R-N4 KxP
89 K-B2 KxP 90 K-K1 K-B6 91
K-Q1 P-N5 92 K-B1 N-Q5 93 R-N7
P-N6 94 R-N7 N-N4 95 Resigns

198 Karpov-Zheliandinov
Ruy Lopez
Notes by Karpov
1 P-K4 P-K4 2 N-KB3 N-QB3 3
B-N5 P-QR3 4 B-R4 N-B3 5 0-0
B-K2 6 R-K1 P-QN4 7 B-N3 P-Q3 8
P-B3 0-0 9 P-KR3 P-R3 10 P-Q4
R-K1 11 QN-Q2 B-B1 12 N-B1 B-Q2
Another possible continuation is
12...B-N2.
**13 N—N3   N—QR4
14 B—B2   P—N3**
Other continuations are 14...N-B5
and 14...P-B4. On 14...P-B4 White
replies 15 P-N3 N-B3 16 P-Q5 N-K2
17 N-R4 with advantage, so I decided
to try to improve on this line.
15 P—N3

This limits the field of action of the black QN. White often bases his play on the bad position of this knight. In this game the knight retreats to N2 but even there it is far away from the scene of action.

An alternative continuation was 15 N-R2 and later P-KB4.

15 ...	P—B4
16 P—Q5	B—N2
17 B—K3	N—R2

An interesting plan: to limit White's play on the K-side and then to begin action on the opposite wing. In the game Black does not succeed in carrying out his idea — he switches plans in the middlegame and loses.

18 Q—Q2	P—R4
19 N—R2	N—N2

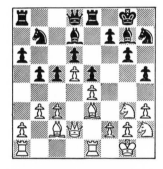

Here and on the following moves, ...P-R5 followed by ...P-B4 would have led to very sharp play.

20 QR—B1	P—R4
21 P—R3	

The point of this is clear. White intends, according to the circumstances, to close the Q-side or to play P-QN4 and kill the knight on QN2.

21 ...	Q—N3
22 K—R1	

White intends the advance P-KB4 and so moves his king from the KN1-QR7 diagonal.

22 ...	P—N5

23 RPxP

Also possible was 23 BPxP BPxP 24 P-QR4 and to manoeuvre the queen to QB4, but during the game I had formed the plan of P-KB4 and did not want to diverge from it.

23 ...	RPxP
24 P—QB4	

Now White has managed to close the Q-side but meanwhile he has conceded the QR-file. It becomes apparent that the QR-file does not give Black sufficient counterplay.

24 ...	R—R2
25 Q—Q1	R/1—R1
26 R—B1	Q—Q1
27 N—K2	

I had intended to transfer this knight to Q3 and my QB to QN2 and then to play P-B4. Black has made it difficult to transfer the bishop but the knight reaches Q3 just the same.

27 ...	B—KB3

Black has lost the thread of the game. He makes all the remaining moves in total disorder. If he has decided to exchange the dark squared bishops it would have been better to do it by 27...Q-KB1 followed by ...B-R3.

28 N—KB3

Preventing 28...B-KN4.

28 ...	K—R1?

It is clear that when White's plan of P-KB4 is carried out, Black's king should be on KN1 where it defends the KBP.

29 R—QN1	Q—K2
30 N—B1	R—R6
31 N—Q3	B—N2
32 N—Q2	

White didn't have time for B-B1-N2 (after N-Q3) because of ...P-B4.

32 ...	Q—B1
33 P—B4	PxP
34 BxKBP	Q—K2
35 N—B3	

Now White is playing for P-K5. If he succeeds Black's position will crumble.

35 ...   R—R7

On 35...P-B3 White plays 36 B-R2 followed by N-B4.

36 P—K5   B—B4
37 R—K1

White has broken through in the centre and all his pieces have come to life. At the same time Black's forces are scattered about the board in disarray.

37 ...   Q—B2
38 R—QB1   K—N1

Returning to his former position.

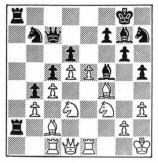

It is typical that after a successful strategy White finishes off the game with a little combination.

39 PxP   NxP
40 NxNP!   PxN
41 BxB   B—B6

If 41...PxB 42 P-B5.

42 B—N1   R—R8
43 R—K2   Resigns

199   Gipslis-Karpov
Ruy Lopez

1 P-K4 P-K4 2 N-KB3 N-QB3 3 B-N5 P-QR3 4 B-R4 N-B3 5 0-0 B-K2 6 R-K1 P-QN4 7 B-N3 P-Q3 8 P-B3 0-0 9 P-KR3 N-QR4 10 B-B2 P-B4 11 P-Q4 Q-B2 12 QN-Q2 N-B3 13 P-Q5 N-Q1 14 P-QR4 R-N1 15 P-QN3 P-N3 16 Q-K2 N-R4 17 N-N1

B-Q2 18 B-R6 R-K1 19 B-Q3 B-KB1 20 B-B1 N-B5 21 BxN PxB 22 PxP PxP 23 Q-Q2 B-R3 24 R-R2 P-N5 25 B-B4 N-N2 26 R-R7 PxP 27 NxP B-N2 28 N-Q1 Q-N3 29 R-R6 Q-N5 30 QxP R-R1 31 RxR RxR 32 N-K3 R-K1 33 N-B1 B-B6 34 R-K2 P-B3 35 R-R2 K-N2 36 N-K3 R-K2 37 R-R7 B-K4 38 Q-R4 B-N7 39 N-B2 Q-N3 40 R-R6 Q-Q1 41 R-R2? B-B8! 42 N/3-K1 B-KN4 43 Q-N3 RxP 44 N-Q3 P-B4 45 R-R7 B-KR5 46 Q-B3 Q-QN1 47 R-R6 N-Q1 48 Q-Q1 B-KB3 49 Q-Q2 B-B1 50 R-R4 N-B2 51 Q-R5 B-Q2 52 Q-R8 QxQ 53 RxQ P-N4 54 R-R7 R-K2 55 K-B1 P-B5 56 P-B3 B-B4 57 RxR BxR 58 P-QN4? N-K4 59 NxN PxN

60 P-Q6 B-KB1 61 P-N5 BxQP 62 N-R3 P-K5 63 PxP BxKP 64 B-K2 K-B3 65 N-B4 K-K3 66 N-Q2 B-B4? 67 B-N4 BxB 68 PxB K-Q4 69 K-K2 P-B5 70 P-N6 P-R3 71 P-N7 B-B2 72 N-B3 K-B4 73 K-Q2 K-Q4 74 K-K2 B-N1 75 K-Q2 B-R2 76 K-K2 B-N1 77 K-Q2 K-K5 78 K-K2 B-Q3 79 N-K1 K-Q5 80 K-Q2 P-B6+ 81 K-K2 K-B5 82 N-B2 B-B2 83 N-K1 K-N6 84 K-Q1 K-N7 85 N-Q3+ K-N8 86 N-N4 B-N1 87 N-B2 K-N7 88 N-N4 B-Q3 89 N-Q3+ K-N8 90 N-N4 BxN 91 P-N8(Q) P-B7+ 92 K-K2 P-B8(Q) 92 QxB+ Q-N7+ 94 QxQ+ KxQ 95 Drawn

200 Karpov-Tchilnov
Petroff Defence

1 P-K4 P-K4 2 N-KB3 N-KB3 3 P-Q3 N-B3 4 P-KN3 P-Q3 5 B-N2 B-K2 6 0-0 0-0 7 P-B4 N-K1 8 N-B3 P-B4 9 N-Q5 PxP 10 PxP N-B3 11 Q-Q3 NxN 12 BPxN N-N1 13 B-Q2 B-N5 14 N-K1 N-Q2 15 P-N4 P-B4 16 PxPep PxP 17 N-B2 B-K3 18 N-K3 N-N3 19 KR-B1 Q-Q2 20 P-QR4 B-N4 21 P-R5 N-B1 22 R-Q1 Q-KB2 23 R-KB1 B-B3 24 QR-B1 Q-N2 25 P-B4 R-Q1 26 Q-K2 PxP 27 PxP B-Q5 28 K-R1 N-K2 29 Q-Q3 B-B3 30 P-B5 B-B2 31 N-N4 B-K4 32 NxB PxN 33 Q-K3 R-K1 34 R-B5 N-B1 35 B-QB3 N-Q3 36 Q-N3 N-B5 37 R-KN1 P-N3 38 P-R4 K-B1 39 Q-N5 N-Q3 40 Q-R6+ K-K2 41 RxP+ K-Q2 42 R-Q1 QR-Q1 43 RxR KxR 44 QxRP PxP 45 Q-R8+ K-Q2 46 RxN+ Resigns

201 Sokolov-Karpov
Benko Gambit

1 P-Q4 N-KB3 2 N-KB3 P-B4 3 P-Q5 P-QN4 4 P-B4 B-N2 5 P-QN3 P-K3 6 QPxP BPxP 7 PxP P-Q4 8 QN-Q2 B-Q3 9 P-K4 QN-Q2 10 PxP PxP 11 B-Q3 0-0 12 0-0 N-K4 13 NxN BxN 14 R-N1 B-Q3 15 R-K1 Q-B2 16 N-B1 QR-K1 17 R-N2 N-K5 18 BxN PxB 19 R-B2 R-K4 20 B-K3 Q-K2 21 R-Q2 R-K3? 22 Q-R5 R-K4 23 Q-K2 R-K3 24 R/1-Q1 Q-B3 25 Q-B4 R-B2 26 BxP BxB 27 QxB P-KR3 28 N-K3 P-R3 29 PxP BxP 30 R-B2 K-R2 31 Q-Q4 Q-B5 32 Q-Q5 R-KN3 33 Drawn

---

Kuibishev 1970
(RSFSR Championship and USSR Championship semi-final)

		1	2	3	4	5	6	7	8	9	10	11	12	13	14	15	16	17	18	
1	Karpov	x	1	½	½	½	½	1	½	1	1	1	½	½	½	1	1	½	1	12½
2	Krogius	0	x	½	½	1	½	½	½	1	½	1	1	½	½	1	½	½	1	11
3	Antoshin	½	½	x	½	1	½	½	½	0	½	0	½	1	1	1	½	1	1	10½
4	Dementeev	½	½	½	x	1	½	½	½	½	½	½	½	½	1	1	½	½	1	10½
5	Doroshkevitch	½	0	½	½	x	1	0	½	½	½	1	½	1	0	½	1	1	1	10
6	Averkin	½	½	0	0	0	x	1	1	0	½	1	½	1	½	0	1	1	+	9½
7	A. Zaitsev	0	½	½	½	1	0	x	1	0	1	½	1	0	½	½	½	1	1	9½
8	Kopylov	½	½	½	½	½	0	0	x	½	½	1	1	1	½	½	½	1	½	9½
9	Pozhdniakov	0	0	1	½	½	1	1	½	x	1	0	½	0	½	0	1	1	½	9
10	Rashkovsky	0	½	½	½	½	½	0	½	0	x	½	½	½	1	1	½	1	1	9
11	Tchernikov	0	0	1	½	0	0	½	0	1	½	x	1	½	1	1	½	½	1	9
12	Anikayev	½	0	½	½	½	½	0	0	½	½	0	x	1	1	0	1	½	1	8
13	Zhukhovitsky	½	½	0	½	0	0	1	0	1	½	½	0	x	½	1	½	½	½	7½
14	Tseshkovsky	½	½	0	0	1	½	½	½	½	0	0	0	½	x	1	0	½	1	7
15	Shchestakov	0	0	0	0	½	1	½	½	1	0	0	1	0	0	x	½	1	½	6½
16	Pavlyutin	0	½	½	½	0	0	½	½	0	½	½	0	½	1	½	x	½	0	6
17	Tarasov	½	½	0	½	0	0	0	0	0	0	½	½	½	½	0	½	x	½	4½
18	Sergievsky	0	0	0	0	0	—	0	½	½	0	0	0	½	0	½	1	½	x	3½

202 Karpov-Krogius
French Defence

"This game is characteristic of Karpov's style as a whole. In particular one notices his opening knowledge and concrete thought. All

this he combines with enviable confidence and optimism. The talent of the young chess king is mature and I am sure that his main successes are still to come" — Krogius.*
1 P-K4 P-K3 2 P-Q4 P-Q4 3 N-Q2 P-QB4 4 KN-B3 N-QB3 5 PxQP KPxP 6 B-N5 B-Q3 7 0-0 N-K2 8 PxP BxBP 9 N-N3 B-N3 10 R-K1 0-0 11 B-K3 B-N5?! Correct is 11...BxB 12 RxB B-N5. 12 BxB White bravely accepts the sacrificed pawn. It seems it is the correct decision. In the games Geller-Spassky, 1st match game 1968, and Minic-Krogius, Varna 1969, White declined the pawn and failed to secure any advantage. 12...QxB 13 BxN NxB 14 QxP N-N5 15 Q-K4 BxN 16 PxB P-QR4 17 P-QR3 Better 17 N-Q4. 17...N-B3 18 Q-K3 Q-N4 19 P-QR4 Q-R4 20 Q-K4 Q-KN4+ 21 K-R1 Q-B3 22 N-B5 QR-Q1 After 22...QxNP 23 N-Q7 KR-Q1 24 QR-N1 Q-Q5 the position is much simpler and the chances are equal. But I rejected this continuation, overestimating Black's attacking chances — Krogius. 23 P-B3 P-QN3 24 N-Q3 P-R3 25 P-KB4! R-Q2 26 R-K3 KR-Q1 27 R-QN1 N-K2 28 N-K5 R-Q8+ 29 R-K1! RxR/K8+ 30 RxR N-B4

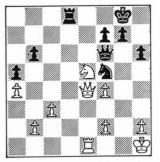

31 N-N4 Q-N3 32 N-K5 Q-R4 33 Q-B3 Q-R5 34 N-B4 Q-B3 35 P-R3 N-R5 36 Q-K4 N-N3? The decisive mistake. Black must play 36...N-B4. 37 P-B5! N-R5 38 N-K3 K-R1 39 R-K2 Q-N4 40 K-R2 P-R4 41 P-B4 Q-R3? Better 41...Q-B3. 42 K-N3 P-KN4 43 P/B5xPep NxP 44 N-B5! Q-B1 45 Q-B3 K-N1 46 QxP R-Q6+ 47 K-N4! Q-R1 48 N-Q4! Guarding KB3. 48...R-Q8 49 N-B3 R-Q4 50 N-N5 Q-QB1+ 51 K-N3 R-KB4 52 Q-R7+ K-B1 53 Q-R6+ K-N1 54 N-K6! Resigns

203   Tchernikov-Karpov
Nimzo Indian Defence
Notes by Karpov
1 P-Q4 N-KB3 2 P-QB4 P-K3 3 N-QB3 B-N5 4 P-K3 0-0 5 KN-K2 P-Q4 6 P-QR3 B-K2 7 N-N3?! P-B4 8 QPxP BxP 9 P-N4 B-K2 10 B-N2 N-B3 11 Q-B2 PxP 12 BxP Q-B2 13 N-QN5 If 13 N/B3-K4 N-K4 14 B-N3 QxQ 15 BxQ N-B5 with equal chances. 13...Q-N1 14 0-0 B-Q2 15 QR-Q1 N-K4! 16 B-K2 R-B1 17 Q-Q2 BxN 18 BxB P-QR3! 19 B-K2 N-B5 20 BxN RxB 21 R-B1 Q-B2 22 RxR QxR 23 R-B1 Q-N4 24 BxN PxB! 25 N-K4 P-B4 If 25...R-Q1 26 Q-N2. 26 N-B3 Q-B3! 27 N-N1 If 27 N-K2 Q-R5 28 Q-B3 R-Q1∓. 27...Q-K1 28 R-B4 B-B3 29 Q-B2 R-Q1 30 K-B1?! Better 30 P-N3. 30...Q-N4 31 K-K2 P-QR4 32 P-QR4 Q-Q4 33 P-B3? 33 P-N3 was still best. 33...PxP 34 R-B8 If 34 RxP Q-Q3 35 RxP QxP winning. 34...RxR 35 QxR+ K-N2 36 Q-B2 P-N6! 37 Q-Q3 Q-K4 38 QxNP QxRP 39 QxNP QxP+ 40 K-Q3 Q-B8+ 41 K-Q2

---

*A peculiar comment, since Karpov's theoretical knowledge has never been considered deep. He has a profound understanding of certain positions in the opening but theory could hardly be called his forte.

P-R4 42 P-R5 P-R5 53 P-R6 P-R6 44
Q-N8 Q-N7+ 45 K-Q3 P-R7 46 P-R7
P-R8(Q) 47 N-Q2 Q-R8 48 **Resigns**

204   Karpov-Sergeivsky
Irregular
Notes by Karpov

**1 P-K4 P-Q3 2 P-Q4 N-KB3 3
N-QB3 QN-Q2 4 KN-K2 P-QN4!? 5
P-K5! PxP 6 PxP NxP 7 QxQ+ KxQ
8 NxP P-QR3 9 N/5-Q4 B-N2 10
B-B4 N-N3 11 0-0-0! K-B1** Not 11...
NxB?? 12 N-K6++ K-K1 13 NxBP
mate! (or 12...K-B1 13 R-Q8 mate).
12 B-Q2 P-K3 13 N-QN3 Preventing
...B-B4 and threatening N-R5. **13...
N-N5 14 B-K1 B-Q3 15 P-KR3 N-B3**
If 15...N/5-K4 16 N-R5±; or 15...
N-R7 16 RxB NxB 17 R-Q3 BxP 18
R-N1 winning a piece. **16 N-R5 R-Q1
17 P-QB4 N-B5 18 NxB KxN 19
K-B2 B-K4?** Better 19...NxN 20 BxN
B-K4 when White is only a little
better. **20 N-B3 RxR 21 NxR! R-Q1
22 P-KN3 N-N3 23 B-N2+ K-N3 24
N-B3 B-Q5 25 N-K2 B-K4 26 P-B4
B-Q3 27 N-B3 P-B3**

28 P-B5+! BxP If 28...KxP 29
B-B2+ K-B5 30 P-N3+ K-N5 31
P-R3+ KxP 32 R-R1+ K-N5 32
R-R4 mate. **29 N-R4+ K-N4 30
K-N3!! R-Q6+ 31 B-B3 RxB+ 32
NxR+ K-R4 33 N-R4 B-B7 34
R-QB1 N-K2 35 R-B2 B-K6 36 BxP
N-R4 37 B-K8 NxNP 38 K-B4 N-Q4**

**39 P-R3 N-N3+ 40 K-Q3 NxN 41
KxB N-B4+ 42 K-Q3 Resigns**

205   Doroshkevitch-Karpov
Nimzo-Indian Defence

1 P-Q4 N-KB3 2 P-QB4 P-K3 3
N-QB3 B-N5 4 Q-B2 0-0 5 N-B3
P-B4 6 PxP N-R3 7 B-Q2 NxP 8
P-K3 P-QN3 9 B-K2 B-N2 10 0-0
N/B4-K5 11 NxN BxN 12 B-Q3
BxB/Q6 13 QxB BxB 14 QxB P-Q4
15 **Drawn**

206   Karpov-Zukhovitsky
Ruy Lopez

1 P-K4 P-K4 2 N-KB3 N-QB3 3
B-N5 P-QR3 4 B-R4 N-B3 5 0-0
B-K2 6 R-K1 P-QN4 7 B-N3 P-Q3 8
P-B3 0-0 9 P-KR3 P-KR3 10 P-Q4
R-K1 11 QN-Q2 B-B1 12 N-B1 B-Q2
13 N-N3 N-QR4 14 B-B2 P-B4 15
P-N3 Q-B2 16 P-Q5 N-N2 17 B-Q2
P-B5 18 P-N4 P-QR4 19 P-R3 R-R3
20 N-R2 KR-R1 21 QR-B1 PxP 22
RPxP B-K2 23 P-B4 N-R2 24 N-B3
N-B1 25 N-R5 B-K1 26 Q-K2 N-Q2
27 P-B5 N-B3 28 NxN+ BxN 29
P-N4 B-K2 30 P-N5? PxP 31 NxNP
BxN 32 BxB P-B3 33 B-K3 Q-B2 34
B-Q1 R-R7 35 R-B2 RxR 36 QxR
K-B1 37 K-R2 Q-N1 38 R-N1 Q-R2
39 Q-K2 N-Q1 40 Q-N4 R-R6 41
B-Q2 N-B2 42 B-B3 Q-R1 43 Q-N3
N-Q1 44 Q-B2 R-R7 45 R-N4 K-K2
46 K-N3 Q-N1 47 K-R2 N-B2 48
R-N2 Q-R1 49 Q-K1 K-B1 50 Q-N3
R-R6 51 B-Q1 **Drawn**

207   Tarasov-Karpov
Queen's Gambit Accepted

1 P-Q4 N-KB3 2 N-KB3 P-Q4 3 P-B4
PxP 4 Q-R4+ QN-Q2 5 P-KN3
P-QR3 6 N-B3 P-K3 7 B-N2 R-N1 8
QxBP P-QN4 9 Q-Q3 B-N2 10 0-0
P-B4 11 PxP NxP 12 QxQ+ RxQ 13
R-Q1 RxR 14 NxR B-Q3? 15 B-B4!
B-K2 16 N-K5 N-Q4 17 N-K3 NxB
18 PxN BxB 19 KxB P-B3 20 N-B6

K-Q2 21 NxB KxN 22 R-QB1 K-Q3
23 P-B5 P-N3 24 P-N4 N-R5 25
PxKP R-K1 26 P-B4 RxP 27 K-B3
N-N3 28 R-Q1+ K-K2 29 Drawn

208   Karpov-Shchestakov
          French Defence
1 P-K4 P-K3 2 P-Q4 P-Q4 3 N-Q2
N-KB3 4 P-K5 KN-Q2 5 P-QB3 P-B4
6 B-Q3 P-QN3 7 Q-K2 P-QR4 8
B-N5 B-R3 9 P-QR4 Q-B1 10 P-KB4
PxP 11 PxP N-QB3 12 KN-B3 BxB
13 PxB N-QN5 14 0-0 B-K2 15 R-B2
R-R2 16 N-B1 0-0 17 B-Q2 R-B2 18
BxN BxB 19 P-B5 P-B3 20 BPxP
N-N1 21 N-K3 QxP 22 PxP RxP 23
N-N5 RxR 24 QxR Q-B1 25 R-KB1
P-R3 26 N-R3 Q-Q1 27 Q-B5 B-Q7
28 NxP R-Q2 29 Q-K6+ K-R1 30
N/3-B4 BxN 31 NxB RxP 32 N-N6+
K-R2 33 N-B8+ K-R1 34 Q-N6
Resigns

209   Karpov-Rashkovsky
          King's Indian Defence
          Notes by Karpov
**1 P-QB4 P-KN3 2 P-KN3 B-N2 3
B-N2 N-KB3 4 P-Q4 0-0 5 N-QB3
P-Q3 6 N-B3 N-B3 7 0-0 B-B4 8
P-Q5 N-QR4 9 N-Q4 B-Q2 10 P-N3
P-B4 11 PxPep PxP 12 B-N2 P-B4 13
N-B2 R-N1 14 N-K3 N-B3 15 Q-Q2
N-QN5 16 P-KR3 B-B3 17 N/B3-Q5
N/5xN 18 PxN B-N4 19 B-B3 N-K1
20 B-R5 Q-Q2 21 QR-B1 B-QR3 22
KR-K1? R-N2 23 B-QB3 BxB 24
QxB N-N2 25 N-B2 R-N3 26 P-K4
P-K4 27 PxPep PxP 28 R/B1-Q1
Q-KB2 29 P-B4 N-R4 30 R-Q2
Q-KN2 31 Q-K3 P-K4 32 R-B2 PxP
33 PxP Q-R3 34 P-B5 QxQ 35 NxQ
N-B3 36 R-Q1 K-N2 37 R/2-Q2
N-K1 38 PxP? PxP 39 P-K5 PxP 40
R-Q7+ R-B2 41 RxR+ KxR 42
R-Q7+ K-K3 43 RxP N-B3 44
R-QB7 B-Q6 45 RxP R-R3 46
R-B6+ RxR 47 BxR K-Q3 48 B-N2?
K-B4 49 P-R3 K-Q5 50 K-B2 P-K5**

The adjourned position. It seems
that the position does not hold any
dangers for Black. His king is acti-
vely placed and this compensates for
the pawn minus.

I had sealed ...
      51 P—QR4
When we resumed Rashkovsky
made the strong move...
      51 ...   K—B6
... calculating that after 52 B-B1
N-Q2 53 P-R5 N-B4 the game is
drawn. Since 52 B-B1 is so easily met
I decided to try a different move
order.
      52 P—R5   N—Q2?
The winning try is justified. Black
defends against the threat 53 B-B1
but unexpectedly he falls into diffi-
culties. He could have forced the
draw by 52...K-N5.
      53 P—R4   KxP
Even here 53...K-N5 gave some
chances of a draw.
      54 N—Q5
Unexpectedly it becomes clear that
Black's king cannot approach the
QRP or attack White's knight
because of N-N6+.
      54 ...   N—B4
      55 K—K3   K—R5
Black naturally hastens to capture
the QRP thinking that the position
will be easier with one pawn less.
      56 N—B4   KxP
      57 NxP   N—Q2

Forced. On 57...K-N3 would follow 58 B-R3 B-B5 59 P-R5 B-N1 60 P-R6 K-B2 61 N-K7 B-R2 62 B-B5, and if 62...K-Q3 then 63 N-B8+ or if 62... K-Q1 63 N-B6+ and White wins.

58 BxP	B—B5
59 K—Q4	B—K7
60 B—B5	N—B3
61 K—K5	N—K1

61...N-R4 was no good because of 62 N-B4. If 61...N-N4+ then 62 K-B4 N-R3 63 B-K6 and Black's knight is trapped. Or 62...N-B3 (instead of 62...N-R3) 63 K-N5 N-R2+ 64 K-R6 N-B3 65 N-B4 and White wins.

62 N-B4 B-Q8 63 B-N6 N-B2 64 B-R5 BxB 65 NxB K-N3 66 N-B4 N-K1 67 P-R5 K-B2 68 P-R6 N-Q3 69 P-R7 K-Q2 70 K-B6 Resigns

210   Kopylov-Karpov
        Sicilian Defence
1 P-K4 P-QB4 2 N-KB3 P-K3 3 P-Q4 PxP 4 NxP N-QB3 5 N-QB3 P-QR3 6 B-K2 Q-B2 7 0-0 P-QN4 8 NxN QxN 9 B-B3 B-N2 10 R-K1! N-K2 11 P-K5? Q-B2 12 BxB QxB 13 N-K4 N-B4 14 Q-B3 Q-B3 15 P-B3 B-K2 16 B-N5 0-0 17 BxB NxB 18 QR-Q1 N-Q4 19 R-Q4 P-R3 20 Drawn

211   Karpov-Annikayev
        Ruy Lopez
1 P-K4 P-K4 2 N-KB3 N-QB3 3 B-N5 P-QR3 4 BxN QPxB 5 0-0 P-B3 6 P-Q4 B-KN5 7 PxP QxQ 8 RxQ BxN 9 PxB PxP 10 P-KB4 B-Q3 11 N-Q2 PxP 12 N-B4 0-0-0 13 NxB+ PxN 14 BxP N-B3 15 P-KB3 P-Q4 16 B-N5 PxP 17 Drawn

212   Tseshkovsky-Karpov
        Sicilian Defence
1 P-K4 P-QB4 2 N-KB3 P-K3 3 P-Q4 PxP 4 NxP N-QB3 5 N-N5 P-Q3 6 P-QB4 N-B3 7 QN-B3 P-QR3 8 N-R3 B-K2 9 B-K2 0-0 10 B-K3 Q-B2! 11 R-QB1 R-Q1 12 0-0 R-N1 13 Q-Q2

N-K4 14 P-B3 P-QN3 15 KR-Q1 B-Q2 16 Q-K1 B-K1 17 Q-B1 Q-N2 18 R-Q2 N/K4-Q2 19 N-B2 N-K4 20 N-R3 N/K4-Q2 21 R/B1-Q1 N-K4 22 K-R1 N-N3? 23 N-B2 P-N4 24 PxP PxP 25 P-QR3 N-K4 26 N-Q4 P-N5 27 PxP QxNP 28 N/Q4-N5 BxN 29 NxB P-Q4? 30 B-KB4 B-Q3 31 NxB QxN 32 P-KN4 R-N5 33 B-N3 Q-N1 34 Q-B2 RxP 35 Q-Q4 RxR 36 QxR N-K1 37 P-N5 P-Q5 38 Q-R5 P-B3 39 PxP PxP 40 R-KN1 N-N2 41 Q-Q2 Q-B2 42 P-B4 N-B3 43 P-B5 Q-K2 44 B-Q4 K-R1 45 PxP NxP 46 B-Q5 N-K4 47 Q-KB2 P-Q6 48 BxN/K5 PxB 49 Q-N3 N-N2 50 QxQP N-R4 51 B-N3 Drawn

213   Karpov-A. Zaitsev
        Caro Kann Defence

1 P—K4	P—QB3
2 P—Q4	P—Q4
3 N—QB3	PxP
4 NxP	N—Q2
5 N—KB3	KB—B3
6 NxN+	NxN
7 N—K5	

This continuation is probably more elastic than 7 B-QB4.

7 ...	B—B4
8 P—QB3	P—K3
9 P—KN4	B—N3
10 P—KR4	B—Q3
11 Q—K2!	

Of course not 11 P-R5 B-K5 12 P-B3 because of 12...BxN.

| 11 ... | P—B4 |
| 12 P—R5? | |

A tactical miscalculation. 12 B-N2 gives White the advantage.

| 12 ... | B—K5 |
| 13 P—B3 | PxP! |

Now 14 PxP is not possible because of 14...B-N5+ and 15...QxP.

| 14 Q—N5+ | N—Q2! |

Black plays his best move. If now 15 NxN then 15...B-B3; and if 15

QxN+ QxQ 16 NxQ BxP.

Naturally 15 PxB BxN leads to Black's advantage.

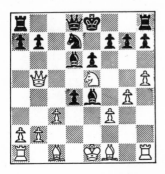

15 NxP!

A good practical chance.

| 15 ... | B—N6+ |
| 16 K—K2 | P—Q6+ |

Perhaps 16...Q-B3 is stronger.

17 K—K3	Q—B3
18 KxB	QxN
19 R—R3	P—QR3
20 Q—N5	P—R3?

A mistake. Stronger is 20...P-K4 21 RxB N-B4+ 22 K-K3 0-0 23 R-N3 (preventing 23...Q-B5+) 23...QR-Q1 24 B-Q2 N-K5! and Black wins. e.g. 25 PxN Q-B7 mate; or 25 KxN Q-Q4+ 26 K-K3 Q-QB4+ 27 K-K4 R-Q5+ winning.

21 Q—K3

21 Q-N6 loses to 21...N-B4+ 22 K-Q4 (22 K-K3 B-B5+ 23 K-B2 QxQ 24 PxQ P-Q7 leads to the loss of a piece by White) 22...0-0-0+ and Black is organizing a mating attack.

| 21 ... | P—K4 |

21...N-B3+ 22 KxP NxNP 23 PxN QxB+ 24 K-B2 QxR does not lead to a win because of 25 QxKP+ K-Q1 26 Q-Q5+ K-B1 27 Q-KB5+ K-B2 28 Q-B7+ K-N1 29 B-B5+ with a draw by perpetual check.

Now 22 RxB is not possible because of 22...Q-QB5+.

22 KxP

Having no pawns in mid-board with many pieces still on, the White king decides to seek more shelter.

22 ...	B—B5
23 Q—N1	0—0—0
24 K—B2	BxB
25 RxB	QxQRP

26 R-R2 KR-B1 27 R-Q2 Q-R5+ 28 K-N1 Q-B3 29 B-Q3 K-B2 30 B-K4 Q-QN3 31 Q-R2 QR-K1 32 R/1-Q1 N-B3 33 B-N6 R-K2 34 R-K1 Q-N4 35 R/2-K2 N-Q2 36 B-B5! RxB 37 PxR Q-Q6+ 38 K-R1 QxP/B4 39 Q-R4 N-B3 40 Q-QB4+ K-Q1 41 Q-B5 N-Q2 42 Q-Q5 K-B1 43 R-K4 P-QN4 44 Q-B6+ K-Q1 45 QxQRP QxRP 46 P-KB4 Q-B4 47 Q-R8+ K-B2 48 Q-R5+ K-B3 49 P-B4 P-N5 50 QxNP R-K3 51 PxP K-B2 52 Q-R5+ K-N2 53 Q-N5+ R-N3 54 Q-Q5+ K-B2 55 K-N1 Q-B7 56 R/4-K2 Q-B4+ 57 Q-K4 QxQ+ 58 RxQ N-B4 59 R/4-K3 N-K3 60 K-B2 P-N4 61 K-B3 P-R4 62 P-QN4 R-R3 63 P-B5 R-R6+ 64 K-B4 RxR 65 RxR P-R5 66 P-N5 K-Q1 67 P-N6 K-Q2 68 R-Q3+ K-B1 69 R-Q6 P-R6 70 RxN P-N5 71 R-KR6 **Resigns**

214   Averkin-Karpov

Queen's Pawn

1 P-Q4 N-KB3 2 N-KB3 P-QN3 3

B-N5 P-K3 4 P-K4 P-KR3 5 BxN
QxB 6 B-Q3 B-N2 7 0-0 P-Q3 8 N-B3
N-Q2 9 R-K1 P-R3 10 Q-Q2 Q-Q1
11 Q-B4 P-QB4 12 PxP NxP 13
QR-Q1 Q-B3? 14 Q-K3 B-K2 15
B-B1! Q-N3 16 P-QN4 N-Q2 17
N-QR4 0-0 18 P-B4 P-QR4? 19 P-N5
QR-N1 20 N-Q4 N-B4! 21 NxN
QPxN 22 N-B6 BxN 23 PxB P-K4 24
P-B7 R/N1-B1 25 R-Q7 Q-QB3 26
R/K1-Q1 RxP 27 Q-KR3 RxR 28
QxR Drawn

215   Karpov-Gozdnikov
Sicilian Defence
1 P-K4 P-QB4 2 N-KB3 P-K3 3 P-Q4
PxP 4 NxP P-QR3 5 B-Q3 P-Q3 6
0-0 P-KN3 7 B-K3 B-N2 8 P-KB4?
N-QB3 9 NxN PxN 10 P-B3 N-K2 11
N-Q2 R-QN1 12 R-N1 0-0 13 Q-K2
P-QR4 14 P-QR4 P-KB4 15 K-R1
Q-B2 16 N-B3 PxP 17 BxP P-B4 18
B-Q3 B-Q2 19 B-N5 N-Q4 20 N-N5
P-R3 21 BxB QxB 22 N-K4 R-N3 23
R-R1 Q-K2 24 R-B2 KR-N1 25 B-B1
N-B3 26 N-N3 Q-KB2 27 R-B3 P-R4
28 P-B4 P-R5 29 N-B1 P-Q4 30
Q-K1 PxP 31 QxQRP Q-K2 32 Q-K1
N-Q4 33 Q-K4 P-B6

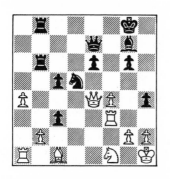

34 PxP BxP 35 R-R2 Q-B3 36 P-R5
R-N8 37 Q-B2 B-Q5 38 P-R6
R/N8-N3 39 B-Q2 R-R1 40 Q-B4
N-N5 41 BxN RxB 42 Q-B2 Q-B4 43

Q-Q2 Q-K5 44 P-R3 R-N8 45 Q-R5
P-B5 46 Q-KN5 Q-B4 47 QxRP P-B6
48 Q-K7 B-B3 49 Q-QB7 Q-QN4 50
K-R2 Q-Q4 51 R-N3 P-N4 52 R-R5
QxR 53 QxQ P-B7 54 RxP+ BxR 55
QxB+ K-R2 56 Q-R5+ K-N2 57
Q-K5+ Resigns

216   Pavlyutin-Karpov
Queen's Indian Defence
1 P-Q4 N-KB3 2 N-KB3 P-QN3 3
P-B4 P-K3 4 P-K3 B-N2 5 B-Q3
B-K2 6 0-0 0-0 7 N-B3 P-Q4 8 PxP
PxP 9 N-K5 P·B4 10 Q-K2 Q-B1 11
B-Q2 N-B3 12 QR-B1 Q-K3 13 P-B4
KR-K1 14 N-N5 Q-B1 15 PxP PxP
16 B-K1 P-QR3 17 N-QB3 Q-K3 18
B-N3 B-Q3 19 N-R4 P-B5 20 B-N1
NxN 21 PxN BxP 22 N-B5 Q-N3 23
NxB QxN 24 BxB RxB 25 RxN PxR
26 R-B1 Q-N3 27 R-B3 QR-K1 28
R-N3+ K-B1 29 Q-N4 RxP 30
Q-N7+ K-K2 31 Resigns

217   Karpov-Dementeev
Ruy Lopez
1 P-K4 P-K4 2 N-KB3 N-QB3 3
B-N5 P-QR3 4 BxN QPxB 5 0-0 P-B3
6 P-Q4 PxP 7 NxP P-QB4 8 N-N3
QxQ 9 RxQ B-Q2 10 N-B3 0-0-0 11
B-B4 B-K3 12 RxR+ KxR 13
R-Q1+ K-B1 14 N-Q5 BxN 15
Drawn

218   Antoshin-Karpov
Queen's Indian Defence
1 P-Q4 N-KB3 2 P-QB4 P-K3 3
N-KB3 P-QN3 4 P-KN3 B-N2 5 B-N2
B-K2 6 0-0 0-0 7 N-B3 N-K5 8 NxN
BxN 9 N-K1 BxB 10 NxB P-Q4 11
Q-R4 PxP 12 QxBP P-QB4 13 PxP
BxP 14 B-K3 BxB 15 NxB Drawn

Caracas 1970

	1	2	3	4	5	6	7	8	9	10	11	12	13	14	15	16	17	18	
1 Kavalek	x	½	0	1	1	½	½	1	½	½	½	1	1	1	1	1	1	1	13
2 Panno	½	x	½	½	½	½	½	1	½	½	½	1	1	½	1	1	1	1	12
3 Stein	1	½	x	1	½	½	½	½	½	1	0	1	½	½	1	1	1	1	12
4 Benko	0	½	0	x	½	½	½	1	½	1	1	½	½	1	1	1	1	1	11½
5 Karpov	0	½	½	½	x	0	1	½	½	1	½	1	½	1	1	1	1	1	11½
6 Ivkov	½	½	½	½	1	x	½	½	½	½	½	½	1	1	1	½	1	1	11½
7 Parma	½	½	½	½	0	½	x	½	½	½	1	½	½	½	½	1	1	1	10
8 Sigurjonsson	0	0	½	0	½	½	½	x	½	1	1	½	1	½	½	1	1	1	10
9 Bisguier	½	½	½	½	½	½	½	½	x	½	½	½	½	0	½	1	1	1	9½
10 Barcza	½	½	0	0	0	½	½	0	½	x	1	½	1	1	½	1	1	1	9½
11 Addison	½	½	1	0	½	½	0	0	½	0	x	½	½	½	1	1	1	½	8½
12 O'Kelly	0	0	0	½	0	½	½	½	½	½	½	x	½	1	½	½	1	1	8
13 Ciocaltea	0	0	½	½	½	0	½	0	½	0	½	½	x	1	1	1	½	½	7½
14 Cuellar	0	½	½	0	0	0	½	½	1	0	½	0	0	x	½	½	½	1	6
15 Yepes	0	0	0	0	0	0	½	½	½	½	0	½	0	½	x	1	½	1	5½
16 Caro	0	0	0	0	0	½	0	0	0	0	0	½	0	½	0	x	½	1	3
17 Villaroel	0	0	0	0	0	0	0	0	0	0	0	0	½	½	½	½	x	1	3
18 Slujssar	0	0	0	0	0	0	0	0	0	0	½	0	½	0	0	0	0	x	1

219   Karpov-Bisguier
         Ruy Lopez
      Notes by Karpov

1 P-K4 P-K4 2 N-KB3 N-QB3 3
B-N5 N-B3 4 Q-K2 B-K2 5 P-B3
P-Q3 6 P-Q4 N-Q2 7 0-0 0-0 8
QN-Q2 Perhaps I should have played
8 P-Q5 but I wasn't concentrating
properly. 8...B-B3 9 P-Q5 N-K2 10
B-Q3 P-B3 11 P-B4 P-QR4 12
P-QN3 P-KN3 13 B-R3 P-B4 14
B-N2 B-N2 15 P-N3 K-R1 16 QR-K1
While Black cannot play ...P-B4
White has no need to hurry.
16...N-KB3 17 N-R4 N/3-N1 18
N-N2 P-R5 19 P-B4 P-B3 20 N-K3
N-R3 21 B-B3 PxNP 22 PxNP B-R6
23 R-B2 B-Q2 24 Q-B1 Covering
KR3 just in case. 24...N-B2 25 P-B5
P-N4 26 B-K2 N-N1 27 P-R4 Here I
was in too much of a hurry. Before
opening the file I should have played
K-R1 and doubled on the KN-file.
27...PxP 28 PxP B-R3 I hadn't taken

into account the possibility of this
bishop jumping out.

29 B-KR5 Q-K2 30 K-R1 B-B5 31
Q-R3 P-N4 32 PxP BxNP 33 N/2-B4
BxN/K6. Forced. Otherwise comes
N-R5 and N/3-B4 with a great
advantage. 34 NxB R-R6 35 B-Q1
N/1-R3 36 B-N2 R-R7 37 B-R5
R-KN1 38 N-Q1 R/7-R1 39 N-B3
B-Q2 40 B-B1 R/R1-N1 41 B-Q1
R-R1 42 N-K2 R-R7 43 R-N1 RxR+

44 KxR B-N4 45 N-B3 RxR 46 KxR B-R3 47 N-N1 I did not know what to do next. Only later, during the second adjournment, Stein and I came to the conclusion that to realize my advantage I should exchange queens. 47...Q-N2 48 B-B3 N-N1 49 B-R5 N/1-R3 50 N-Q2 N-N1 51 K-K1 N/1-R3 52 K-Q1 B-N4 If now 53 K-B2 then 53...Q-R3 threatening ...B-K7 after which it would be impossible to break through Black's stronghold. 53 N-B3 Q-R3 54 N-N5

So far I hadn't seen the correct plan. It is interesting that three or four days later Bisguier told me that after 54...PxN 55 PxP B-K1! 56 B-K2 B-N4 57 B-R5 the game was a draw and that we had played thirty extra moves unnecessarily. But it was 1 a.m. when I played 54 N-N5 and honestly, I could not think at all. 54...B-K1 55 B-K2 B-N4 56 B-R5 B-K1 At last the opportunity came to adjourn the game and I sealed 57 N-B3 At 10 a.m. we had to continue. 57...B-N4 58 N-K1 Q-R7 59 Q-N2 Q-R4 60 B-Q2 Q-R2 61 Q-B3 Q-R7 62 N-B2 P-B5 63 PxP BxP 64 Q-QR3 After the game my opponent said that he could have exchanged queens and drawn quite easily. I think that it would not have been so easy. 64...Q-N8+ 65 Q-B1 Now he either exchanges queens or gives up a piece.

The American Grandmaster preferred the latter. 65...Q-N6 66 BxN/R6 Q-Q6+ 67 B-Q2 QxKP 68 Q-R3 Much better was 68 N-K3 B-N6+ 69 K-K2 BxP 70 Q-B7 and then B-B1-R3. 68...BxP 69 N-K3 QxRP 70 BxN BxB 71 QxP Q-R5+ 72 K-K1 Q-R5+ 73 K-Q1 Q-R5+ 74 K-B1 It seems that checks could have been avoided by 74 K-K2. 74... Q-R8+ 75 K-B2 Q-R5+ 76 K-Q3 Q-N4+ 77 K-K4 Q-N2+ 78 N-Q5 Q-N8+ 79 K-K3 Q-N8+ 80 K-Q3 BxN! 81 QxBP+ Q-N2 82 Q-Q8+ Q-N1 83 Q-K7 Q-N6+ 84 B-K3 P-R4 85 **Drawn** This long and dry game serves to show how exhausting this tournament was for me from the very beginning. But I wasn't particularly upset at drawing because during the adjournments I managed to win against the experienced Hungarian Grandmaster Barcza and another Grandmaster, Parma.

220   Barcza-Karpov
            English Opening

1 N-KB3 P-QB4 2 P-B4 P-KN3 3 P-KN3 B-N2 4 B-N2 N-QB3 5 N-B3 P-K4 6 P-Q3 KN-K2 7 0-0 0-0 8 N-K1 R-N1 9 N-B2 P-QR3 10 R-N1 P-Q3 If 10...P-QN4 11 PxP PxP 12 P-QN4 PxP 13 N/B2xP NxN 14 RxN Q-R4 15 P-QR3 **11 P-QN4 B-K3 12 PxP PxP 13 N-K3 P-N3 14 N/K3-Q5 B-Q2 15 B-Q2 NxN 16 NxN N-K2 17 Q-B1?** Correct was 17 P-QR4, inhibiting Black's Q-side advance. **17...NxN 18 BxN? B-R6 19 R-K1? P-QN4! 20 P-R3 Q-Q3 21 B-KB3? B-K3 22 PxP? PxP 23 B-K3 KR-B1 24 Q-Q2**

At the first glance White's game does not appear to be so bad but in fact his bishops are hopelessly placed to cope with the advance of the QNP.

24...P-N5! 25 PxP PxP 26 B-R7 R-N4
27 R/K1-QB1 RxR+ 28 QxR P-N6
29 Q-B6?? QxQ 30 BxQ R-R4 31
B-K3 R-R7 32 B-QN5 P-N7 33 K-N2
P-K5 34 P-Q4 B-N6 35 **Resigns**

221   Karpov-Parma
        Nimzo-Indian Defence

1 P—QB4	N—KB3
2 N—QB3	P—K3
3 P—Q4	B—N5
4 Q—B2	

"When I was walking to the tour-
nament hall I just could not get rid
of the thought that in the next two
rounds I would be playing easier
opponents. I already had 'plus one'*
and I didn't need to take any risks.
Quite honestly, at the beginning, I
was reconciled to a draw" — Karpov.

4 ...	0—0
5 N—B3	P—B4
6 PxP	N—R3
7 B—Q2	NxP
8 P—K3	

8 P-QR3 BxN 9 BxB N/4-K5 is
nothing.

8 ...	P—QN3
9 B—K2	B—N2
10 0—0	P—Q3

More accurate is 10...N/4-K5 11

NxN BxN 12 B-Q3 BxB/6 13 QxB
BxB 14 QxB R-B1 with complete
equality.

11 KR—Q1	P—QR3
12 P—QN3	P—K4
13 P—QR3	BxN
14 BxB	Q—K2
15 N—K1	

If 15 P-QN4 B-K5 16 Q-N2 N-R5
17 Q-N3 NxB 18 QxN QR-B1 19
QR-B1 QR-Q1 with equality.

15 ...	QR—B1
16 QR—B1	N/3—K5?!

Correct was 16...P-Q4! 17 Q-N2
PxP 18 BxBP KR-K1 with roughly
equal chances. "Here I began to
think that I could not play passively,
just for a draw" — Karpov.

17 P—QN4	NxB
18 QxN	N—K3?

"I think that it was because of this
mistake that Black lost. On K3 the
knight has nothing to do." —
Karpov.

19 Q—Q3	KR—Q1
20 B—B3	BxB
21 NxB	P—N3
22 N—Q2	N—B2
23 N—K4	N—K1
24 Q—Q5!	K—N2
25 P—R3	N—B3

---

*Chess masters habitually refer to their scores at any stage in a tournament
as 'plus one' or 'minus two' or some such quantity. 'Plus N' simply means that
the number of wins exceeds the number of losses by N. Similarly for 'minus
N'.

26 NxN   KxN

If 26...QxN 27 Q-N7 winning a pawn.

27 Q—K4   K—N2
28 R—Q5   Q—B2

Or 28...P-QN4 29 P-B5 P-B4 30 Q-Q3 with a clear advantage. "By playing the stereotyped Q-Q3, P-K4 etc. it is hardly possible for me to win. With this feeling I think I found a very interesting solution to the position." — Karpov.

29 P—B4!   R—K1

If 29...PxP 30 Q-Q4+ K-N1 31 PxP followed by P-KB5 and pressure on the K-side as well as over the rest of the board.

30 PxP   PxP

If 30...RxP 31 Q-Q4.

31 P—B5   R—K3
32 Q—Q3   PxP

Not 32...R-QB3? 33 R-Q7 Q-N1 34 R-B1 winning.

33 PxP

If 33 R/5xBP R-Q1.

33 ...   Q—B3
34 R—N1   Q—B2
35 R—KB1   R—B1
36 K—R1   Q—B3
37 R—QN1   Q—B2
38 P—K4   R—QN1
39 R—KB1   R—N2
40 Q—QB3   R—N4

The time control.

41 P—QR4   R—N1
42 R—B1   R—QB1
43 R—QN1   K—N1
44 R/1—Q1   Q—K2
45 R—KB1   R—B2

If 45...Q-B2 46 P-R5! followed by R-QN1 and R-N6.

46 P—R5   R/3—QB3
47 R—B1

Black has a very passive game. The position offers an excellent example of the restricting effect of a protected passed pawn when there are only rooks and queens on the board.

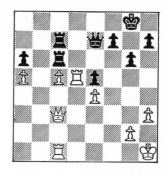

47 ...   P—B3

"Ah! My opponent has given in." — Karpov.

But if 47...R-K3 48 R-QN1 R/3-QB3 49 RxP Q-B3 50 R-K8+ K-N2 51 P-K5 and 52 P-K6+! — Milic.

48 Q—Q2   K—B2

If 48...RxP? 49 R/1xR RxR 50 R-Q8+ K-N2 51 R-Q7 winning the queen.

49 K—R2   K—K1
50 R—Q6!

Threatening 51 Q-Q5.

50 ...   R—Q2
51 R—Q1   R/3xR

Or 51...R/2xR 52 PxR Q-Q2 53 Q-Q5 K-B1 54 QxR! QxQ 55 P-Q7 and White finishes a rook ahead.

52 PxR   Q—K3
53 Q—Q3   Q—R7
54 QxP   Q—QB7
55 Q—R8+   K—B2
56 Q—Q5+   K—N2

"I decided that my opponent was just playing by instinct. I started playing quickly, not noticing that 57 P-R6 Q-R5 58 Q-Q3 Q-B3 59 R-QR1 leads to an almost immediate win." — Karpov

57 R—Q2   Q—B6
58 R—R2?   P—R4!

"Threatening perpetual check after ...P-R5. It seems that having my rook on the second rank is a mistake — its place is on the first. It took me forty minutes to write down ...

59 R—Q2

... Probably it is most difficult for many players to make a 'reverse' move. Now the rest is simple." — Karpov.

59...P-R5 60 R-Q1 Q-B7 61 P-R6 Q-R5 62 Q-Q3 P-N4 63 R-QN1 P-B4 64 R-N7 P-N5 65 RPxP PxNP 66 Q-K2 Resigns

222　　　Slujssar-Karpov
Queen's Pawn

1 P-Q4 N-KB3 2 N-KB3 P-B4 3 P-B3 P-QN3 4 B-B4 B-N2 5 QN-Q2 P-N3 6 P-KR3 B-N2 7 P-K3 0-0 8 B-Q3 P-Q4 9 0-0 QN-Q2 10 R-K1 P-QR3 11 B-R2 P-QN4 12 P-K4 BPxP 13 BPxP PxP 14 NxP N-Q4 15 Q-N3 Q-N3 16 N-B3 N/Q2-B3 17 QR-Q1 QR-B1 18 B-K5 NxN 19 PxN B-Q4 20 Q-N2 Q-B3 21 R-K3 QxP 22 Q-K2 Q-N5 23 P-R3 Q-R5 24 B-KB4 B-N6 25 Resigns

223　　　Karpov-Cuellar
Sicilian Defence

1 P-K4 P-QB4 2 N-QB3 N-QB3 3 P-KN3 P-KN3 4 B-N2 B-N2 5 P-Q3 P-K3 6 P-B4 P-Q3 7 N-B3 KN-K2 8 0-0 0-0 9 R-N1 R-N1 10 P-QR3 P-QN4 11 B-Q2 P-QR3 12 P-QN4 PxP 13 PxP B-N2 14 Q-K1?! N-Q5 15 NxN BxN+ 16 K-R1 B-N2 17 N-Q1 R-B1 18 R-B1 Q-Q2 19 B-QB3 BxB 20 NxB R-B2 21 N-Q1 P-B4 22 R-B2 P-Q4 23 R-K2 N-B3 24 PxQP PxP 25 Q-B3 Q-Q3 26 R-N1 P-Q5 27 Q-N3+ K-N2 28 N-B2 R/B1-B2 29 R-K6 Q-Q2 30 R/N1-K1 N-Q1 31 R/K5-K2 BxB+ 32 KxB Q-Q3 33 N-R3 R/KB2-K2 34 N-N1 RxR+ 35 RxR N-B2? 36 N-B3 R-B6 37 Q-N1 Q-Q4? 38 Q-N1 Q-B3 39 QxP+ K-R3 40 Q-B2 P-N4 41 K-N1 R-R6 42 R-K1 PxP 43 N-Q4 Q-B2 44 PxP Q-Q1 45 NxP+ K-N3 46 Q-B5 Q-B3

47 N-Q4 K-N2 48 K-R1 P-R3 49 R-N1+ K-R2 50 Q-KB8 Resigns

224　　　Benko-Karpov
Queen's Indian Defence

1 P-Q4 N-KB3 2 P-QB4 P-K3 3 N-KB3 P-QN3 4 P-KN3 B-N2 5 B-N2 B-K2 6 N-B3 N-K5 7 B-Q2 P-Q4 8 N-K5 0-0 9 PxP NxN 10 BxN PxP 11 Q-R4 Q-Q3 12 0-0 R-Q1 13 QR-Q1 Drawn

225　　　Karpov-O'Kelly
Ruy Lopez

1 P-K4 P-K4 2 N-KB3 N-QB3 3 B-N5 P-QR3 4 B-R4 N-B3 5 0-0 B-K2 6 R-K1 P-QN4 7 B-N3 P-Q3 8 P-B3 0-0 9 P-KR3 N-N1 10 P-Q4 QN-Q2

11 QN—Q2

This is a quiet variation which does not present Black with any special problems. 11 B-N5 was at one time considered stronger but the game Shamkovitch-Karpov, Moscow 1970 showed that even then Black is not in great danger: 11...P-R3 12 B-R4 B-N2 13 QN-Q2 R-K1 14 B-B2 P-B4 15 PxKP PxP 16 N-B1 P-B5 17 N-K3 P-N3 18 P-R3 N-B4! 19 NxP N/3xP 20 BxB RxB 21 QxQ+ RxQ.

Karpov avoided the continuations 11 N-R4 and 11 P-B4 out of deference to his opponent's theoretical knowledge.

11 ...　　　　　B—N2
12 B—B2　　　　R—K1
13 N—B1

Korchnoy played 13 P-QN3 against Portisch in the Match of the Century (Belgrade 1970). After 13...B-KB1 14 B-N2 P-N3 15 P-QR4 B-N2 16 B-Q3 P-B3 17 Q-B2 R-QB1! Black achieved an excellent position.

13 ...　　　　　B—KB1
14 N—N3　　　　P—N3
15 P—QR4　　　B—N2

This is not uncommon in tournament praxis but 15...P-B4 is more usual. The Belgian Grandmaster decided to try the more original continuation.

16 B—Q3   P—Q4

Now the game takes on a forced character. A more hopeful possibility is 16...P-B3.

17 B—N5!

A fine move. 17 PxQP PxQP leads to nothing. e.g. 18 NxP RxR+ 19 QxR N-B4 20 B-B2 QxP=; or 18 RxR+ NxR! 19 NxP N-B4 20 PxNP BxN! 21 PxB NxB 22 QxN QxP=.

17 ...   PxKP
18 BxKP   BxB
19 NxB   PxQP
20 NxP   P—B4

If 20...P-R3 21 N-B6 Q-B1 22 NxN+ NxN 23 RxR+? QxR 24 BxN QxN! Black holds on, but after 23 BxN! RxR+ 24 QxR BxB 25 Q-K4 K-N2 26 Q-Q5, Black's position is not very happy.

21 BxN!   NxB

Of course 21...BxB? is not possible because of 22 N-B6 Q-B1 23 QxN! RxN 24 QxQ+ etc.

22 NxBP   RxR+
23 QxR   P—N5

White has won a pawn but from being the aggressor he has suddenly become the defender, a factor which influences the young master.

24 R—B1

Karpov did not like this move but he cannot think of anything better to strengthen his position. 24 R-Q1 was tempting so that on 24...PxP White can recapture with the queen. But in that case, after 25 QxP R-B1! White's problems are not easy to solve, e.g. 26 P-QN4 N-K5 27 Q-B3 (or 27 Q-B4 Q-R5!) 27...NxN 28 N-N3 and now: (i) 28...Q-R5 29 PxN QxQRP 30 Q-N7 R-B1 31 P-B6 B-K4 32 R-K1 B-Q3; or (ii) 28...N-Q2 29 N-B5 RxN 30 PxR Q-B2 31 Q-R8+ B-B1 32 P-B6 N-B4! 33 R-Q8 N-K3 34 R-B8 Q-K4 35 QxP K-N2 and in both cases White achieves nothing.

The only solution is 27 Q-K1! NxN 28 N-B6! QxR (if 28...N-Q6 29 N-K7+! K-B1 30 NxR) 29 N-K7+! K-B1 30 QxQ KxN 31 PxN RxP 32 Q-K2+ and 33 QxP.

No better is 26...N-Q4 (instead of 26...N-K5) 27 Q-K1 NxP 28 N-B6! (not 28 QxN? B-B1 29 R-QB1 P-QR4!) with advantage to White.

There was another possibility: 24 N-K2, but in this case White would have to accept the sacrifice of a second pawn: 24...Q-K2!? 25 PxP R-K1 26 K-B1 Q-Q3 or 26...N-Q4, with unclear consequences.

24 N-B6? is bad because of 24... Q-Q3! 25 N-K7+ K-B1 and White loses a piece.

24 ...   PxP
25 PxP

After this move White's Q-side weaknesses compensate for the extra pawn. True, it wasn't so easy to decide to play 25 QxP because after 25...R-B1! 26 Q-Q2 (26 Q-Q3 N-Q2!) Black would have good chances with either 26...RxN! 27 RxR N-K5 28 N-K6! Q-K1 (not 28...Q-N1? 29 Q-B4 nor 28...Q-R1? 29 Q-Q5!) 29 NxB Q-KB1 30 Q-Q4 NxR 31 P-R5 N-N6 32 Q-B3 NxP 33 QxN QxN leading to a draw, or 26...N-K1 and

White cannot do anything but return the extra pawn by 27 N/4-N3.

25 ...   Q—Q4!

Centralizing his queen and controlling the important square K5.

26 N/4—N3

After 26 N/5-N3 R-QB1 White has difficulty in coordinating his pieces.

26 ...   B—B1

27 Q—Q1.

The knight cannot be maintained on B5: after 27 Q-K3 R-QB1 28 P-QB4 Q-B3 White must part with his QRP.

27 ...   QxQ+

28 RxQ   R—B1!

It is interesting that White cannot find suitable squares for his knights. Here O'Kelly offered a draw.

29 NxP   RxP

30 R—N1

Interesting would have been 30 N-R5!? e.g. 30...R-B1 31 N-N7! R-B3 32 N-N8! R-N3 33 N-Q7! and White has a chance to realize the advance of his extra pawn.

But after 30 N-R5 N-K5! 31 P-B3 B-B4+! 32 NxB NxN 33 R-R1 K-B1 Black's king goes to Q2 and 34 N-B6 is bad because of 34...NxP!

30 ...   B—Q3!

31 R—Q1

Black was threatening 31...R-B3.

31 ...   B—B1

32 R—N1   N—Q2?

Karpov was in time trouble and quite happy to agree to a draw. But Black imagined that he was trapping White's knight on QR6. He should have played 32...B-Q3! which draws.

33 P—R5   R—B3

34 R—Q1!   N—K4

All of Black's hopes lay in 34... B-Q3 but at the last moment O'Kelly noticed that 35 N-N4! BxN 36 RxN R-B6 37 P-R6! leaves him without chances.

35 R—Q5   N—B5

36 N—N8

At last White's knight has escaped.

36 ...   R—B1

37 N—Q7   B—K2

38 N—N6   R—B3

39 NxN   RxN

40 P—R6   R—QR5

41 R—QR5   Resigns

226   Ivkov-Karpov
         Queen's Gambit Declined
             Notes by Karpov

I had six out of seven. For the first time the most ambitious thoughts appeared (but soon vanished). ... When Stein and I were walking in the streets we bumped into Ivkov. 'Already a Grandmaster' he greeted us genially. And the next day ...
1 N-KB3 N-KB3 2 P-B4 P-K3 3 N-B3 P-Q4 4 P-Q4 B-K2 5 B-N5 0-0 6 P-K3 P-KR3 7 B-R4 P-QN3 8 B-Q3 B-N2 9 0-0 P-B4 10 Q-K2 PxQP 11 KPxP N-B3 12 QR-Q1? Better 12 PxP. 12...N-QN5 13 B-N1 PxP 14 N-K5 R-B1 15 P-QR3 N/5-Q4 16 BxN Here Ivkov offered a draw. On the street I had replied to his greeting by saying that a lot can change. I was right!

The sporting result and the results of the first games against Grandmasters were encouraging. Analyzing the tournament table showed that if I managed to beat Ivkov, Panno, Kavalek and Stein (in the distance — the round before last) there were real chances of coming first. I wanted to have the draw that was offered to me by the participant of the 'Rest of the World' team; I wanted it, but not when the Grandmaster was a pawn down. And I said 'No' but then I found myself unable to reorganize my frame of mind — I was too lazy.

Ivkov, on the other hand, started playing with great enthusiasm and in a few moves my first loss was decided. Not only that but I began to sink into a long depression. **16...BxB** A mistake. I should have destroyed the dangerous knight (16...NxN!). **17 Q-B2 R-K1 18 Q-R7+ K-B1 19 N-K4 R-B2 20 KR-K1 P-B6** I didn't think I was in any danger otherwise I would have played 20...N-B5. **21 N-N3!** A terrible combinational motivation appears: N-B5. But even here not everything is yet lost. I think that even 21...P-N3! leads to a draw. Ivkov thought the same. Because of the threat in ...B-N2 and ...N-B3 White is seemingly obliged to force a perpetual check by 22 BxP BxN 23 RxB PxP. **21...N-K2 22 Q-R8+ N-N1 23 B-R7**

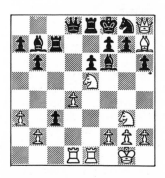

23...BxN? After the game Ivkov

showed me a marvellous variation: 23...K-K2 24 N-B5+ PxN 25 N-B6++ K-Q2 26 NxQ P-N3!! 27 RxR BxQ 28 RxN P-B7 29 R-QB1 BxQP 30 NxB BxNP 31 RxBP RxR and Black has excellent chances! **24 N-B5 PxN 25 QxN+ K-K2 26 RxB+ K-B3 27 RxP+ K-K3 28 R-K1+ K-Q2 29 RxR Resigns**

227   Karpov-Panno
         Sicilian Defence
1 P-K4 P-QB4 2 N-KB3 P-K3 3 P-Q4 PxP 4 NxP P-QR3 5 B-Q3 B-B4 6 P-QB3 P-Q3 7 0-0 N-KB3 8 Q-K2 QN-Q2 9 K-R1? N-K4 10 B-B2 B-Q2 11 P-QR4 R-QB1 12 N-R3 0-0 13 P-KB4 BxN 14 PxB N-B3 15 Q-Q2 P-Q4 16 P-K5 N-KN5 ⋅17 B-Q1? Q-R5 18 P-R3 N-R3 19 N-B2 N-B4 20 R-B3 N-N6+ 21 K-R2 N-K5 22 Q-K2 P-B4 23 B-Q2 B-K1 24 R-Q3 R-KB2 25 Q-K1 Q-Q1 26 N-R3 R/B2-B2 27 B-KB3 Q-K2 28 B-Q1 P-R3 29 R-B1 Q-Q1 30 Q-K3 P-KN4 31 R-B2 R-N2 32 P-KN3 N-K2 33 RxR QxR 34 B-K1 N-N3 35 N-N1 Q-Q1 36 N-Q2 PxP 37 PxP N-R5 38 NxN BPxN 39 BxN QxB 40 R-Q2 B-R4 41 BxB QxB 42 R-N2 RxR+ 43 KxR K-B2 44 Q-KN3 Q-K7+ 45 Q-B2 Q-R4 46 Q-N3 P-R4 47 Q-N4 Q-N3 48 K-N3 Drawn

228   Kavalek-Karpov
         Ruy Lopez
1 P-K4 P-K4 2 N-KB3 N-QB3 3 B-N5 P-QR3 4 B-R4 N-B3 5 0-0 B-K2 6 R-K1 P-QN4 7 B-N3 P-Q3 8 P-B3 0-0 9 P-KR3 N-QR4 10 B-B2 P-B4 11 P-Q4 Q-B2 12 QN-Q2 N-B3 13 PxBP PxP 14 N-B1 B-K3 15 N-K3 QR-Q1 16 Q-K2 P-B5 17 N-B5 KR-K1 18 N/3-R4 Reshevsky-Smyslov, Belgrade 1970 went 18

B-N5 N-Q2 19 BxB NxB 20 N-N5 and now 20...N-B1 is correct. **18... K-R1?!** Intending ...N-N1, but better would have been 18...N-Q2. **19 NxB QxN** If 19...NxN 20 P-B4. **20 Q-B3 N-Q2 21 N-B5 Q-B1 22 B-K3 N-B4?** Correct is 22...P-B3. **23 R/K1-Q1?** Missing 23 NxP! (23...KxN 24 B-R6+!! KxB 25 Q-B6+ K-R4 26 P-N4+ etc.) **23...P-B3 24 R-Q6! RxR 25 BxN R-Q8+ 26 RxR QxB 27 R-Q6!** Cutting off the queen's retreat and threatening 28 Q-R5. **27...B-B2** If 27...BxN 28 R-Q5 and 29 PxB; or 27...P-N3 28 N-K7! RxN 29 QxP+ K-N1 30 RxN. **28 Q-Q1 N-N1 29 R-Q8 Q-B2** Or 29...Q-KB1 30 N-Q6. **30 N-Q6! RxR 31 NxB+ QxN 32 QxR+ Q-N1 33 Q-Q6 Q-K1 34 B-Q1 P-KR4 35 B-K2 K-R2 26 P-QN3!** PxP 37 PxP N-B3 38 P-QN4 K-R3 39 P-R4 Q-QB1 40 P-N3 K-N3? 41 Q-Q1 K-B2 42 BxRP+ K-K2 43 B-N4 Q-B2 44 Q-Q5 N-Q1 45 B-B5 N-B2 46 Q-K6+ K-B1 47 QxRP N-Q3 48 Q-R8+ K-K2 49 Q-KN8 NxB 50 PxN QxP 51 QxP+ K-Q3 52 QxP+ K-Q4 53 Q-B7+ K-K5 54 Q-QN7+ KxP 55 QxP Q-K8+ 56 K-N2 Q-K5+ 57 K-R2 K-N5 58 Q-Q7+ K-B6 59 Q-Q2 **Resigns**

---

229 Karpov-Sigurjonsson
Modern Defence

1 P-K4 P-KN3 2 P-Q4 P-Q3 3 N-QB3 B-N2 4 P-B3 P-QB3 5 KN-K2 P-QN4 6 B-K3 B-N2 7 P-KN4?! More accurate is 7 Q-Q2. **7...P-KR4! 8 P-N5 P-K3 9 Q-Q2 N-K2 10 P-QR4 P-N5 11 N-Q1 P-R4 12 P-B3 PxP 13 PxP B-QR3!** 14 N-N2 N-Q2 15 N-B1 If 15 P-R4 Q-B2! 16 N-N3 P-Q4! **15...BxB 16 RxB 0-0 17 B-B4 P-K4 18 PxP NxP 19 N/1-Q3 NxN+ 20 NxN Q-N3!**

21 B-K3! Not 21 BxP?! KR-Q1 22 B-B5 (or 22 BxN BxP!-+) 22...Q-R3! 23 R-Q1 Q-B5; or 21 P-K5 N-B4∓. **21...P-QB4 22 K-B2 Q-N6 23 R/B1-B1 KR-Q1 24 N-B4 P-Q4 25 Q-B2 Q-N1 26 QR-N1 Q-Q3 27 K-N1 P-Q5** If 27...PxP 28 PxP. **28 R-Q1 B-K4 29 N-R3 Q-K3 30 PxP** QxN? After 30...PxP! Black has good winning chances. **31 PxB QxBP 32 BxP Q-N5+ 33 K-R1 RxR+ 34 RxR R-QB1** Not 34...QxNP? 35 P-K6! PxP 36 R-KN1 followed by 37 BxN and 38 RxP+. **35 R-KB1 RxB! 36 QxR QxKP+ 37 K-N1 Q-N5+ 38 K-R1 Q-K5+ 39 Drawn**

---

230 Karpov-Villaroel
English Opening

1 P-QB4 N-KB3 2 P-KN3 P-KN3 3 B-N2 B-N2 4 N-QB3 P-K3 5 P-K3 0-0 6 KN-K2 P-K4 7 0-0 P-B3 8 P-B4 R-K1 9 P-KR3 P-KR4 10 P-K4 P-Q4 11 BPxQP PxQP 12 BPxP NxP/K5 13 P-Q4 B-K3 14 K-R2 P-R5 15 PxP N-QB3 16 P-R5 Q-R5 17 NxN PxN 18 PxP PxP 19 R-B4 Q-R4 20 RxP QR-Q1 21 B-B4 R-KB1 22 B-N3 B-Q4 23 R-R4 Q-B4 24 BxB+ RxB 25 Q-N3 Q-B2 26 R-B4 Resigns

---

231 Yepez-Karpov
Nimzo-Indian Defence
Notes by Karpov

1 P-Q4 N-KB3 2 P-QB4 P-K3 3

N-QB3 B-N5 4 P-K3 P-B4 5 B-Q3
0-0 6 N-B3 P-Q4 7 0-0 PxBP 8 BxBP
QN-Q2 9 Q-K2 PxP 10 PxP P-QN3
11 R-Q1 BxN? I should have played
the usual 11...B-N2. 12 PxB Q-B2 13
B-R3 R-K1 14 QR-B1 B-N2 15
N-K5! P-QR3 16 P-B4 A dubious
move, losing the opening advantage.
16...N-Q4 17 R-B1 I now had a
dilemma: Try to avoid the knight
exchange, risking an attack, or
reconcile myself to the opposite
coloured bishops, threatening a
draw. In the extreme case I would
have to win against somebody
stronger. 17...P-B3 18 NxN QxN 19
B-N3 P-QN4 20 B-B5 B-B3 21
R-KB2 P-B4 22 Q-K5 QR-B1 23
P-B4 PxP 24 BxP B-N4 25 R-N2 He
shouldn't have allowed the exchange
of bishops. 25...BxB 26 RxB R-B2 27
R-B1 R-N2 28 R/1-N1 RxR 29 RxR
K-B2 30 P-KR3 P-R3 31 P-KR4
R-Q1 32 P-N3 Q-B1 33 K-R2 Q-R1
34 K-N1 Q-B3 35 P-R3 R-Q2 36
K-B2 N-B3 37 Q-K1 N-K5+ 38
K-N1 NxB 39 Q-B3 Q-K5 40 QxN In
this won position I almost made my
fortieth move when I noticed that my
opponent's flag had fallen. Why then
should I play on? So I claimed the
game. Curiously enough my oppo-
nent and the tournament controller
protested. And only after the
intervention of a few more experi-
enced players this amusing "conflict"
was solved. **White lost on time.**

232 Karpov-Caro
English Opening
1 P-QB4 P-K4 2 N-QB3 N-KB3 3
P-K4 B-B4 4 P-KN3 N-B3 5 B-N2
P-Q3 6 P-KR3 0-0 7 P-Q3 P-KR3 8
N-B3 P-QR4 9 0-0 N-Q5 10 NxN
BxN 11 K-R2 P-B3 12 P-B4 K-R2 13
Q-B3 P-R5 14 N-K2 Q-N3 15 QR-N1
B-QB4 16 R-Q1 N-K1 17 P-KN4

P-B3 18 B-Q2 N-B2 19 P-B5 R-Q1 20
P-R4 R-R1 21 K-N3 K-N1 22 P-N5
RPxP 23 PxP K-B2 24 R-KR1 B-Q2
25 Q-N4 QR-KN1 26 RxR RxR 27
PxP N-K1 28 Q-N6+ K-B1 29 PxP+
NxP 30 B-R6 B-B7+ 31 K-B3
Resigns

233 Ciocaltea-Karpov
Petroff Defence
1 P-K4 P-K4 2 N-KB3 N-KB3 3 NxP
P-Q3 4 N-KB3 NxP 5 Q-K2 Q-K2 6
P-Q3 N-KB3 7 B-N5 QxQ8 8 BxQ
B-K2 9 QN-Q2 N-Q4 10 BxB KxB 11
0-0-0 N-B5 12 B-B1 P-KR3 13 R-K1
K-Q1 14 P-KR4 R-K1 15 RxR+
KxR 16 P-KN3 N-K3 17 P-Q4 N-Q2
18 B-Q3 N-B3 19 Drawn

234 Karpov-Stein
French Defence
1 P-K4 P-K3 2 P-Q4 P-Q4 3 PxP
PxP 4 B-KB4 B-KB4 5 B-Q3 BxB 6
QxB P-QB3 7 N-Q2 B-Q3 8 BxB
QxB 9 KN-B3 N-K2 10 0-0 N-Q2 11
R-K1 0-0 12 R-K2 N-KN3 13 P-KN3
QR-K1 14 Drawn

235 Addison-Karpov
Petroff Defence
1 P-K4 P-K4 2 N-KB3 N-KB3 3 NxP
P-Q3 4 N-KB3 NxP 5 Q-K2 Q-K2 6
P-Q3 N-KB3 7 B-N5 QxQ+ 8 BxQ
B-K2 9 N-B3 P-B3 10 0-0-0 N-R3 11
N-K4 NxN 12 PxN N-B4 13 BxB
KxB 14 N-Q2 Drawn

Leningrad 1970
(Armed Forces Team Championship)
236 Klovan-Karpov
Ruy Lopez
1 P-K4 P-K4 2 N-KB3 N-QB3 3
B-N5 P-QR3 4 B-R4 N-B3 5 0-0
B-K2 6 R-K1 P-QN4 7 B-N3 P-Q3 8
P-B3 0-0 9 P-KR3 N-QR4 10 B-B2
P-B4 11 P-Q4 Q-B2 12 QN-Q2 N-B3
13 PxBP PxP 14 N-B1 B-K3 15 N-K3

QR-Q1 16 Q-K2 P-B5 17 N-B5
KR-K1 18 B-N5 N-Q2 19 NxB+ NxN
20 N-R4 N-QB4 21 QR-Q1 P-B3 22
B-K3 N-Q6 23 BxN PxB 24 RxP
BxQRP 25 RxR RxR 26 R-R1 B-B5
27 Q-N4 P-QR4 28 B-R6 P-N3 29
P-B4 P-R5 30 PxP QxP 31 N-B3
Q-B4+ 32 K-R1 N-B3 33 R-K1 N-K4
34 NxN QxN 35 B-K3 R-K1 36 B-Q4
Q-K3 37 Q-R4 P-B4 38 P-K5 B-Q4
39 K-R2 B-K5 40 R-K2 Q-Q4 41
R-Q2 Q-Q1 42 Q-R6 Q-B2 43 K-R1
Q-KN2 44 Q-N5 P-R3 45 Q-R4 K-R2
46 B-K3 P-N4 47 Q-R5 R-K3 48
R-Q6 RxR 49 PxR B-B3 50 B-Q4
Q-N3 51 Drawn

**237   Karpov-Tiulsn
Tchigorin Defence**
1 P-QB4 N-QB3 2 N-QB3 N-B3 3
P-Q4 P-Q4 4 PxP? NxP 5 P-K4 NxN
6 PxN P-K4 7 P-Q5 N-N1 8 N-B3
B-Q3 9 B-N5+ N-Q2 10 0-0 0-0 11
BxN BxB 12 Q-N3 Q-K2? 13 P-QR4
P-KB4 14 B-R3 PxP 15 N-Q2 P-K6
16 Drawn

**238   Karpov-Zotov
French Defence**
1 P-K4 P-K3 2 P-Q4 P-Q4 3 N-QB3
B-N5 4 P-K5 P-QB4 5 P-QR3 BxN+
6 PxB N-K2 7 N-B3 QN-B3 8 B-K2
Q-R4 9 0-0 B-Q2 10 P-QR4 P-B5
Q-Q2 0-0-0 12 N-N5 QR-B1 13 B-R5
P-KN3 14 B-N4 P-KR3 15 N-R3
N-B4 16 B-R3 R/B1-N1 17 KR-N1
P-R3 18 B-B5 Q-Q1 19 R-N6 N-N1
20 QR-N1 B-B3 21 BxN NPxB 22
B-Q6 B-N4 23 BxN KxB 24 R-Q6
Q-R5 25 N-B4 BxP 26 RxRP B-Q2
27 Q-B1 B-B1 28 Q-R3 Q-Q1 29
R-R8+ K-B2 30 Q-B5+ K-Q2 31
RxP+ Black lost on time

**239   Vaganian-Karpov
Queen's Indian Defence**
1 P-Q4 N-KB3 2 P-QB4 P-K3 3
N-KB3 P-QN3 4 P-QR3 Petrosian's

move. **4...B-N2 5 N-B3 P-Q4 6 B-N5
B-K2 7 P-K3 QN-Q2 8 PxP PxP**
8...NxP 9 BxB QxB 10 NxN PxN 11
R-B1 is more difficult for Black. **9
B-Q3 0-0 10 0-0 N-K5 11 B-KB4
P-QB4 12 R-B1** On 12 PxP comes
12...NxN 13 PxN NxP and Black
stands well. But not 13...PxP because
of 14 BxP+ KxB 15 Q-N1+.
12...P-QR3 More accurate is 12...
K-R1, removing the king from the
KN1-QR7 diagonal. **13 Q-B2 P-B4
14 PxP PxP 15 KR-Q1 Q-B1** White
was threatening 16 BxN BPxB 17
NxKP! PxN 18 N-K5 B-B1 19 QxKP
R-R2 20 N-B6. **16 P-QN4?** 16 B-B1 is
better. **16...PxP 17 PxP BxP 18 N-R2**
If 18 Q-N3 BxN 19 BxN BPxB 20
RxB N-B4 21 Q-R3 (on 21 Q-N6,
N-R5 is strong) 21...PxN 22 RxN
Q-N5. **18...B-R6** 18...QxQ 19 RxQ
B-R4 20 B-B7!

19 Q-N1! BxR 20 RxB N/2-B4 Or
20...N/5-B4 21 BxP RxB 22 QxR
Q-B1 23 Q-N1. **21 BxN QPxB 22
N-Q4 B-Q4 23 N-N4 Q-N2 24 RxN
KR-B1** The losing move. Correct was
24...QR-B1 25 RxB QxN 26 Q-Q1
Q-R5 27 N-K2 when White does not
have such a big advantage. **25 RxB
QxN 26 Q-Q1!** If 26 R-Q8+ K-B2 27
Q-R2+ Q-B5. **26...Q-R5 27 R-Q8+!**
Karpov had overlooked this when
making his 24th move. **27...K-B2 28
Q-R5+ Resigns**

PART THREE

THE GRANDMASTER

Riga 1970

(38th USSR Championship)

		1	2	3	4	5	6	7	8	9	10	11	12	13	14	15	16	17	18	19	20	21	22	
1	Korchnoy	x	0	½	1	1	1	1	½	1	½	½	1	1	½	½	1	1	1	½	1	½	1	16
2	Tukmakov	1	x	½	½	½	½	½	½	0	½	½	1	1	1	½	1	½	1	½	1	1	1	14½
3	Stein	½	½	x	½	½	½	½	1	½	1	½	1	1	½	½	½	1	1	1	0	½	1	14
4	Balashov	0	½	½	x	0	½	½	½	½	0	½	½	1	1	½	1	1	1	1	1	1	0	12½
5	Gipslis	0	½	½	1	x	½	½	½	½	½	½	½	1	½	½	1	½	½	0	1	½	1	12
6	Karpov	0	½	½	½	½	x	½	½	½	1	0	½	1	½	½	1	1	1	½	½	½	½	12
7	Savon	0	½	½	½	½	½	x	½	½	½	1	½	½	0	½	½	½	1	1	1	1	½	12
8	Averbakh	½	½	0	½	½	½	½	x	½	½	0	½	1	0	½	½	1	½	½	1	1	½	11
9	Podgayets	0	1	½	½	½	½	½	½	x	½	½	0	1	1	½	½	½	½	½	½	0	1	11
10	Bagirov	½	½	0	1	½	0	½	½	½	x	1	½	0	1	½	1	0	0	0	1	1	½	10½
11	Dementeev	½	½	½	½	½	1	0	1	½	0	x	½	½	1	0	0	½	0	1	1	½	½	10½
12	Liberzon	0	0	0	½	½	½	½	½	1	½	½	x	0	½	1	0	1	½	1	½	1	½	10½
13	Doroshkevitch	0	0	0	0	0	0	½	0	0	1	½	1	x	½	1	1	½	0	1	1	1	1	10
14	Kholmov	½	0	½	0	½	½	1	1	0	0	0	½	½	x	½	½	½	½	½	½	1	1	10
15	Antoshin	½	½	½	½	½	½	½	½	½	½	1	0	0	½	x	0	0	½	1	½	½	½	9½
16	I. Zaitsev	0	0	½	0	0	0	½	½	½	0	1	1	0	½	1	x	½	0	1	1	½	1	9½
17	Vaganian	0	½	0	0	½	0	½	0	½	1	½	0	½	½	1	½	x	1	0	½	½	1	9
18	Mikenas	0	0	0	0	½	0	0	½	½	1	1	½	1	½	½	1	0	x	1	0	0	1	9
19	Karasev	½	½	0	0	1	½	0	½	½	1	0	0	0	½	0	0	1	0	x	½	1	1	8½
20	Platonov	0	0	1	0	0	½	0	0	½	0	0	½	0	½	½	0	½	1	½	x	1	1	7½
21	Tseitlin	½	0	½	0	½	½	0	0	1	0	½	0	0	0	½	½	½	1	0	0	x	0	6
22	Moiseev	0	0	0	1	0	½	½	½	0	½	½	½	0	0	½	0	0	0	0	0	1	x	5½

240   Stein-Karpov
                   Ruy Lopez
1 P-K4 P-K4 2 N-KB3 N-QB3 3
B-N5 P-QR3 4 B-R4 N-B3 5 0-0
B-K2 6 R-K1 P-QN4 7 B-N3 P-Q3 8
P-B3 0-0 9 P-KR3 N-N1 10 P-Q3
P-B4 11 QN-Q2 P-R3 12 N-B1 N-B3
13 N-N3 R-K1 14 P-QR4 B-Q2 15
B-K3 B-KB1 16 N-Q2 N-QR4 17
B-B2 P-Q4 18 P-Q4

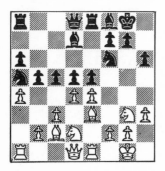

18...BPxP 19 BPxP PxQP 20 BxQP
N-B3 21 BxN QxB 22 PxNP N-N5 23
PxRP RxRP 24 RxR QxR 25 B-N1
P-Q5 26 N-K2 P-Q6 27 N-KB4 B-Q3
28 NxP NxN 29 BxN QxB 30 N-B3
B-N4 31 QxQ BxQ 32 R-Q1 BxP?
32...R-Q1 33 RxB B-R7+ ∓. 33 RxB
BxN 34 PxB R-N1 35 R-Q2 K-R2 36
K-N2 K-N3 37 K-N3 K-B4 38 P-R4
P-N3 39 **Drawn**

241   Karpov-Savon
                   Sicilian Defence
1 P-K4 P-QB4 2 N-KB3 P-Q3 3 P-Q4
PxP 4 NxP N-KB3 5 N-QB3 P-QR3 6
B-K2 P-KN3 7 0-0 B-N2 8 K-R1 0-0
9 P-B4 N-B3 10 B-K3 B-Q2 11 N-N3
P-QN4 12 B-B3 R-N1 13 P-QR3
Q-B2 14 R-K1 P-K4 15 Q-Q2 PxP 16
BxP N-K4 17 QR-Q1 R-N3 18 B-K2
B-K3 19 N-Q4 R-K1 20 Drawn

242   Karasev-Karpov
                   Queen's Indian Defence
1 N-KB3 N-KB3 2 P-KN3 P-QN3 3
B-N2 B-N2 4 0-0 P-K3 5 P-B4 B-K2
6 N-B3 0-0 7 P-Q4 N-K5 8 B-Q2
NxN 9 BxN P-Q4 10 N-K5 N-Q2 11
N-Q3 N-B3 12 Q-B2 N-K5 13 PxP
PxP 14 QR-B1 P-QR4 15 KR-Q1
B-Q3 16 B-K1 Q-K2 17 P-B3 N-N4
18 B-B2 P-KB4 19 N-K5 K-R1 20
P-KR4 N-B2 21 P-B4 N-R3 22 B-B3
Q-K3 23 P-R4 N-N5 24 Q-N3 N-B3
25 K-N2 QR-B1 26 B-K1 B-R1 27
R-B2 N-K5 28 R/1-B1 R-QN1 29
BxN BPxB

30 RxP BxR 31 RxB KR-B1 32 R-B7
P-QN4 33 PxP Q-QN3 34 Q-K3 R-N2
35 P-B5 RxR 36 NxR+ K-N1 37
N-K5 QxNP 38 B-B3 R-B1 39 P-KN4
B-N2 40 P-R5 R-B3 41 B-K1 B-R3
42 B-R4 R-QN3 43 P-N4 QxKP+ 44
QxQ BxQ 45 PxP N-N7 46 K-N3
P-R3 47 K-B4 R-B7 48 B-K1 B-N4
49 B-N4 R-QN7 50 B-B3 R-N6 51
B-Q2 K-R2 52 B-K3 R-N7 53 N-N6
R-QR7 54 N-K7 B-B5 55 N-B6 R-R6
56 N-K5 B-R3 57 B-Q2 B-N4 58
B-N4 R-QN6 59 B-Q2 B-R3 60 B-B1
R-QB6 61 B-Q2 R-B7 62 B-N4
R-B7+ 63 K-K3 R-QN7 64 B-Q2
K-N1 65 B-B1 R-K7+ 66 K-B4
R-QB7 67 B-K3 R-QR7 68 P-N5
PxP+ 69 KxP K-R2 70 N-N4 B-K7
71 P-B6 K-N1 72 P-R6 PxBP+ 73
NxP+ K-B2 74 N-K8 B-Q6 75

N-Q6+ K-N1 76 K-N6 R-KN7+ 77
K-B6 K-R2 78 K-K5 R-K7 79 N-B5
B-B5 80 B-B4 R-QR7 81 N-K3 B-N6
82 N-N4 RxP 83 K-B5 K-N1 84 K-N6
R-R3+ 85 N-B6+ K-R1 86 K-N5
R-K3 87 K-B5 R-K2 88 B-Q6 Drawn

243 Karpov-Antoshin
Ruy Lopez
1 P-K4 P-K4 2 N-KB3 N-QB3 3
B-N5 P-QR3 4 B-R4 N-B3 5 0-0 NxP
6 P-Q4 P-QN4 7 B-N3 P-Q4 8 PxP
B-K3 9 P-B3 B-QB4 10 QN-Q2 0-0
11 B-B2 NxN 12 QxN P-B3 13 PxP
RxP 14 N-N5 B-B4 15 P-QN4 B-QN3
16 B-N3 N-K2 17 P-QR4 P-B3 18
R-K1 B-N3 19 N-B3 N-B4 20 N-K5
B-K1 21 Q-R2 PxP 22 BxRP P-R3 23
B-B4 P-QR4 24 N-Q3 PxP 25 PxP
N-Q3 26 B-K5 R-B2 27 N-B5 BxN 28
PxB N-K5 29 B-Q4 R/2-R2 30 Q-B2
B-Q2 31 P-B3 N-N4 32 R-R2 N-K3
33 B-B2 Q-B3 34 B-QN3 N-Q5 35
RxR RxR 36 Q-Q3 NxB 37 QxN
R-R8 38 Q-N4 B-B4 39 P-R3 RxR+
40 QxR P-Q5 41 Drawn

244 Tseitlin-Karpov
English Opening
1 P-KN3 P-QB4 2 B-N2 P-KN3 3
N-KB3 B-N2 4 0-0 N-QB3 5 P-B4
P-K3 6 N-B3 KN-K2 7 R-N1 0-0 8
P-QR3 P-Q4 9 P-N3 P-N3 10 B-N2
R-N1 11 N-QR4 P-Q5 12 P-Q3 P-K4
13 B-B1 B-N5 14 B-Q2 Q-B1 15
P-N4 PxP 16 PxP B-R6 17 P-N5 BxB
18 KxB N-Q1 19 B-N4 Q-Q2 20 Q
-B1 R-K1 21 Q-R3 N-N2 22 KR-B1
N-B1 23 P-B5 PxP 24 BxP NxB 25
NxN Q-K2 26 Q-R5 N-Q3 27 N-R6
R-N2 28 N-B5 R-N3 29 N-Q2
R/1-N1 30 N/5-K4 NxP 31 N-B4
R/3-N2 32 Q-R2 N-B6 33 NxN PxN
34 RxR QxR+ 35 P-K4 P-KR4 36
RxP Q-Q2 37 N-K3 P-R5 38 N-Q5
R-N2 39 Q-B4 K-R2 40 Q-B8 QxQ

41 RxQ PxP 42 RPxP P-R4 43
R-QR8 R-N6 44 R-R7 K-N1 45
N-K7+ K-R1 46 N-B6 P-R5 47
R-R8+ K-R2 48 N-Q8 P-B3 49 N-K6
B-R3 50 N-B5 R-B6 51 N-Q7 B-N2
52 R-R7 K-N1 53 R-R8+ K-R2 54
RxP RxP 55 R-R7 K-N1 56 N-B5
R-Q7 57 K-B3 B-R3 58 N-Q7 B-N2
59 K-K3 R-Q5 60 P-B4 P-B4 61
KPxP KPxP+ 62 PxP PxP 63
R-R8+ K-B2 64 Drawn

245 Karpov-Moiseev
Queen'g Gambit Declined
1 N-KB3 P-Q4 2 P-Q4 N-KB3 3 P-B4
P-K3 4 N-B3 P-B4 5 BPxP NxP 6
P-K3 N-QB3 7 B-Q3 B-K2 8 0-0 0-0
9 P-QR3 NxN 10 PxN P-QN3 11
P-B4 B-B3 12 B-N2 PxP 13 PxP
B-N2 14 R-B1 Q-Q3 15 B-K4 N-R4
16 BxB NxB 17 N-Q2 Q-B5 18 P-N3
Q-B4 19 Q-B2 QxQ 20 RxQ KR-Q1
21 N-N3 QR-B1 22 R/1-B1 R-Q3 23
K-B1 R/3-B3 24 Drawn

246 Liberzon-Karpov
English Opening
1 P-QB4 P-QB4 2 N-KB3 N-QB3 3
N-B3 P-KN3 4 P-K3 N-B3 5 P-Q4
B-N2 6 P-Q5 N-QR4 7 B-K2 P-Q3 8
Drawn. Liberzon is an ardent soccer
fan and an important match was
being televised.

247 Karpov-Balashov
Sicilian Defence
1 P-K4 P-QB4 2 N-KB3 P-Q3 3 P-Q4
PxP 4 NxP N-KB3 5 N-QB3 P-QR3 6
B-K2 P-K4 7 N-N3 B-K2 8 B-KN5
QN-Q2 9 P-QR4 P-QN3 10 B-QB4
B-N2 11 Q-K2 0-0 12 0-0 Q-B2 13
KR-Q1 KR-B1 14 N-Q2 P-R3 15
BxN NxB 16 B-N3 B-B1 17 N-B1
B-B3 18 P-B3 P-QN4 19 N-K3 Q-N3
20 K-R1 PxP 21 NxP Q-N2 22 Q-Q2

R-Q1 23 Q-R5 R/Q1-N1 24 N-B3
R-R2 25 N-B4 N-K1 26 B-R4 B-K2
27 BxB QxB 28 P-QN3 N-B2 29
N-Q5 B-Q1 30 NxN BxN 31 Q-Q5
QxQ 32 RxQ R-Q1 33 R-R2 K-B1 34
P-QN4 K-K2 35 P-N4 R/2-R1 36
R-Q1 P-QR4 37 R/1-R1 P-Q4 38
N-K3 QPxP 39 BPxP R-Q7 40 P-B3
RxR 41 RxR K-Q3 42 K-N2 K-B3 43
K-B3 K-N4 44 N-Q5 B-Q1 45 K-K2
K-B5 46 R-R3 R-R2 47 P-R3 P-N3
48 N-K3+ K-N4 49 K-Q3 R-Q2+ 50
N-Q5 PxP 51 PxP P-B4 52 NPxP PxP
53 R-R8 Drawn

248   Korchnoy-Karpov
         English Opening
1 P-QB4 P-QB4 2 N-KB3 N-KB3 3
N-B3 P-Q4 4 PxP NxP 5 P-Q4 PxP 6
QxP NxN 7 QxN N-B3 8 P-K4
P-QR3 9 B-QB4 Q-R4 10 B-Q2 QxQ
11 BxQ P-K3 12 0-0 R-KN1 13
KR-Q1 P-QN4 14 B-Q3 P-B3 15
P-QR4 P-N5 16 B-Q4 NxB 17 NxN
B-B4 18 B-B4 BxN 19 RxB K-K2 20
QR-Q1 R-R2 21 P-QN3 P-QR4 22
R-Q6 B-Q2 23 P-B4 R-QB1 24 P-K5
PxP 25 PxP R-B4 26 R-K1 P-R3 27
P-R4 R-R1 28 R-K3 R-B3 29 R-Q4
R-B4 30 R-Q6 R-B3 31 RxR BxR

32 R-N3 R-KN1 33 K-B2 P-N4 34
K-K3 P-N5 35 K-Q4 P-R4 36 K-B5
B-K5 37 K-N6 R-QR1 38 B-Q3 B-B4
39 R-K3 R-QB1 40 B-B4 B-B7 41

K-N5 41 KxP?? RxB 42 PxR P-N6
−+41...R-QR1 42 R-K2 B-N3 43
P-N3 B-B4 44 R-Q2 B-K5 45 R-Q6
B-Q4 46 BxB PxB 47 RxP K-K3 48
R-B5 R-R2 49 K-N6 R-Q2 50 KxP
R-Q6 51 KxP RxKNP 52 P-R5 R-N8
53 R-B2 P-N6 54 R-QR2 R-KR8 55
P-R6 RxP+ 56 K-B3 R-R6 57
R-KN2 Resigns

249   Karpov-Podgayets
         Ruy Lopez
1 P-K4 P-K4 2 N-KB3 N-QB3 3
B-N5 P-QR3 4 B-R4 N-B3 5 0-0
B-K2 6 R-K1 P-QN4 7 B-N3 P-Q3 8
P-B3 0-0 9 P-KR3 N-N1 10 P-Q4
QN-Q2 11 QN-Q2 B-N2 12 B-B2
R-K1 13 N-B1 B-B1 14 N-N3 P-N3
15 P-QR4 P-B4 16 PxKP QPxP 17
P-N3 Q-B2 18 B-N5 B-N2 19 Q-K2
B-B3 20 PxP PxP 21 Drawn

250   Averbakh-Karpov
         English Opening
1 P-QB4 P-QB4 2 N-KB3 N-KB3 3
N-B3 P-Q4 4 PxP NxP 5 P-K3 P-K3
6 P-Q4 N-QB3 7 B-Q3 B-K2 8 0-0
0-0 9 P-QR3 N-B3 10 PxP BxP 11
P-QN4 B-Q3 12 N-K4 NxN 13 BxN
Q-K2 14 B-N2 P-B4 15 BxN PxB 16
B-K5 BxB 17 NxB P-B4 18 R-B1 PxP
19 N-B6 Q-B3 20 PxP B-R3 21 R-K1
B-N4 22 Q-Q6 BxN 23 RxB QR-K1
24 P-N3 Q-K2 25 R-Q1 R-B2 26
Q-B5 QxQ 27 PxQ R-N2 28 R-R6
R-QB1 29 P-B6 R/N2-QB2 30 R-Q7
RxR 31 PxR R-Q1 32 RxP K-B2 33
K-N2 K-K2 34 K-B3 RxP 35 RxR+
KxR 36 K-B4 K-Q3 37 P-K4 PxP 38
KxP K-Q2 39 K-K5 K-K2 40 P-R3
K-Q2 41 P-R4 K-K2 42 P-B3 K-Q2
43 K-B4 K-K2 44 K-N5 K-B2 45
P-N4 K-K2 46 P-R5 K-B2 47 P-R6
P-N3 48 K-B4 K-B3 49 P-N5+ K-B2
50 K-K5 K-K2 51 P-B4 K-B2 52
K-Q6 K-B1 53 Drawn

251   Karpov-Bagirov
            Alekhine's Defence
            Notes by Karpov

**1 P-K4 N-KB3 2 P-K5 N-Q4 3 P-Q4
P-Q3 4 N-KB3 B-N5 5 B-K2 P-K3 6
0-0 B-K2 7 P-B4 N-N3 8 PxP PxP 9
N-B3 0-0 10 B-K3 P-Q4 11 P-B5 BxN
12 BxB N-B5 13 B-B1 N-B3 14
P-QN3 N/B5-R4 15 B-K3 P-QN3 16
N-R4 R-N1?!** 17 R-B1 PxP 18 NxP
B-B3 19 P-QR3 N-K2 20 B-K2
Threatening 21 P-QN4. **20...N-B4 21
P-QN4 N-N2** Possibly better was 21...
NxB 22 PxN N-N2. **22 B-KB4
N/N2-Q3 23 B-K5 BxB 24 PxB N-N2
25 N-N3 Q-N3 26 B-Q3 N-K2 27
Q-N4 P-B4 28 Q-Q4 N-Q1 29 P-N5
P-N4 30 P-QR4 N-N3 31 Q-R1!**
Stronger than 31 KR-K1 N-B2 32
Q-R1 R/N1-B1 33 P-R5. **31...Q-N2
32 KR-K1 Q-N2 33 N-B5 R-B2 34
P-R5 R-K2 35 N-R6 R-R1 36 B-B1
N-B2 37 N-B7 R-Q1** 37...R-N1 fails
to 38 P-N6 PxP 39 P-R6 winning. **38
R-B6 N-B1 39 P-N6 PxP 40 P-R6
N-R3 41 R/K1-B1 N-N5 42 P-R7
NxKP 42 R/B6-B2 N-B5 44 P-R8(Q)
RxQ 45 NxR P-N4 46 R-R2 R-N2
and Black Resigns**

252   Platonov-Karpov
            English Opening

1 P-QB4 P-QB4 2 N-QB3 P-KN3 3
P-KN3 B-N2 4 B-N2 N-QB3 5 P-QR3
P-K3 6 P-QN4 P-Q3 7 R-N1 KN-K2
8 N-R3 0-0 9 N-B4 R-N1 10 PxP PxP
11 B-N2 P-N3 12 0-0 B-N2 13 N-N5
N-K4 14 BxN BxB 15 N-Q3 BxB 16
KxB B-N2 17 NxRP Q-Q5 18 R-B1
KR-Q1 19 N-N5 Q-Q2 20 Q-N3 N-B3
21 R-B2 R-R1 22 N-K1 R-R3˙ 23
N-KB3 R/Q1-R1 24 P-Q3 P-R3 25
K-N1 N-R4 26 Q-N1 N-B3 27 Q-N3
N-R4 28 Q-N1 N-B3 29 N-Q2 Drawn

253   Karpov-I. Zaitsev
            Ruy Lopez

1 P-K4 P-K4 2 N-KB3 N-QB3 3

B-N5 P-QR3 4 B-R4 N-B3 5 0-0
B-K2 6 R-K1 P-QN4 7 B-N3 P-Q3 8
P-B3 0-0 9 P-KR3 Q-Q2 10 P-Q4
B-N2 11 QN-Q2 QR-K1 12 N-B1
B-Q1 13 N-N3 P-R3 14 B-B2 K-R1
15 P-N3 N-KN1 16 P-Q5 N/B3-K2
17 P-B4 P-QB3 18 QPxP QxBP 19
PxP PxP 20 P-N4 B-N3 21 B-Q3
P-Q4 22 B-N2 N-N3 23 PxP QxP 24
B-K4 QxQ 25 QRxQ BxB 26 NxB
R-R1 27 P-R3 P-B4 28 N-Q6 P-K5
29 N-Q4 BxN 30 RxB N-B5 31 NxNP
N-Q6 32 R-N1 KR-N1 33 N-Q6 NxB
34 RxN RxRP 35 NxBP N-B3 36
P-N5 R-R8+ 37 K-R2 R-R4 38 N-Q6
R-N3 39 R-B2 R-R1 40 R-B6
R/R1-QN1 41 R/Q4-B4 RxP 42 NxR
RxN 43 R-B2 K-R2 44 R-B7 R-Q4 45
R-K7 R-KN4 46 R-R2 N-Q4 47 R-K8
N-B3 48 R-QN8 P-R4 49 P-N3
R-KB4 50 K-N2 P-N4 51 R-N6 P-N5
52 P-R4 K-N3 53 R-R7 R-B6 54
R-K7 K-B4 55 R-N5+ K-N3 56
R-N5+ Resigns

254   Dementeev-Karpov
            Alekhine's Defence

**1 P-K4 N-KB3 2 P-K5 N-Q4 3 P-Q4
P-Q3 4 P-QB4 N-N3 5 PxP BPxP 6
N-QB3 P-KN3 7 N-B3 B-N2 8 P-KR3
0-0 9 B-K2 N-B3 10 0-0 B-B4 11
P-QN3 P-Q4 12 P-B5 N-B1?** Correct
is 12...N-Q2 (threatening 13...NxBP)
and if 13 B-N2 B-K5 14 N-QR4
P-K4! with an active game. **13 B-KB4
P-N3 14 B-QN5 Q-Q2 15 R-B1!
P-QR3 16 BxN QxB 17 PxP NxP 18
N-QR4 Q-N2 19 N-B5** Even stronger
than 19 R-B7 Q-N1 20 NxN QxN 21
RxP B-K5. **19...Q-R2 20 R-K1 B-B1
21 Q-Q2 R-K1 22 N-K5 B-N2 23
P-QR4 QR-Q1 24 Q-N4 BxN 25 BxB
B-B1 26 N-Q3 N-R1 27 N-B5 N-N3
28 NxP! BxN 29 R-B7 Q-R1 30 QxN
R-N1 31 Q-B5 RxP 32 RxP B-Q6 33
QxP! Resigns**

255   Karpov-Vaganian
              Grunfeld Defence
1 P-QB4 N-KB3 2 N-QB3 P-Q4 3
PxP NxP 4 N-B3 P-KN3 5 Q-N3
N-N3 6 P-Q4 B-N2 7 B-N5 B-K3 8
Q-B2 N-B3 9 R-Q1 0-0 10 P-K3
N-N5 11 Q-N1 P-QR4 12 B-K2 P-R5
13 0-0 P-R3 14 B-R4 P-QB3 15
P-KR3 N/N5-Q4 16 R-B1 P-R6 17
NxN BxN 18 P-QN3 P-KB4 19 B-N3
N-Q2 20 B-B4 N-B3 21 B-K5 K-B2
22 BxB+ QxB 23 KR-Q1 KR-Q1 24
N-K1 N-Q2 25 BxB KxB 26 R-B3
Q-Q3 27 P-QN4 N-N3 28 N-B2 N-Q4
29 R-N3 R-R5 30 NxP R/Q1-R1 31
N-B4 Q-K3 32 R-Q2 R/R1-R3 33
N-K5 Q-Q3 34 N-Q3 P-N3 35 R-B2
P-K3 36 P-N5 PxP 37 RxP R-R2 38
R/N5-N2 R-R6 39 N-K5 R-B6 40
RxR NxR 41 RxP Q-Q4 42 Q-N3
Resigns

256   Gipslis-Karpov
              Ruy Lopez
              Notes by Karpov
**1 P-K4 P-K4 2 N-KB3 N-QB3 3
B-N5 P-QR3 4 BxN QPxB 5 0-0 P-B3
6 P-Q4 PxP 7 NxP P-QB4** Better 7...
N-K2. **8 N-N3 QxQ 9 RxQ B-Q2 10
P-QR4 P-QN3** If 10...0-0-0 11 P-R5
and 12 B-K3±. **11 N-B3 0-0-0 12
B-B4** If 12 P-R5 K-N2 (not 12...
P-QN4 13 B-K3±) 13 B-B4 N-K2 14
B-N3 (or 14 N-R4 N-B1! but not 14...
N-N3? 15 BxP KxB 16 PxP+ K-B1
17 N/3xP nor 14...P-B5 15 PxP PxP
16 N/3xP+ PxN 17 NxP+ K-B3 18
RxP+ KxN 19 B-K3+ K-N4 20
R-N6+ K-R4 21 R-R1+ B-R5 22
P-QN4 +—) 14...P-R4 15 P-R4 P-B5
16 N-Q4 B-KN5 17 P-B3 B-B1. After
12 P-R5, 12...P-B5 at once is met by
13 N-Q4 P-QN4 (if 13...K-N2 14
N-K6 +—) 14 P-QN3. **12...P-B5!? 13
N-Q2** Interesting is 13 N-Q4 e.g. 13...
N-K2 14 P-R5 P-QN4 15 N/4xP!
winning because of the speed of the

RP; or 13...B-QB4 14 P-QN4! BxN
(or 14...BxP 15 N-Q5 +—) 15 RxB
B-K3 16 RxR+ KxR 17 P-N5
winning. After 13 N-Q4 Black must
play 13...P-B3. **13...B-K3 14 N-B3
RxR+ 15 RxR B-QB4 16 N-Q4 BxN
17 RxB Drawn**

257   Karpov-Mikenas
              Alekhine's Defence
              Notes by Karpov
**1 P-K4 N-KB3 2 P-K5 N-Q4 3 P-Q4
P-Q3 4 N-KB3 B-N5 5 B-K2 N-QB3
6 PxP KPxP 7 P-B4 N-B3 8 0-0 B-K2
9 P-KR3 B-R4 10 P-Q5 BxP 11 BxB
N-K4 12 B-K2 0-0 13 N-B3 N/K4-Q2
14 B-K3 P-QR4 15 Q-B2 N-B4 16
P-R3 N/B3-Q2?!** Better is 16...R-K1
followed by ...B-B1, ...P-KN3 and
...B-N2. **17 P-QN4 PxP 18 PxP RxR
19 RxR N-R3 20 Q-Q2!** Preventing
20...B-N4. **20...NxP** If 20...R-K1 21
N-R2, R-B1 and P-B5±. **21 R-N1
N-R3 22 RxP N/R3-B4 23 R-R7!
Q-N1 24 N-N5 B-Q1** If 24...R-B1 25
B-N4. **25 Q-R2 Q-N3 26 R-R8**
Threatening 27 R-B8 and 28 Q-R8.
26...P-QB3

27 NxP Also good is 27 PxP QxP 28
B-B3 Q-N3 29 R-B8 B-K2± (if 29...
N-K4 30 B-Q5 B-K2 31 Q-R8
winning). **27...PxP 28 N-B8 Q-N2 29
B-B3 N-K5 30 PxP N-B6 31 Q-R6!
QxQ 32 RxQ B-B3 33 R-R8! N-K4
34 B-B5 R-Q1 35 B-N6 NxB+** Rela-

tively best is 35...R-B1. **36 PxN R-B1 37 B-B5 R-Q1** Or 37...R-K1? **38 N-K7+ K-B1 39 N-N6++** winning. **38 B-K7! R-K1 39 P-Q6 BxB 40 P-Q7 K-B1 41 PxR(Q)+** Not 41 NxB?? RxR 42 N-B8 R-R8+ 43 K-N2 R-Q8 and White is lost. **41... KxQ 42 N-Q6+ K-Q2 43 NxP K-K3 44 N-Q8+ K-Q2 45 N-N7 N-K7+ 46 K-R2 K-K3 47 R-R4 B-B3 48 N-B5+ K-B4 49 N-Q3 K-N4 50 R-R5+ K-R3 51 P-B4 K-N3 52 K-N2 P-R3 53 K-B3 N-Q5+ 54 K-N4 K-B2 55 R-R7+ K-K3 56 P-B5+ K-Q3 57 R-R6+ K-K2 58 N-B4 K-B2 59 R-R7+ K-N1 60 N-R5 Resigns**

258 Doroshkevitch-Karpov
Nimzo Indian Defence
1 P-Q4 N-KB3 2 P-QB4 P-K3 3 N-QB3 B-N5 4 Q-B2 0-0 5 P-QR3 BxN+ 6 QxB P-Q3 7 B-N5 QN-Q2 8 P-K3 P-QN3 9 B-Q3 B-N2 10 P-B3 P-B4 11 N-K2 R-B1 12 QR-B1 P-KR3 13 B-R4 PxP 14 PxP P-QN4 15 P-QN3 PxP 16 PxP B-R3 17 BxN QxB 18 Q-R5 N-N1 19 R-B3 P-Q4 20 P-B5 BxB 21 RxB N-B3 22 Q-Q2 R-N1 23 0-0 R-N2 24 P-B4 KR-N1 25 P-R3 R-N7 26 Q-K3 N-R4 27 N-N3 N-B5 28 Q-K1 R/N1-N6 29 RxR QxP+ 30 K-R2 RxR 31 P-B5 N-K6 32 R-B3 QxP 33 PxP PxP 34 N-R5 Q-Q3+ 35 K-N1 P-Q5 36 R-N3 R-N2 37 Q-Q2 R-N8+ 38 K-B2 R-B8+ 39 K-K2 Q-R3+ 40 Q-Q3 R-K8+ 41 Resigns

259 Karpov-Tukmakov
Ruy Lopez
1 P-K4 P-K4 2 N-KB3 N-QB3 3 B-N5 P-QR3 4 B-R4 N-B3 5 0-0 B-K2 6 R-K1 P-QN4 7 B-N3 P-Q3 8 P-B3 0-0 9 P-KR3 N-N1 10 P-Q4 QN-Q2 11 QN-Q2 B-N2 12 B-B2 R-K1 13 N-B1 B-KB1 14 N-N3 P-N3

15 P-QR4 P-B4

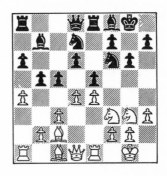

16 P-N4 BPxQP 17 PxQP P-Q4 18 QPxP QPxP 19 NxP NxN 20 BxN BxB 21 RxB NxP 22 QxQ NxN+ 23 PxN QRxQ 24 B-K3 RxR 25 PxR R-K1 26 PxP PxP 27 P-B3 P-B4 28 R-R5 Drawn

260 Kholmov-Karpov
Sicilian Defence
1 P-K4 P-QB4 2 N-KB3 N-QB3 3 P-Q4 PxP 4 NxP P-K3 5 N-QB3 P-QR3 6 P-KN3 NxN 7 QxN N-K2 8 B-KB4 N-N3 9 B-Q6 BxB 10 QxB Q-K2 11 Q-N6 Q-Q1 12 N-R4 QxQ 13 NxQ R-QN1 14 0-0-0 K-K2 15 P-KB4 P-Q3 16 B-N2 R-Q1 17 R-Q2 P-B3 18 KR-Q1 P-K4 19 P-B5 N-R1 20 B-B1 N-B2 21 B-B4 N-N4 22 R-K2 B-Q2 23 P-KR4 N-B2 24 NxB RxN 25 B-K6 R/Q2-Q1 26 R-K3 P-QN3 27 R-QB3 R-N2 28 B-Q5 R-R2 29 R-B6 P-QN4 30 BxN KxB 31 R/B6xQP RxR 32 RxR P-N3 33 P-KN4 PxP 34 NPxP P-KR4 35 K-Q2 K-K2 36 R-N6 R-Q2+ 37 K-K3 R-Q8 38 R-K6+ K-B2 39 RxRP R-KR8 40 P-R4 R-R6+ 41 K-Q2 PxP 42 RxRP RxP 43 R-B4 K-N2 44 P-N4 R-R8 45 R-B7+ K-R3 46 R-B8 P-R5 47 R-R8+ K-N4 48 P-B4 R-R7+ 49 K-Q3 R-R6+ 50 Drawn

Leningrad 1971
(Training match)

	1	2	3	4	5	6	Total
Karpov	½	½	1	0	0	1	3
Korchnoy	½	½	0	1	1	0	3

261   Karpov-Korchnoy
Ruy Lopez
1 P-K4 P-K4 2 N-KB3 N-QB3 3
B-N5 P-QR3 4 B-R4 N-B3 5 0-0
B-K2 6 R-K1 P-QN4 7 B-N3 P-Q3 8
P-B3 0-0 9 P-KR3 N-N1 10 P-Q4
N/N1-Q2 11 QN-Q2 B-N2 12 B-B2
R-K1 13 N-B1 B-KB1 14 N-N3 P-N3
15 B-N5 P-R3 16 B-Q2 B-N2 17
P-QR4 N-N3 18 RPxP RPxP 19 P-N3
N/B3-Q2 20 B-Q3 P-N5 21 RxR BxR
22 QPxP NxP/K4 23 NxN PxN 24
Q-B2 PxP 25 BxBP Q-Q3 26 N-B1
R-Q1 27 B-K2 Q-B4 28 N-Q2 Q-B3
29 B-B1 B-N2 30 Q-N2 B-QB1 31
N-B3 P-B3 32 N-Q2 B-K3 33 R-B1
Q-B4 34 N-B3 Q-Q3 35 B-R5 B-KB1
36 Q-B3 P-QB4 37 B-B4 R-N1 38
BxN QxB 39 N-R4 K-R2 40 R-Q1
BxB 41 PxB R-Q1 42 R-R1 Q-N2 43
Q-B3 B-N2 44 R-R5 R-Q5 45 RxP
Q-N8+ 46 K-R2 QxP 47 QxQ RxQ
48 P-N4 P-R4 49 K-N3 PxP 50 PxP
R-Q5 51 R-B7 R-Q6+ 52 P-B3 P-K5
53 R-K7 PxP 54 NxBP R-B6 55
R-QB7 K-N1 56 Drawn

262   Korchnoy-Karpov
Queen's Indian Defence
Notes by Korchnoy
Specially for this volume
1 P-Q4 N-KB3 2 P-QB4 P-K3 3
N-KB3 P-QN3 4 P-KN3 B-N2 5 B-N2
B-K2 6 0-0 0-0 7 P-Q5 PxP 8 N-Q4
N-B3 9 PxP NxN 10 QxN P-B4 11
Q-Q2 11 Q-Q3 was played in
Uhlmann-Taimanov, Belgrade 1970.
The text may be an improvement. 11

11...P-Q3 12 N-B3 P-QR3 13 P-N3?!
Better is 13 P-QR4 followed by R-N1
and P-QN4±. **13...N-Q2 14 P-QR4
R-N1 15 R-N1 B-B1 16 R-Q1 R-K1
17 B-QR3 Q-B2 18 P-QN4 N-K4 19
Q-B4** Better is 19 Q-R2. **19...B-Q2 20
P-R3 R/K1-QB1 21 P-N5** If 21
R/Q1-QB1   Q-Q1   threatening   ...
B-KN4. **21...R-R1 22 B-QB1 PxP 23
PxP R-R4   24 Q-K4 B-KB3 25
Q-B2 R/B1-R1 26 K-R2 N-N3?!** Best
is 26...Q-Q1! followed by ...N-B5∓.
**27 B-N2 Q-Q1 28 P-B4 Q-K1 29
P-K4 BxNP 30 NxB RxN 31 BxB
PxB 32 RxR QxR 33 R-QN1 Q-R3
34 P-R4** White has sufficient com-
pensation for the sacrificed pawn.
34...K-N2 35 P-R5 N-B1 36 Q-Q1
Better is 36 P-K5 with a strong ini-
tiative. **36...P-R3 37 Q-N4+ K-R1 38
Q-B5 N-R2?!** Correct is 38...K-N2.

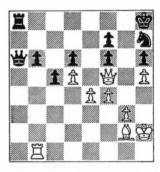

39 P-K5 QPxP 40 P-Q6!? Stronger is
40 B-K4 Q-K7+ 41 K-R3 N-B1 42
QxBP+ N-N3 43 QxKP±. **40...Q-K7
41 P-Q7 K-N2 42 RxP R-R7 43
Q-R3 R-Q7 44 R-N2!** If now 44...

Q-Q8 45 Q-N4+! QxQ 46 RxR PxP
47 P-Q8(Q) and White's extra rook
should be more than enough for
Black's pawns. **44...RxR 45 P-Q8(Q)
N-B1 46 PxP PxP 47 Q/8-R4?** White
can win by 47 Q-Q5 R-Q7 (or 47...
N-K3 48 Q/3-B5) 48 Q-B6 P-K5 49
QxBP N-K3 50 Q-K5+ K-N1 51
Q-B6. **47...R-N5 48 P-KN4 R-KB5 49
Q/R4-N3 N-K3 50 Q-K3 Drawn**
After 50...R-B7 (threatening ...N-B5)
51 QxQ RxQ 52 Q-QB3 N-B5 Black
still has some winning chances.

263 Karpov-Korchnoy
Ruy Lopez
1 P-K4 P-K4 2 N-KB3 N-QB3 3
B-N5 P-QR3 4 B-R4 N-B3 5 0-0 NxP
6 P-Q4 P-QN4 7 B-N3 P-Q4 8 PxP
B-K3 9 P-B3 B-K2 10 QN-Q2 Q-Q2
11 R-K1 N-B4 12 B-B2 P-Q5 13
N-K4 PxP 14 PxP 0-0-0 15 Q-K2
B-B5 16 NxN BxN 17 Q-K4 K-N2 18
B-K3 B-Q4 19 Q-KB4 B-R6 20
QR-Q1 P-R3 21 RxB QxR 22 B-K4
Q-B5 23 N-Q4 QxBP 24 BxN+ K-N1
25 R-KB1 RxN 26 BxR QxB/3 27
QxBP R-Q1 28 B-K3 Q-Q4 29 P-K6
R-KB1 30 QxNP R-K1 31 B-B4
Q-B5 32 Q-N3 B-N7 33 R-K1 B-B6
34 Q-N6 R-K2 35 R-K4 QxRP 36
P-KR4 B-Q5 37 B-N3 P-N5 38 K-R2
Q-Q4 39 Q-N4 B-B4 40 RxP+ K-R2
and Black Resigned rather than
adjourn.

264 Karpov-Korchnoy
Sicilian Defence
1 P-K4 P-QB4 2 N-KB3 P-Q3 3 P-Q4
PxP 4 NxP N-KB3 5 N-QB3 P-KN3 6
B-K3 B-N2 7 P-B3 N-B3 8 B-QB4
0-0 9 Q-Q2 B-Q2 10 B-N3 R-B1 11
0-0-0 N-K4 12 B-R6 N-B5 13 BxN
BxB 14 QxB RxB 15 P-KR4 Q-R4 16
N-N3 Q-K4 17 N-Q5 KR-B1 18 P-B3
B-B3 19 NxN+ QxN 20 K-N1 P-Q4

21 PxP Q-B4+ 22 K-R1 BxP 23 P-R5
P-K3 24 N-Q4? Q-B3 25 PxP RPxP
26 P-KN4 Q-N2 27 Q-K3 R/5-B4 28
R-R2 P-QN4 29 N-N3 R-B5 30 R-Q4
RxR 31 NxR P-N5 32 P-KB4 P-R4
33 N-N5 Q-B3 34 P-N5 Q-N2 35
K-N1 P-B3 36 N-Q6 R-Q1 37 N-K4
BPxP 38 KBPxP BxN+ 39 QxB
Q-KB2 40 R-K2?? Q-B8+ 41 R-K1
R-Q8+ 42 K-B2 RxR 43 QxNP+
K-B1 44 Resigns

265 Karpov-Korchnoy
Sicilian Defence
1 P-K4 P-QB4 2 N-KB3 P-K3 3 P-Q4
PxP 4 NxP N-KB3 5 N-QB3 P-Q3 6
B-K2 B-K2 7 B-K3 P-QR3 8 P-B4
Q-B2 9 P-KN4 P-Q4 10 P-K5 N-K5
11 NxN PxN 12 P-KR4 0-0 13 P-N5
R-Q1 14 P-B3 N-B3 15 Q-Q2 B-B4
16 P-R5 B-Q2 17 B-N4 B-K1 18
P-N6 Q-R4 19 PxBP+ BxP 20 NxN
PxN 21 Q-KB2 BxB 22 QxB QR-N1
23 P-N4 Q-R6 24 Q-B1 Q-R5 25
B-K2 P-B4 26 PxP Q-B3 27 Q-K3
R-N7 28 KR-N1 BxP 29 B-B4 Q-R5
30 BxP+ K-R1 31 B-N4 BxB 32 RxB
RxP 33 Resigns

266 Karpov-Korchnoy
French Defence
Notes by Korchnoy
Specially for this volume

1 P—K4	P—K3
2 P—Q4	P—Q4
3 N—Q2	P—QB4
4 KN—B3	N—QB3
5 KPxP	KPxP
6 B—N5	B—Q3
7 PxP	Q—K2+?!

Better is 7...BxP 8 0-0 N-K2
8 Q—K2!
Also good for White is 8 B-K2
BxBP 9 N-N3 but the text is more
accurate.

| 8 ... | BxBP |

Against Tal in the 1973 USSR Championship I exchanged queens in this position.

| 9 N—N3 | B—N3 |
| 10 N—K5! | K—B1!? |

Also possible is 10...B-Q2 11 NxB KxN when 12 B-KB4 keeps White's advantage.

11 B—KB4

If 11 NxN PxN 12 BxP QxQ+ (not 12...BxP+?? 13 K-Q1! winning at least a piece) 13 KxQ B-R3+ with compensation for the pawn.

11 ...	Q—B3
12 B—N3	P—KR4
13 P—KR4	KN—K2
14 0—0—0	NxN?!

Better is 14...B-K3 followed by ...R-K1 and ...N-B4.

| 15 BxN | QxBP |

16 BxP+	KxB
17 QxN	B—KB4
18 Q—K5+!	

If 18 B-Q3 Q-K6+ 19 QxQ BxQ+ 20 K-N1 B-N5 with equal chances.

18 ...	P—B3
19 Q—K7+	K—N3
20 R—Q2!!	

If 20 B-Q3 BxB 21 RxB QR-QB1 22 P-B3 KR-K1 with roughly equal chances. Also playable is 20... QR-QB1.

20 ...	B—K6
21 R—B1	BxR+
22 NxB	Q—Q5!

Not 22...QxRP 23 RxB KxR 24 B-Q3+ K-B5 25 Q-N4+ winning; nor 22...QxNP 23 RxB KxR 24 B-Q3+ K-B5 25 QxBP+ winning.

23 RxB!	KxR
24 B—Q3+	K—B5
25 Q—Q6+	Q—K4
26 Q—N4+	P—Q5?!

After 26...K-N6 27 N-B1+ KxP 28 Q-Q2+ K-R6 29 B-B5+ (or 29 Q-B2 KR-KN1 30 B-B5+ R-N5) 29...KxP the position is unclear.

| 27 N—K4! | K—B4? |

27...K-N5 was better. Now White wins by force.

28 QxNP	K—N5
29 B—K2+	KxP
30 P—N3+	K—R6
31 N—B2+	K—R7

Or 31...KxP 32 Q-B3+ K-R5 33 N-K4 and 34 Q-R1+

32 Q—R1+	KxP
33 N—K4+	K—B5
34 Q—B3 mate	

"One of the best games he has played in his whole life" — Korchnoy.

Daugavpils 1971
(½-final, 39th USSR Championship)

		1	2	3	4	5	6	7	8	9	10	11	12	13	14	15	16	17	18	
1	Karpov	x	½	1	½	1	½	1	½	1	½	1	½	1	1	½	½	1	1	13
2	Vaganian	½	x	0	½	½	½	1	1	1	0	½	1	1	½	1	1	1	1	12
3	Karasev	0	1	x	1	½	½	½	½	½	½	1	1	0	1	1	½	1	1	11½
4	Djindjihashvili	½	½	0	x	½	½	1	½	½	½	1	1	½	1	½	1	1	1	11½
5	Alburt	0	½	½	½	x	½	0	1	1	½	0	1	1	½	1	1	½	0	9½
6	Gipslis	½	½	½	½	½	x	1	½	½	½	½	0	½	1	½	½	½	½	9
7	Shabanov	0	0	½	0	1	0	x	0	1	1	½	½	½	1	½	½	1	½	8½
8	Furman	½	0	½	½	0	½	1	x	0	1	1	½	1	0	0	0	1	1	8½
9	Mnatsakanian	0	0	½	½	0	½	0	1	x	½	1	0	½	½	½	½	1	1	8
10	Ignatiev	½	1	½	½	½	½	0	0	½	x	½	½	0	½	½	1	½	½	8
11	Klovan	0	½	0	0	1	½	½	0	0	½	x	1	½	1	1	1	½	0	8
12	Zhuravlev	½	0	0	0	0	1	½	½	1	½	0	x	1	½	1	1	0	½	8
13	Lerner	0	0	1	½	0	½	½	0	½	1	½	0	x	½	½	0	½	1	7
14	Ruderfer	0	½	0	0	½	0	0	1	½	½	0	½	½	x	½	1	½	1	7
15	Ubilava	½	0	0	½	0	½	½	1	½	½	0	0	½	½	x	0	1	1	7
16	Petukhov	½	0	½	0	0	½	½	1	½	0	0	0	1	0	1	x	½	0	6
17	Kirilov	0	0	0	0	½	½	0	0	0	½	½	1	½	½	0	½	x	1	5½
18	Katalimov	0	0	0	0	1	½	½	0	0	½	1	½	0	0	0	1	0	x	5

267   Karpov-Alburt
         Sicilian Defence

1 P-K4 P-QB4 2 N-KB3 P-K3 3 P-Q4
PxP 4 NxP N-KB3 5 N-QB3 N-B3 6
N/4-N5 B-N5 7 P-QR3 BxN+ 8 NxB
P-Q4 9 PxP PxP 10 B-Q3 0-0 11 0-0
P-Q5 12 N-K2 Q-Q4 13 N-B4 Q-Q3
14 N-R5 N-KN5 15 B-KB4 Q-Q1 16
N-N3 Q-R5 17 N-B5 BxN 18 BxB
N-R3 19 B-N3 Q-N4 20 B-K4 P-B4
21 P-KB4 Q-N3 22 B-B3 N-KN5 23
Q-Q3 QR-Q1 24 KR-K1 K-R1 25
R-K2 KR-K1 26 QR-K1 R-K6

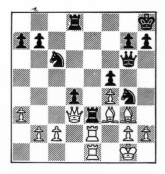

27 Q-N5 RxR 28 BxR N-K6 29 Q-Q3
P-KR3 30 B-B3 R-K1 31 P-N4 P-R3
32 P-B3 N-N5 33 RxR+ QxR 34 PxP
Q-Q2 35 P-Q5 N-K2 36 P-R3 N-KB3
37 B-R4 Q-Q3 38 Q-Q4 P-QN3 39
P-R4 P-QR4 40 PxP PxP 41 B-K1
N-B3 42 Q-B4 N-K2 43 BxP N/K2xP
44 Q-Q4 Q-K3 45 B-Q2 N-K5 46
P-R5 NxB 47 QxN/Q2 N-B3 48 K-R2
K-R2 49 Q-K2 N-K5 50 P-R6 Q-QB3
51 P-R7 Q-R5 52 Q-K3 P-R4 53 BxP
Q-R4 54 B-K2 P-N3 55 B-B3 N-Q7
56 Q-K7+ Resigns

268   Karpov-Karasev
          English Opening
1 P-QB4 P-K4 2 N-QB3 N-KB3 3
P-KN3 P-B3 4 N-B3 P-K5 5 N-Q4
P-Q4 6 PxP PxP 7 P-Q3? B-QB4 8
N-N3 B-N3? 9 B-N2 B-KB4 10 0-0
P-K6 11 BxKP BxB 12 PxB B-N3 13
RxN PxR 14 NxP N-Q2 15 Q-KB1
0-0 16 Q-B4 P-B4 17 N-Q4 N-B3 18
NxN+ QxN 19 P-KN4 QR-K1 20
R-KB1 K-R1 21 P-KR4 Q-K2 22
P-R5 PxP 23 PxB BPxP 24 Q-N3
RxR+ 25 KxR P-KR4 26 B-K4 Q-N4
27 Q-Q6 K-R2 28 K-N2 P-R5 29
Q-B4 QxQ 30 PxQ K-R3 31 P-N4
R-Q1 32 N-B2 R-QB1 33 N-K3 K-R4
34 P-B5 PxP 35 BxBP R-K1 36
BxP+ K-N4 37 K-B3 R-B1+ 38
N-B5 R-B1 39 N-Q4 R-B1+ 40 B-B5
R-KR1 41 B-R3 R-B1+ 42 K-N2
R-KN1 43 N-B3+ K-B3 44 K-B2
R-N6 45 B-B1 P-N3 46 P-K4 Resigns

269 · Vaganian-Karpov
          Nimzo-Indian Defence
1 P-Q4 N-KB3 2 P-QB4 P-K3 3
N-QB3 B-N5 4 P-K3 P-B4 5 B-Q3
0-0 6 N-K2 P-Q4 7 P-QR3 BPxP 8
KPxP PxP 9 BxBP B-K2 10 0-0
P-QN3 11 B-KN5 B-N2 12 Q-Q3
N-B3 13 Drawn

270   Karpov-Klovan
          Ruy Lopez
1 **P-K4 P-K4 2 N-KB3 N-QB3 3
B-N5 P-QR3 4 BxN QPxB 5 0-0 P-B3
6 P-Q4 PxP 7 NxP N-K2 8 B-K3** 8
N-QB3 is also considered strong.
8...**N-N3 9 N-Q2** For 9 Q-R5 see
another Karpov-Klovan encounter,
game 299. 9...**B-Q3 10 P-QB3**
Fischer played 10 N-B4 against
Unzicker but got very little from the
opening. 10...**0-0 11 Q-N3+ K-R1 12
N-B5!** BxN 13 PxB N-R5 14 QxP
**Q-Q2 15 Q-N3 NxBP 16 N-B4
KR-K1 17 QR-Q1 QR-N1 18 Q-B2
Q-K3 19 P-QN3 NxB 20 NxN R-N4
21 KR-K1 R-K4 22 P-N3 K-N1**

23 **N-N2 R-K7 24 RxR QxR 25 R-Q2
Q-B6 26 K-B1 R-K4 27 Q-Q3 QxQ
28 RxQ K-B2 29 N-K3 K-K2 30
N-B4 R-KR4 31 P-KR4 B-B4 32
N-N2 R-B4 33 R-Q2 K-K3 34 N-Q3
B-Q3 35 R-K2+ K-Q2 36 R-K3
P-N4?** Correct is 36...R-QN4. 37
P-QB4 P-B4 Better 37...PxP. 38
**K-N2 P-B3 39 P-B3 PxP 40 PxP
B-B5 41 R-K4 B-Q3 42 P-B4 Resigns**

271   Ruderfer-Karpov
          Catalan ·
1 **P-Q4 N-KB3 2 P-QB4 P-K3 3
N-KB3 P-Q4 4 P-KN3 PxP 5 B-N2
P-QN4 6 P-QR4 P-B3 7 0-0 B-N2 8**

N-B3 P-QR3 9 P-K4 QN-Q2 10
Q-K2 B-K2 11 P-K5 N-Q4 12 N-K4
P-R3 13 P-R4 Q-B2 14 B-Q2 P-QB4
15 RPxP RPxP 16 PxP RxR 17 RxR
NxBP 18 NxN BxN 19 P-N3 0-0 20
PxP PxP 21 Q-K4

21...N-K6 22 Q-B4 NxB 23 KxN
Q-B3 24 R-Q1 R-Q1 25 **Resigns**
because of 25...R-Q5, not to
mention 25...P-B6.

272 Karpov-Ignatiev
Sicilian Defence
1 P-QB4 P-QB4 2 N-QB3 N-QB3 3
N-B3 N-B3 4 P-Q4 PxP 5 NxP
P-KN3 6 P-K4 NxN 7 QxN P-Q3 8
B-K3 B-N2 9 P-B3 0-0 10 Q-Q2
B-K3 11 R-B1 P-QR3 12 B-K2
Q-R4 13 N-Q5 QxQ+ 14 KxQ BxN
15 BPxB KR-B1 16 P-QN4? N-Q2 17
P-B4 K-B1 18 P-QR4 K-K1 19 P-R5
K-Q1 20 K-Q3? RxR 21 RxR R-B1
22 RxR+ KxR 23 P-N4 K-B2 24
P-R4 B-R8 25 P-KN5 B-N7 26 B-N4
K-Q1 27 B-Q1 K-B2 28 B-R4 K-Q1
29 B-N3 K-K1 30 B-QB2 K-Q1 31
B-R4 K-B2 32 B-QB2 K-Q1 33 B-N3
K-K1 34 B-Q1 K-Q1 35 B-K2 K-B2
36 B-B3 K-B1 37 B-N4 K-Q1 38
K-B2 B-R8 39 B-B3 K-B2 40 B-K2
B-N2 41 P-R5 B-R8 42 K-Q2 K-Q1
43 B-N4 K-K1 44 B-N1 K-Q1 45
B-B3 K-B2 46 B-B1 K-Q1 47 B-Q1
K-B1 48 B-B3 K-B2 49 B-K2 K-Q1

50 K-B2 K-B1 51 B-Q1 K-Q1 52
B-N4 B-R1 53 B-K2 B-R8 54 B-Q2
B-Q5 55 K-Q3 B-N7 56 K-K3 K-B1
57 B-Q1 K-Q1 58 B-N4 B-R8 59
B-K2 B-N7 60 P-R6 B-R8 61 P-N5
PxP 62 BxP B-N7 63 B-N4 B-B8+ 64
K-B3 B-N7 65 P-R6 PxP 66 BxRP
B-Q5 67 B-N5 B-N3 68 B-B3 B-B2 69
B-Q4 B-N1 70 K-K2 B-B2 71 B-K3
B-R4 72 K-Q3 B-B2 73 K-B4 B-R4
74 B-B1 B-K8 75 K-Q4 B-B7+ 76
B-K3 B-K8 77 B-B1 B-R4 78 K-B4
B-K8 79 B-R3 K-B2 80 K-Q3 K-Q1
81 B-Q4 K-K1 82 K-K3 B-N5 83
K-Q3 B-R6 84 K-K2 B-N5 85
Drawn

273 Lerner-Karpov
Sicilian Defence
1 P-K4 P-QB4 2 N-KB3 P-K3 3 P-Q4
PxP 4 NxP N-QB3 5 N-QB3 P-QR3 6
P-KN3 KN-K2 7 N-N3 N-R4 8 B-N2
N/2-B3 9 0-0 P-Q3 10 N-Q2 B-Q2 11
P-N3 B-K2 12 B-N2 0-0 13 N-B3
Q-B2? 14 N-K2 KR-Q1 15 N-B4
P-QN4 16 P-KR4 QR-B1 17 R-B1
P-R3 18 Q-K2 N-N2 19 P-K5 B-B1
20 N-R5 B-K1 21 KR-Q1 N-N5! 22
Q-K4 P-Q4 23 Q-N4 NxRP 24 R-R1
N-B6 25 R-Q3 N-K5 26 N-Q4
N/2-B4 27 R-K3 QxP 28 P-KB4
N-B3 29 NxN+ QxN 30 R-N1 Q-K2
31 R/N1-K1 P-B4 32 Q-R3 N-K5 33
P-KN4 B-Q2 34 P-N5 P-KR4 35
P-N6 Q-B3 36 BxN QPxB 37 R-N3
B-B4 38 P-B3 P-N5 39 K-R1 PxP 40
BxP BxN 41 BxB QxB 42 Q-N2 P-K6
43 Q-K2 and White Resigned

274 Karpov-Shabanov
Catalan
1 **P-Q4 N-KB3 2 P-QB4 P-K3 3
P-KN3 B-N5+ 4 N-Q2 0-0 5 B-N2
P-Q4 6 Q-B2 QN-Q2 7 N-B3 P-B3 8
0-0 R-K1 9 R-Q1 P-QN4? 10 P-B5**

B-R4 11 P-K4 Forestalling Black's
...P-K4. 11...PxP 12 NxP NxN 13
QxN B-N2 14 B-B4 N-B3 15 Q-B2
N-Q4 16 B-Q6 Black has lost the
struggle in the opening but the posi-
tion of his knight on Q4 offers him
some consolation. This knight is
really a beautiful piece but because
of White's bishop on Q6 Black has
great difficulty in manoeuvering.
16...P-B3 17 P-QR3 Q-Q2 18 N-Q2
B-Q1 19 R-K1 P-QR4 20 B-R3
Beginning to mount pressure on the
weak KP. 20...Q-KB2 21 Q-K4 B-B1
22 P-B4 B-Q2 23 R-K2 P-R5 24
Q-B3 Making way for the manoeuvre
N-K4-B2-Q3. 24...B-R4 25 N-K4
P-R3 26 N-B2 R-R2 27 N-Q3 R/2-R1
28 K-R1 K-R1 29 B-N4 P-N3
Because of the threat 30 B-R5 this
move was more or less forced. Now
White prepares to advance his KNP
to N5, liquidating Black's KBP, and
then occupy K5 with his knight. This
plan is carried out calmly and
without any hurry.

30 B-R3 R-KN1 31 B-N2 R/R1-K1
32 R-KB1 K-R2 33 P-KN4 B-Q1 34
Q-N3 B-K2 35 P-N5 B-Q1 36 PxBP
BxP 37 N-K5 Q-N2 38 R/2-B2
R-QB1 39 Q-R3 BxN 40 BPxB Q-R1
41 R-B7+ R-N2 42 B-B8 **Resigns**
Black's knight is still beautifully
posted on Q4!

275   Zhuravlev-Karpov
          Sicilian Defence
1 P-K4 P-QB4 2 N-KB3 N-QB3 3
P-B3 P-Q4 4 PxP QxP 5 P-Q4 P-K3
6 B-Q3 N-B3 7 0-0 PxP 8 PxP B-K2
9 N-B3 Q-Q3 10 Q-K2 0-0 11 R-Q1
N-Q4 12 Q-K4 P-B4 13 Q-K1! B-B3
14 B-QB4 K-R1 15 BxN PxB 16
N-QN5 Q-Q2 17 B-B4 P-QR3 18
N-Q6 B-K2 19 N-K5 QxN 20 NxN
QxN 21 QxB R-K1 22 Q-R3? B-Q2
23 QR-B1? Q-K3 24 B-K5 QR-B1 25
P-B4 RxR 26 RxR B-B3 27 R-B3
R-K2 28 R-KN3 K-N1 29 Q-R5
Q-Q2 30 Q-N6 P-R3 31 P-QN3 K-R2
32 P-QR4 Q-K1 33 P-R3 R-Q2 34
K-R2 Drawn

276   Karpov-Katalimov
          Sicilian Defence
        Notes by Karpov
1 P-K4 P-QB4 2 N-KB3 N-QB3 3
P-Q4 PxP 4 NxP N-B3 5 N-QB3
P-Q3 6 B-KN5 B-Q2 7 Q-Q2 NxN 8
QxN Q-R4 9 B-Q2 P-K4 10 Q-Q3
R-B1 11 B-N5 Q-N5 Stein-Tuk-
makov, Sochi 1970 went 11...P-Q4 12
BxN PxB 13 QxP B-N5 14 0-0-0 +—.
12 0-0-0 RxN 13 PxR QxKP 14
P-KB4! Q-R5 15 R-K1 N-N5 16
Q-B4 P-KR3 17 QxQ BxQ 18 B-R4
P-KN4 19 P-KR3! PxB 20 PxN B-N2
21 RxRP B-Q2 22 P-N3 K-K2 23
P-N5 B-K3 24 P-B4 RPxP 25 RxR
BxR 26 PxNP P-B3 27 R-K3 PxP 28
R-N3 P-N3 29 R-R3 P-R4 30 R-N3
P-K5! 31 RxP B-K4 32 R-N3 B-Q5
33 R-N5 B-N5 34 K-Q2 B-QB4 35
B-K2 B-K3 36 K-B3 P-R5 37 R-R5
P-R6? Correct was 37...B-Q2! 38
K-N3 K-B3 39 RxP! BxR 40 KxB
K-K4 41 P-B3 B-Q2 42 K-N4 B-B3
43 P-R4 K-K3 44 P-R5 K-Q2 45
K-N3 P-K6 The sealed move. A
better line of resistance was 45...
B-R1! 46 K-B2 K-B3! 47 K-Q2 (47
B-N4 K-N2 48 K-B6 K-R3 49 B-Q5

BxB 50 PxB leads to nothing: 50...
KxP 51 K-Q2 K-N4 52 K-K3 K-B5!
53 KxP P-N5! 54 K-B5 KxQP 55 KxP
K-B5 56 K-B5 KxP 57 K-K6 K-B5!!)
47...K-B4 48 K-K3 B-B3 (not 48...
B-N2 49 B-B1 B-B3 50 P-R6 K-N3 51
K-Q4 B-R1 52 B-N2 P-K6 53 B-B1
KxP 54 P-B5+ K-N2 55 PxP K-B3
56 K-K5 K-Q2 57 B-K2 and White
wins) 49 P-R6 K-N3! (not 49...B-R1
50 B-N4 KxP 51 B-B8 KxP 52 B-N7)
50 K-Q4 B-R1 51 B-B1 B-B3 52
B-N2 P-K6 53 B-B1 KxP 54 KxP
with good chances for White. **46
P-B5!** PxP 47 K-B4 K-Q3 48 K-Q3
K-B2 49 KxP K-N1 50 B-B3 B-R5 51
B-Q5 K-R2 52 K-K4 K-R3 53 K-B5
KxP 54 KxP B-B7 55 P-N4 K-R5 56
K-B6 K-R6 57 P-B4 **Resigns**

277   Ubilava-Karpov
Sicilian Defence
Notes by Karpov
**1 P-K4 P-QB4 2 N-KB3 P-K3 3 N-B3
P-QR3 4 P-KN3 N-QB3 5 B-N2 P-Q3
6 0-0 N-B3 7 P-Q4 PxP 8 NxP B-Q2
9 B-K3 B-K2 10 N-N3 P-QN4 11
P-B4** If 11 P-N4?! P-N5! **11...0-0 12
P-K5 PxP 13 PxP NxP 14 BxR QxB
15 B-Q4 N/4-N5 16 BxN NxB**

**17 RxN BxR 18 QxB R-Q1 19 Q-B7
P-N5 20 N-K2** Better is 20 N-R4
R-QB1 21 N-N6 RxQ 22 NxQ R-B3
23 P-QR3 PxP 24 RxP BxP 25 R-R2
RxP 26 RxP with a small advantage

for White. Black cannot play 22...
R-B1 (instead of ...R-B3) because of
23 N-N6 RxP 24 N-R4 BxP 25 NxB!
RxN 26 N-B5 P-QR4 27 N-N3 P-R5
28 N-B5 P-R6 29 N-Q3 R-QB7 30
NxP winning. **20...R-QB1 21 Q-Q7
BxP 22 R-KB1 B-B3 23 Q-Q3 Drawn**
If 23...P-QR4 24 N-Q2 Q-R2+ 25
R-B2! and not 25 K-N2 because of
25...R-Q1 26 Q-N5 Q-R1+ 27 K-B3
P-K4∓.

278   Karpov-Djindjihashvili
Sicilian Defence
**1 P-K4 P-QB4 2 N-KB3 P-K3 3 P-Q4
PxP 4 NxP N-KB3 5 N-QB3 P-Q3 6
B-K2 N-B3 7 B-K3 B-K2 8 0-0 0-0 9
P-B4 B-Q2 10 K-R1 P-QR3 11 Q-K1
NxN 12 BxN B-B3 13 B-Q3 N-Q2 14
R-Q1 P-K4 15 B-K3** 15 PxP was
possibly stronger. **15...P-QN4 16
N-Q5 BxN 17 PxB Drawn**

279   Mnatsakanian-Karpov
Scotch Four Knights'
**1 P-K4 P-K4 2 N-KB3 N-QB3 3
N-B3 N-B3 4 P-Q4 PxP 5 NxP B-N5
6 NxP NPxN 7 B-Q3 0-0 8 0-0 P-Q4
9 PxP PxP 10 B-KN5 P-B3 11 N-K2
B-Q3 12 N-Q4 B-Q2 13 Q-B3 R-K1
14 BxN QxB 15 QxQ PxQ 16 B-B5?**
BxB 17 NxB B-B4 18 KR-K1 R-K4!
19 P-KN4 R-N1 20 P-N3 R-N5 21
P-QB4 PxP 22 R/K1-Q1 P-KR4 23
PxBP PxP 24 N-Q4 RxP 25 N-N3
B-N3 26 QR-B1 R-KB5 27 R-Q2
R/K4-KB4 28 R/B1-B2 P-B4 29
Resigns

280   Karpov-Kirilov
Modern Defence
**1 P-K4 P-KN3 2 P-Q4 B-N2 3
N-KB3 P-Q3 4 P-B3 N-KB3 5 B-Q3
0-0 6 0-0 QN-Q2 7 QN-Q2 P-K4 8
R-K1 P-B3 9 P-QR4 P-QR4 10
P-QN3 R-K1 11 B-R3 P-N3 12
B-KB1 B-N2 13 PxP PxP 14 Q-B2
Q-B2 15 N-B4 B-KB1 16 BxB KxB**

17 P-QN4 Stronger is 17 QR-Q1
B-R3 18 N-Q6! R-K3 19 Q-Q2 BxB
20 KxB± — Karpov. **17...B-R3 18
QR-Q1 BxN 19 BxB P-R3 20 R-Q2
K-N2 21 R/1-Q1 R-K2 22 R-Q6
N-K1 23 R/6-Q2 N/1-B3 24 P-R3
N-B1 25 N-R2 N-K3? 26 BxN RxB
27 N-N4 NxN 28 PxN R/3-K1 29
R-Q7 Q-N1 30 Q-N3 R-KB1 31
Q-K6 PxP 32 R/1-Q6 K-N1 33
QxKP K-R2 34 Q-B6 K-N1 35 PxP
RxP 36 P-K5 Resigns**

---

281   Petukhov-Karpov
                    Queen's Pawn
1 P-Q4 N-KB3 2 N-KB3 P-B4 3 P-K3
P-KN3 4 B-K2 B-N2 5 0-0 P-QN3 6
P-QN3 B-N2 7 B-N2 0-0 8 P-B4 P-Q3
9 N-B3 QN-Q2 10 Q-B2 P-K3 11
KR-Q1 Q-K2 12 R-Q2 KR-Q1 13
QR-Q1 P-QR3 14 P-Q5 P-K4 15
P-K4 B-R3 16 R-Q3 P-QN4 17 N-K1
P-N5 18 N-N1 R-KB1 19 R-R3 K-N2
20 P-N4 B-N4 21 N-N2 K-N1 22
N-Q2 P-R3 23 N-B3 P-QR4 24 R-N3
B-B5 25 NxB PxN 26 R-R3 NxNP 27
Q̇-Q2 P-N4 28 N-R4 PxN 29 BxN
N-K4 30 QxBP Q-N4 31 QxQ+ PxQ
32 R-KB3 P-B3 33 K-N2 Drawn

---

282   Karpov-Furman
The score of this drawn game is
not available.

---

283   Gipslis-Karpov
The score of this drawn game is
not available.

Mayaguez 1971
(Student Olympiad)

284   Karpov-Silva
The score of this game, won by
Karpov, is not available.

285   Karpov-Torres
The score of this game, won by
Karpov, is not available.

286   Karpov-Markula
The score of this game, won by
Karpov, is not available.

287   Karpov-Camacho
The score of this game, won by
Karpov, is not available.

288   Amos-Karpov
                    Sicilian Defence
                    Notes by Karpov
**1 P-K4 P-QB4 2 N-KB3 P-K3 3 P-Q4
PxP 4 NxP N-QB3 5 N-QB3 P-QR3 6
P-KN3 KN-K2 7 N-N3** White tries to
avoid the exchange ...NxN followed
by ...N-B3. **7...N-R4!?** A new idea,
bringing both knights to the Q-side.
**8 B-N2 N/2-B3 9 0-0 P-Q3 10 N-Q2
B-Q2 11 P-N3 B-K2 12 B-N2 R-QB1**
If 12...0-0? 13 P-QR3 P-QN4 14
P-QN4 N-B5 15 NxN PxN±. **13
N-K2 0-0 14 P-QB4?** Better is 14
P-QB3. **14...P-QN4 15 PxP PxP 16
N-KB3 P-N5** Perhaps Black is a little
better here. Amos now tries to play
on the Q-side but only succeeds in
weakening his position. **17 P-QR3
R-QN1 18 P-QR4** If 18 PxP RxP 19
B-QR3 RxKP 20 N-Q2 R-QN5 and
Black gets away with his extra pawn.
18...P-K4! The freedom of White's
knights is limited and Black threa-

tens to attack the weak QNP. **19 N-Q2 B-B3!** An important subtlety. After an immediate 19...B-K3 20 P-B4 would be unpleasant. **20 R-B1 B-K3 21 P-B4 PxP 22 BxB QxB 23 NxP KR-B1 24 N-Q5 Q-Q5+ 25 K-R1 K-R1!** So that N-K7 will not come with check. **26 Q-K2 N-K4 27 P-R3 P-R3 28 KR-Q1 N-Q6 29 Resigns**

289   Karpov-Rogoff
English Opening
1 P-QB4 P-K4 2 N-QB3 N-KB3 3 P-KN3 B-N5 4 B-N2 0-0 5 P-Q3 P-B3 6 Q-N3 B-R4 7 N-B3 P-Q4 8 0-0 P-Q5 9 N-QR4 QN-Q2 10 P-K3 PxP 11 BxP R-K1 12 P-QR3 B-B2 13 QR-Q1 B-Q3 14 P-Q4 PxP 15 NxP B-B1 16 Q-B3! Q-K2 **17 KR-K1 Q-K4 18 P-QN4 Q-KR4 19 P-R3 N-N3** After 19...N-K4 20 B-B4 White has a great advantage. **20 NxN PxN 21 P-N4 Q-N3 22 B-B4 B-Q2 23 N-B3! RxR+ 24 RxR N-K1 25 Q-Q2 R-Q1 26 N-R4 Resigns** If 26...Q-B3 27 B-N5.

290   Karpov-Wittman
King's Indian Defence
Notes by Karpov
1 P-QB4 N-KB3 2 N-QB3 P-KN3 3 P-KN3 B-N2 4 B-N2 0-0 5 N-B3 P-Q3 6 0-0 P-B3 7 P-Q4 Q-R4 8 P-KR3 P-K4 9 P-K4 KN-Q2? 10 **P-Q5 P-QB4 11 P-R3 N-R3 12 B-K3 Q-Q1** Black's strategy has proved faulty and White now creates advantageous complications on the K-side. **13 N-K1 P-B4 14 PxP PxP 15 P-B4 P-K5 16 P-KN4! PxP 17 PxP N-B3 18 P-B5 P-R4 19 PxP N-R2 20 P-R6! B-K4 21 Q-R5 K-R1 22 NxP BxNP 23 R-R2 N-B3 24 Q-N6! R-N1**

25 RxB! Resigns After 25...RxQ 26 PxR NxN 27 P-N7+ Black finishes a piece down.

291   Ruiz-Karpov
Sicilian Defence
1 P-K4 P-QB4 2 N-QB3 N-QB3 3 P-KN3 P-KN3 4 B-N2 B-N2 5 P-Q3 P-Q3 6 P-B4 P-K3 7 N-B3 KN-K2 8 0-0 0-0 9 B-K3 N-Q5 10 R-N1 KN-B3 11 P-QR3 R-N1 12 N-K2 P-QR4 13 P-B3 NxN/7+ 14 QxN P-R5 15 P-K5 N-R4 16 QR-Q1 Q-B2 17 PxP QxP 18 P-B5! Drawn

Rostov 1971
(USSR Team Championship)
292   Karpov-Gofstein
English Opening
1 P-QB4 P-KN3 2 P-KN3 B-N2 3 N-KB3 P-KB4 4 B-N2 P-K4 5 P-Q3 P-Q3 6 0-0 N-QB3 7 N-B3 N-R3 8 B-N5 Q-Q2 9 N-Q5 N-N1 10 P-QN4 N-Q1 11 B-Q2 P-B3 12 N-B3 N-K2 13 Q-B1 P-KR3 14 P-QR4 N-B2 15 N-K1 0-0 16 P-N5 R-K1 17 P-R5 P-Q4 18 N-B2 QPxP 19 QPxP P-K5 20 R-Q1 Q-K3 21 R-R4 B-Q2 22 P-R6 NPxP 23 PxRP P-N4 24 B-K1 N-N3 25 P-B5 QR-Q1 26 N-Q4 Q-K2 27 R-R5 N/3-K4 28 N-R2 B-QB1 29 N-N4 Q-N3 30 B-QB3 Q-N3 31 R-R2 R-K2 32 P-B4 KPxPep 33 PxP P-B5 34 PxP PxP 35 QxP N-N4 36 K-R1 R-KB2 37 Q-B1 N/N4xP and Black lost on Time

293   Pereshipkin-Karpov
                  Sicilian Defence

1 P-K4 P-QB4 2 N-KB3 P-K3 3 P-Q4
PxP 4 NxP N-QB3 5 N-N5 P-Q3 6
B-KB4 P-K4 7 B-K3 P-QR3 8
N/5-B3 N-B3 9 B-KN5 B-K2 10 BxN
BxB 11 B-B4 N-R4 If 11...0-0 12 0-0
B-K3 13 B-N3∓. **12 B-N3 0-0 13 0-0
B-K3 14 N-Q5 B-N4 15 N/1-B3 R-B1
16 Q-K2 B-R3 17 KR-Q1 K-R1 18
R-Q3 N-B3 19 Q-Q1 N-Q5 20 N-K3
P-QN4** Also possible is 20...Q-R5 at
once. **21 N/B3-Q5 Q-R5 22 P-KB3
P-B4 23 PxP NxP/B4 24 N-KN4
R-B4 25 N-N6** 25 P-B3 is more
natural. **25...Q-K2** If 25...B-B5 26
BxB PxB 27 RxP! **26 NxB** If 26 BxB
QxB 27 N-Q5 P-K5 28 PxP QxKP 29
NxB NxN 30 N-B3 Q-KR5. **26...PxN**
Now Black will attack along the
KN-file.

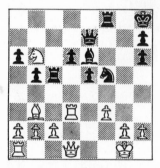

**27 BxB QxB 28 N-Q5 R-KN1 29
K-R1 P-KR4 30 Q-Q2 P-R5 31 N-K3
P-R6 32 PxP** Or 32 P-KN3 P-K5 33
R-B3 PxP 34 NxN RxN 35 Q-Q4+
Q-K4 and Black is a sound pawn up.
**32...N-Q5 33 R-KB1 QxKRP 34 RxN
PxR 35 QxP+ R-K4! 36 QxP??**
Relatively best was 36 R-B2 R-N2 37
QxP Q-K3∓. **36...QxRP+ 37 Re-
signs** 37 KxQ R-R4 mate.

294   Lisenko-Karpov
                  English Opening
1 P-QB4 P-QB4 2 P-KN3 P-KN3 3

B-N2 B-N2 4 N-QB3 N-QB3 5 P-K3
P-K4 6 KN-K2 KN-K2 7 R-QN1 0-0
8 P-QR3 P-QR4 9 N-Q5 P-Q3 10 0-0
B-N5 11 P-R3 B-Q2 12 N/K2-B3
R-N1 13 P-QN4 BPxP 14 PxP NxN
15 NxN P-QN4 16 P-Q3 RPxP 17
NxP NxN 18 RxN PxP 19 RxR QxR
20 PxP R-B1 21 B-R3 B-B1 22 Q-Q3
B-B4 23 P-K4 B-K3 24 R-B1 R-B3
25 B-B1 Q-B1 26 K-R2 Q-R1 27
B-QN2 Q-N2 28 R-B2 R-N3 29 B-B3
R-N6 30 P-B4 PxP 31 Q-Q4 PxP+ 32
KxP RxB+ 33 QxR QxP 34 B-N2
Q-B4 35 R-B2 Q-B4 36 B-B1 P-Q4
37 R-B2 Q-N8+ 38 B-N2 PxP 39
Q-Q2 Q-B4 40 K-R2 B-Q3+ 41
K-R1 B-K4 42 R-R2 P-B6 43 R-R8+
K-N2 44 Q-B1 P-B7 45 R-Q8 B-B4
46 R-Q2 Q-B6 47 R-B2 Q-KN6 48
K-N1 Q-R7+ 49 K-B1 B-Q6+ 50
K-K1 B-B6+ 51 Resigns

295   Karpov-A. Petrosian *
                  Alekhine's Defence
1 P-K4 N-KB3 2 P-K5 N-Q4 3 P-Q4
P-Q3 4 P-QB4 N-N3 5 PxP BPxP 6
P-KR3 P-N3 7 N-KB3 B-N2 8 B-K2
0-0 9 N-B3 N-B3 10 0-0 B-B4 11
B-B4 P-KR3 12 B-K3 P-Q4 13
P-QN3 PxP! 14 PxP R-B1 15 R-B1
N-R4 16 P-B5 N/3-B5 17 B-B4
P-KN4 18 B-N3 P-N3 19 BxN NxB

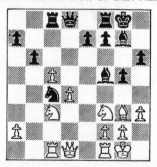

---

*Not related to ex-World Champion
Tigran Petrosian.

20 Q-K2? PxP! 21 P-Q5 21 QxN
PxP! is very good for Black. **21...BxN
22 RxB N-N3 23 Drawn** Mutual
fright — White of his opponent's
enormous position and Black of
Karpov's Grandmaster title.

296   Veselovsky-Karpov
Sicilian Defence

**1 P-K4 P-QB4 2 N-KB3 P-K3 3 P-Q4
PxP 4 NxP N-QB3 5 N-QB3 P-QR3 6
P-KN3 KN-K2 7 N/4-K2 P-QN4 8
P-QR3 B-N2 9 B-N2 N-B1 10 0-0
B-K2 11 P-B4 0-0 12 K-R1 N-Q3 13
P-KN4 P-N5 14 PxP NxNP 15 P-N5
R-B1 16 N-N3 N-B5**

17 P-N3 N-R6! The final step on a
long journey (KN1-K2-QB1-Q3-B5).
18 BxN RxN 19 N-R5 P-K4 Karpov
plays sharply to take advantage of his
opponent's time trouble. **20 R-B1
N-R7 21 B-N2 R-B4 22 R-R1 N-B6
23 Q-K1 Q-B2 24 PxP BxNP 25 NxP**
White has nothing better in this
difficult position. **25...KxN 26 R-B5
B-K2 27 Q-K3 K-R1 28 Q-R6** White
has good attacking chances. The
immediate threat is 29 R-R5. If 28...
R-B3 29 P-K6 RxP 30 Q-R3; Or 28...
Q-B3 29 R-B6 (29 P-K6? QxP/K5 30
BxQ BxB+ and 31...BxR) Best for
Black seems 28...RxP with a difficult
position. But before he could press
his clock button Veselovsky **Lost on
Time** with twelve moves still to make.

297   Karpov-Steinberg
Sicilian Defence

**1 P-K4 P-QB4 2 N-KB3 P-Q3 3 P-Q4
PxP 4 NxP N-KB3 5 N-QB3 P-K3 6
P-KN4 P-KR3 7 P-N5 PxP 8 BxP
P-R3 9 Q-Q2 B-Q2 10 0-0-0 N-B3 11
P-KR4 Q-B2 12 B-K2 0-0-0 13 P-B4
B-K2 14 P-R5 K-N1 15 K-N1 P-Q4
16 P-K5 N-K5 17 N/3xN PxN 18 BxB
NxB 19 Q-K3 N-B4 20 NxN PxN 21
KR-N1 KR-N1 22 P-N3?!** Better 22
R-Q6 B-K3 23 Q-Q4 R-QB1 24
P-B3. **22...B-K3 23 RxR+ QxR 24
R-Q1 Q-B2 25 R-Q6 P-KN3 26 PxP
RxP 27 Q-Q4 R-N1 28 K-N2 R-QB1
29 P-B3 R-R1 30 P-R4 R-R7 31
Q-K3 Q-K2 32 R-Q2 B-B1 33 Q-N6
Q-B2 34 Q-Q4 B-K3 35 Q-K3 R-N7
36 Q-Q4 R-R7 37 P-B4 R-R6 38
B-Q1**

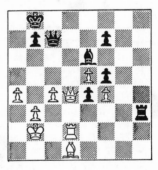

38...Q-R4? Correct was 30...P-R4=.
**39 P-B5 R-R5 40 P-N4 Q-B2 41
Q-K3 R-R1 42 Q-QB3 R-QB1 43
R-Q6 Q-K2?** A serious mistake.
Correct was 43...P-R4! 44 K-R3
PxP+ 45 KxP Q-K2 46 K-R5!±. **44
Q-K3 R-N1 45 B-B2 Q-B2 46 Q-QB3
R-QB1 47 B-N3 BxB 48 KxB P-R4
49 Q-Q4** The difference — now that
bishops have been exchanged Black
is soon in a near zugzwang position.
**49...PxP 50 KxP Q-K2 51 Q-K3
R-B3 52 Q-Q2 K-R2 53 Q-Q4 Q-R5?**
Time trouble. **54 RxR Q-K8+ 55
K-B4 Q-K7+ 56 K-N3 PxR 57**

Q-Q7+ K-N1 58 Q-K8+ K-N2 59
QxKBP+ K-N1 60 Q-K8+ K-N2 61
Q-Q7+ K-N1 62 Q-Q8+ K-N2 63
Q-N6+ K-B1 64 QxP+ K-Q1 65
Q-Q6+ K-B1 66 P-B6 Q-K6+ 67
K-B4 Q-K7+ 68 K-Q5 Resigns

Leningrad 1971
*(USSR Armed Forces Team
Championship)*
298   Zheliandinov-Karpov
Sicilian Defence
1 P-K4 P-QB4 2 N-KB3 P-K3 3 N-B3
P-QR3 4 P-Q4 PxP 5 NxP N-QB3 6
B-QB4!? Q-B2 7 NxN QxN 7...NPxN
8 Q-K2±. 8 Q-K2 B-N5 8...B-K2. 9
B-Q2 N-K2 10 0-0 0-0 11 B-N3
P-QN3 12 N-Q5 B-B4 13 N-N4 Q-B2
14 N-Q3 P-QR4 15 NxB PxN 16
KR-K1 P-Q3 17 QR-Q1 B-R3 18
Q-R5 N-N3 19 B-B1 P-B5 20 B-R4
P-K4 21 Q-N5 KR-Q1 22 P-R4 N-B1
23 Q-N3 QR-N1 24 P-R5 N-K3 25
P-R6 P-B3 26 PxP QxP 27 Q-KE3
Q-K2 28 B-B6 K-R1 29 B-Q5 N-B2
30 R-K3 NxB 31 RxN P-R5 32 R-R5
B-N4 33 Q-R5 R-N1 34 R-KB3
R-KN3 35 B-K3 B-Q2 36 R-R7
RxQNP 37 R-R8+ B-K1 38 R-N3
K-N1 39 R-R7 B-Q2 40 R-R8+ B-K1
41 R-R7 B-Q2 42 R-R8+ B-K1 43
Q-R3 R-QN2 44 Q-B8 K-B2 45 R-R3
P-R3 46 RxKRP RxR 47 BxR K-N3
48 B-K3 R-N8+ 49 K-R2 Q-R2+ 50
K-N3 Q-Q2 51 QxB+ QxQ 52 RxQ
R-N7 53 P-R3 RxP 54 R-QR8 P-B4
55 PxP+ KxP 56 RxP P-Q4 57 R-R5
K-K5 58 B-R6 P-B6 59 R-B5 K-Q5
60 R-B8 K-Q6 61 B-N7 R-K7 62
P-R4 R-K8 63 P-R5 P-B7 64 B-R6
P-K5 65 B-K3 R-QR8 66 R-Q8 RxP
67 K-B4 R-B4 68 P-N4 K-K7 69
P-N5 R-B6 70 B-B1 KxP 71 RxP
P-K6 72 BxP+ RxB 73 R-QB5 R-K7
74 P-N6 K-K8 75 K-B3 R-K3 76
Drawn

299   Karpov-Klovan
Ruy Lopez
Notes by Karpov
1 P-K4 P-K4 2 N-KB3 N-QB3 3
B-N5 P-QR3 4 BxN QPxB 5 0-0 P-B3
6 P-Q4 PxP 7 NxP N-K2 8 B-K3
N-N3 9 Q-R5 B-Q3 10 N-B5 0-0 11
P-KB4 Q-K1?! 12 N-Q2 N-K2? 13
NxN+? Stronger is 13 QxQ! RxQ 14
NxB PxN 15 N-B4 P-Q4 16 N-N6
R-N1 17 B-B5!±. 13...BxN 14 Q-B3
B-K3 15 QR-K1 R-Q1 16 P-QR3
P-QB4 17 P-B5 B-B2 18 B-B4 B-Q3
19 Q-K3 19 Q-B3 Q-Q2∓; 19 Q-KN3
Q-N4. 19...Q-B3 20 N-B3 Q-N3 21
BxB Better is 21 P-K5!? PxP 22 BxP
BxB 23 NxB QxP 24 Q-N5 P-R3 25
Q-N3. 21...PxB 22 P-QN4 KR-K1 23
P-N4 B-Q4 24 PxP PxP 25 Q-B4
B-B3 26 P-N5 R-Q2 27 PxP? PxP 28
K-R1 Q-Q1 29 R-N1+ K-R1 30
P-KR4 R-N1 31 P-R5 RxR+ 32 RxR
R-Q8 33 Q-R4 RxR+ 34 KxR
Q-Q8+ 35 K-B2 QxP+ 36 K-N3
K-N2 37 P-R6+ K-B2 38 Q-N4 QxP
39 Q-N7+ K-K1 40 Q-R8+ K-Q2 41
QxP+ K-Q3 42 N-R4 Q-K8+ 43
K-R3 Q-B6+ 44 K-N4 Q-B5+ 45
K-R3 If 45 K-R5 Q-B5. 45...Q-N6+
46 K-N4 Q-R5+ 47 K-N3 QxP+ 48
K-N4 Q-N5+ 49 K-N3 Q-K8+ 50
K-R3 Q-R8+ 51 K-N3 Q-N8+ 52
K-R3 B-N4 53 N-B3 B-B8+ 54 K-R2
Q-Q7+ 55 K-N3 Q-K6+ 56 K-R2
Q-B5+ 57 K-R3 Q-KB8+ 58 K-N3
Q-KN8+ 59 K-R3 B-N4 60 N-B3 Or
60 QxP B-B8+ 61 N-N2 Q-K6+! 62
K-R2 QxP+ 63 K-N1 BxN—+. 60...
B-B8+ 61 K-R4 Q-N7 62 Resigns

300   Tseshkovsky-Karpov
Ruy Lopez
1 P-K4 P-K4 2 N-KB3 N-QB3 3
B-N5 P-QR3 4 B-R4 N-B3 5 0-0
B-K2 6 R-K1 P-QN4 7 B-N3 P-Q3 8
P-B3 0-0 9 P-Q3 N-QR4 10 B-B2
P-B4 11 QN-Q2 R-K1 12 N-B1 B-N2

13 N-K3 B-KB1 14 P-QN4 PxP 15 PxP N-B3 16 P-QR3 P-QR4 Better than 16...P-Q4? Tseshkovsky-Tal, Sochi 1970. **17 PxP NxRP 18 R-N1 Q-Q2 19 B-N2 B-B3 20 Q-Q2 P-N3 21 P-Q4 PxP 22 QxP B-KN2 23 P-K5 PxP 24 NxP QxQ 25 BxQ N-Q2 26 NxB NxN 27 BxB KxB 28 Drawn**

301   Gufeld-Karpov
Ruy Lopez

1 P-K4 P-K4 2 N-KB3 N-QB3 3 B-N5 P-QR3 3 B-R4 N-B3 5 0-0 B-K2 6 R-K1 P-QN4 7 B-N3 P-Q3 8 P-B3 0-0 9 P-KR3 N-QR4 10 B-B2 P-B4 11 P-Q4 Q-B2 12 QN-Q2 N-B3 13 P-R3 B-Q2 14 P-QN4 BPxQP 15 PxP KR-B1 16 B-N3 P-QR4! 17 B-N2 RPxP 18 RPxP RxR 19 BxR PxP 20 NxP NxN 21 BxN B-K3 22 BxB PxB 23 Q-N3 If 23 P-K5 PxP 24 BxP Q-B7 25 Q-K2 R-B3.

23...**K-B2 24 P-K5 PxP 25 RxP Q-Q3!** Not 25...Q-Q2? 26 N-B3 R-B8+ 27 K-R2 B-Q3 28 P-N3 nor 25...Q-B3? 26 B-B5±. **26 R-K1** If 26 N-B3? R-B8+ 27 K-R2 N-Q2; or 26 B-N2 (preventing ...R-B8+) 26... R-B8+! (anyway) 27 BxR QxR. **26... Q-Q4 27 Q-N2 K-N1 28 R-K5 Q-B3 29 Q-N3** Not 29 B-B5? N-Q2! 30 BxB Q-B8+ winning the exchange. **29... N-Q4 30 B-B5 BxB 31 PxB QxP 32 RxP Q-B8+ 33 N-B1 Q-QB5 4 Q-N2 N-B6 35 R-K7 Q-R7! 36 QxQ** Not 36

Q-N4? N-Q4. **36...NxQ 37 R-N7 R-B4 38 N-K3 N-B6 39 Drawn**

302   Karpov-Tukmakov
Sicilian Defence
Notes by Karpov

1 P-K4 P-QB4 2 N-KB3 P-Q3 3 P-Q4 PxP 4 NxP N-KB3 5 N-QB3 P-QR3 6 B-K2 P-K3 7 0-0 B-K2 8 P-B4 0-0 9 B-K3 N-B3 10 P-QR4 Q-B2 11 K-R1 N-QR4 12 Q-K1 Tukmakov-Panno, Buenos Aires 1970 went 12 Q-Q3 B-Q2 13 P-KN4!? **12...N-B5 13 B-B1 B-Q2 14 P-QN3 N-QR4 15 B-Q3 N-B3 16 NxN BxN 17 B-N2 P-K4 18 Q-K2** Also possible is 18 Q-N3, and if 18...N-R4 19 Q-N4 NxP 20 RxN PxR 21 N-Q5. **18...QR-Q1 19 P-QN4! P-QR4** Not 19...PxP? 20 P-N5 PxP 21 PxP B-Q2 22 N-Q5 with a winning game. **20 P-N5 B-Q2**

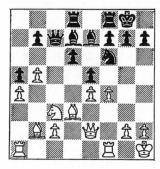

21 P-B5! B-B1 22 N-Q1 Probably stronger is 22 N-Q5. **22...P-Q4 23 PxP NxP 24 QxP QxQ 25 BxQ KR-K1 26 N-N2 B-B4 27 N-B4 P-QN3 28 B-N3 B-N2 29 QR-K1 B-N5 30 RxR+ RxR 31 P-R4** Also good is 31 K-N1. **31...P-N3 32 K-R2 B-B4 33 B-B2 BxB 34 RxB R-K8 35 K-N3 N-N5 36 K-B4 N-Q4+ 37 K-N3 N-N5 38 R-Q2 N-Q4 39 N-Q6 B-R1 40 B-K4 N-B2 41 BxB NxB 42 P-B6 P-R3 43 N-B4 R-K1 44 R-Q6 Resigns**

303   Vasyukov-Karpov
Ruy Lopez
1 P-K4 P-K4 2 N-KB3 N-QB3 3
B-N5 P-QR3 4 B-R4 N-B3 5 0-0
B-K2 6 R-K1 P-QN4 7 B-N3 P-Q3 8
P-B3 0-0 9 P-KR3 N-N1 10 P-Q3
N/N1-Q2 11 QN-Q2 B-N2 12 N-B1
N-B4 13 B-B2 R-K1 14 N-N3 B-KB1
15 N-R2 P-Q4 16 Q-B3 P-R3 17
N-B5 P-QR4 18 N-N4 NxN 19 PxN If
19 QxN!? K-R1 followed by 20...
R-R3. 19...P-R5 20 B-K3 N-K3 21
Q-N3 PxP 22 PxP Q-B3 23 QR-Q1
QR-Q1?! Better 23...KR-Q1. 24
Q-B3 N-N4 25 Q-K2 B-B3 26 B-Q3
R-N1 27 P-B3 P-N3 28 N-N3 N-K3
29 Q-KB2 KR-Q1 30 P-R3 R-Q3 31
R-Q2 R/N1-Q1 32 R/K1-Q1 B-K1
33 B-B1 **Drawn**

304   Karpov-Dementeev
Slav Defence
Notes by Karpov
1 P-Q4 P-Q4 2 N-KB3 N-KB3 3 P-B4
P-B3 4 P-K3 B-B4 5 N-B3 P-K3 6
B-K2 If 6 N-R4 B-KN5 7 Q-N3 Q-N3!
8 QxQ PxQ 9 P-KR3 B-R4 10 P-KN4
B-N3. 6...N-K5 7 0-0 B-K2 8 Q-N3
Q-N3 9 P-B5 Q-B2 10 NxN BxN 11
Q-B3 P-QN3 12 PxP PxP 13 P-QN4
0-0 14 B-N2 B-Q3 15 P-KR3 P-B3 16
KR-B1 Q-K2 17 P-R3 R-R2 17...
P-KN4!?. 18 Q-N3 B-B2? 19 P-QR4
P-KN4 20 B-R3 B-Q3 21 N-Q2 B-N3
22 P-N5 PxP If 22...P-QB4 23 P-K4!
23 BxP K-N2 24 N-B1 P-R4 25 BxB
QxB 26 Q-Q1 Q-K2 27 R-B3 N-R3
28 Q-N3 R-QN1 29 R-K1 N-B2 30
B-B6 N-K1 31 P-K4! PxP 32 BxP
B-B2 33 B-Q5 Also possible is 33
B-N1!? 33...N-B2 34 B-B6 Q-Q3 35
N-K3 Q-Q1 36 R-Q1 K-R1 37 Q-N4
K-N2 38 P-R4 N-Q4 39 BxN PxB 40
PxP PxP 41 R-B6 B-N3 42
R/Q1-QB1 B-K5 43 P-B3 B-R2 and
Black Resigned

Leningrad 1971
*(Team Championship of the Lenin-
grad University Club)*
305   Karpov-Korelov
Ruy Lopez
1 P-K4 P-K4 2 N-KB3 N-QB3 3
B-N5 P-QR3 4 B-R4 N-B3 5 0-0
B-K2 6 R-K1 P-QN4 7 B-N3 P-Q3 8
P-B3 0-0 9 P-KR3 N-QR4 10 B-B2
P-B4 11 P-Q4 Q-B2 12 QN-Q2 N-B3
13 PxBP PxP 14 N-B1 B-K3 15 N-K3
QR-Q1 16 Q-K2 P-B5 17 N-B5 N-Q2
18 NxB+ NxN 19 N-N5 N-QB4 20
Q-R5 P-R3 21 NxB NxN 22 B-K3
N-N3 23 P-KN3 N-B4 24 KR-Q1
N-Q6 25 BxN RxB 26 P-QR4 KR-Q1
27 PxP PxP 28 R-K1 Q-B3 29 Q-B5
R/Q6-Q3 30 P-R4 R-B3 31 Q-N4
N-B1 32 R/K1-Q1 R/B3-Q3 33 RxR
RxR 34 R-R7 R-Q2 35 BxP QxB 36
RxR NxR 37 QxN Q-B8+ 38 K-N2
QxNP 39 Q-K8+ K-R2 40 QxBP
QxQBP 41 P-R5 Q-Q7 42 Q-B5+
K-N1 43 QxP P-B6 44 Q-K8+ K-R2
45 P-K5 P-B7 46 **Drawn**

306   Karpov-Aronshtats
Sicilian Defence
1 P-K4 P-QB4 2 N-KB3 N-QB3 3
P-Q4 PxP 4 NxP P-K4 5 N-N5
P-QR3 6 N-Q6+ BxN 7 QxB Q-B3 8
Q-B7 KN-K2 9 N-B3 N-N5 10 B-Q3
NxB+ 11 PxN 0-0 12 0-0 Q-K3 13
P-B4 PxP 14 BxP Q-QB3 15 P-QR4
R-K1 16 Q-K5 P-B3 17 Q-Q4 P-QN3
18 B-Q6 B-N2 19 QR-B1 N-B1

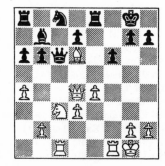

20 N-N5 PxN 21 RxQ PxR 22 PxP
NxB 23 QxN PxP 24 QxNP QR-N1
25 QxNP K-R1 26 Q-R4 R-R1 27
Q-B2 R/K1-QB1 28 Q-Q2 R-Q1 29
Q-K3 R-R5 30 Q-N6 R-Q2 31 Q-K6
Resigns

307 Snakov-Karpov
Sicilian Defence
1 P-K4 P-QB4 2 N-KB3 P-K3 3 P-Q4
PxP 4 NxP N-QB3 5 N-QB3 Q-B2 6
B-K3 P-QR3 7 B-Q3 P-QN4 8 0-0
B-N2 9 Q-K2 N-B3 10 P-B4 NxN 11
BxN B-B4 12 BxB QxB+ 13 K-R1
P-N5 14 N-Q1 0-0 15 P-B4 P-Q3 16
N-B2 N-Q2 17 N-N4 KR-K1 18
QR-K1 P-B4 19 PxP PxP 20 N-K3
N-B3 21 Q-Q2 N-K5 22 BxN RxB 23
P-QN3 R-Q5 24 Q-KB2 R-Q6 25
N-B2 B-K5 26 R-K3 P-QR4 27 RxR
BxR 28 QxQ PxQ 29 R-B1 P-R5 30
N-K3 B-K5 31 K-N1 PxP 32 PxP
R-R6 33 R-Q1 RxP 34 R-Q8+ K-B2
35 R-QB8 R-N8+ 36 K-B2 P-N6 37
Resigns

308 Karpov-Kozlov
Caro Kann Defence
Notes by Karpov
1 P-K4 P-KN3 2 P-Q4 B-N2 3
N-QB3 P-QB3 4 N-B3 P-Q4 5 P-KR3
PxP Or 5...N-KR3 6 B-K2±. 6 NxP
N-Q2 7 P-B4 KN-B3 8 N-B3 0-0 9
B-K2 Q-B2 10 0-0 P-K4!? 11 B-K3
R-K1 Intending 12...PxP 13 BxP
N-B1 followed by ...B-B4. 12 P-Q5
PxP 13 PxP N-N3 14 Q-N3 If 14
R-B1 Q-Q1! (not 14...Q-N1?! 15
Q-N3 followed by P-QR4-R5). 14...
B-B4 15 KR-Q1 Also good is 15
QR-B1 QR-Q1 (or 15...Q-N1 16
P-QR4±) 16 N-QN5 Q-N1 (16...
Q-Q2 loses to 17 NxRP N/N3xP 18
B-QN5) 17 BxN! (weaker is 17 N-B7
R-K2 18 BxN PxB 19 QxP NxP) 17...
PxB 18 KR-Q1±. **15...QR-Q1 16
QR-B1** Better is 16 N-QN5 Q-N1 17

BxN PxB 18 QR-B1±. **16...N-B1 17
N-KR4 B-Q2 18 N-N5 Q-R4 19 P-R4
N-K5** If 19...P-QR3 20 B-Q2 Q-N3
21 P-R5 winning the queen. **20 P-Q6
P-QR3 21 N-B7 R-B1**

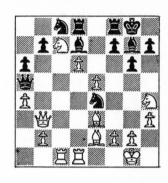

**22 R-Q5 QxP 23 QxQ BxQ 24 R-B4
B-N6 25 RxN BxR 26 NxB RxP 27
N-QB3 R-QB3** Preventing 28 R-QB4.
28 R-R4 Or 28 R-QN4 P-QN4=. **28...
N-Q3 29 B-B3 R/B3-B1?** Correct is
29...R-B5 30 RxR NxR 31 BxP NxB!
(not 31...NxP 32 BxP±) 32 PxN R-N1
33 BxP RxP with a drawn ending. **30
B-Q5 R/KB1-Q1 31 P-KN4! R-Q2
32 B-N3! N-K1 33 N-Q5 R/B1-Q1 34
N-N6 R-Q6 35 B-B2 R/Q6-Q3 36
N-B3 N-B2 37 B-K4 R-N1** If 37...
N-K3 38 R-N4 and not 38 BxQNP
R-N1 39 N-B4? R-Q8+ winning. **38
K-N2 N-K3 39 N-B4 P-QN4 40 R-N4
P-QR4 41 NxRP N-Q5 42 NxN
Resigns**

309 Orlov-Karpov
Sicilian Defence
Notes by Karpov
1 P-K4 P-QB4 2 N-KB3 P-K3 3 N-B3
N-QB3 4 P-Q4 PxP 5 NxP P-QR3 6
P-KN3 NxN 7 QxN N-K2 8 B-KB4
N-B3 9 Q-Q2 P-QN4 If 9...P-Q3 10
0-0-0 P-K4 11 B-K3± . **10 B-N2 B-N2
11 0-0** More accurate is 11 R-Q1 to

prevent 11 P-Q3. **11...N-R4** Correct is 11...P-Q3 12 P-QR4 (if 12 QR-Q1 N-K4) 12...P-N5 13 N-Q5 P-QR4 (13...PxN 14 PxP N-K4 15 QxNP is good for White) 14 KR-K1 N-K4. **12 P-QR4 P-N5 13 N-Q1 R-B1 14 P-N3 B-K2 15 N-N2 B-KB3** Not 15...0-0?! 16 QR-Q1 B-KB3 (or 16...B-QB3 17 N-Q3 Q-N3 18 B-K3±) 17 P-K5 BxB 18 KxB B-K2 19 B-K3±. **16 QR-N1 B-B6 17 Q-K2 0-0 18 B-Q6 R-K1 19 Q-K3 N-B3 20 N-B4** If 20 N-Q3 N-Q5 21 N-B5 Q-N3 22 NxB QxN 23 P-K5 R-B3 (or 23...Q-N3 24 KR-Q1 +—); Black can play 20... B-Q5 21 Q-K2 Q-N3. **20...B-Q5 21 Q-Q2 P-QR4 22 P-K5 B-B6 23 Q-K3 B-R3 24 KR-Q1 BxN 25 PxB N-K2 26 Q-Q3 N-B4 27 P-B5 NxB 28 QxN Q-B2 29 P-B4 P-B3 30 P-B6** If 30 PxP BxP 31 QxQP QxQBP+∓. **30... QPxP 31 QxQ RxQ 32 PxP BxP 33 R-Q6 P-B4 34 RxKP RxR 35 B-Q5 K-B1 36 BxR P-B5 37 R-K1 P-N3 38 K-B2 B-N7 39 R-K2 K-N2 40 P-N4 B-B8 41 Resigns** White is helpless against the idea of ...P-N6, PxP P-B6 followed by ...P-B7 etc.

Leningrad 1971
(39th USSR Championship)

		1	2	3	4	5	6	7	8	9	10	11	12	13	14	15	16	17	18	19	20	21	22	
1	Savon	x	½	½	½	1	1	½	1	½	½	1	1	1	½	½	1	½	½	½	½	1	1	15
2	Smyslov	½	x	½	1	½	½	½	½	½	½	½	½	½	½	1	½	½	1	1	1	½	1	13½
3	Tal	½	½	x	½	1	0	1	0	½	½	1	1	½	1	½	0	1	1	1	½	½	1	13½
4	Karpov	½	0	½	x	½	1	½	½	1	½	½	½	½	½	½	1	0	1	1	1	½	1	13
5	Balashov	0	½	0	½	x	1	1	½	½	0	0	0	½	½	1	½	1	1	½	1	1	1	12
6	Stein	0	½	1	0	0	x	½	1	1	0	1	½	½	½	½	1	½	1	½	0	1	1	12
7	Bronstein	½	½	0	½	0	½	x	1	½	1	½	1	½	1	0	1	1	½	0	0	½	1	11½
8	Polugayevsky	0	½	1	½	½	0	0	x	1	1	½	1	½	½	½	½	½	½	1	1	½	0	11½
9	Taimanov	½	½	½	0	½	0	½	0	x	1	1	0	½	1	½	½	1	0	½	1	½	1	11
10	Kapengut	½	½	½	½	1	1	0	0	0	x	½	0	½	0	½	½	½	0	1	1	1	1	10½
11	Krogius	0	½	0	½	1	0	½	½	0	½	x	½	0	1	1	½	1	1	½	½	½	½	10½
12	Lein	0	½	0	½	1	½	0	0	1	1	½	x	½	0	1	0	½	1	0	½	½	1	10
13	Platonov	0	½	½	½	½	½	½	½	½	½	1	½	x	½	0	0	0	½	1	1	1	0	10
14	Geller	½	½	0	½	½	½	0	½	0	1	0	1	½	x	1	0	½	½	0	½	½	1	9½
15	Karasev	½	0	½	½	0	½	1	½	½	½	0	0	1	0	x	1	½	½	½	0	1	0	9
16	Shamkovitch	0	½	1	0	½	0	0	½	½	½	½	1	1	1	0	x	0	0	½	1	½	0	9
17	Vaganian	½	½	0	1	0	½	0	½	0	½	0	½	1	½	½	1	x	0	0	½	1	0	8½
18	Nikolayevsky	½	0	0	0	0	0	½	½	1	1	0	0	½	½	½	1	1	x	1	0	½	0	8½
19	Tukmakov	½	0	0	0	½	½	1	0	½	0	½	1	0	1	½	½	1	0	x	½	0	½	8½
20	K. Grigorian	½	0	½	0	0	1	1	0	0	0	½	½	0	½	1	0	½	1	½	x	0	½	8
21	Djindjihashvili	0	½	½	½	0	0	½	½	½	0	½	½	0	½	0	½	0	½	1	1	x	½	8
22	Tseitlin	0	0	0	0	0	0	0	1	0	0	½	0	1	0	1	1	1	1	½	½	½	x	8

310   Karpov-Taimanov
            Sicilian Defence

1 P—K4	P—QB4
2 N—KB3	P—K3
3 P—Q4	PxP
4 NxP	N—QB3

Taimanov is notable for the enviable consistency of his openings, which enables him to study them thoroughly. The negative aspect of this tactic is that it is easier for his opponents to prepare for the game.

The system with ...N-QB3 before ...P-QR3 was popularised by Taimanov and now bears his name.

5 N—N5	P—Q3
6 B—KB4	P—K4
7 B—K3	N—B3
8 B—N5	B—K3
9 N/1—B3	P—QR3
10 BxN	PxB
11 N—R3	

This position occurred in two of the 1971 Candidates' Matches: Fischer-Taimanov and Fischer-Petrosian. In the first case there followed 11...N-Q5 12 N-B4 P-B4 13 PxP NxKBP 14 B-Q3 R-B1 15 BxN RxN 16 BxB PxB 17 Q-K2 and White got the advantage. Petrosian prepared the sharp 11...P-Q4! but the present game was played before the Fischer-Petrosian match.

11 ...	N—K2

A new move. Black exchanges his weak QP and thereby rids himself of the greatest weakness in his position.

12 N—B4	P—Q4
13 PxP	NxP
14 NxN	BxN
15 N—K3	B—B3
16 B—B4	

The correct decision. After 16 Q-R5 Q-R4+ 17 P-B3 0-0-0 Black gets excellent counterplay.

16 ...	QxQ+
17 RxQ	R—B1
18 B—Q5	BxB

19 RxB

Despite his innovation Black has not achieved full equality. If White can manage to blockade his opponent's doubled KBPs he will get a substantial positional advantage.

19 ...	K—K2
20 K—K2	K—K3
21 KR—Q1	P—B4

Threatening 22...P-B5 and the capture of the QBP. And after 22 P-QB3 P-B5 Black can face the future without fear — the knight on K3 has no good retreat square.

22 P—KN3!

It is very important for White to preserve the position of his knight. Now, after 22...P-B3 23 P-QB3, White has a clear positional advantage. However, passive defence is not to Taimanov's taste.

22 ...	P—B5

This advance weakens the position of Black's king.

23 PxP	PxP
24 N—N2	RxP+
25 K—B3	B—B4

25...RxNP was very dangerous in view of 26 NxP+ K-B3 27 R-K1 with the threat of 28 N-R5+.

26 NxP+	K—B3
27 N—Q3	R—QB1
28 R—Q7	P—N4

This apparently natural move is the decisive mistake. Better was 28...

P-N3 when the fact that Black's bishop is defended enables him to defent the K-side pawns successfully in many variations.

29 R—K1	K—N2
30 R—K4	R—B5

Had Black's QNP been on N3 he could have played 30...R-B3 but now this would lose a piece to 31 R-KB4 R-B3 32 RxR KxR 33 R-B7.

31 N—K5

The most precise. After 31 RxR PxR 32 N-K5 K-B3 Black gets reasonable counterplay.

31 ...	RxR
32 KxR	K—N1
33 P—B4	

White is not seduced by the immediate win of a pawn. If 33 RxP B-Q3 and Black would have better chances of drawing the rook ending.

33 ...   B—B1

Taimanov again seeks counterchances. The passive defence 33... R-B1 is quite without prospects.

34 NxP	R—B7
35 N—N5	B—R3

There was the threat of 36 R-Q8 followed by 37 N-K6.

36 N—K6   RxRP

More stubborn was 36...RxNP 37 K-B5 BxP 38 KxB RxKRP 39 R-KN7+ K-R1 40 R-R7 and so on as in the game. With this move order Black would have had slightly better chances than those discussed in the note to his 41st move.

37 K—B5   BxP

Black is forced to give up the bishop as there was the threat of 38 K-B6, and if he prevents this by 37... R-N7 then 38 R-Q8+ K-B2 39 R-KR8 is decisive.

In fact, the sacrifice has a simple refutation, but one that involved moving White's knight from its aggressive post on K6. Instead, Karpov makes the most obvious move.

38 KxB

Karpov misses a chance to end the game at once: 38 NxB RxP 39 K-B6 P-R3 40 R-KN7+ K-B1 41 N-K6+ K-K1 42 R-K7 mate.

38 ...	RxP
39 R—KN7+	K—R1
40 R—R7	P—KR4
41 RxP	P—N5

Although White has an extra piece it is hard to win because of Black's constant threat to exchange White's one remaining pawn.

42 N—Q4   R—N7

Adjourned. Karpov did not seal the best move, and this enabled Taimanov, by precise defence, to create the maximum difficulties in the realisation of White's advantage.

43 K—B3

Stronger is 43 N-B5! hindering the advance of the KRP, and aiming to penetrate with the king to KB6 via K5 or KN5.

43 ...	R—Q7
44 K—K3	R—QN7

Black keeps to a waiting strategy, allowing his opponent to correct his error. Considerably more stubborn was 44...R-R7 in order to advance the RP. Depending on the circumstances White's king would then aim for the Q-side or towards the passed KRP.

44...R-KN7 would also offer better

defensive chances. In either case it would be extremely hard for White to win.

| 45 K—B4 | R—Q7 |
| 46 N—B5 | R—QN7 |

The threat of exchanging pawns is now not so real: White succeeds in creating mating threats. Black could only retain chances of salvation by 46...K-N1.

47 K—N5	P—N6
48 R—R6+!	K—N1
49 K—B6!	Resigns

311   Vaganian-Karpov
Reti
1 N-KB3 N-KB3 2 P-B4 P-QN3 3 P-KN3 B-N2 4 B-N2 P-K3 5 0-0 B-K2 6 P-N3 0-0 7 B-N2 P-B4 8 P-K3 P-Q4 9 Q-K2 N-B3 10 R-Q1 Q-B2 11 N-B3 QR-Q1 12 PxP NxP If 12...PxP 13 P-Q4±. **13 NxN RxN 14 P-Q4 PxP 15 NxP NxN 16 BxN R-Q3?** Essential was 16...R-Q2 17 QR-QB1 Q-N1 18 Q-N4 P-N3 19 B-QB6 R-Q3 when White is only slightly better. **17 KR-QB1!** winning a pawn by force.

17...Q-Q2 18 B-K5 R-Q4 If 18...R-Q7 19 Q-N4 P-N3 20 R-B7 Q-N4 21 B-QB3 +—. **19 R-B7 Q-Q1 20 RxB/N2 RxB 21 R-Q1! Q-K1 22**

RxRP R-QR4 23 R-N7 B-B4 24 P-QR4 R-R1 25 R/7-Q7 R-QN1 26 Q-N5 Threatening 27 P-QN4. **26... B-R6 27 B-N7 Resigns**

312   Karpov-Lein
Queen's Gambit Declined
1 N-KB3 P-Q4 2 P-B4 P-K3 3 P-Q4 B-K2 4 N-B3 N-KB3 5 B-N5 P-KR3 6 B-R4 N-K5 7 BxB QxB 8 Q-B2 0-0 9 P-K3 NxN 10 QxN P-QB3 11 B-K2 PxP 12 BxP P-QN3 13 B-K2 B-N2 14 N-K5 R-B1 15 B-R5 P-N3 16 B-B3 P-QB4 17 BxB QxB 18 0-0 N-Q2 19 Drawn

313   Platonov-Karpov
Queen's Pawn
1 P-Q4 N-KB3 2 N-KB3 P-K3 3 P-K3 P-QN3 4 B-Q3 B-N2 5 QN-Q2 P-B4 6 0-0 PxP 7 PxP B-K2 8 P-QN3 0-0 9 B-N2 N-B3 10 P-QR3 Q-B2 11 R-K1 QR-B1 12 P-B4 P-Q4 13 QR-B1 KR-Q1 14 Q-K2 PxP 15 PxP Q-B5 16 P-N3 Q-R3 17 R-B2 Q-R4 18 Q-B1 R-B2 19 B-K2 Q-KB4 20 B-Q3 Q-R4 21 B-K2 Drawn

314   Karpov-K. Grigorian
Alekhine's Defence
1 P-K4 N-KB3 2 P-K5 N-Q4 3 P-Q4 P-Q3 4 N-KB3 P-KN3 5 B-QB4 N-N3 6 B-N3 B-N2 7 N-N5 P-Q4 8 0-0 Maybe 8 P-KB4 is stronger. **8...0-0?!** Better 8...P-KR3. **9 P-KB4 P-KB3 10 N-KB3 B-N5 11 QN-Q2 N-B3 12 P-KR3 B-B4 13 R-B2 K-R1 14 P-B3 P-N4?** Necessary was 14...N-R4. **15 PxBP KPxP 16 N-B1 P-KR3 17 N-N3 B-N3 18 B-B2 Q-K1 19 P-N3! N-B1 20 B-R3 N-Q3 21 BxN PxB 22 R-K2 Q-B2 23 Q-N1** Completing White's domination of the light squares.

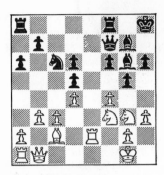

23...BxB 24 QxB KR-K1 25 QR-K1
N-K2 26 P-B5 B-B1 27 R-K6 N-N1
28 N-R2 R/K1-B1 29 R/1-K3 R-B3
30 Q-K2 QR-B1 31 Q-B3 Q-B2 32
N-K2 Q-R4 33 P-QR4 R/3-B2 34
R-K8 B-N2 35 Q-R5 Q-N3 36 N-N4
RxR 37 RxR R-K2 28 NxRP! RxR 39
N-B7 mate

315   Geller-Karpov
                Ruy Lopez
1 P-K4 P-K4 2 N-KB3 N-QB3 3
B-N5 P-QR3 4 B-R4 N-B3 5 0-0
B-K2 6 R-K1 P-QN4 7 B-N3 P-Q3 8
P-B3 0-0 9 P-KR3 N-N1 10 P-Q4
QN-Q2 11 P-B4 P-B3 12 PxNP RPxP
13 N-B3 B-R3 An innovation. The
usual move was 13...B-N2 14 B-N5
and now (a) 14...P-N5 15 N-N1 N-K1
16 BxB QxB 17 QN-Q2 N-B2 18
N-B4± Geller-Portisch, Palma Inter-
zonal 1970; or (b) 14...P-R3 15 BxN
BxB 16 P-Q5± Gufeld-Tukmakov,
USSR Ch 1971. Karpov's idea is to
simplify with ...P-QB4. 14 B-N5 P-R3
15 PxP NxP/4 Not 15...PxP?! 16
BxN BxB 17 Q-Q6.

Karpov's innovation has been
quite successful. White's initiative is
so slight that he has no real hope of
utilising his pressure on KB7. In
addition, Black has perfectly ade-
quate control of the centre.

16 NxN PxN 17 BxN BxB 18 Q-R5
Q-K2 19 QR-Q1 QR-Q1 20 N-K2
B-N4 21 N-N3 Q-B3 22 RxR RxR 23
R-Q1 RxR+ 24 QxR B-B1 25 P-QR4
PxP 26 BxRP P-N3 27 N-B1 Q-K3 28
Q-B2 B-Q2 29 N-R2 Q-Q3 30 N-B3
B-Q1 31 Q-B3 B-B2 32 P-R4 K-N2
33 P-KN3 K-B3 34 K-N2 **Drawn**

316   Karpov-Djindjihashvili
                Centre Counter Game
1 P-K4 P-Q4 2 PxP N-KB3 3 B-N5+
B-Q2 4 B-K2 NxP 5 P-Q4 B-B4 6
N-KB3 P-K3 7 0-0 N-QB3 8 R-K1
B-K2 9 B-B1 0-0 10 P-B3 B-KN5 11
QN-Q2 P-QR3 12 Q-N3 B-R4?!
Correct was 12...R-N1. 13 N-K5!
B-N3 After 13...NxN 14 RxN Black
loses a pawn. 14 NxB RPxN 15 N-B3
N-N3 16 Q-B2 Q-Q4 17 P-QN3
KR-K1 18 B-Q3 QR-Q1 19 B-KB4
Q-Q2 20 P-QR4? 20 QR-Q1 would
have thwarted Black's plan and left
White well on top. 20...N-Q4 21
B-Q2

21...N/4-N5! 22 Q-N1 If 22 PxN NxQP 23 NxN QxN∓. 22...NxB 23 QxN B-B3 24 P-QN4 P-K4 25 **Drawn**

---

317 Karpov-Stein
Sicilian Defence
1 P-K4 P-QB4 2 N-KB3 N-QB3 3 P-Q4 PxP 4 NxP N-KB3 5 N-QB3 P-Q3 6 B-QB4 Q-N3 7 NxN Rarely played. **7...PxN 8 0-0 P-K3 9 P-QN3** Not 9 B-KN5 Q-B4! **9...B-K2 10 B-N2 0-0 11 Q-K2 P-K4** Not 11... P-Q4? **12 PxP BPxP 13 BxP! 12 K-R1 Q-B2 13 QR-K1 N-Q2 14 N-R4 B-N2?** This wastes time. Better was 14...B-B3 with a solid position. **15 B-Q3 KR-K1 16 P-QB4 B-N4 17 Q-B2 P-KR3 18 P-QN4 P-R3 19 Q-N3 QR-N1 20 P-QR3 B-B1 21 Q-B3 B-B3 22 Q-B2 P-QR4 23 B-B3 PxP 24 PxP N-B1 25 P-N5 PxP?!** Better 25...B-Q2. Now White's QNP is very powerful.

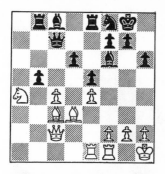

26 PxP B-Q2 27 R-QN1 R/K1-B1 28 P-N6! Q-N2 29 B-N5 R-R1 30 Q-N3 B-K3 If 30...BxB? **31 QxB RxN 32 QxR RxB 33 Q-R7** with an immediate win through the promotion of the NP. **31 Q-N4 B-K2 32 KR-B1 P-Q4 33 Q-N2 P-Q5 34 B-N4 B-N4** If 34...BxB **35 QxB RxR+** (or immediately 35...QxKP 36 N-B5 and P-N7 etc.) **36 RxR QxKP 37 B-B6 Q-B5 38**

R-QN1 +—. **35 RxR RxR 36 Q-K2 R-R1 37 B-Q6 N-N3 38 Q-B2 R-B1 39 B-B7 B-Q1 40 N-B5 RxB 41 NxQ RxQ 42 NxB B-B1** Or 42...B-R7 43 P-N7 BxR 44 P-R4 +—. **43 P-N3 RxP 44 R-QB1 R-B3 45 RxB RxP 46 B-B4 K-R2 47 NxP Resigns**

---

318 Smyslov-Karpov
English Opening
1 P-QB4 P-QB4 2 N-KB3 N-KB3 3 N-B3 P-Q4 4 PxP NxP 5 P-K3 P-K3 6 P-Q4 PxP 7 PxP B-K2 8 B-Q3 0-0 9 0-0 N-QB3 10 R-K1 N-B3 This retreat does not solve all of Black's problems. Interesting here is 10... B-B3 but 10...NxN was also possible. **11 P-QR3 P-QN3 12 B-B2 B-N2 13 Q-Q3 R-B1** A stereotyped solution. But the position isn't all that harmless and Black should have started to defend more quickly with 13...P-N3. **14 B-N5** Smyslov later pointed out that 14 P-Q5 would have been strong. e.g. 14...PxP 15 B-N5 P-N3 16 RxB!; or 14...N-QR4 15 B-N5 P-N3 16 P-Q6. **14...P-N3 15 QR-Q1 N-Q4 16 B-R6 R-K1 17 B-R4 P-R3 18 NxN QxN** Correct was 18...PxN. **19 Q-K3 B-B3 20 B-N3 Q-KR4**

21 P-Q5! N-Q1 22 P-Q6 R-B4 23 P-Q7 It is not very often that we see such an advanced passed pawn in the middlegame. Black can only prolong the game by giving up the exchange: 23...R-B1. **23...R-K2 24 Q-B4 B-N2 25 Q-N8 QxB 26 QxN+ B-B1 27 R-K3** White isn't in a great hurry. 27 QxB+ was also decisive. **27...B-B3 28 QxB+ QxQ 29 P-Q8(Q) Resigns**

319   Karpov-Savon
Sicilian Defence

1 P-K4 P-QB4 2 N-KB3 P-Q3 3 P-Q4 PxP 4 NxP N-KB3 5 N-QB3 P-QR3 6 B-K2 P-K3 7 P-B4 B-K2 8 0-0 Q-B2 9 B-B3 N-B3 10 B-K3 B-Q2 11 P-QR4 N-QR4 12 K-R1 R-QB1 13 Q-Q3 N-B5 14 B-B1 0-0 15 P-QN3 N-QR4 16 B-N2 N-B3 17 QR-B1 NxN 18 QxN B-B3 19 Q-Q3 KR-Q1 20 N-K2 P-Q4 21 P-K5 N-K5 22 N-Q4 B-B4 23 R/QB1-Q1 BxN 24 BxB P-QN4 25 Q-K3 Q-N2 26 P-R5 P-N5 27 B-N6 R-Q2 28 R-B1 B-N4 29 KR-Q1 Q-B3 30 R-Q4 N-B6 31 R-R1 N-K5 32 R/R1-Q1 N-B6 33 R-R1 N-K5 34 R-QB1 Q-B6 35 QxQ PxQ 36 K-N1 P-B4 37 PxPep PxP 38 BxN PxB 39 RxR BxR 40 K-B2 K-B2 41 K-K3 Better 41 R-Q1. **41...P-K4 42 PxP PxP 43 R-B1+ K-K3 44 R-B2 P-R4 45 P-N3 B-N4 46 KxP** If 46 P-R3 R-KN1 47 R-N2 B-B8. **Drawn**

320   Kapengut-Karpov
Sicilian Defence

1 P-K4 P-QB4 2 N-KB3 P-K3 3 P-Q4 PxP 4 NxP N-KB3 5 N-QB3 P-Q3 6 B-K2 B-K2 7 0-0 P-QR3 8 P-B4 Q-B2 9 B-B3 0-0 10 P-QR4 N-B3 11 N-N3 P-QN3 12 B-K3 R-N1 13 Q-K1 N-QR4 14 NxN PxN 15 P-QN3 B-N2 16 R-Q1 KR-B1 17 R-Q3 B-R1 18 B-Q2 R-N5 19 P-B5 B-B1 20 PxP Drawn

321   Karpov-Karasev
English Opening

1 P-QB4 P-K4 2 N-QB3 N-KB3 3 P-KN3 B-N5 4 B-N2 0-0 5 P-K4 R-K1 6 KN-K2 N-B3 7 P-QR3 B-B1 8 0-0 N-Q5 9 P-Q3 NxN+ 10 QxN P-B3 11 B-K3 P-Q3 12 P-R3 P-Q4 13 KPxP PxP 14 B-N5 P-Q5 15 N-Q5 B-K3 16 KR-K1 BxN 17 BxB R-N1 18 P-QN4 P-KR3 19 BxN QxB 20 P-KR4 P-KN3 21 P-R5 K-N2 22 P-B5 P-N3 23 BPxP RPxP 24 P-N5 B-B4 25 R/K1-B1 R-K2 26 P-R4 Q-Q3 27 B-N2 R-R2 28 R-B4 R-K1 29 PxP PxP 30 Q-K1 R-R4 31 R-R2 R-K2 32 B-B6 P-R4 33 K-N2 R/K2-R2 34 R-K2 RxRP 35 RxR RxR 36 RxP R-R2 37 R-Q5 R-K2 38 Q-Q2 Q-B3 39 R-Q8 R-K7 40 R-Q7+ R-K2 41 R-Q5 R-K4 42 Drawn

322   Bronstein-Karpov
Sicilian Defence

1 P-K4 P-QB4 2 N-KB3 P-K3 3 P-Q3 N-QB3 4 P-KN3 KN-K2 5 B-N2 P-KN3 6 B-K3 B-N2 7 P-B3 P-N3 8 0-0 P-Q4 9 Q-B1 0-0 10 B-R6 Q-B2 11 BxB KxB 12 QN-Q2 B-R3 13 PxP NxP 14 N-B4 QR-Q1 15 R-K1 P-R3 16 Q-B2 N-B3 17 P-QR4 R-Q2 18 P-N3 Drawn

323   Karpov-Nikolayevsky
Pirc Defence

1 P-K4 P-KN3 2 P-Q4 B-N2 3 N-QB3 P-Q3 4 P-B4 N-KB3 5 N-B3 0-0 6 B-Q3 N-B3 7 P-K5 PxP 8 BPxP N-KR4 9 B-K3 B-N5 10 B-QB4 K-R1 11 Q-Q2 P-B3 12 PxP BxP 13 0-0 BxN Gufeld suggests 13...Q-Q2. **14 RxB P-K4 15 P-Q5 N-Q5 16 R/3-B1 N-B4 17 B-B2** Also good is 17 N-K4. **17...N-Q3 18 B-QN3 B-N4 19 Q-K1 Q-K2 20 N-K4 NxN 21 QxN R-B5 22 Q-K2 QR-KB1 23 QR-K1 P-R4**

24 P-B3 Not 24 QxP? QxQ 25 RxQ B-B3 followed by 26...P-R5 winning the bishop. **24...N-B3** If 24...B-B3 25 P-N3 R-B4 26 B-B2 R-N4 27 B-K3±. **25 QxP** Now it is safe to capture the KP. **25...QxQ 26 RxQ N-N5** 26...N-K5 27 RxB NxR 28 B-Q4+ K-N1 29 P-Q6+ finis. **27 RxB NxB 28 B-B4!** Preventing 28...N-R6+. **28...P-R5 29 R-N3 P-R6 30 P-N3 N-K5 31 RxR RxR 32 R-K3 N-Q3 33 B-Q3 R-B2 34 P-B4 P-N3 35 P-N3 K-N2 36 P-QN4 K-B3 37 K-B2 R-Q2 38 B-K2 N-B4 39 RxP K-K4 40 P-N4 N-R5 41 R-K3+ Resigns**

---

324 Krogius-Karpov
Queen's Indian Defence
1 P-Q4 N-KB3 2 P-QB4 P-K3 3 N-KB3 P-QN3 4 P-KN3 B-N2 5 B-N2 B-K2 6 0-0 0-0 7 N-B3 N-K5 8 NxN BxN 9 N-K1 BxB 10 NxB P-Q3 11 P-N3 B-B3 12 B-N2 P-B4 13 Drawn

---

325 Karpov-Tseitlin
Ruy Lopez
Notes by Karpov

1	P—K4	P—K4
2	N—KB3	N—QB3
3	B—N5	P—B4
4	N—B3	N—Q5?!

Premature activity.
5 B—R4
5 B-B4 isn't bad, e.g. 5...PxP 6 NxN PxN 7 NxP or 5...N-KB3 6 P-Q3.

5	...	N—KB3
6	NxP	PxP

After the game Tseitlin admitted that this move was bad and suggested the improvement 6...Q-K2 7 P-B4 P-QN4!? 8 NxNP NxN 9 BxN PxP with some initiative for the sacrificed pawn. But instead of 7 P-B4 White can play 7 N-B3 NxN+ 8 QxN PxP 9 Q-N3. e.g. 9...P-B3 10 0-0 P-QN4 11 B-N3 P-Q4 12 R-K1 followed by P-Q3 with advantage to White.

If 6...B-B4 then 7 N-Q3 B-N3 8 P-K5 with a big initiative.

7 0—0   B—B4
Possibly 7...B-Q3 8 N-B4 (if 8 N-N4 0-0) 8...B-K2 was more solid but after 9 P-Q3 PxP 10 QxP N-K3 11 N-K5 White still maintains his advantage.

8 NxKP
Korchnoy suggested 8 P-Q3 as being stronger.

8	...	NxN
9	Q—R5+	P—N3
10	NxNP	

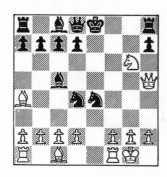

10 ...   N—KB3?
Correct was 10...Q-N4 11 QxQ NxQ 12 NxR P-N4 (not 12...N-K7+? 13 K-R1 N-K5 14 P-Q3 NxP+ 15 RxN BxR 16 B-R6 winning) 13 B-N3 NxB 14 RPxN B-Q5 15 P-B3 BxN 16 P-Q4 with a slight advantage.

After the text the game ends in a hurricane.

11 Q—K5+! B—K2
12 NxR

Also strong is 12 R-K1 N-B6+ 13 PxN R-KN1 14 QxB+ QxQ 15 RxQ+ and White stays two pawns ahead.

12 ... P—N4
13 QxN/4 PxB

The rest is carnage.

14 R-K1 K-B1 15 P-Q3 R-N1 16 Q-K5 N-N1 17 Q-KR5 K-N2 18 N-B7 Q-K1 19 B-R6+ NxB 20 QxN+ KxN 21 QxP+ K-B1 22 R-K3 R-N3 23 R-N3 Resigns

---

326   Shamkovitch-Karpov
English Opening

1 P-QB4 P-QB4 2 N-KB3 N-KB3 3 N-B3 P-Q4 4 PxP NxP 5 P-K3 NxN 6 NPxN P-KN3 7 B-R3 Q-B2 8 B-B4 B-N2 9 0-0 0-0 10 R-B1 N-Q2 11 P-Q4 R-N1 12 B-N5 P-N3 13 N-Q2 R-Q1 14 Q-B3 P-QR3 15 B-K2 B-N2 16 Q-N3 Q-B3 17 B-N2 P-K4! 18 P-K4 KPxP 19 PxP Q-R5 20 B-B4 PxP 21 B-N3 Q-N4 22 Q-B4 R-KB1 23 N-B3 N-B4 24 BxQP BxB Not 24...N-Q6?? 25 BxP+ K-R1 26 Q-B6 etc. **25 NxB Q-K1 26 B-Q5 N-Q6 27 Q-B6**

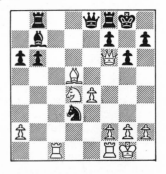

27...Q-Q1! 27...NxR allows White to force an immediate draw by 28 N-B5! PxN 29 Q-N5+ K-R1 30 Q-B6+. **28**

QxQ KRxQ 29 R/QB1-Q1 N-B5 30 N-B6 If 30 BxB RxB 31 N-N3 N-K7+ 32 K-R1 RxR 33 RxR N-B6∓. 30...BxN 31 BxB N-K7+ 32 K-R1 N-B6 33 RxR+ RxR 34 B-Q5 K-B1 35 P-N3 NxB 36 R-Q1 K-K2 37 PxN R-QB1 38 R-Q2 K-Q3 39 P-QR4 R-B4 40 R-N2 P-QN4 41 PxP PxP 42 K-N2 KxP 43 R-N4 K-B3 44 K-B3 R-B5 45 R-N1 P-N5 46 K-K3 K-N4 47 P-B4 P-B4 48 K-Q2 R-B3 49 K-Q3 K-R5 50 R-QR1+ K-N6 51 **Resigns**

---

327   Karpov-Tukmakov
Sicilian Defence

1 P-K4 P-QB4 2 N-KB3 P-K3 3 P-Q4 PxP 4 NxP N-QB3 5 N-N5 P-Q3 6 P-QB4 N-B3 7 N/1-B3 P-QR3 8 N-R3 B-K2 9 B-K2 0-0 10 0-0 P-QN3 11 B-K3 B-N2 12 R-B1 N-K4 13 Q-Q4 N/4-Q2 If 13...N/3-Q2 14 P-B3±. **14 P-B3?!** But now this move is not the most accurate. Stronger is 14 KR-Q1 and if 14...R-K1 15 N-B2 or 14...R-B1 15 P-B3 followed by Q-Q2. In each case White maintains the bind. **14...P-Q4! 15 KPxP B-B4?!** Black can equalize by 15...PxP 16 PxP B-B4 17 Q-Q2 BxB+ 18 QxB NxP 19 NxN BxN. But after the text move there is an important difference. **16 Q-Q2 BxB+ 17 QxB PxP 18 KR-Q1! R-K1 19 Q-B2 R-QB1 20 R-B2 Q-K2 21 B-B1?** This unnecessarily Petrosianic prophylaxis relinquishes White's initiative. Correct was 21 R/2-Q2! e.g. 21...P-QN4 22 NxQP NxN 23 PxN Q-Q3 24 N-B2±. **21...Q-Q3 22 R/2-Q2 P-QN4 23 NxQP** Not 23 PxNP?? RxN 24 PxR QxN±. **23...NxN 24 PxN N-B3 25 B-Q3 BxP 26 B-K4 R-K4 27 BxB RxB 28 RxR NxR?** 28...QxR! equalizes. e.g. 29 RxQ R-B8+ 30 Q-B1 RxQ+ 31 KxR NxR. **29 Q-Q4 Q-QN3 30 QxQ NxQ**

31 R-Q6 R-N1 32 R-QB6! K-B1 33 N-B2 R-QB1 If 33...K-K2 34 N-Q4. 34 RxR+ NxR 35 N-N4 P-QR4 36 N-B6 P-R5 37 K-B2 K-K1 38 K-K3 K-Q2 39 N-K5+? Time trouble. 39 N-Q4! N-Q3 40 K-Q3 K-B2 41 K-B3 K-N3 42 K-N4 gives White a very superior ending. 39...K-K3 40 K-Q4 P-B3? Correct was 40...N-K2. 41 N-Q3 K-Q3 42 N-B4 P-N3 43 N-Q5 P-B4 44 P-KN4 N-R2 45 N-N4 PxP 46 PxP N-B1 47 N-Q3 Not 47 N-Q5 N-R2 48 P-N5 N-B3+ 49 K-K4 N-R4=. 47...N-K2 48 N-K5 K-K3 49 P-QR3 N-Q4 50 N-Q7! K-Q3 51 P-N5 Not 51 N-B5? N-N3. 51...N-K2 52 N-B8 N-B3+ 53 K-B3 N-K4? Black could make the winning process much more difficult by 53... K-K4 54 NxRP K-B4 55 K-Q3± . 54 NxRP N-B6 55 K-N4 Resigns If 55... K-B3 56 N-B8 NxP 57 NxP N-B6 58 N-K7+ and 59 NxP winning.

328   Tal-Karpov
Queen's Indian Defence
Notes by Karpov
1 N-KB3 N-KB3 2 P-KN3 P-QN3 3 B-N2 B-N2 4 P-B4 P-K3 5 0-0 B-K2 6 P-Q4 0-0 7 N-B3 N-K5 8 Q-B2 NxN 9 QxN P-QB4 10 B-K3 Q-B2 11 KR-Q1 P-Q3 12 QR-B1 N-Q2 13 P-QR3 P-QR4 14 P-QN4 Perhaps 14 P-QN3 is better. 14...RPxP 15 RPxP R-R7 16 R-Q2 RxR If 16...KR-R1 17 RxR RxR 18 Q-N3±. 17 QxR R-R1

18 N-K1 BxB 19 KxB If 19 NxB R-R5. 19...R-R5 20 NPxP NPxP 21 PxP NxP 22 Q-B2 Drawn

329   Karpov-Balashov
Sicilian Defence
1 P-K4 P-QB4 2 N-KB3 P-Q3 3 P-Q4 PxP 4 NxP N-KB3 5 N-QB3 N-B3 6 B-KN5 B-Q2 7 Q-Q2 R-B1 8 0-0-0 NxN 9 QxN Q-R4 10 P-B4 P-K3 11 P-K5 PxP 12 PxP B-B3 13 B-N5 N-Q4

14 BxB+? Missing a forced win by 14 NxN! and now: (i) 14...QxB 15 N-B7+!; (ii) 14...BxB 15 QxP! B-R3 16 Q-N6; or (iii) 14...PxN 15 QxQP BxB 16 P-K6! P-B3 17 QxP. 14...PxB 15 P-QR3 P-KR3 16 B-Q2 Q-N3 17 QxQ PxQ 18 N-K4 P-QN4 19 K-N1 P-KB4 20 PxPep PxP 21 P-KN4 P-R4 22 P-R3 B-K2 23 KR-N1 PxP 24 PxP R-KN1 25 Drawn

330   Polugayevsky-Karpov
English Opening
1 P-QB4 P-Q4 2 N-KB3 N-KB3 3 N-B3 P-Q4 4 PxP NxP 5 P-KN3 P-KN3 6 B-N2 B-N2 7 0-0 0-0 8 NxN QxN 9 P-Q3 N-R3 10 P-QR3 Q-R4 11 R-N1 B-R6 12 Q-N3 P-N3 13 Q-B4 N-B2 14 BxB QxB 15 P-QN4 N-K3 16 B-K3 QR-B1 17 Q-R6 N-Q5 18 BxN PxB 19 QxRP Q-K3 20 KR-K1 R-R1 21 Q-N7 RxP 22 N-N5 Q-K4 23 N-B3 Drawn

Moscow 1971
(Alekhine Memorial Tournament)

		1	2	3	4	5	6	7	8	9	10	11	12	13	14	15	16	17	18	
1	Karpov	x	½	½	½	½	½	½	1	½	1	1	½	½	1	½	½	½	1	11
2	Stein	½	x	½	½	½	½	½	1	½	½	½	1	½	½	½	1	1	1	11
3	Smyslov	½	½	x	1	½	½	½	½	½	½	½	½	1	½	½	1	1	½	10½
4	Petrosian	½	½	0	x	½	1	½	½	½	½	1	½	½	½	1	½	1	½	10
5	Tukmakov	½	½	½	½	x	½	½	½	½	½	1	½	½	½	1	½	1	½	10
6	Spassky	½	½	½	0	½	x	½	½	½	½	0	1	1	1	½	½	½	1	9½
7	Tal	½	½	½	½	½	½	x	½	1	½	0	½	0	½	½	1	1	1	9½
8	Bronstein	0	0	½	½	½	½	½	x	½	½	0	½	½	½	1	1	1	1	9
9	R. Byrne	½	½	½	½	½	½	0	½	x	1	0	½	½	1	1	½	½	½	9
10	Hort	0	½	½	½	½	½	½	½	0	x	1	½	1	½	½	½	½	1	9
11	Korchnoy	0	½	½	0	0	1	1	1	1	0	x	1	½	0	1	0	½	½	8½
12	Gheorghiu	½	0	½	½	½	0	½	½	½	½	0	x	1	½	½	½	½	½	7½
13	Olafsson	½	½	0	½	½	0	1	½	½	0	½	0	x	1	0	½	½	1	7½
14	Savon	0	½	½	½	½	0	½	½	0	½	1	½	0	x	½	½	½	1	7½
15	Balashov	½	½	½	0	0	½	½	0	0	½	0	½	1	½	x	1	0	½	6½
16	Uhlmann	½	0	0	½	½	½	0	0	½	½	1	½	½	½	0	x	½	½	6½
17	Parma	½	0	0	0	0	½	0	0	½	½	½	½	½	½	½	1	½	x	6
18	Lengyel	0	0	½	½	½	0	0	0	½	0	½	½	0	0	½	½	½	x	4½

331 Parma-Karpov
Sicilian Defence

1 P-K4 P-QB4 2 N-KB3 P-K3 3 P-Q4 PxP 4 NxP N-QB3 5 N-QB3 P-QR3 6 P-B4 Q-B2 7 B-K3 P-QN4 8 N-N3 N-B3 9 B-Q3 P-Q3 10 0-0 B-K2 11 Q-B3 0-0 12 P-QR4! P-N5 13 N-N1 P-QR4 Better 13...P-K4. **14 N/1-Q2 B-R3 15 B-B2 KR-B1 16 QR-K1 P-Q4 17 P-K5 N-Q2 18 Q-R3 P-N3 19 K-R1 N-Q1 20 N-B3 Q-N2 21 B-R4! BxB 22 QxB N-B1 23 N/N3-Q4 BxB 24 PxB Q-Q2**

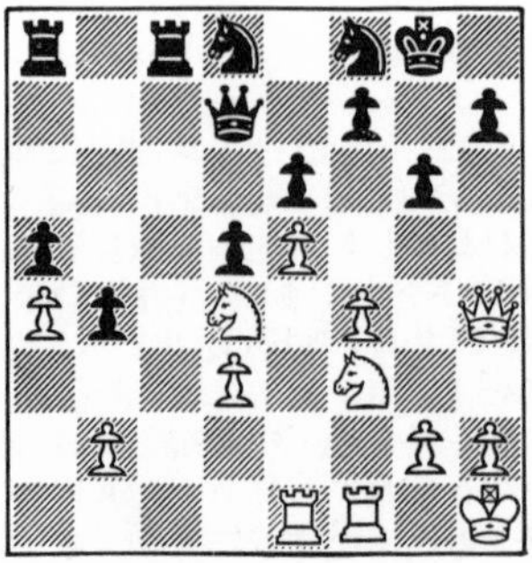

25 Q-N5?? 25 P-KN4! followed by
P-B5 is extremely strong. **25...P-R4!
26 Q-R6?** After 26 N-R4 White still
preserves some advantage. **26...N-B3!
27 N-QN5 N-K2 28 N/3-Q4 N-B4! 29
NxN KPxN 30 Q-N5 R-B7 31 P-QN3
QR-B1 32 Q-N3 P-Q5!** 33 Q-B3
R-N7 34 R-N1 RxR 35 RxR N-K3 36
N-Q6 R-B6 37 P-R3 Q-B3 38 Q-N3
R-B8+ 39 RxR QxR+ 40 K-R2 QxP
41 N-B4! Q-QB8 Or 41...P-R5 42
QxQ NxQ 43 NxP NxQP 44 N-B6
drawing. **42 Q-B3 Q-K8 43 Q-N3
Q-B6 44 NxP K-N2 45 Q-B3 P-R5 46
N-B4 QxNP 47 P-R5 Q-R7 48 Q-N7
N-N4 49 P-K6 Q-KB7 50 PxP** Not 50
P-K7? NxP! and Black wins. **50...
Q-N6+ 51 K-R1 Q-K8+ 52 K-R2
Q-N6+ 53 Drawn**

**332   Karpov-Olafsson
         Sicilian Defence**
1 P-K4 P-QB4 2 N-KB3 N-QB3 3
P-Q4 PxP 4 NxP P-K3 5 N-N5 P-Q3
6 P-QB4 N-B3 7 QN-B3 P-QR3 8
N-R3 B-K2 9 B-K2 0-0 10 0-0 P-QN3
11 B-K3 B-N2 12 R-B1 R-N1 13
Q-Q2 N-K4 14 P-B3 P-Q4 15 BPxP
PxP 16 NxP BxN 17 PxB NxQP 18
KR-Q1 NxB 19 QxN Q-K1 20 QxN
Drawn

**333   Lengyel-Karpov
         Catalan**
1 P-Q4 N-KB3 2 P-QB4 P-K3 3
P-KN3 P-Q4 4 B-N2 PxP 5 N-KB3
P-QN4 6 N-K5 N-Q4 7 0-0? Correct
is 7 P-QR4! P-QB3 8 0-0 followed by
9 P-K4 N/Q4 moves 10 PxP PxP 11
P-N3. 7...B-N2 8 P-K4 N-KB3 9
R-K1 QN-Q2 10 Q-K2 P-QR3 11
N-QB3 NxN 12 PxN N-Q2 13 R-Q1
Q-B1 14 P-B4 B-B4+ 15 B-K3 0-0 16
R-Q2 BxB+ 17 QxB P-QB4 18
QR-Q1 B-B3 19 R-Q6 R-K1 20
R/1-Q2 Q-B2 21 N-Q1 P-N5! 22
B-B1 B-N4 23 BxP N-N3! 24 BxB

PxB 25 P-N3 N-B1 26 R-Q7 Q-N3 27
R-QB2 P-B5! 28 R-Q4 If 28 QxQ
NxQ 29 R-N7 R-R3!

28...R-R6 29 N-B2 N-K2 30 Q-Q2
P-B6 31 Q-Q3 N-B3 32 R-Q6 R/6-R1
33 K-N2 R/K1-Q1! 34 P-QR3 RxR
35 PxR Not 35 QxR?? R-Q1
trapping the queen. 35...N-Q5 36
PxP NxR 37 QxN Q-Q5 38 K-B3
P-K4 39 N-Q3 PxP 40 PxP P-B3 41
P-K5 and White resigned

**334   Karpov-Gheorghiu
         Sicilian Defence**
1 P-K4 P-QB4 2 N-KB3 P-Q3 3 P-Q4
PxP 4 NxP N-KB3 5 N-QB3 P-QR3 6
B-K2 P-K4 7 N-N3 B-K3 8 0-0
QN-Q2 More accurate is 8...B-K2 9
P-B4 PxP 10 BxBP N-B3=. 9 P-B4
Q-B2 10 P-B5 B-B5! 11 P-QR4 B-K2.
12 P-R5 0-0 13 B-N5! KR-B1! 14
BxB QxB 15 R-B2 P-R3! 16 BxN?
Much better is 16 B-R4 and if 16...
P-QN4 17 PxPep NxNP 18 BxN. 16...
NxB 17 R-R4 Q-B2 18 R-Q2 P-QN4!
19 Drawn If the final position Black
has a slight edge, e.g. 19 PxPep
QxP+ 20 K-R1 RxN! 21 PxR Q-B3
22 Q-R1 NxP 23 N-R5 QxP.

**335   R. Byrne-Karpov
         Sicilian Defence**
1 P-K4 P-QB4 2 N-KB3 N-QB3 3
P-Q4 PxP 4 NxP P-K3 5 B-K3 Q-B2

6 N-QB3 P-QR3 7 B-Q3 P-QN4 8 0-0
B-N2 9 Q-K2 N-B3 10 P-B4 NxN 11
BxN B-B4 12 BxB QxB+ 13 K-R1
P-N5 14 N-Q1 P-Q3 15 N-B2 P-K4
16 N-N4 NxN 17 QxN 0-0 18 P-QR3
B-B3 19 Q-B5 NPxP 20 RxP B-N4 21
R-QB3 Q-N5 22 R-N3 Q-B4 23
R-QB3 Drawn

336   Karpov-Balashov
Ruy Lopez

1 P-K4 P-K4 2 N-KB3 N-QB3 3
B-N5 P-QR3 4 B-R4 N-B3 5 0-0
B-K2 6 R-K1 P-QN4 7 B-N3 P-Q3 8
P-B3 0-0 9 P-KR3 B-N2 10 P-Q4
R-K1 11 QN-Q2 B-B1 12 N-B1 B-N2
13 N-N3 N-QR4 14 B-B2 N-B5 15
P-N3 N-N3 16 N-R2 Intending 17
P-KB4. 16...P-Q4! 17 QPxP If 17
KPxP PxP∓. 17...NxP Not 17...RxP?
18 N-B3 R-K1 19 P-K5 N-K5 20 NxN
PxN 21 QxQ QRxQ 22 BxP BxB 23
RxB R-Q8+ 24 K-R2±.

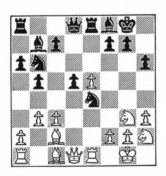

18 Q-Q3 Not 18 N-B5? RxP 19 Q-N4
Q-B3∓. 18...N-Q2 19 P-KB4 Q-R5
20 N/2-B1 N/2-B4 21 Q-B3 NxN 22
QxN If 22 NxN P-Q5!∓. 22...B-K2
23 B-K3 QxQ 23...N-K5 24 BxN
QxQ 25 NxQ PxB 26 B-B2 costs
Black a pawn. 24 NxQ B-R5 25 K-R2
BxN+ 26 KxB N-K5+ 27 BxN PxB
28 Drawn

337   Uhlmann-Karpov
English Opening

1 P-QB4 P-QB4 2 N-KB3 N-KB3 3
N-B3 P-Q4 4 PxP NxP 5 P-KN3
P-KN3 6 P-Q3 B-N2 7 B-Q2 P-N3?
Better 7...0-0. 8 Q-R4+ B-Q2 9
Q-R4! P-K3 10 QxQ+? Strong is 10
B-N5! 10...KxQ 11 B-N2 P-KR3 12
0-0 N-QB3 13 N-K1 N-B2 14 P-QR3
P-QR4 15 N-B2 R-QN1 16 P-K3
N-K4 17 P-Q4 N-B5 18 B-B1 P-R5
19 R-Q1 K-K2 20 R-N1 N-R4 21
P-K4 PxP 22 NxQP P-K4? Correct is
22...KR-Q1 23 B-B1 when White's
play on the light squares gives him a
slight edge. 23 N-B2! B-N5 24 R-Q3!
B-K3 25 B-K3 N-N6 26 N-N4 KR-Q1
27 RxR KxR 28 B-B3 K-K1 29 B-K2
P-QN4 30 R-QB1! K-Q2 Not 30...
B-B5? 31 BxN NxB 32 NxRP NxB 33
RxN PxN 34 PxN B-B1 35 N-Q5 with
an enormous position. 31 B-N4+
B-K3 32 R-Q1+ K-K1 33 BxB PxB
34 R-Q6 According to Kotov 34 B-R7
R-N2 35 B-B5 is much better for
White. 34...B-B1 35 R-N6! R-N2

36 RxR? After 36 N-R6! NxN 37
RxP+ K-B2 38 RxN N-B5 39 B-B1
White has a safe extra pawn. 36...
NxR 37 N-B6 B-N2! 38 N-R7 Better
38 B-N6! N-R1 39 B-R7 N-B2 40
B-N8 . 38...N-Q3 39 B-N6 N-R1 40
B-B5 N-B5 41 N/7xP NxNP 42 K-B1
Drawn

338   Karpov-Spassky
Ruy Lopez
1 P-K4 P-K4 2 N-KB3 N-QB3 3
B-N5 P-QR3 4 B-R4 N-B3 5 0-0
P-Q3 6 R-K1 P-QN4 7 B-N3 B-N5 8
P-B3 B-K2 9 P-Q3 0-0 10 P-KR3
B-R4 11 QN-Q2 N-R4 12 B-B2 P-B4
13 N-B1 BxN 14 QxB N-Q2 15 Q-N4
B-B3 16 N-N3 P-N3 17 B-R6 B-N2 18
BxB KxB 19 P-KB4 N-KB3 20 Q-B3
P-R4 21 QR-Q1 R-B1 22 B-N1 P-R5
23 N-K2 N-R4 24 P-R3 P-B5 25
P-Q4 Q-K2 26 Q-N4 R/QB1-Q1 27
B-B2 N-QB3 28 K-R2 R-KR1 29
R-Q2 N-B3 30 Q-B3 N-KR4 31 Q-N4
N-B3 32 Q-B3 N-KR4 33 Drawn

339   Tal-Karpov
Queen's Indian Defence
1 P-Q4 N-KB3 2 N-KB3 P-K3 3 P-B4
P-QN3 4 P-KN3 B-K2 5 B-N2 B-N2
6 0-0 0-0 7 N-B3 N-K5 8 B-Q2 P-Q4
9 PxP PxP 10 N-K5 N-Q2 11 N-Q3
P-QR4 12 R-B1 N/Q2-B3 13 B-B4
P-B3 14 N-K5 P-B4 15 PxP NxN 16
PxN BxP 17 B-N5 R-K1 18 N-N4
B-K2 19 BxN BxB 20 P-QB4 B-K2
21 N-K3 B-N4 22 Q-Q3 P-Q5 23 BxB
PxN 24 BxR PxP+ 25 KxP B-K6+
26 QxB RxQ 27 KxR QxB 28 KR-Q1
Q-QB1 29 R-Q5 P-R3 30 P-KR4
Q-N5 31 K-B2 Q-K3 32 R-B3 Q-R6
33 K-N1 Q-N5 34 K-B2 Q-R6 35
P-R3 Q-R7+ 36 K-K1 Q-R8+ 37
K-Q2 Q-K5 38 K-K1 P-N3 39 K-B2
K-N2 40 K-K1 Q-N8+ 41 K-B2
Q-K5 42 K-K1 Q-N8+ 43 R-Q1
Q-K5 44 R/Q1-Q3 Q-B3 45 K-Q2
P-KN4 46 PxP PxP 47 R-N3 K-N3 48
R-N5 P-B3 49 R-Q4 K-R4 50 R-R4+
K-N3 51 R-Q4 K-R4 52 R-N3 Q-B4
53 R/N3-Q3 P-N4 54 PxP QxNP 55
R-Q5 Q-N3 56 R-Q6 Q-N8 57
R/Q6-Q5 Q-N3 58 R/Q5-Q4 Q-N8
59 R-Q6 K-N5 60 R-KB3 Q-N7+ 61
K-K1 Q-B8+ 62 R-Q1 Q-B4 63
K-B1 Q-K4 64 R-Q8 Q-R8+ 65

K-B2 Q-K4 66 R/B3-Q3 Q-KB4+ 67
K-N1 Q-K4 68 R/Q8-Q4+ K-R6 69
K-B1 Q-B4+ 70 K-N1 Q-K4 71
K-B2 Q-B4+ 72 R-B3 Q-K4 73
R-QB4 Q-Q4 74 R/B3-B3 Q-KB4+
75 R-B3 Q-Q4 76 P-N4+ K-R5 77
R/B3-B3 Q-K4 78 R-Q3 Q-R7+ 79
K-B1 Q-R8+ 80 K-B2 Q-R7+ 81
K-K1 Q-K4 .82 R-KB3 Q-Q4 83
R/B3-B3 Q-K4 84 R-Q3 Q-K3 85
R-R4 Q-K4 86 R/R4-Q4 Q-K2 87
K-B2 Q-K4 88 K-B1 Q-R7 89 R-K3
Q-R8+ 90 K-B2 Q-R7+ 91 K-K1
Q-R8+ 92 K-Q2 Q-R8 93 R/Q4-K4
Q-QN8 94 R-Q3 Q-N7+ 95 K-K1
Q-B8+ 96 K-B2 Q-KR8 97 R/Q3-K3
Q-R7+ 98 K-K1 Q-R8+ 99 K-Q2
Q-QN8 100 K-B3 Q-N3 101 K-B2
Q-B3+ 102 K-Q1 Q-N2 103 K-K1
Q-N8+ 104 K-B2 Q-KR8 105 R-QB4
Q-R7+ 106 Drawn

340   Petrosian-Karpov
Queen's Indian Defence
1 P-Q4 N-KB3 2 N-KB3 P-K3 3
P-KN3 P-QN3 4 B-N2 B-N2 5 P-B4
B-K2 6 N-B3 N-K5 7 B-Q2 P-Q4 8
PxP PxP 9 0-0 0-0 10 R-B1 N-Q2 11
B-B4 P-QB4 12 N-Q2 NxN/B6 13
PxN N-B3 14 PxP BxP 15 N-N3 B-R6
16 R-B2 R-B1 17 Drawn

341   Karpov-Hort
Sicilian Defence

1 P—K4	P—QB4
2 N—KB3	P—Q3
3 P—Q4	PxP
4 NxP	N—KB3
5 N—QB3	P—K3
6 P—KN4	

"You see, Tolya is capable of fero-
cious play." — Kotov.

6 ...	N—B3

6...P-KR3 has been more popular
of late.

7 P—N5	N—Q2
8 B—K3	P—QR3

8...P-KR3 9 NxP PxN 10 Q-R5+ is unclear — Karpov.

9 P—B4

A natural but premature advance. Better is the immediate 9 R-KN1.

9 ...	B—K2

Hort fails to take advantage of his opponent's inaccurate play. By playing 9...P-R3 he could have obtained a definite advantage, taking control of the K4 square (after 10... PxP). And if 10 P-N6 then 10... Q-R5+.

10 R—KN1	NxN

Hort plays for quick counterplay but White obtains a positional advantage.

11 QxN	P—K4
12 Q—Q2	PxP
13 BxBP	N—K4
14 B—K2	B—K3
15 N—Q5	BxN
16 PxB	N—N3

The beginning of a dubious tactical operation. He should have reconciled himself to a passive but more promising plan — 16...Q-B2 and 17...0-0-0. If 17 R-N3 0-0 18 0-0-0 QR-Q1 and 19...KR-K1.

17 B—K3

Also strong is 17 0-0-0.

17 ...	P—R3!?
18 PxP	B—R5+
19 K—Q1	PxP
20 BxKRP	B—B3!

If 20...Q-B3 21 B-K3 (21...QxP? 22 B-Q4 +—) or 20...Q-Q2 21 B-N7 with an excellent game in each case.

21 P—B3	B—K4

Karpov's judgement here and the way he conducted the remainder of the game earned him the praise of all the Grandmasters assembled in Moscow. He himself considers this game to be one of his finest creative achievements.

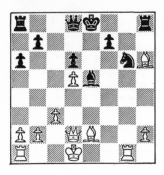

White is a pawn up but it is not easy to keep his advantage because his king has been deprived of the right to castle and stands on a central file. This gives Black some attacking chances.

At the same time, Black's king is almost ready to move to the protected Q-side. Black threatens 22... Q-R5 and if 22 B-N5 Q-N3 23 B-K3 Q-B2 when White doesn't have much of an advantage.

Now Karpov had to decide on a plan. Undoubtedly even the most experienced players would have chosen 22 K-B2, caring first about the safety of their king. But Karpov solves the problems of the position in a most original way: his immediate plan was to prevent the black king from reaching the Q-side and at the same time to try and keep his extra pawn.

22 R—N4!	Q—B3

Better is 22...BxRP 23 K-B2 (Kotov suggested 23 B-Q3) 23...N-K4 24 R-N4 Q-B3 with an unclear position — Karpov.

23 P—KR4!	Q—B4
24 R—N4!	

Now 24...0-0-0 is not possible because of 25 B-N4 winning the queen.

24 ...	B—B3

If 24...R-KN1 25 B-Q3 Q-B6+ 26 K-B2 followed by B-K4 with a clear

advantage to White — Karpov.

25 P—R5   N—K2

It is not possible to go back to K4 because of 26 R-KB4.

26 R—KB4!   Q—K4

27 R—B3!

The threat of 28 B-B4 makes Hort decide on the following dangerous idea.

27 ...   NxP

28 R—Q3   RxB

Forced. If 28...N-K2 then White gets a strong attack by 29 B-B4. It is interesting to see how skilfully White has hindered Black's castling while keeping his own king quite safe.

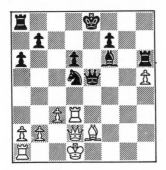

29 RxN!

The only way. If 29 QxR B-N4 and 30...N-K6+ when White's king could be in difficulties. Karpov is attentive to the end.

29 ...   Q—K5

29...Q-K3 30 RxP QxR 31 QxQ R-Q1 32 QxR+ KxQ would prolong the game without affecting the result.

30 R—Q3!

Of the previous nine moves White made seven with this rook and managed to get a winning position!

30 ...   Q—R8+

31 K—B2   QxR

32 QxR   B—K4

33 Q—N5

Here **Black lost on time** but his position was hopeless anyway.

342   Tukmakov-Karpov
Ruy Lopez

1 P-K4 P-K4 2 N-KB3 N-QB3 3 B-N5 P-QR3 4 B-R4 N-B3 5 0-0 B-K2 6 R-K1 P-QN4 7 B-N3 P-Q3 8 P-B3 0-0 9 P-KR3 N-N1 10 P-Q4 N/N1-Q2 11 P-B4 P-B3 12 BPxP RPxP 13 N-B3 B-R3 14 P-R3 P-B4 15 PxBP PxP 16 B-N5 P-B5 17 B-B2 Q-B2 18 N-KR2 Q-N3 19 N-N4 KR-K1 20 Q-B3 B-N2 21 BxN Drawn

343   Karpov-Bronstein
Sicilian Defence
Notes by Karpov

1 P-K4 P-QB4 2 N-KB3 P-Q3 3 P-Q4 PxP 4 NxP N-KB3 5 N-QB3 P-QR3 6 B-K2 P-K4 7 N-N3 B-K3 8 P-B4 Q-B2 9 0-0 QN-Q2 10 P-B5 B-B5 11 P-QR4 B-K2 12 B-K3 0-0 13 P-R5 P-QN4 14 PxPep NxNP 15 K-R1 KR-B1 16 BxN QxB 17 BxB RxB 18 Q-K2 R-N5 19 R-R2 P-R3 If 19... Q-N2 20 N-R5 Q-B2 21 N-Q5 NxN 22 PxN R-N4 23 Q-B4± . **20 R/1-R1 B-B1 21 R-R4!** If 21 RxP RxR 22 RxR Q-N2 23 N-R5 Q-B2 and Black wins back the pawn. **21...R-B1 22 RxR QxR 23 QxP**

23...RxN Otherwise Black has no counterplay. e.g. 23...R-B5 24 R-R4 RxP 25 Q-B1 R-KB5 (or 25...QxR 26 NxQ RxN 27 P-N3±) 26 QxR QxQ

28 RxQ±. **24 PxR QxKP 25 Q-Q3 Q-KB5 26 R-KB1 Q-KR5 27 N-Q2** Not 27 P-B4? N-N5 28 Q-N3 QxQ 29 PxQ N-K6 and Black can draw. **27... P-K5 28 Q-N3 QxQ 29 PxQ P-Q4 30 R-QN1!** B-Q3 31 K-N1 BxP Black's knight is tied to the defence of the QP. e.g. 31...N-N5 32 R-N5. **32 K-B1 B-B5 33 K-K2 N-R4 34 N-B1 B-K4 35 N-K3 BxP 36 R-N8+ K-R2 37 NxP N-N6+ 38 K-B2 B-Q5+ 39 K-K1 NxP 40 R-N4 N-K6 41 K-K2 B-B4 42 R-N5 NxN 43 RxB N-B5+ 44 K-B2 K-N3 45 P-N3 N-K3 46 R-Q5!** P-B4 47 P-B4 P-B5 48 P-B5 P-K6+ 49 K-B3 PxP 50 KxNP P-R4 51 P-B6 P-K7 Or 51...P-R5+ 52 KxP P-K7 53 R-K5 N-Q5 54 RxP!+—. **52 K-B2 K-B3 53 R-Q7 Resigns**

344   Korchnoy-Karpov
English Opening
1 P-QB4 P-QB4 2 N-KB3 N-KB3 3 P-KN3 P-Q4 4 PxP NxP 5 B-N2 P-KN3?! 6 P-Q4 B-N2 7 P-K4 N-B2 8 P-Q5 N-N4 9 0-0 0-0 10 Q-B2 N-R3 11 B-B4 B-N5
12 QN—Q2

12 ...   N—Q5!
It is only possible to play such a move after all the positional factors have been correctly assessed. Black actually deprives himself of his active knight which is trying to establish

itself on Q5, and simultaneously he closes the long diagonal, blocking his bishop.

The fact that the young Grandmaster could forsee the future developments and decide on this seemingly doubtful exchange speaks volumes for his skill in correctly appreciating the positional factors.

Karpov's trainer, Grandmaster Furman, was quite right when someone expressed some doubts about this exchange. "Tolya isn't a little boy.." said Furman. "...He knows which piece to exchange and which to leave."

13 NxN   PxN
14 N—B3!
Here it is — the danger is near: the knight is intending to go to Q3 after which Black can say goodbye to his active KB. Korchnoy might perhaps play to reach Q3 via K5, gaining a tempo on the black QB.
14 ...   Q—N3
15 N—K5?
Correct was 15 Q-Q2 and then N-K5.
15 ...   BxN!
It does not seem natural to exchange the fianchettoed bishop but this *is* the best move because of the concrete factors of the position.
16 BxB   P—B3
17 B—B4   QR—B1

Suddenly Korchnoy has problems which aren't easily solved. Firstly he has to find a convenient place for his queen. She cannot go to Q2 because ...P-N4 wins the bishop. 18 Q-N1 is passive and in addition 18...B-K7 followed by ...P-Q6 is dangerous.

Secondly, White must defend against the threats of ...N-N5 followed by ...R-B7.

And thirdly, the QNP must be kept guarded.

There are so many problems that even a player as ingenious as Korchnoy is not able to solve them.

| 18 Q—R4 | P—N4 |
| 19 B—B1 | B—K7 |

Also possible is 19...N-N5.

| 20 R—K1 | P—Q6 |
| 21 B—B1 | |

Aiming to improve his position by sacrificing the exchange: 21...Q-N5 22 QxQ NxQ 23 BxB N-B7 24 BxQP. But Karpov isn't satisfied with such insignificant trophies.

21 ...	BxB
22 RxB	R—B7
23 B—K3	N—B4!
24 Q—Q4	

If 24 Q-R3 R-B1.

24 ...	P—K4!
25 PxPep	QxKP
26 QR—B1?	

With the clear intention, by playing P-QN4, to destroy the public enemy number one — the black QP. But it is impossible to fulfil this task and Karpov proves it with the help of his tactical subtlety.

Better was 26 P-QN4 NxP 27 QxQP R-B6 when Black still has the advantage.

| 26 ... | R—B1 |
| 27 P—QN4 | NxP! |

"A combination of strategical wisdom and tactical ingenuity — the main characteristic of Karpov's chess playing skill." — Kotov.

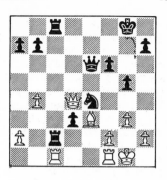

28 RxR

On 28 QxQP Karpov had intended the decisive 28...NxBP!

28 ...	PxR
29 R—B1	P—N3
30 P—B3	N—Q3
31 Q—Q3	R—B3
32 P—QR4	Q—B5
33 Q—Q2	N—B2

Black is trying to attack on the K-side and so Korchnoy attempts to complicate the game with a desperate tactical attack.

34 P—B4	P—N5
35 P—N5	R—B1
36 Q—Q7	P—KR4
37 K—B2	Q—B6
38 Q—B5	R—K1!
39 Resigns	

On 39 R-K1 comes 39...QxR+ 40 KxQ P-B8(Q)+.

---

345   Karpov-Stein
Ruy Lopez

1 P-K4 P-K4 2 N-KB3 N-QB3 3 B-N5 P-QR3 4 B-R4 N-B3 5 0-0 B-K2 6 R-K1 P-QN4 7 B-N3 P-Q3 8 P-B3 0-0 9 P-KR3 N-N1 10 P-Q4 N/N1-Q2 11 B-N5 B-N2 12 QN-Q2 P-R3 13 B-KR4 R-K1 14 Q-N1 P-B4 15 P-R4 P-N3 16 PxBP NxBP 17 PxP PxP 18 RxR Drawn

346   Smyslov-Karpov
              Catalan
          ⹒ Notes by Karpov
1 P-Q4 N-KB3 2 P-QB4 P-K3 3
P-KN3 P-Q4 4 B-N2 PxP 5 Q-R4+
QN-Q2 6 QxBP P-QR3 7 N-Q2 P-B4
8 PxP BxP 9 N-N3 B-K2 10 N-B3
More active is 10 B-Q2 threatening
11 B-R5. **10...P-QN4 11 Q-Q4** Or 11
Q-B3 P-N5 12 Q-Q4 B-N2=. **11...
B-N2 12 0-0 0-0 13 R-Q1 P-QR4! 14
B-N5** If 14 P-QR4 B-Q4∓. **14...P-R5
15 N-B1 P-R3 16 BxN NxB 17 N-Q3
Q-N1** Possibly better was 17...R-B1.
**18 Q-K5! N-Q4 19 QxQ QRxQ 20
P-QR3** Not 20 N-Q4 P-N5. **20...N-N3
21 N̂/B3-K5** If 21 N-Q4 BxB 22 KxB
B-B3. **21...BxB 22 KxB KR-B1 24
QR-B1 N-B5 24 P-K3 Drawn** Black
still has a very slight edge but
nothing tangible.

347   Karpov-Savon
              Ruy Lopez

1 P—K4	P—K4
2 N—KB3	N—QB3
3 B—N5	P—QR3
4 B—R4	N—B3
5 0—0	NxP
6 P—Q4	

This is rightly considered to be
strongest since the alternative, 6
R-K1 N-B4 7 BxN QPxB 8 NxP
B-K2 9 P-Q4 N-K3 10 P-B3 0-0,
enables Black to equalize.

  6 ...   **P—QN4**

The remarkable Riga Variation,
6...PxP 7 R-K1 P-Q4 8 NxP B-Q3
gives White better chances: 9 NxN
BxP+ 10 K-R1 Q-R5 11 RxN PxR 12
Q-Q8+ QxQ 13 NxQ KxN 14 KxB
Capablanca-Edward Lasker, New
York 1915.

  7 B—N3   **P—Q4**
7...PxP 8 R-K1 P-Q4 is bad
because of 9 N-B3! with advantage to
White.

  8 PxP   **B—K3**

9 P—B3
This allows White to avoid the
exchange of his KB and creates an
operational base on Q4 for one of the
knights.

  9 ...   **B—QB4**
  10 QN—Q2   **0—0**
  11 B—B2
White attacks the unfortunate
knight at K4. Now, if 11...NxN, it is
essential to reply 12 QxN! in order to
prevent ...P-Q5. The reply 11...P-B4
evidently doesn't appeal to Savon as
its many variations have been worked
out as far as move thirty. (See for
example the famous Smyslov-Resh-
evsky game from the 1945 USSR-
USA Radio Match.)

  11 ...   **B—B4**
  12 N—N3
12 Q-K2 is not good because of
12...NxQBP.

  12 ...   **B—KN3**
Black rightly does not fear 13 NxB
NxN. The move 12...B-KN5 gives
White a somewhat better position
after 13 NxB NxN 14 P-KR3 BxN 15
QxB NxP 16 BxP+ KxB 17 Q-R5+
K-N1 18 QxN N-Q6 19 Q-Q4 NxB 20
QRxN. But on (12...B-KN5) 13 BxN
PxB 14 QxQ QRxQ 15 N-N5 B-N3
16 NxKP NxP White has nothing.

  13 N/B3-Q4!   **BxN**
13...NxKP is weak because of 14
P-B3 or 14 P-KB4. The exchange on
Q5 is practically forced as after 13...
Q-Q2, 14 P-B3 wins a piece, while
after 13...NxN 14 PxN B-K2 15 B-K3
P-QR4 16 P-B3 N-N4 17 BxN
BxB/N4 18 BxB RPxB 19 P-B4 B-K2
20 R-K1 White takes complete con-
trol of the QB5 square.

  14 PxB   **P—QR4**
14...P-B3 is no good on account of
15 P-B3 N-N4 16 BxB RPxB 17 BxN
PxB and Black has a bad pawn
structure.
14...Q-Q2 fails to 15 P-B3, winning

a piece.

15 B—K3   N—N5

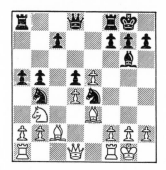

The beginning of a tempting combination. However, White's position is not so bad that it is possible to destroy it with a knight hop and a pawn push! Better is 15...P-R5 16 N-Q2 N-R4! 17 P-QN3 PxP 18 PxP N-B3 with quite acceptable play for Black.

16 B—N1   P—R5
17 N—Q2   P—R6
18 Q—B1!

If 18 Q-N3, N-B3 equalizes.

On 18 PxP would follow 18...RxP and not the tempting 18...N-B6 because of 19 Q-N3!

18 ...   R—R3

After the exchanges 18...PxP 19 QxP NxN 20 BxN Black's attack is refuted; but on the other hand, in continuing with his combination, Black falls into a pin. And if 18...P-QB4 19 PxP P-Q5 20 NxN PxB 21 PxRP PxP+ 21 NxP.

19 PxP   R—QB3
20 Q—N2

Also sufficient was 20 PxN RxQ 21 RxR with rook, bishop and pawn for

the queen and a good position as well.

20 ...   N—B7
21 R—B1!

The knight has walked into a fatal pin and cannot escape without loss of material. Black has only calculated the variation 21 BxN NxN 22 BxB NxR in which, after 23 BxRP+ KxB 24 RxN, there are at least chances of drawing.

21 ...   NxB

If 21...NxR 22 RxR and the knight on R8 is lost.

22 RxR   NxBP

Even this tactical trick is no help. Slightly better is 22...N-Q8 23 Q-B1 N/Q8xP but even then, after 24 NxN NxN 25 RxP White's material advantage will tell.

23 N—B1!

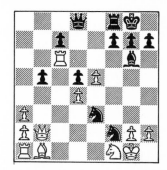

At once clarifying the position as Black's knights are stranded in the enemy camp.

23 ...   Q—Q2
24 NxN

The simplest. After 24...QxR 25 KxN P-B3 26 BxB PxP+ 27 B-B5 P-N3 28 PxP White has an extra piece. So —

24 ...   Resigns

Hastings 1971-72

		1	2	3	4	5	6	7	8	9	10	11	12	13	14	15	16	
1	Korchnoy	x	1	½	½	½	½	0	1	1	1	½	1	1	½	1	1	11
2	Karpov	0	x	1	1	½	½	½	½	½	1	½	1	1	1	1	1	11
3	Mecking	½	0	x	½	½	1	½	½	1	½	½	1	½	1	1	½	9½
4	R. Byrne	½	0	½	x	½	1	1	½	½	½	1	0	½	1	1	1	9½
5	Gligoric	½	½	½	½	x	½	½	½	½	½	½	½	½	½	1	1	8½
6	Najdorf	½	½	0	0	½	x	1	½	½	1	½	½	1	½	½	1	8½
7	Andersson	1	½	½	0	½	0	x	½	½	1	½	½	½	½	½	1	8
8	Unzicker	0	½	½	½	½	½	½	x	½	½	1	1	½	½	½	½	8
9	Pfleger	0	½	0	½	½	½	½	½	x	½	½	½	½	½	1	1	7½
10	Kurajica	0	0	½	½	½	0	0	½	½	x	½	½	1	½	1	1	7
11	Ciocaltea	½	½	½	0	½	½	½	0	½	½	x	½	½	½	½	½	6½
12	Botterill	0	0	0	1	½	½	½	0	½	½	½	x	½	½	0	1	6
13	Hartston	0	0	½	½	½	0	½	½	½	0	½	½	x	½	1	½	6
14	Keene	½	0	0	0	½	½	½	½	½	½	½	½	½	x	½	0	5½
15	Markland	0	0	0	0	0	½	½	½	0	0	½	1	0	½	x	1	4½
16	Franklin	0	0	½	0	0	0	0	½	0	0	½	0	½	1	0	x	3

348 Pfleger-Karpov
Queen's Indian Defence

1 P-Q4 N-KB3 2 P-QB4 P-K3 3
N-KB3 P-QN3 4 P-KN3 B-N2 5 B-N2
B-K2 6 N-B3 N-K5 7 Q-B2 NxN 8
QxN 0-0 9 0-0 P-Q3 10 P-N3 P-QB4
11 B-N2 B-KB3 12 Q-B2!? 12 Q-Q2
Q-K2 13 QR-Q1 R-Q1! is also not
bad for Black. **12...N-B3 13 QR-Q1
Q-K2 14 P-K4 P-N3 14...PxP 15
NxP±. 15 P-Q5 N-N5 16 Q-Q2 BxB
17 QxB PxP 18 KPxP QR-K1 19
P-QR3 N-R3 20 KR-K1 Q-Q1 21
N-Q2 P-B4 22 P-B4 N-B2 23 P-QN4
B-R3 24 Q-B3 RxR+ 25 RxR R-K1
26 RxR+ QxR 27 K-B2 Q-K2 28
B-B1 N-K1 29 B-K2 N-B3 30 B-B3
K-B2 31 P-R3 B-B1 32 N-B1 PxP 33
PxP Q-B2 34 N-K3 P-KR4 35 P-N5
P-QR3 36 PxP BxP 37 P-N4 RPxP 38
Drawn

349 Karpov-R. Byrne
Sicilian Defence

1 P-K4 P-QB4 2 N-KB3 N-QB3 3
P-Q4 PxP 4 NxP N-B3 4 N-QB3
P-Q3 6 B-KN5 B-Q2 7 Q-Q2 R-B1
8 0-0-0 NxN 9 QxN Q-R4 10 P-B4
P-KR3 10...RxN 11 PxR P-K4 12
Q-N4 QxQ 13 PxQ NxP 14 B-R4
P-KN4! is also interesting. **11 B-R4
P-KN4 12 P-K5!** Improving on the
game R. Byrne-Mestrovic, Hastings
1970-71 which went 12 B-K1 B-N2 13
P-N3? (13 P-K5 is still best) 13...
N-R4 14 P-K5 B-QB3 with equal
chances. **12...PxB** If 12...B-N2 13
B-K1 N-R4 14 N-Q5! QxP 15 NxP!
Q-R8+ 16 K-Q2 RxP+ (16...Q-R4+
17 P-N4 is no better for Black. e.g. (i)
17...PxP 18 PxQ PxQ 19 NxR; or (ii)
17...RxP+ 18 KxR Q-R7+ 19 K-B1
NxP 20 QxQP Q-R6+ 21 K-Q2!) 17

KxR B-R5+ 18 P-N3 Q-R7+ 19 K-B1 BxP 20 R-Q2 Q-R6+ 21 R-N2 and White wins. Presumably Karpov had worked all this out at home. **13 PxN P-K3 14 B-K2 B-B3 15 KR-K1!**

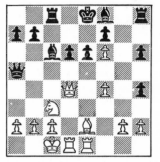

Black's king has nowhere to hide. **15...R-KN1** If 15...BxP 16 B-N4 and White threatens both 17 P-B5 and 17 BxKP PxB 18 P-B7+. **16 B-B3 K-Q2 17 R-K5 Q-N3 18 QxQ PxQ 19 B-R5!** RxP **20 BxP RxRP 21 BxP+ K-B2 22 R-K3 R-Q1 23 N-Q5+ BxN 24 RxB R-B7 25 P-B5 P-R4 26 R-QB3+ K-N1 27 P-R4!** R-B5 Or 27...B-R3+ 28 K-N1 B-B5 29 P-B7 B-K4 30 RxB PxR 31 R-B8+! and a new queen appears. **28 R-QR3! R-KN5** Black is helpless. If 28...P-R6 29 RxP RxRP 30 RxP **29 P-R5 B-R3+ 30 K-N1 PxP 31 R/5xRP K-B2** White was threatening 32 R-R8+ K-B2 33 R-QB3+. **32 R-N5 R-N6 33 R-R7 R-QN1 34 B-Q5 R-N8+ 35 K-R2 R-KB8 36 R/7xP RxR 37 RxR+ K-Q1 38 B-K6 P-R6 39 R-Q7+ K-K1 40 R-QB7! Resigns**

350 Botterill-Karpov
Queen's Gambit Declined
Notes by Karpov
1 P-Q4 N-KB3 2 P-QB4 P-K3 3 N-KB3 P-Q4 4 N-B3 B-K2 5 B-N5 0-0 6 P-K3 P-KR3 7 B-R4 P-QN3 8 BxN BxB 9 PxP PxP 10 B-K2! B-N2 Also possible is 10...B-K3. **11 0-0**

R-K1?! Korchnoy-Geller, 5th match game 1971 went 11...Q-K2 12 Q-N3! R-Q1 13 QR-Q1 P-B4 14 PxP BxN 15 QxB±. Best seems 11...N-B3. **12 P-QN4 P-R3 13 Q-N3 Q-Q3 14 N-Q2?** Strong is 14 N-K1! followed by B-B3. **14...N-B3 15 P-QR3?!** Not 15 NxP? NxQP! nor 15 QxP NxQP 16 QxQ PxQ∓. But White should play 15 B-B3! so that the bishop is protected. **15...N-K2 16 B-B3 QR-Q1 17 P-N3 N-B4 18 Q-B2 P-N3 19 N-N3 R-K2 20 QR-Q1 Q-K3 21 N-B1 N-Q3 22 N-Q3 Q-B4 23 B-N2 P-KN4 24 Q-N3 N-K5 25 P-QR4 P-KR4 26 P-R3 B-N2 27 P-R5 Q-K3 28 N-R4 Q-Q3 29 KR-K1 R/1-K1?** Better is 29...K-R1 followed by ... P-R5 and ...P-KB4. **30 N-B3! K-R1 31 P-N5!**

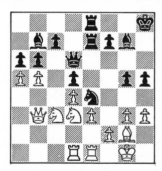

31...RPxP If 31...NPxP 32 N-B5! NxN 33 PxN QxBP 34 NxP. **32 NxNP Q-R3 33 N-B3 NxN 34 QxN PxP 35 QxRP** If 35 N-B5 B-QB1. **35...P-QB3 36 R-N1 P-R5 37 P-N4 P-KB4! 38 PxP B-QB1 39 R-N8** 39 R-N6 BxBP 40 N-N4 R-K3 41 R-QB1 P-N5 is less clear. **39...BxBP 40 Q-R8 Q-N3 41 N-N4 B-Q2 42 RxR+ RxR 43 Q-N7 R-K2 44 R-QB1?** Necessary was 44 P-B3. **44...P-N5 45 RxP Q-N8+ 46 B-B1** If 46 K-R2 P-N6+ 47 PxP PxP+ 48 KxP RxP+ winning. **46... PxP 47 Q-N5** The threat was 47... P-R7+. **47...R-K3** 47...BxB 48 QxB P-R7+ also wins after 49 KxP QxB

50 Q-B8+ K-R2 51 Q-KB5+ K-N1.
48 Q-N8+ R-K1 49 Q-Q6 R-KN1!\50
Resigns

351   Karpov-Hartston
            Sicilian Defence
1 P-K4 P-QB4 2 N-KB3 P-K3 3 P-Q4
PxP 4 NxP N-QB3 5 N-N5 P-Q3 6
P-QB4 N-B3 7 N/1-B3 P-QR3 8
N-R3 B-K2 9 B-K2 0-0 10 0-0 P-QN3
Possibly better is 10...B-Q2 11 B-K3
Q-N1. **11 B-K3 B-Q2** More accurate
is 11...B-N2. **12 R-B1 Q-N1 13
P-KN4** Fischer-Taimanov, Palma
Interzonal 1970 went 13 P-B3 R-R2
14 N-B2 R-Q1 15 Q-K1 B-K1 16
Q-B2 R-N2 17 P-QR4 P-QR4=. **13...
R-B1 14 P-N5 N-K1 15 P-B4 R-R2
16 Q-K1 R-N2 17 Q-R4 P-N3!** 18
R-B3 N-N2 19 N/1-B1 R-K1 20 B-Q3
The sacrificial line 20 N-B2 P-N4 21
N-Q5 PxN 22 BPxQP is less clear.
And if 20 R/3-B2 (threatening 21
N-Q5) then 20...B-KB1! so that after
an eventual N-Q5 PxN; BPxP Black
can retreat his QN to K2 and then
redeploy it at KB4. **20...P-KR4 21
Q-B2 N-N5!** 22 B-N1 B-QB3 23 R-R3
Not 23 B-Q4 P-K4 24 PxP PxP 25
RxP PxB! 26 RxN+ KxR 27 Q-B7+
K-R1 28 QxNP B-B4! winning. **23...
B-Q2** Otherwise 24 P-B5. **24 Q-R4
Q-B1 25 R-B1** Threatening 26 N-Q5!
PxN 27 BPxP Q moves 28 P-B5 with
a strong attack. **25...Q-N1 26 R-B1
Q-B1 27 R/3-B3 P-Q4!**

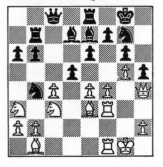

28 BPxP PxP 29 P-B5 B-B4 30 BxB
QxB+ 31 Q-B2 QxQ+ 32 R/3xQ
P-Q5 33 N-K2 P-Q6 34 PxP PxP Not
34...PxN? 35 PxP+ K-R2 36 P-K5+
winning. 35 N-B4 RxP 36 NxQP
R-N5+?! Correct is 36...B-R6. 37
R-N2 RxR+ 38 KxR NxN?! 38...
N-Q4! should hold. 39 BxN N-B4 40
BxP B-B3+? Much better was 40...
N-K6+ 41 K-N1 R-QR2 42 B-B4+
NxB 43 NxN B-N4 when White's
winning chances are small. 41 K-B2
R-Q2 42 R-B1 B-K5 43 B-K2 N-Q3?
Better 43...N-Q5. 44 N-B4 NxN
45 RxN B-Q4 46 R-N4 BxP 47
RxP K-N2 48 R-N4 B-N8 49 P-R4
K-B2 50 K-K3 R-K2+ 51 K-Q2
K-K3 52 R-N5 B-K5 53 P-N4 R-QB2
54 K-K3 B-N8 55 R-QB5 R-K2 56
B-B3 K-Q3 57 K-Q4 R-KB2 58
R-B6+ K-Q2 59 R-B6 R-K2 60 P-N5
Resigns

352   Ciocaltea-Karpov
            Ruy Lopez
1 P-K4 P-K4 2 N-KB3 N-QB3 3
B-N5 P-QR3 4 B-R4 N-B3 5 0-0
B-K2 6 R-K1 P-QN4 7 B-N3 P-Q3 8
P-B3 0-0 9 P-KR3 N-QR4 10 B-B2
P-B4 11 P-Q4 Q-B2 12 QN-Q2 N-B3
13 PxBP PxP 14 N-B1 B-K3 15 N-K3
QR-Q1 16 Q-K2 P-B5 17 N-B5 BxN
If 17...KR-K1 18 B-N5 N-Q2 19
BxB! NxB 20 N-N5± Fischer-
O'Kelly, Buenos Aires 1970. 18 PxB
P-R3 19 N-Q2! KR-K1 20 N-K4
N-N1! 21 P-QR4! QN-Q2! Not 21...
NxN 22 BxN N-Q2 because of 23 PxP
PxP 24 R-R6!±. 22 PxP PxP 23
B-K3 NxN 24 BxN N-B4! 25 BxN
BxB 26 KR-Q1 B-N3 27 P-KN3
Q-B4 28 **Drawn**

353   Karpov-Mecking
            Sicilian Defence
            Notes by Karpov
1 P-K4 P-QB4 2 N-KB3 P-Q3 3 P-Q4
PxP 4 NxP N-KB3 5 N-QB3 P-QR3 6

B-K2 P-K4 7 N-N3 B-K3 8 P-B4
Q-B2 9 P-QR4 N-B3?! Black should
play 9...QN-Q2 so as to meet P-B5
with ...B-B5. **10 P-B5 BxN 11 PxB
Q-N3 12 B-KN5 B-K2 13 BxN BxB
14 N-Q5!** Not 14 QxP? R-Q1 15
N-Q5 Q-R4+ 16 P-QN4 RxQ 17 PxQ
NxP with equality. **14...Q-R4+ 15
Q-Q2 QxQ+ 16 KxQ B-N4+** If 16...
0-0 17 B-B4 followed by 18 P-R5 and
a complete Q-side bind. **17 K-Q3 0-0
18 P-R4 B-Q1 19 QR-QB1 P-QR4?**
A better defence was 19...B-R4 20
R-B4 KR-N1 followed by ...K-B1. If
19...N-Q5 20 R-B3 followed by
P-QN4. **20 K-Q2 R-N1 21 P-KN4
N-N5** 21...N-Q5 22 R-R3 P-QN4? 23
BxP NxB 24 PxN RxP fails to 25
R-B6. Mecking hopes that the oppo-
site bishop complex will save him. **22
B-B4** 22 NxN PxN 23 P-N5 is also
good but the text is stronger. **22...
NxN 23 BxN P-KN4 22 PxPep RPxP
25 K-Q3 K-N2 26 P-R5 B-N3** If
26...B-N4 27 R-B7; or 26...R-KR1 27
KR-B1 P-B3 28 P-N5 R-KB1 29 PxP
winning easily. **27 R-R3 B-B4 28
R-B1** Threatening 29 P-R6+ K-N1
30 R-B6 and 31 RxNP+ **28...P-B3**

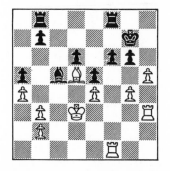

**29 PxP KxP 30 R/1-KR1 QR-K1 31
R-R7 K-N4** If 31...B-Q5 32 R/1-R5
keeping the king back. **32 K-K2
K-B5** If 32...KxP 33 R-N7+ K-B5 34
R-KB1+ and mate. **33 R/1-R3 B-Q5**
Or 33...KxP 34 R-R1 R-KN1 35 BxR

RxB 36 R-KB1 with an easy win. **34
R-N7 Resigns**

354   Keene-Karpov
           Sicilian Defence
        Notes by Karpov

**1 N-KB3 P-QB4 2 P-K4 P-K3 3 P-Q4
PxP 4 NxP N-QB3 5 N-QB3 P-QR3 6
P-KN3 KN-K2 7 N-N3 N-R4 8 B-N2
N/2-B3 9 0-0 P-Q3 10 NxN?!** For 10
N-Q2 see game 288. **10...QxN 11
N-K2 B-K2 12 P-N3 0-0** If 12...B-B3
13 B-Q2. **13 B-N2 B-Q2 14 P-QB4
KR-Q1** Not 14...P-QN4? 15 P-B5±.
15 P-QR4 QR-B1 16 B-QB3! Q-B2
17 Q-Q2 Better is 17 R-R2 followed
by Q-R1 and R-Q1 with some pres-
sure on Black's position. **17...P-QN3
18 Q-N2 B-B1 19 P-B4?** Correct was
19 QR-B1 Q-N1 20 N-Q4 N-K4 21
KR-Q1 P-QN4 22 RPxP PxP 23 PxP
BxP 24 NxB QxN 25 BxN=.

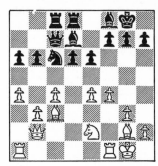

19...P-QN4! Now Black's minority
attack is most effective. **20 RPxP** If
20 BPxP PxP 21 N-Q4 PxP 22 PxP
N-R4. **20...PxP 21 PxP Q-N3+ 22
K-R1** Or 22 N-Q4 NxN 23 BxN
QxP∓. **22...QxP 23 P-QN4 P-Q4 24
QR-N1 R-N1 25 PxP PxP 26 P-B5
NxP 27 Q-Q2 R-K1 28 N-Q4 Q-B5
29 R/N1-Q1** Better was 29 KR-B1
N-R7 (not 29...N-Q6? 30 RxR RxR
31 B-B1 BxP 32 NxB Q-K5+ 33
B-N2 +—) 30 RxR RxR 31 B-B1
Q-R5 32 R-R1. **29...R/N1-B1 30**

B-R1 R-R1 31 R-B1 R-R7 32 Q-N5 Or 32 RxQ RxQ 33 R-B7 B-R5∓. **32...Q-R3 33 N-K6 P-R3 34 Q-N4 BxN** Certainly not 34...PxN?? 35 PxP threatening 36 RxB+ and mate on KN7. **35 BxNP Q-K7! 36 QxQ RxQ 37 BxB RxB 38 PxB PxP 39 R/B1-K1 R/1-B7 40 RxR RxR 41 Resigns**

---

355   Karpov-Franklin
           Sicilian Defence

1 P-K4 P-QB4 2 N-KB3 P-QR3 3 P-B3 P-Q4 4 PxP QxP 5 P-Q4 P-K3 Stein-Bolbochan, Stockholm 1962 went 5...N-KB3 6 B-K2 P-K3 7 0-0 B-K2 8 B-KB4 N-B3 9 N-K5 NxN 10 BxN 0-0 11 B-B3 Q-Q1 12 R-K1±. **6 B-K3 PxP 7 PxP N-KB3 8 N-B3 Q-QR4 9 B-Q3 N-B3 10 P-QR3 B-K2 11 0-0 0-0 12 Q-B2 B-Q2 13 P-QN4 Q-R4 14 N-K2 N-Q4 15 B-Q2 B-Q3 16 N-N3 BxN 17 BPxB QR-B1 18 Q-N2 P-B3 19 P-R3 P-KN4 20 P-N4 Q-R3 21 P-QR4 P-N4 22 PxP PxP 23 KR-B1 R-N1 24 R-B5 N-Q1 25 P-R4 Q-N2 26 PxP PxP 27 NxP N-N2 28 R/B5-B1 N-B5 29 BxN RxB 30 N-B3 QxNP 31 B-K2 N-Q1 32 R-B5 N-B2 33 R-R3 Q-N2 34 R-R7 B-K1 35 R-N5 QxR 36 NxQ NxN 37 P-Q5 Resigns**

---

356   Gligoric-Karpov
           Nimzo-Indian Defence

1 P-Q4 N-KB3 2 P-QB4 P-K3 3 N-QB3 B-N5 4 P-K3 0-0 5 B-Q3 P-B4 6 N-B3 P-Q4 7 0-0 PxBP 8 BxBP N-B3 9 P-QR3 B-R4 10 B-Q3 PxP 11 PxP B-N3 12 B-K3 N-Q4 13 NxN PxN If 13...QxN 14 Q-B2 Q-KR4 15 QR-Q1±. **14 P-R3 N-K2** More solid is 14...Q-Q3 followed by ...B-B2 and ...B-K3 **15 B-KN5** Better is 15 B-Q2. **15...P-B3! 16 B-Q2 B-B4 17 B-N4 BxB 18 QxB R-K1 19 KR-K1**

Q-Q2 20 B-B5 B-B2 21 BxN RxB 22 RxR QxR 23 Q-N5 Q-B2 24 K-B1 B-Q3 25 Drawn

---

357   Karpov-Kurajica
           Sicilian Defence
           Notes by Karpov

1 P-K4 P-QB4 2 N-KB3 N-QB3 3 P-Q4 PxP 4 NxP Q-B2 5 N-N5 Q-N1 6 P-QB4 N-B3 7 N/5-B3 P-K3 8 B-K3 B-K2 Better is 8...P-QN3 followed by ...B-B4. **9 B-K2 P-Q3 10 P-QR3 P-QN3 11 N-Q2 B-N2 12 P-B4 0-0 13 0-0 R-Q1 14 B-B3 B-KB1 15 B-B2?!** Strong is 15 P-QN4! **15...N-Q2 16 P-QN4 P-N3 17 R-B1 B-N2 18 N-N3 P-QR4** If 18...B-KR3 19 P-N3 P-KN4 20 B-K3 PxP 21 BxBP±. **19 P-N5 N-R2 20 N-R4! N-QB1 21 R-B2** If 21 P-KB5 R-K1 22 PxKP PxP 23 N-Q4 N-K4 24 B-N4 NxB 25 QxN Q-B2. **21...R-K1** 21...Q-B2 was not yet possible because of 22 Q-K2 N-B4 23 N/3xN NPxN 24 P-K5!±. **22 Q-K2 Q-B2 23 R-Q1 P-K4 24 P-KB5 PxP 25 PxP P-K5 26 B-N4** Not 26 B-Q4 N-B4!

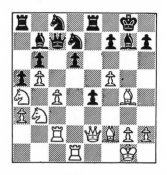

26...N-K4 Marginally better was 26...N-B4 27 N/3xN NPxN 28 B-R4 B-K4. **27 B-R3 R-N1 28 B-Q4 B-QR1 29 R-KB1 Q-K2 30 N-B3 P-Q4 31 NxQP BxN 32 PxB P-R5 33 N-Q2 N-B6+ 34 NxN PxN 35 Q-Q3 Resigns**

358   Unzicker-Karpov
Ruy Lopez
Notes by Karpov
1 P-K4 P-K4 . 2 N-KB3 N-QB3 3
B-N5 P-QR3 4 B-R4 N-B3 5 0-0
B-K2 6 R-K1 P-QN4 7 B-N3 P-Q3 8
P-B3 0-0 9 P-KR3 N-N1 10 P-Q4
QN-Q2 11 QN-Q2 B-N2 12 B-B2
R-K1 13 N-B1 B-KB1 14 N-N3 P-N3
15 B-Q2 More active is 15 B-N5 P-R3
16 B-Q2 B-N2 17 Q-B1 K-R2 18
P-KR4±. **15...B-N2 16 Q-B1 P-B4**
16...P-Q4 also leads to equality: 17
B-N5 Q-B1 18 QPxP NxP/5 19 NxN
PxN 20 BxP NxP. **17 B-R6** Threa-
tening 18 N-B5 PxN 19 Q-N5. **17...**
Q-K2 18 BxB KxB 19 Q-Q2 19 Q-N5
is met by 19...K-R1=. **19...N-N3 20**
QR-Q1 QR-B1 21 B-N1 N-B5 22
Q-B1 N-Q2! 23 P-N3 Drawn

359   Andersson-Karpov
Grunfeld Defence
1 N-KB3 N-KB3 2 P-KN3 P-B4 3
B-N2 P-KN3 4 0-0 B-N2 5 P-B4 P-Q4
6 P-Q4 BPxP 7 NxP 0-0 8 PxP NxP 9
N-N5 P-QR3 10 QN-B3 PxN 11 NxN
N-B3 12 B-N5 BxP 13 R-N1 B-N2 14
NxP+ NxN 15 Drawn

360   Karpov-Najdorf
Sicilian Defence
1 P-K4 P-QB4 2 N-KB3 P-Q3 3 P-Q4
PxP 4 NxP N-KB3 5 N-QB3 P-QR3 6
B-K2 P-K4 7 N-N3 B-K2 8 0-0 0-0 9
B-KN5 B-K3 10 P-B4 PxP 11 BxBP
N-B3 12 K-R1 P-Q4 13 P-K5 N-K5
14 NxN PxN 15 N-Q2 B-N4 16 NxP
Drawn

361   Korchnoy-Karpov
Queen's Pawn
1 P-Q4 N-KB3 2 N-KB3 P-K3 3
B-N5 P-QN3?! Best is 3...P-B4 4
P-B3 Q-N3 5 Q-B1 N-B3 with the
initiative. **4 P-K4 P-KR3 5 BxN QxB**
6 B-Q3 B-N2 7 QN-Q2 P-R3 7...N-B3
8 P-B3 0-0-0 9 Q-K2 K-N1 10 B-R6

B-R1 11 P-QR4 gives White a dan-
gerous attack. **8 Q-K2 P-Q3 9 0-0-0**
N-Q2 10 K-N1 P-K4 Maybe Black
should play 10...Q-Q1 followed by
...B-K2 and ...0-0. **11 P-B3 B-K2 12**
N-B4 0-0 13 B-B2 KR-K1 14 P-Q5!
P-B4 More active is 14...P-B3 15
N-K3 P-QN4. **15 N-K3 B-KB1 16**
P-KN4 Q-Q1 17 P-N5 P-KR4 On
17...PxP comes 18 QR-N1 P-B3 19
P-KR4 PxP 20 NxRP with a killing
attack.

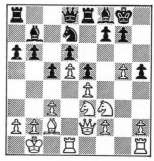

18 P-N6! PxP 19 KR-N1 Q-B3 20
N-N5 B-K2 21 N-K6 N-B1 The only
chance. If 21...QR-B1 22 R-N2 N-B1
23 R/1-N1 K-R2 24 NxN RxN 25
RxNP QxR 26 RxQ KxR 27 N-B5
with an overwhelming position. Or
21...KR-B1 22 R-N2 N-B1 23 R/1-N1
NxN 24 PxN K-R2 25 N-Q5. **22 N-B7**
Q-B2 23 QR-KB1 P-QN4 24 NxQR
BxN? Better was 24...RxN followed
by ...B-B1-Q2 where the bishop is
better placed. **25 P-QB4 R-N1 26**
B-Q3 Q-K1 If Black blocks the
Q-side with 26...P-N5 White con-
tinues N-B2-K1, B-B2, N-Q3 and
then P-B4. **27 R-B1 B-KB3 28 R-N2**
R-N3? 28...P-N5 was essential. **29**
R/1-N1 R-N1 30 Q-B1 P-N5 31
B-K2! Threatening 32 RxP NxR 33
BxP. **31...P-R5 32 RxP QxR 33 RxQ**
NxR 34 B-N4 N-B5 35 Q-Q1 P-N6 36
PxP B-N2 37 N-N2 Also strong is 37
P-N4 PxP 38 Q-R4. **37...B-QB1** If

37...NxN 38 B-K6+ K-B1 39 Q-R5. 38 BxB RxB 39 Q-N4 R-K1 40 NxN PxN 41 QxBP B-K4 42 QxP R-KB1 43 P-N4! B-Q5 After 43...PxP 44 P-B5 White soon makes a new queen. 44 PxP Resigns

362   Karpov-Markland
French Defence
Notes by Karpov

1 P-K4 P-K3 2 P-Q4 P-Q4 3 N-QB3 B-N5 4 P-K5 P-QB4 5 P-QR3 BxN+ 6 PxB Q-B2 7 N-B3 N-K2 8 P-QR4 P-QN3 9 B-QN5+ B-Q2 10 B-Q3 QN-B3 11 0-0 P-KR3 12 R-K1 N-R4 13 Q-Q2?! Probably stronger is 13 B-K3 which Robert Byrne employed (against Markland) with success in the same tournament. **13...R-QB1!** Not 13...0-0?! 14 Q-B4 P-B4 15 KPxPep QxQ 16 BxQ Mecking-Markland (also from an earlier round at Hastings). **14 P-R4 0-0 15 Q-B4 P-B4 16 KPxPep RxP 17 QxQ RxQ 18 PxP!** Not 18 N-K5? PxP 19 PxP N/2-B3 and White's Q-side is under pressure. **18...PxP 19 N-K5 B-B1 20 P-QB4** 20 P-N3 followed by B-KB4 gives Black fewer counterchances. **20...N/4-B3 21 B-N2 N-N5 22 P-QR5 R-B1 23 B-R3 PxP 24 NxP R-B5 25 N-Q6! NxB 26 PxN RxRP 27 N-K4 R-R4 28 R/K1-QB1 B-N2** If 28...P-B5 29 B-Q6 R-Q2 30 P-R6!±.

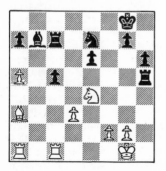

29 NxP B-Q4 30 P-B3 R-B4 31 P-R6

R-B2 **32 N-K4 N-B4 33 B-B5** Preventing 33...N-Q5. **33...R-QB1 34 B-B2 R/2-B2 35 RxR RxR 36 R-N1 N-K2 37 R-N8+ K-R2 38 K-R2 N-N3** If 38...N-B1 39 N-B5 and 40 R-N7! **39 N-B5** Still threatening R-N7! **39...R-B3** If 39...N-K4 40 R-N7 BxR 41 PxB N-Q2 42 P-Q4 and 43 B-N3 +—. **40 R-Q8 R-B2 41 R-Q7 RxR 42 NxR B-B3 43 N-N8 B-N4 44 BxP N-K2 45 B-N6 N-B1 46 B-B5 K-N3** Or 46...BxQP 47 P-R7 NxP 48 BxN B-N4 49 P-B4 +—. **47 P-R7 NxP 48 BxN P-K4 49 P-Q4 PxP 50 BxP K-B2 51 P-B4 P-N4 52 PxP PxP 53 K-N3 K-N3 54 K-B3 K-B4 55 P-N3** Naturally not 55 P-N4+?? K-N3 drawing. **55...Resigns**

Moscow 1972
(USSR Team Championship)

363   Karpov-Kudriashov
Sicilian Defence

1 P-K4 P-QB4 2 N-KB3 P-K3 3 P-Q4 PxP 4 NxP N-KB3 5 N-QB3 P-Q3 6 P-KN4 P-QR3 7 P-N5 KN-Q2 8 B-K3 P-N4 9 P-QR3 N-N3 10 Q-Q2 Q-B2 11 0-0-0 N/1-Q2 12 P-B4 N-R5 13 NxN PxN 14 N-K2 B-N2 15 B-N2 N-B4 16 N-B3 B-B3 17 BxN PxB 18 P-K5 B-K2 19 BxB+ QxB 20 Q-K2 P-B5 21 Q-K4 R-QB1 22 QxQ+ RxQ 23 NxP P-R3 24 P-R4 P-B6 25 NxP BxRP 26 N-K4 B-K2 27 P-N3 P-QR4 28 P-B3 P-R5 29 QNPxP R-R3 30 R-Q4 PxP 31 NxP P-B3 32 N-B3 K-B2 33 K-B2 KR-R1 34 R-R1 K-N3 35 R-Q7 B-B4 36 P-R5+ K-B4 37 RxP KxP 38 R-KB1 RxP 39 PxP K-K6 40 N-K5 K-K7 41 R-QN1 R-Q1 42 R-Q7 R-R7+ 43 R-N2 R/7xR+ 44 KxR R-QN1+ 45 K-B2 K-K6 46 P-R6 K-K5 47 N-B7 B-R6 48 P-R7 R-N7+ 49 K-Q1 K-K6 50 P-B4 Resigns

364 Karpov-Taimanov
Sicilian Defence
1 P-K4 P-QB4 2 N-KB3 P-K3 3 P-Q4
PxP 4 NxP P-QR3 5 B-Q3 B-B4 6
N-N3 B-N3 7 0-0 N-K2 8 Q-K2
QN-B3 9 B-K3 N-K4 If 9...BxB 10
QxB P-Q3 11 P-QB4. 10 P-QB4!
BxB 11 QxB Q-B2 12 P-B5! NxB
13 QxN P-QN3 14 PxP QxNP 15
N/1-Q2 P-Q4 16 P-K5! B-Q2 17
KR-B1 0-0 18 Q-Q4! Q-N1 18...QxQ
19 NxQ KR-B1 20 N/2-N3 N-B3 21
NxN BxN 22 N-Q4 (or 22 R-B3) gives
White much the better ending. 19
N-B3 N-B3 If 19...N-B4 20 Q-KB4±.
20 Q-K3 R-B1 20...P-B3? allows 21
N-B5.

21 R-B5 P-QR4 22 R/1-QB1 P-R5 23
N/N3-Q4 N-R4 23...NxN 24 QxN is
no better for Black. 24 RxR+ BxR
25 P-QN3 B-Q2 Or 25...PxP 26 PxP
B-Q2 27 P-R4± 26 P-R4 P-R3 27
P-KN4! Q-N2 Better was 27...Q-Q1.
28 P-R5 N-B3 If 28...R-QB1 29
RxR+ QxR 30 P-N5. 29 P-N5 NxN
30 NxN PxP 31 QxP K-R2 32 R-B3!
Q-N5 Better 32...Q-N3, but Black's
position is hopeless anyway. 33 R-N3
R-KN1 34 N-B3 PxP 35 PxP QxP?
35...Q-B1 would have offered more
resistance. 36 Q-B1! Q-R7 37 N-N5+
K-R1 38 NxBP+ K-R2 39 Q-N5
Q-N8+ 40 K-R2 Resigns There is no
defence to the threat of 41 Q-N6+
QxQ 42 PxQ mate.

365 Kjarner-Karpov
Torre Attack
1 P-Q4 N-KB3 2 N-KB3 P-K3 3
B-N5 P-B4 4 P-K3 Q-N3! 5 QN-Q2
QxP Not 5...P-Q4? 6 BxN PxB 7
P-B4! when Black's king is rather
insecure. 6 B-Q3 If 6 B-QB4 P-Q4! 7
R-QN1 Q-B6 8 B-N5+ N-B3 9 N-K5
N-K5 10 NxN P-QR3!∓. 6...P-Q4 7
P-B4 Q-B6 8 N-K5 KN-Q2 9 R-QB1
Q-R6 10 NxN BxN 11 B-N1 P-KR3
12 B-B4 BPxP 13 0-0 B-Q3 14 BxB
QxB 15 BPxP KPxP 16 P-K4 N-B3
17 Q-N3 N-R4 18 Q-Q3 N-B3 19
KR-K1 B-K3 20 P-B4 0-0-0 21 P-K5
Q-N5 22 P-B5 B-Q2 23 P-K6 PxP 24
PxP B-K1 25 N-N3 Q-N3 26 P-QR4
If 26 NxP K-N1 and Black will reach
the ending with a sound extra pawn.
26...K-N1 27 R-B5 Q-N5 28 Q-N3+
K-R1 29 R-N5 Q-K2 30 N-B5 P-R3
31 Q-QR3 R-QN1 32 B-Q3 P-QN3
33 P-R5 PxN 34 R-N6 RxR 35 PxR
P-B5 36 QxP+ K-N1 37 R-R1 Q-N2
38 Q-R3 PxB 39 Q-Q6+ K-B1 40
R-R8+ N-N1 41 Q-B5+ B-B3 42
Q-Q6

42...P-Q7??? Two pieces ahead,
Karpov ruins a beautifully managed
game with this tempting move.
Correct was 42...B-N4 43 R-R7 P-Q7
44 RxQ P-Q8(Q)+ 45 K-B2 R-B1+
46 K-N3 (or 46 QxR+ KxR —+)
46...Q-K8+ 47 K-R3 Q-K6+ —+.
43 RxN+ Resigns It's mate in two
after 43...QxR 44 QxB+.

366   Karpov-Kuzmin
Sicilian Defence
1 P-K4 P-QB4 2 N-KB3 P-K3 3 P-Q4
PxP 4 NxP N-QB3 5 N-N5 P-Q3 6
P-QB4 N-B3 7 N/1-B3 P-QR3 8
N-R3 B-K2 9 B-K2 0-0 10 0-0 B-Q2
11 B-K3 Q-R4 12 Q-K1 KR-K1 13
R-Q1 QR-Q1 14 P-B3 B-QB1 15
N-B2 Q-B2 16 Q-B2 N-Q2 17 R-B1
B-B3 18 N-R3 Q-R4 19 KR-Q1 N-B4
20 N/R3-N1 R-Q2 21 B-B1 Q-Q1 22
N-Q2 K-R1 23 N-N3 P-QN3 24 R-Q2
Q-K2 25 N-Q4 BxN 26 BxB NxB 27
RxN P-QR4 28 R/1-Q1 B-N2 29
Q-N3 R/1-Q1 30 N-N5 P-K4 31
Drawn

367   Karpov-Lapenis
The score of this drawn game is
not available.

368   Karpov-Gipslis
Pirc Defence
**1 P-K4 P-Q3 2 P-Q4 N-KB3 3
N-QB3 P-KN3 4 B-KN5 P-B3 5
Q-Q2 QN-Q2 6 P-B3 P-N4 7 N-R3
B-KN2 8 B-R6 0-0** 8...BxB 9 QxB
Q-R4 appears to be satisfactory,
forcing the white queen to return to
Q2. **9 N-B2 P-K4 10 BxB KxB 11
0-0-0 Q-R4 12 K-N1 R-K1 13 P-KR4
P-R4 14 P-KN4 N-N3 15 P-N5** 15
PxP NxRP offers only equal chances.
15...KN-Q2 16 P-R3 R-QN1

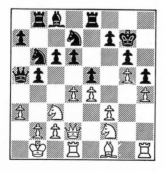

17 P-B4? White underestimates his
opponent's threats and at once gets
into a difficult position. He could
have offered the exchange of queens
by 17 N-R2 and Black can hardly
refuse the exchange without wea-
kening his position. After 17...QxQ
18 RxQ White's position is prefer-
able as he can double rooks on the
Q-file. It is true that after 18...P-R4
19 B-K2 K-B1 20 KR-Q1 K-K2 there
is no clear way for White to streng-
then his position but he still has the
initiative.

Another strong continuation, sug-
gested by Gipslis after the game, was
17 P-Q5. **17...N-B5! 18 Q-K1** A sad
necessity. After 18 BxN PxB Black
threatens 19...QxRP. 19 QR-KB1 is
also dubious because of 19...QxP 20
N/2-Q1 PxQP 21 QxP+ K-N1 22
K-B1 Q-B4. **18...PxBP 19 N-Q3
N-K6 20 R-Q2 P-QB4! 21 R-B2
P-N5?** This unjustified attempt to
complicate the struggle puts the case
in doubt. 21...PxP 22 N-K2 QxQ+
23 NxQ RxP gave Black sufficient
advantage to win. Instead of 22 N-K2
White should play 22 RxP but after
22...N-B5! 23 N-Q5 QxQ+ 24 NxQ
RxP Black's victory is just a matter
of time. **22 N-R2 RxP 23 RxP?** Now
White dies without a fight, whereas
after 23 PxBP! PxBP 24 RxP he
would obtain dangerous counterplay.
**23...RxR 24 NxR PxQP! 25 PxP
Q-KB4** Now the attack on QB7 con-
cludes the fight. **26 N-Q3 N-K4 27
B-K2 B-K3 28 N/2-B1 R-QB1 29
B-Q1 N/4-N5** Black's attack deve-
lops of its own account. **30 Q-Q2
K-N1** Removing his king from a
possible check. Black is in no hurry.
31 BxN If 31 N-K1 NxB and 32...
N-K6. **31...PxB 32 N-K1 Q-K5 33
R-N1 B-B4 34 Q-Q3** Desperation. If
34 N/1-Q3 NxP wins. **34...Q-K4 35
Q-R6 Q-R7 36 Resigns**

369 Djindjihashvili-Karpov
Queen's Indian Defence
**1 P-Q4 N-KB3 2 P-QB4 P-K3 3
N-KB3 P-QN3 4 P-KN3 B-N2 5 B-N2
B-K2 6 N-B3 N-K5 7 B-Q2 P-Q4 8
PxP PxP 9 0-0 0-0 10 B-B4 N-Q2 11
Q-B2 P-QB4 12 NxN PxN 13 N-K5
N-B3** Better 13...PxP 14 BxP R-B1
when White must continue 15 Q-N1
with an unclear position, and not 15
BxP+?? K-R1 16 Q-B5 because of
16...N-B3 winning a piece. **14 PxP
BxP 15 B-N5 Q-B2** If 15...R-K1 16
BxN QxB 17 N-Q7∓. **16 N-B4 B-K2
17 QR-B1 KR-K1 18 N-K3 Q-K4**
After 18...QxQ 19 RxQ P-KR3 20
BxN BxB 21 KR-B1 QR-B1 22 RxR
RxR 23 RxR+ BxR 24 N-Q5, White
has slightly the better ending.

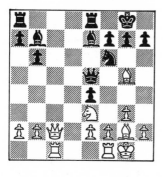

**19 B-B4 Q-KR4 20 P-KR3 R/K1-
QB1 21 Q-R4 QxKP 22 RxR+ RxR**
Naturally not 22...BxR 23 Q-B6. **23
QxP Q-R3 24 QxQ BxQ 25 N-B5
B-B4 26 R-Q1 P-N3 27 B-N5** Better
27 N-K3. **27...PxN 28 BxN B-B5 29
P-N3 B-K3 30 B-B1 K-B1 31 B-R6
R-R1 32 B-N7** If 32 R-Q8+ RxR 33
BxR P-B5! **32...R-N1 33 R-Q8+ RxR
34 BxR K-K1 35 B-N5 K-Q2 36 B-B4
B-Q3 37 B-K3 K-B2 38 B-QR6 P-B5
39 BxP BxRP 40 B-B4 BxB 41 PxB
Drawn**

370 Karpov-Smyslov
Petroff Defence
**1 P-K4 P-K4 2 N-KB3 N-KB3 3 NxP
P-Q3 4 N-KB3 NxP 5 P-Q4 B-K2 6
B-Q3 N-KB3 7 P-KR3 0-0 8 0-0 P-B4
9 N-B3 N-B3 10 R-K1 P-QR3 11
P-Q5 N-R2 12 P-QR4 B-Q2 13 P-R5
R-K1 14 B-B1 P-R3 15 B-KB4
B-KB1 16 RxR QxR 17 B-R2 Q-Q1
18 N-Q2 Q-B2 19 N/2-K4 NxN 20
NxN B-B4 21 N-Q2 R-K1 22 P-QB3
Q-Q1 23 Q-N3 Q-Q2 24 P-QB4 N-B1
25 P-N4 B-R2 26 B-Q3 BxB 27 QxB
P-KN3 28 R-N1 B-N2 29 P-N4 PxP
30 RxP Q-B2 31 N-N3 B-K4 32 BxB
RxB 33 K-N2 P-KN4 34 Q-Q4 Q-K2
35 N-Q2 R-K8 36 R-N3 R-K7 37
K-B3 R-K4 38 R-K3 P-B3 39 N-K4
K-N2 40 K-N2 Q-B2 41 R-KB3 P-N4
42 RPxPep Drawn**

371 Stein-Karpov
Grunfeld Defence
**1 P-QB4 P-QB4 2 N-KB3 N-KB3 3
N-B3 P-Q4 4 PxP NxP 5 P-Q4 NxN 6
PxN P-KN3 7 P-K4 B-N2 8 B-N5+
N-Q2 9 0-0 0-0 10 P-QR4 P-QR3 11
B-QB4 Q-B2 12 Q-K2 P-N3 13 P-K5
P-K3 14 N-N5 B-N2 15 P-B4 P-R3**
This move provokes a piece sacrifice.

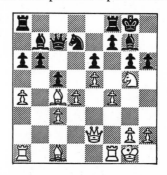

16 NxKP!? 16 P-B5 would have given
White more attacking chances: 16...
PxN (not 16...KPxP? 17 NxP nor
16...NPxP 17 N-R3±) 17 P-B6 B-R1
(after 17...B-R3 18 Q-N4 KR-Q1 19

Q-R3 B-KB1 20 BxKP PxB 21 P-B7+ K-N2 22 BxNP Black can resign) 18 BxNP and White continues with R-B4-R4. **16...PxN 17 BxKP+ K-R1 18 Q-N4 KR-Q1 19 P-B5** There was nothing in 19 P-Q5 N-B1 20 P-Q6 Q-B3! (after the counter-sacrifice on K4 White gets the advantage) and White's pieces are inactive. **19...N-B1 20 P-B6 NxB 21 QxN** Now White has no compensation for the piece. He should have played 21 PxB+ NxP 22 QxP Q-B3 23 R-B6 Q-K5 24 QxQ BxQ 25 RxRP+ with excellent drawing prospects. **21... B-KB1 22 Q-R3** White should have supported his QP with 22 B-K3. **22... PxP 23 PxP** Yet another mistake.

Better was 23 P-K6 QxBP 24 QxQ (not 24 R-R3? QxQ 25 PxQ B-B1) 24...PxP 25 P-K7. **23...RxP 24 P-K6** 24 BxP was possibly better. **24...B-B4** Now Black has taken the initiative. **25 K-R1** If 25 QxP+ Q-R2 26 QxQ+ KxQ 27 B-K3 (or 27 K-R1 R-K5 28 P-K7 R-K7) 27...R-KN5. Or 25 B-K3 R-Q7 26 QxP+ Q-R2 27 QxQ+ KxQ 28 B-B2 R-KB1 29 P-B7 R-K7 and Black wins. **25...P-KR4 26 R-R2 B-Q4 27 R-Q2 RxR 28 BxR Q-K4 29 Q-Q3 QxKP 30 QxNP Q-N5 31 Q-R6+ K-N1 32 P-B7+ BxP 33 B-B3 B-Q5 34 P-R3 Q-N2 35 Q-QB6 R-Q1 36 BxB QxB 37 Q-N7 R-Q2 38 Q-B6 K-N2 39 Q-B1 Q-K4 40 R-K1 Q-B3 41 R-B1 Q-Q5 42 Resigns**

Moscow 1972
(Double round blitz tournament)

1	Karpov	24 (out of 32)
2	Tukmakov	24
3	Kholmov	20½
4	Korchnoy	20½
5	Vasyukov	19½
6	Gufeld	18
7	Tal	17½
8	Stein	17
9	Bronstein	16
10	Polugayevsky	14
11	Taimanov	14
12	Balashov	13
13	Lutikov	13
14	Gipslis	12
15	Lein	10½
16	Vaganian	10½
17	Antoshin	8

372   Karpov-Vaganian
French Defence
1 P-K4 P-K3 2 P-Q4 P-Q4 3 N-QB3 B-N5 4 P-K5 N-K2 5 N-B3 P-QB4 6 P-QR3 BxN+ 7 PxB QN-B3 8 B-K2

Q-R4 9 0-0 QxBP 10 B-Q2 Q-N7 11 R-N1 QxRP 12 R-N3 Q-R7 13 Q-B1 Threatening 14 R-R3, against which there is no defence. **13...N-B4** If 13... N-N5 14 PxP. **14 R-R3 N/4xP 15**

B-Q3 Even better is 15 NxN NxN 16
B-QN5+! **15...NxN+ 16 PxN QxR 17
QxQ 0-0 18 QxBP NxP 19 B-K2
N-N3 20 Q-B7 P-B3 21 B-N4 R-B2
22 Q-Q8+ N-B1 23 B-N5 Resigns**

373   Karpov-Tukmakov
       Sicilian Defence
1 P-K4 P-QB4 2 N-QB3 P-Q3 3 N-B3
P-K3 4 P-Q4 PxP 5 NxP N-KB3 6
B-K2 N-B3 7 B-K3 B-K2 8 P-B4
B-Q2 9 0-0 NxN 10 BxN B-B3 11
B-Q3 0-0 12 Q-K2 P-QR3 13 P-QR4
Q-R4 14 Q-B2 N-Q2 15 KR-N1 P-K4
16 B-K3 N-B3 17 P-R3 PxP 18 QxP
Q-K4 19 QxQ PxQ 20 P-QN4 QR-B1
21 P-N5 B-Q2 22 N-Q1 P-QR4 23
P-N6 B-B3 24 N-B2 KR-Q1 25 K-B1
B-N5 26 K-K2 P-R3 27 P-N4 N-Q2
28 B-Q2 BxB 29 KxB N-B4 30 K-K3
NxRP 31 R-R3 R-Q5 32 P-B3 R-Q3
33 B-B2 N-B4 34 RxP N-Q2 35 N-Q3
P-B3 36 B-N3+ K-B1 37 B-R2 R-Q1
38 B-B4 K-K2 39 R-N4 N-B1 40
N-B5 N-Q2 41 N-N3 N-B1 42 R-R7
R-Q8 43 N-B5 R-N1 44 B-Q5 RxB 45
PxR BxP 46 N-R6 R-B1 47 N-B7
B-B3 48 R-QB4 N-Q2 49 RxB PxR
50 P-N7 R-QN1 51 N-R6 K-Q1 52
NxR NxN 53 K-K4 P-N3 54 R-R1
N-Q2 55 R-Q1 K-B2 56 RxN+ KxQ
57 P-N8(Q) Resigns

Graz 1972
(Student Olympiad)
374   Karpov-Hug
       Sicilian Defence
**1 P-K4 P-QB4 2 N-KB3 N-QB3 3
P-Q4 PxP 4 NxP N-B3 5 N-QB3
P-K4 6 N/4-N5 P-KR3 7 B-QB4
P-R3 8 N-Q6+ BxN 9 QxB Q-K2 10
QxQ+ KxQ 11 B-K3** Not 11 P-QN3?
P-QN4. **11...P-Q3 12 0-0-0 B-K3 13
N-Q5+ BxN 14 PxB** If 14 BxB NxB
15 PxN N-N1 16 P-KB4 N-Q2. **14...
P-QN4 15 B-N3 N-QR4 16 P-KB3
KR-QB1 17 P-N4 N-Q2 18 P-KR4**

NxB+ 19 PxN P-QR4 20 K-N1 R-R3
21 KR-K1 N-N3 22 P-KB4 N-Q2 If
22...P-B3?! 23 P-N5! **23 P-N5 P-R4
24 PxP PxP 25 R-KB1 P-R5 26 B-Q2
PxP 27 B-N4+ K-K1 28 PxP P-B3 29
P-N6 N-B1 30 R-N1** Not 30 BxN KxB
31 R-B5? because of 31...R-Q3 32
RxRP K-N1 and Black has excellent
winning prospects. **30...R/1-R1 31
K-B2 R-Q1 32 K-N1 R/1-R1 33
K-B2 R-Q1 34 Drawn**

375   Balshan-Karpov
       Ruy Lopez
1 P-K4 P-K4 2 N-KB3 N-QB3 3
B-N5 P-QR3 4 BxN QPxB 5 0-0 P-B3
6 P-Q4 B-KN5 7 PxP QxQ 8 RxQ
PxP 9 R-Q3 BxN 10 PxB R-Q1 11
P-KB4 N-B3 12 N-B3 B-Q3 13 P-B5
B-B4 14 RxR+ KxR 15 B-N5 K-B1
16 R-Q1 R-B1 17 K-B1 P-KN3 18
PxP PxP 19 K-N2 B-Q5 20 P-B3
N-R4 21 B-B1 BxN 22 PxB P-QN4 23
B-K3 R-B3 24 K-B2 R-Q3 25 R-KN1
K-Q2 26 K-K2 R-K3 27 R-Q1+
K-K1 28 B-N5 R-Q3 29 R-KN1 P-B4
30 B-K3 P-B5 31 B-N5 R-K3 32
B-K3 K-B2 33 R-N1 R-Q3 34 R-N1
N-B3 35 B-B5 R-Q1 36 B-B2 R-KR1
37 B-N3 K-K3 38 R-Q1 N-R4 39
K-B2 P-B3 40 R-Q2 P-R4 41 P-QR3
N-B3 42 K-K3 P-N4 43 R-Q1 N-Q2
44 R-KR1 N-B1 45 R-QN1 N-N3 46
R-N1 N-B5 47 K-Q2 N-R6 48 R-N1
R-QN1 49 K-K3 N-B5 50 R-Q1 P-B4
51 BxN NPxB+ 52 K-B2 P-N5 53
BPxP BPxP 54 PxP PxP 55 R-QN1
P-N6 56 PxP PxP 57 K-K2 P-N7 58
K-Q3 R-N6+ 59 K-B4 RxP 60 RxP
K-B3 61 R-N6+ K-N4 62 K-Q5
R-QR6 63 KxP P-B6 64 R-N8 K-N5
65 R-KB8 K-R6 66 K-Q6 R-Q6+ 67
K-B6 **Drawn**

376   Albano-Karpov
       Sicilian Defence
1 P-K4 P-QB4 2 N-KB3 P-K3 3 P-Q4

PxP 4 NxP N-QB3 5 P-KN3 P-QR3 6
B-N2 NxN 7 QxN N-K2 8 0-0 N-B3 9
Q-B3 P-Q3 10 B-K3 B-Q2 11 N-Q2
R-B1 12 P-QR4 P-QN4 13 PxP PxP
14 KR-B1 B-K2 15 B-B1 N-K4 16
Q-R5 0-0 17 BxP QxQ 18 RxQ BxB
19 RxB N-Q6 20 R-R1 RxP 21 R-R7
B-B3 22 R-Q7 NxNP 23 RxQP N-Q8
24 R-N3 P-N4 25 N-B1 N-B6 26
R-Q2 RxR 27 NxR P-N5 28 N-N1
N-K7+ 29 K-B1 N-Q5 30 BxN BxB
31 R-Q3 P-K4 32 N-B3 R-R1 33
N-Q5 R-R8+ 34 K-N2 P-R4 35 R-Q2
R-R2 36 P-R3 K-N2 37 PxP PxP 38
P-B3 K-N3 39 PxP K-N4 40 K-R3
R-R8 41 R-K2 R-R8+ 42 K-N2 R-R1
43 R-K1 KxP 44 R-KB1 R-R1 45
RxP R-R7+ 46 K-B1 KxP 47 R-B5
B-R8 48 N-B6 R-Q7 49 N-R5+ K-R5
50 N-B6 Drawn

377   Karpov-Gouveia
Sicilian Defence
1 P-K4 P-QB4 2 N-KB3 P-K3 3 P-Q4
PxP 4 NxP P-QR3 5 N-QB3 Q-B2 6
P-KN3 P-QN4 7 B-N2 B-N2 8 0-0
N-KB3 9 P-QR3 P-Q3 10 P-R3
QN-Q2 11 P-KN4 P-R3 12 N/4-K2
B-K2 13 P-B4 N-N3 14 Q-Q3 R-Q1
15 N-N3 P-Q4 16 P-K5 N-K5 17
N/B3-K2 N-R5 18 N-Q4 N/R5-B4 19
Q-K3 NxN 20 QxN N-K5 21 Q-KB3
B-B4 22 P-B3 0-0 23 B-K3 QR-K1 24
N-N3 P-B3 25 NxB NxN 26 B-Q4
P-B4 27 Q-K3 N-N6 28 QR-Q1 P-N3
29 B-B3 K-R2 30 K-R2 Q-Q2 31
R-B2 R-B1 32 R-KN1 NxB 33 PxN
R-KN1 34 R/2-N2 Q-K2 35 Q-B2
QR-B1 36 B-K2 R-B1 37 B-Q3 B-B3
38 P-KR4 B-Q2 39 K-R3 Q-B2 40
Q-B3 QR-B1 41 Q-Q1 K-R1 42 R-N3
P-N4 43 NPxP P-N5+ 44 RxP PxP
45 RxR+ RxR 46 RxR+ KxR 47
B-K2 Q-N2 48 Q-QB1 P-QR4 49
K-R2 Q-K2 50 K-R3 Q-N2 51 Q-B7
P-N5 52 QxP Resigns

378   Karpov-Stoica
Sicilian Defence
1 P-K4 P-QB4 2 N-KB3 P-Q3 3 P-Q4
PxP 4 NxP N-KB3 5 N-QB3 P-QR3 6
B-K2 P-K4 7 N-N3 B-K3 8 P-B4
Q-B2 9 0-0 QN-Q2 10 P-B5 B-B5 11
P-QR4 B-K2 12 P-R5 0-0 13 B-K3
For 13 B-N5 see game 334. 13...
P-QN4 14 PxPep NxNP 15 K-R1
KR-B1 16 BxN QxB 17 BxB RxB 18
Q-K2 QR-QB1?! For 18...R-N5 see
game 343. 19 R-R2 B-Q1 20 R/1-R1
Q-N2 21 R-R4 If 21 RxP NxP 22
NxN RxN 23 Q-B3 QxR! 21...RxR 22
RxR R-B3 Also possible is 22...
P-QR4 and if 23 N-N5 P-Q4 24
N-Q6? QxN! 23 Q-Q3 P-N3! 24 P-R3
N-R4 25 R-R1 N-B5 26 Q-B3 R-B5!
27 R-Q1 Q-B3 28 PxP RPxP 29 Q-B1
Threatening 30 RxP. 29...R-N5 30
P-N3 N-R4 31 Q-Q3

31...R-B5? Correct is 31...P-R4! and
if 32 QxQP NxP+ 33 K-N2 QxQ 34
RxQ B-R5. **32 K-R2 B-B2 33 R-KB1**
P-R4 34 R-B2! P-R5 But if 34...B-N3
35 N-Q5! K-N2 36 NxB QxN 37
RxP+ KxR 38 QxR+ K-N2 39 K-N2
Q-K6 40 Q-Q3 Q-K8 41 N-Q2!± . **35**
N-Q2 R-Q5 36 Q-B3 Q-Q2 37 N-Q5
P-R6 38 QxRP B-Q1 39 Q-KB3
Resigns

379   Karpov-Adorjan
Grunfeld Defence

1 P-Q4 N-KB3 2 P-QB4 P-KN3 3 N-QB3 P-Q4 4 PxP NxP 5 P-K4 NxN 6 PxN P-QB4 7 B-QB4 B-N2 8 N-K2 N-B3 9 B-K3 0-0 10 0-0 PxP 11 PxP N-R4 12 R-B1 NxB 13 RxN P-N3 14 Q-R4 Q-Q2 If 14...P-QR4 15 R-B2 B-QR3 16 R-Q2 P-QN4= **15 Q-R3!** Not 15 QxQ? BxQ 16 R-B7 B-N4 17 R-K1 KR-B1 18 RxR+ (18 RxKP? B-B3) 18...RxR 19 R-QB1 RxR+ 20 NxR P-K3∓. **15...Q-N4! 16 KR-B1 P-K3** Not 16...B-QR3 17 R/4-B2 P-K3 18 N-B3 Q-R4 19 QxQ PxQ 20 P-Q5. **17 N-B4 B-N2??** Correct is 17...R-Q1 18 P-Q5 PxP 19 NxQP B-K3 20 R-N4 Q-Q2 21 R-Q1=.

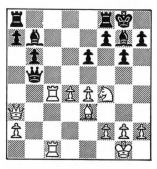

18 R-B7 Strong, but even more convincing is 18 NxKP PxN 19 R-B7 threatening 20 Q-K7 as well as RxB/QN7. **18...BxKP 19 NxKP KR-K1** If 19...Q-KB4? 20 NxR Q-N5 21 P-B3 BxBP 22 Q-N2 BxN 23 P-KR3 Q-N6 (or Q-K5) 24 Q-KB2 +—. **20 NxB KxN 21 B-B4 Q-KB4 22 B-K5+ K-N1 23 P-R4** Not 23 Q-K3 P-KN4 24 P-KR4 P-KR3 25 PxP PxP 26 P-B3 B-Q4 27 K-B2 P-B3 28 P-N4 Q-N3 29 R-KR1 QR-B1! 30 RxR RxR 31 B-Q6 BxP!∓. **23...B-Q4 24 P-B3 P-B3 25 B-N3 R-K7 26 R-K7 RxR 27 QxR Q-K3 28 Q-QB7!** Q-B2 If 28...BxRP 29 R-B6 Q-B2 30 Q-KB4 B-K3 31 P-Q5!±. **29 Q-KB4**

R-K1 30 R-B7 R-K2 31 R-B8+ R-K1?? Correct is 31...K-N2 32 Q-N8 R-N2 33 Q-Q6 R-Q2=. **32 RxR+ QxR 33 QxP Q-KB1 34 Q-K5 BxRP 35 Q-B7 B-B2 36 QxRP P-QN4 37 Q-N6 B-B5**

38 Q-QB6?! 38 B-K5 +—. **38... Q-Q1! 39 Q-B5?** 39 B-K5! still leaves White in command. **39...K-B2 40 P-R5?** Yet another time-trouble mistake. 40 K-R2 keeps a slight advantage. **40...Q-K2! 41 Q-B6 Q-K6+ 42 Drawn** If 42 B-B2 Q-B8+ 43 K-R2 Q-B5+ 44 P-N3 Q-N4.

380   Estevez-Karpov
Sicilian Defence

1 P-K4 P-QB4 2 N-KB3 N-QB3 3 P-Q4 PxP 4 NxP P-K3 5 N-N5 P-Q3 6 P-QB4 N-B3 7 N/1-B3 P-QR3 8 N-R3 B-K2 9 B-K2 0-0 10 0-0 Q-R4 11 N-B2?! Correct is 11 B-K3. **11... R-Q1 12 B-Q2 Q-B2 13 R-B1 B-Q2 14 B-K3 B-K1 15 P-B3 P-QN3 16 Q-Q2 R-R2! 17 KR-Q1 Q-N1 18 B-B1 R-N2 19 Q-B2 R-B1 20 N-Q4 N-K4 21 P-QN3 P-R3 22 P-QR4 N/3-Q2 23 Q-N3 K-R1 24 P-B4 N-QB3 25 P-KB5?** Both 25 NxN RxN 26 B-K2 and 25 B-K2 followed by NxN and B-B3 were good alternatives. **25...NxN 26 BxN N-K4 27 PxP PxP 28 Q-R3 B-KN4 29 R-B2 P-N4 30 RPxP PxP 31 R-B2?** Better

was 31 PxP. **31...P-N5 32 N-N5 BxN 33 PxB R-K2 34 B-K2 Q-N2 35 B-Q3 NxB 36 QxN P-K4 37 B-N2 Q-N3 38 K-B1 B-K6 39 R-B3 B-B4 40 B-B1 R-QN1 41 K-K2 R-R2 42 R/1-B1 QxP 43 R-B8+ K-R2 44 RxR QxR 45 Q-R3 Q-K1 46 B-Q2 R-R7 47 Q-B5+ K-N1 48 R-B3 B-Q5 49 R-Q3 R-R2! 50 B-K3 BxB 51 KxB R-KB2 52 Q-N4 R-B5 53 Q-R3 Q-N3 54 Q-B8+ K-R2 55 Q-B6 QxNP 56 Resigns**

381   Karpov-Hubner
          Sicilian Defence
1 P-K4 P-QB4 2 N-KB3 P-K3 3 P-Q4 PxP 4 NxP P-QR3 5 B-Q3 B-B4 6 N-N3 B-R2 7 0-0 N-QB3 8 Q-K2 P-Q3 9 B-K3 BxB 10 QxB N-B3 11 P-QB4 0-0 12 R-Q1 Q-B2 13 N-B3 N-K4 14 QR-B1 P-QN3
     15 B—K2
If 15 P-B4 N/4-N5 16 Q-B3 P-QN4!
     15 ...   **B—N2**
     16 P—B4   **N—N3**
Not 16...NxBP?? 17 BxN QxB 18 QxP Q-B3 (or 18...BxP 19 N-R5 +—) 19 RxP±.
     17 P—N3   **KR—Q1**
     18 P—QR3
A new move. Ivkov-Hubner, Palma Interzonal 1970 went 18 R-Q2 QR-B1 19 R/1-Q1 N-K2 20 N-Q4 P-K4? 21 PxP PxP 22 N/4-N5! but Black can equalize with 20...Q-B4!
Karpov's idea is to play 19 N-Q4 and if 19...Q-B4 20 P-QN4.
     18 ...   **QR—B1?**
Better is 18...QR-N1 intending an eventual ...P-QN4.
After the text Black finds it increasingly difficult to create Q-side counterplay but this should be compensated by his prospects in the centre.

     19 N—Q4   **B—R1**
     20 P—N3   **N—K2**
Intending 21...P-K4.
     21 B—B3   **R—N1**
21...P-K4 22 PxP PxP is now met by 23 N-B2 threatening 24 N-Q5.
     22 P—QR4   **Q—B4**
     23 R—Q3!   **P—K4?!**
23...N-B3 equalizes.
     24 N/4—K2
Not 24 N-B2? PxP 25 PxP N-N3
     24 ...   **PxP?!**
Better is 24...N-B3 25 N-Q5 N-QN5 26 NxN QxN 27 R/1-Q1 R-K1 28 P-B5 when White has only a slight edge.
     25 PxP
Not 25 NxP? N-B3 followed by ...N-K4 with an excellent game for Black.
     25 ...   **QxQ+**
     26 RxQ   **N—N3?**
Better is 26...R-K1 27 R-Q1 N-B1 28 N-N3 P-N3 followed by ...B-B3 and ...R-N2.
     27 R—Q1   **K—B1?!**
Another inaccuracy. Black should play either 27...N-B1 followed by ...N-K3; or 27...R-K1 28 RxP N-R5 29 K-B2 NxB 30 KxN NxP 31 NxN P-B4 32 N-B3 PxN+ 33 K-N4 when White has a slight plus.
     28 R/3—Q3   **N—K1**
     29 K—B2
Threatening 30 P-K5.

29 ...	R/Q1—B1
30 K—N3	N—K2
31 N—Q4	R—B4
32 R/1—Q2	

Threatening 33 N-B2 which cannot be played now because of (32 N-B2) P-QN4! 33 RPxP PxP 34 PxP R/1-B1 winning a piece.

| 32 ... | B—N2 |
| 33 N—B2? | |

33 P-KR4 first is stronger, depriving Black of K-side counterplay.

33 ...	P—KN4
34 PxP	RxNP+
35 K—B2	N—N3
36 B—R1!	R—B1

If 36...N-K4 37 R-N3 RxR 38 PxR P-B4 39 N-Q4±.

37 R—N3	R/1—B4
38 N—K3	N—K2
39 B—B3	RxR?

Correct was 39...R-N3.

| 40 PxR | R—K4 |

40...P-B4 gives more counterplay. But now...

| 41 P—KN4! | P—QR4 |
| 42 R—Q1 | |

Less clear is 42 N-B5?! NxN 43 KPxN BxB 44 KxB P-R4.

| 42 ... | B—B3 |
| 43 N/B3—Q5 | N—B1 |

If 43...BxN 44 BPxB, threatening 45 N-B4.

| 44 N—B5 | |

After 44...B-Q2 45 R-R1 K-N1 46 K-N3 B-K3 White has a distinct advantage but no forced win. But after the text White vacates the QB4 square for his knight with the result that Black loses a pawn.

| 45 BPxB | N—K2 |
| 46 N—K3 | N—N1 |

If 46...N-B3 47 N-B4 NxKP+ 48 K-N2 N-B6 49 NxR NxR 50 N-Q7+ K-K1 51 N-B6+ and 52 BxN.

| 47 N—B4 | R—K2 |
| 48 NxNP | |

Also strong is 48 P-K5 and if 48... PxP then 49 P-Q6.

48 ...	R—N2
49 N—B4	RxP
50 R—QR1!	

The QRP can wait for one move.

50 ...	N/N1—B3
51 NxRP	R—N7+
52 K—K3	

The rest is technique.

52...N-Q2 53 N-B6 R-N6+ 54 K-B4 N-K4 55 NxN PxN+ 56 K-N3 N-Q3 57 K-B2 R-N7+ 58 K-N1 R-N2 59 P-R5 R-R2 60 P-R6 K-K2 If 60... N-N2 61 B-K2 N-B4 62 R-N1 NxKP 63 R-N7 R-R1 64 P-R7 K-N2 65 R-B7 followed by B-N5-B6. **61 K-B2 K-Q2 62 K-K3 N-B4+ 63 K-Q3 N-N3 64 B-K2 K-Q3 65 K-K3 N-Q2 66 R-R1 N-B1 67 R-R6+ K-K2 68 P-Q6+ K-Q1 69 B-N5 R-R1 70 R-R5 P-B3 71 R-R6 R-N1 72 B-B6 R-N6+ 73 K-Q2 R-QR6 74 RxP R-R7+ and Black resigned**

| 44 ... | BxN?? |

382   Karpov-Markland
         Sicilian Defence
1 N-KB3 P-QB4 2 P-K4 N-QB3 3 P-Q4 PxP 4 NxP N-B3 5 N-QB3 P-Q3 6 B-KN5 B-Q2 7 Q-Q2 R-B1 8 0-0-0 NxN 9 QxN Q-R4 10 B-Q2 P-QR3 11 P-B3 Q-QB4?! Better 11... P-K4. **12 Q-Q3 P-KN3 13 P-KN4 B-N2 14 P-KR4 P-R3 15 K-N1 B-K3**

16 B-K3 Q-QR4 17 B-Q4 0-0 18 Q-Q2! N-Q2 If 18...KR-K1 19 P-N5.

19 N-Q5! Q-Q1 10 BxB KxB 21 N-K3 N-K4 22 B-K2 B-P3 23 P-KB4 N-B5 24 BxN BxB 25 P-N5! RPxP 26 RPxP PxP 27 Q-B3+ P-K4 28 NxB P-N4 29 PxKP RxN 30 Q-KR3 Resigns

Skopje 1972
(Olympiad)
383   Sloth-Karpov
          English Opening
          Notes by Karpov
1 N-KB3 P-QB4 2 P-KN3 P-KN3 3 B-N2 B-N2 4 P-B4 N-QB3 5 N-B3 P-Q3 6 P-QR3 N-R3 7 P-Q3 0-0 8 B-Q2 N-B4 It would be better to start immediate Q-side counterplay with 8...P-QR3 9 R-QN1 R-N1 10 P-QN4 PxP 11 PxP P-QN4. **9 R-QN1 P-QR4 10 0-0 B-Q2 11 P-K3 P-K3 12 N-K1 Q-K2 13 P-N3 QR-N1 14 N-B2 KR-Q1 15 N-N5** If 15 P-QN4 RPxP 16 PxP NxP 17 NxN PxN 18 N-N5 BxN 19 PxB P-Q4=. **15...P-N3 16 P-QN4 RPxP 17 PxP N-K4 18 P-K4! N-R3** Or 18...N-Q5 19 N/2xN PxN 20 P-B4±. **19 N-B3 P-B4 20 P-N5 B-QB1 21 Q-K2 B-N2 22 P-B4 N-Q2 23 KR-K1 R-K1?!** Better 23...N-B1. **24 R-R1 Q-Q1 25 R-R7** Threatening 26 RxB RxR 27 PxP and 28 PxKP. **25...N-B1?** Better 25...Q-B1. **26 P-KR3?** Missing a fairly simple win

by 26 PxP BxB 27 PxKP! R-N2 28 RxR BxR 29 P-K7. **26...R-K2 27 K-R2?!** R-KB2 28 R-R4 Better 28 R-R3. On QR4 the rook has no prospects of sideways action. **28... P-K4! 29 N-Q5 PxBP 30 NPxP?** Correct is 30 NxBP P-N4 31 N-R5 B-K4 32 PxP. **30...PxP 31 PxP** You see — if White's QR was on R3 it would have more scope. **31...N-K3 32 Q-Q3** If 32 R-KB1 BxN ; or 32 P-B5 PxP 33 PxP B-K4+ followed by ...NxP. **32...Q-KB1 33 R-KB1 K-R1 34 NxP** If 34 Q-KN3 P-N4! 35 P-B5 B-K4 36 B-QB3 N-Q5. **34...NxP 35 BxN** Better is 35 RxN B-K4 36 B-QB3 Q-N2! 37 K-R1 RxR 38 N-Q7! BxB 39 NxR B-K4 40 N-B6 BxN 41 PxB, when White's advantage is not so big. But now ...

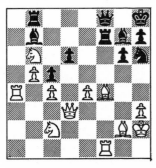

35...RxB! 36 N-Q7 RxR 37 QxR Or 37 NxQ B-K4+ 38 Q-N3 BxQ+ 39 KxB R/8-B1 —+. **37...QxQ 38 BxQ R-Q1 39 . N-N6 BxP 40 N-K3** Hastening the end. But after 40 N-K1 B-K4+ 41 K-N1 Q-Q5+ 42 K-R2 R-KB1 43 B-N2 R-B7 White is still quite lost. **40...B-K4+ 41 K-N1 B-Q5 42 Resigns**

384   Karpov-Cobo
          Sicilian Defence
          Notes by Karpov
1 P—K4   P—QB4

2 N—KB3	P—Q3
3 P—Q4	PxP
4 NxP	N—KB3
5 N—QB3	P—QR3
6 P—B4	

6 B-K2 can transpose into the positions arising after the text.

6 ...	P—K3
7 B—K2	Q—B2
8 0—0	N—B3
9 K—R1	B—Q2

We have now reached a position more characteristic of the Scheveningen Variation than the Najdorf Variation with which the game began. Black's position perhaps suffers from the slight disadvantage that the queen has gone to QB2 too soon.

10 P—QR4	B—K2
11 N—N3	0—0
12 B—K3	

There was no point in trying to tie up the Q-side with 12 P-R5 as Black could break out with 12...P-QN4. But now 13 P-R5 is an unpleasant threat.

12 ...   N—QN5

Black ignores his opponent's plan. He had to play 12...P-QN3 and only then 13...N-QR4 or 13...N-QN5. The alternative 12...N-QR4 would give White a slight advantage after 13 P-K5 N-K1 14 NxN QxN/R4 15 Q-Q2 and 16 B-Q4.

Now White gets a clear positional advantage.

13 P—R5   B—B3

If 13...P-Q4 14 B-N6 Q-B1 15 P-K5 N-K5 16 NxN PxN 17 P-B4.

14 B—N6   Q—N1

The logical continuation. Black prepares to drive the bishop away by ...N-Q2 and follow up with ...P-QN4. But this plan is too slow and Black should have played 14...Q-Q2 after which I intended to play 15 B-B3, preventing the freeing move ...P-Q4.

15 Q—Q2

An important move. White indirectly defends the KP and threatens to win Black's advanced QN by 16 N-Q1 and 17 P-B3.

15 ...   P—Q4
16 P—K5   N—Q2

16...N-K5 17 NxN PxN 18 P-B4 (threatening 19 N-B5) is horrible for Black.

17 B—Q4   P—QN4
18 B—N4

Preparing P-B5 and preventing Black from advancing his BP. White would have achieved nothing concrete with 18 PxPep NxNP 19 P-B5 because of 19...PxP 20 RxBP N-B5.

18 ...   P—N3
19 QR—K1

Black's pieces are clustered on the Q-side and he takes no steps to transfer them to the defence of his king. He even removes his KR from the vital square KB1 to make room for the knight.

19 ...   R—B1

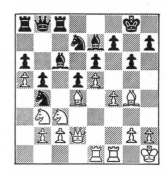

20 P—B5

Decisive.

20 ...   NPxP

If 20...KPxP 21 P-K6

21 BxP   N—B1

Again if 21...PxB, 22 P-K6 wins.

22 Q—R6   N—N3

After 22...PxB White breaks open Black's position by 23 P-K6 P-B3 24 RxP NxBP (24...B-K1 25 RxBP and

26 R-B7) 25 R-N5+ N-N3 26 RxN+
PxR 27 QxP+ K-R1 28 BxP+ BxB
29 QxB+ K-R2 30 R-K5!

30 N-Q4 (instead of 30 R-K5) is
tempting. e.g. 30...NxR (30...NxN 31
R-K3) 31 N-B5 R-R2 32 P-K7 RxP
33 QxR+ K-N3 34 Q-K6+ K-N4
(34...K-R4 35 Q-R6+ K-N5 36 N-K3
mate) 35 P-R4+ K-N5 (35...K-R4 36
Q-R6+ K-N5 37 Q-N5 mate) 36
N-K3+ K-N6 (36...K-R4 37 Q-N4+
K-R3 38 N-B5+ K-R2 39 Q-N7
mate; or 36...KxP 37 Q-N4 mate) 37
Q-N4+ K-B7 38 N/B3-Q1 mate.
However, Black can avoid mate by
30...R-B1 when White has to fight on
to win.

23 BxN   RPxB

Eldis Cobo overlooks that after
24...B-B1 he loses control of KR4
and White's major pieces are able to
attack his king along the open
KR-file. If 23...BPxB the immediate
24 R-B7 does not work because the
Black king can escape to the Q-side
via K1 and Q2. So I had intended to
play 24 Q-R3 B-Q2 25 R-B7 KxR 26
QxRP+ K-K1 27 Q-N8+ B-B1 28
R-KB1 K-Q1 29 QxB+ B-K1
(29...K-B2 30 Q-Q6+ K-N2 31 Q-N6
mate) 30 B-N6+ K-Q2 (30...R-B2 31
N-B5) 31 R-B7+ BxR 32 QxB+
K-B3 33 N-Q4 mate.

    24 R—K3   B—B1
    25 Q—R4   B—KN2
    26 R—R3   B—K1
    27 Q—R7+   K—B1
    28 QxNP   P—B3

If 28...BxP 29 QxKP with an easy
win, and if 28...NxP 29 R-R7 forces
mate.

    29 RxP+   Resigns

385   Alvarez-Karpov
         Sicilian Defence
1 P-K4 P-QB4 2 N-KB3 P-K3 3 P-Q4
PxP 4 NxP P-QR3 5 N-QB3 Q-B2 6

B-K3 B-N5 7 B-Q2 N-KB3 8 B-Q3
P-Q3 9 0-0 B-B4 10 N-N3 B-R2 11
K-R1 0-0 12 B-KN5 QN-Q2 13 P-B4
P-N4 14 P-QR3 B-N2 15 Q-K2
KR-K1 16 QR-Q1 P-K4 17 Q-B3
P-R3 18 B-R4 PxP 19 QxP R-K4 20
Q-B3 QR-K1 21 B-N3 R/4-K3 22
N-Q5 BxN 23 PxN R-K6 24 Q-B4
N-K4 25 Q-B5

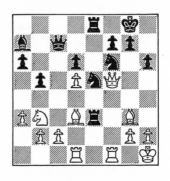

25...RxB/N6! 26 PxR N/4-N5 27
QR-K1 RxR 28 RxR N-B7+ 29
K-R2 N/3-N5+ 30 K-N1 N-K5+ 31
Resigns

386   Saren-Karpov
         Sicilian Defence
       Notes by Karpov
1 P-K4 P-QB4 2 N-KB3 P-K3 3 P-Q4
PxP 4 NxP N-QB3 5 N-N5 P-Q3 6
P-QB4 N-B3 7 N/1-B3 P-QR3 8
N-R3 B-K2 9 B-K2 0-0 10 0-0 P-QN3
Also possible are 10...R-K1 and 10...
B-Q2. **11 B-K3 B-N2 12 P-B3** More
active is 12 P-B4 followed by B-B3,
Q-K1, R-Q1 and P-KN4-5. **12...R-N1
13 Q-K1 N-Q2 14 Q-B2 N-B4 15
KR-Q1 P-B4?!** Correct is 15...B-R5
and if 16 P-KN3 B-B3. **16 PxP RxP
17 N-B2 B-R5 18 P-KN3 B-K2 19
P-QN4 N-Q2 20 P-B4 Q-KB1 21
P-N5?** Strong is 21 B-N4 R-B3 22
N-K4 R-N3 23 B-B5 R-R3 24

B-B3±. **21...PxP 22 PxP N-R4 23 BxP?** White should continue 23 QR-B1 and if 23...P-K4 24 B-N4 or 23...R-B1 24 N-Q4 R-KB3 25 B-B3 P-K4 26 BxB! **23...NxB 24 QxN B-Q1! Q-R7?** Another mistake. Correct was 25 Q-K3! and if 25...P-K4 26 N-N4! PxP 27 PxP RxP 28 N/4-Q5. **25...R-B1 26 Q-K3 P-K4 27 B-N4 N-B5! 28 Q-Q3** On 28 BxR comes 28...QxB 29 Q-K2 B-N3+ 30 K-R1 PxP 31 P-N4 QxN! **28...B-N3+ 29 K-B1 RxP+! 30 PxP QxP+ 31 Resigns**

---

387 Karpov-Dueball
Sicilian Defence

1 P-K4 P-QB4 2 N-KB3 P-Q3 3 P-Q4 PxP 4 NxP N-KB3 5 N-QB3 P-KN3 6 B-K3 N-B3 7 P-B3 B-N2 8 Q-Q2 0-0 9 P-KN4 NxN Best is 9...B-K3. **10 BxN B-K3 11 0-0-0 Q-R4 12 K-N1 KR-B1? 13 P-QR3 QR-N1 14 P-N5!** If 14 P-KR4 P-QN4=. **14...N-R4 15 N-Q5 QxQ 16 RxQ BxN 17 PxB** Now White has slightly the better ending because of the two bishops and the half-open K-file. **17...P-QR3 18 R-N1! P-QN4 19 P-B3 P-R4 20 B-R7 R-N2 21 B-K3 B-K4! 22 K-R2** Not 22 P-QR4? PxP! 23 B-R6 RxBP∓. **22... R/1-B2 23 K-N3 R-N1 24 B-Q3** Less clear is 24 R-N4 P-B4 25 PxPep PxP 26 P-KB4 P-B4 27 PxB PxR 28 PxP R-B2 29 B-K2 N-B3. **24...N-B5 25 B-K4 P-B4?!** Correct is 25...R-B5! 26 R-N4 P-R5+ 27 K-R2 N-R4 28 B-Q3 RxR 29 PxR N-B5 30 B-K4 R-QB1 followed by ...R-B5 with equality. **26 PxPep PxP 27 R-N4 P-N4 28 R-N1?**

Now Dueball forces the exchange of dark squared bishops thereby relieving most of the pressure on his position. Correct was 28 B-KB5, controlling the squares KR3 and QB8. Black's next move would then be impossible.

28...N-R6! 29 R-K1 B-B5 30 B-KB5 BxB 31 RxB N-B5 32 K-R2 K-B1?! 32...P-R5!=. **33 P-N4 P-R3 34 K-N2 R-K2?** Black should double rooks on the QR-file. **35 RxR KxR 36 K-N3 R-QR1 37 P-B4 RPxP 38 RPxP PxP+ 39 KxP K-Q1 40 K-N5 K-B2 41 R-QB2+ K-N2 42 B-Q7!** And not 42 R-B6? N-K7!=. **42...R-R6 43 R-B6 R-Q6** The only move. e.g. 43...N-K7 44 B-B8+ K-N1 45 K-N6 +—; 43... RxP 44 R-R6 +—; or 43...NxP 44 RxP NxP 45 RxP (45 KxN RxP may be very difficult for White to win). **44 R-N6+ K-B2 45 B-B6 NxP 46 R-N7+ K-B1** If 46...K-Q1 47 R-Q7+ K-B1 48 R-KR7 +—. **47 R-KB7** Even better is 47 R-KR7. **47...K-Q1 48 R-Q7+ K-B1 49 R-KB7 K-Q1 50 K-B4 N-B5 51 RxP P-Q4+** If 51...K-B2 52 K-N5! +—. **52 K-B5 K-K2 53 RxP R-B6+** If 53...RxP 54 BxP +—. **54 K-N6 RxP 55 P-N5 P-N5?** Relatively best was 55... R-QN6. **56 R-R4! R-KR6?** 57 RxP N-K7 If 57...N-K3 58 BxP RxP 59 R-K4+ +—; or 57...N-Q6 58 R-N3 +—. **58 K-B7** Not 58 BxP? N-B6 followed by 59...NxP and 60...RxP drawing. **58...R-R2 59 P-N6 K-K3+ 60 K-Q8!! N-Q5!** The only hope. If 60...K-Q3 61 R-N6+ K-B4 62 P-N7. **61 RxN K-Q3 62 BxP K-B5** If 62... R-R1+ 63 B-N8+ K-B3 64 R-KN4 KxP 65 P-R4 +—; or 62...RxP 63

P-N7 R-R1+ 64 B-N8+ K-B3 65
P-N8(N)+ K-N2 66 R-N4+ K-R2 67
K-B7 +—. 63 R-Q2 KxP 64 R-QB2
Resigns

---

388   Padevsky-Karpov
French Defence

1 P-K4 P-QB4 2 N-KB3 P-K3 3 P-B3
P-Q4 4 PxP PxP 5 P-Q4 B-Q3 6 PxP
BxBP 7 B-K2 N-QB3 8 0-0 KN-K2 9
QN-Q2 0-0 10 N-N3 B-N3 11 KN-Q4
N-N3 12 B-K3 R-K1 13 Q-B2 QN-K4
14 QR-Q1 B-Q2 15 N-Q2 N-N5 16
BxN BxB 17 QR-K1 R-QB1 18
N/2-B3 R-K5 19 Q-N3 Q-Q2 20
N-Q2 R/5-K1 21 P-B3 B-K3 22
Q-Q1 B-B2 23 R-B2 Q-Q3 24 N-B1
Q-R3 25 P-KB4 B-Q2 26 Q-N1
B-N4?! 27 NxB QxN 28 P-KN3 R-K5
29 B-Q4 RxR? 29...R/1-K1 30 RxR
PxR 31 N-K3 N-B1! 32 P-B5 N-Q2
followed by ...N-B4∓. 30 QxR R-K1
31 Q-Q1 P-QR4 32 N-K3 R-K5 33
Q-N3 QxQ? 33...Q-Q6 34 QxNP
RxN 35 BxR QxB 36 Q-B8+ N-B1
37 QxB Q-K8+ =. 34 PxQ N-K2 35
R-Q2 P-R4 36 K-B2 R-K3 37 K-B3
P-KN3 38 B-B5! B-N3 39 P-QN4 PxP
40 PxP BxB 41 PxB P-N3 42 P-QN4
PxP 43 PxP K-B1 44 NxP R-QB3?!
Better 44...N-B4. 45 NxN KxN 46
R-QB2 K-Q2 47 K-K4 R-B3 48 R-R2
R-B4 49 R-R7+ K-K1 50 R-R5
K-Q1 51 K-Q4 P-R5 52 R-R8+ K-B2
53 R-R7+ K-B3 54 K-K4 RxQBP 55
RxP R-B7 56 R-B6+ K-Q2 57 RxP
RxP 58 P-N4 P-R6 59 R-KR6 R-R8
60 K-B5 P-R7 61 P-N5 K-K2 62
P-N6 R-R8 63 R-R7+ K-B1 64 RxP
R-R4+ 65 K-B6 **Resigns**

---

389   Sznapik-Karpov
Sicilian Defence

1 P-K4 P-QB4 2 N-KB3 P-K3 3 P-Q3

N-QB3 4 P-KN3 P-Q4 5 QN-Q2
B-Q3 6 B-N2 KN-K2 7 0-0 0-0 8
R-K1 B-B2 9 P-B3 P-QN3 10 P-K5
P-QR4 11 N-B1 B-R3 12 P-KR4
P-Q5 13 P-B4 Q-Q2! 14 N/1-R2
P-B4 15 PxPep? After 15 P-R4!
White is clearly better — Karpov.
15...PxP 16 N-N4 P-K4! 17 B-R3
Q-K1 18 B-R6 R-B2 19 B-Q2 K-R1
20 K-R2 B-B1 21 Q-K2 B-Q2 22
N-N1 P-B4 23 N-R6 R-N2 24 B-N5
Q-N3 25 B-N2 N-KN1 26 NxN
R/1xN 27 Q-Q2 P-B5 28 B-K4 Q-Q3
29 Q-K2 B-K1 30 B-Q5 R-B1 31 PxP
P-R3 32 PxP QxP+! 33 QxQ NxQ 34
P-B4 N-N5+ 35 K-N3 N-K6 36
Resigns

---

390   Karpov-Uddenfeldt
Sicilian Defence
Notes by Karpov

1 P-K4 P-QB4 2 N-KB3 P-Q3 3 P-Q4
PxP 4 NxP N-KB3 5 N-QB3 P-QR3 6
P-B4 Q-B2 7 B-Q3 P-K3 8 0-0 B-K2
9 N-B3 QN-Q2 9...N-B3. 10 Q-K1
Threatening 11 P-K5. 10...N-B4 11
P-K5 KN-Q2 12 Q-N3 P-KN3 If 12...
0-0 13 P-B5 PxKP 14
P-B6 +—; nor 13...NxB 14
P-B6 +—) 14 B-R6 B-B3 15 B-K3
P-QN4 16 QR-Q1. 13 B-K3 Now 13
P-B5 is met by 13...NxB! 14 PxKP
N/6xKP 15 PxN+ BxP and not 13...
PxKP? 14 PxNP RPxP 15 BxNP PxB
16 QxP+ K-Q1 16 N-KN5 +—; 13...
NPxP? 14 Q-N7 +— or 13...KPxP?
14 N-Q5 +—. 13...P-QN4 14 B-Q4
NxB 15 PxN If 15 PxP BxP 16 BxR
NxBP 17 Q-R4 B-N2. 15...P-Q4?
Better 15...PxP 16 PxP B-N2 17
QR-B1±. Now Black has absolutely
no counterplay and he is soon anni-
hilated. 16 QR-B1 Q-N2

Black's position is a sorry sight —
his pieces are either undeveloped or
inactive. In contrast, White's game is
alive with possibilities.

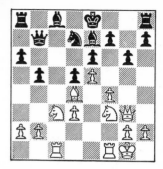

17 P-B5! NPxP If 17...KPxP 18 P-K6 N-B3 19 PxP+ KxP 20 N-N5+ K-N2 21 KR-K1 with a winning attack. e.g. 21...R-K1 22 RxB+ RxR 23 Q-Q6 etc. **18 Q-N7 R-B1 19 N-N5 BxN 20 QxB Q-N1 21 N-K2 B-N2** If 21...NxP 22 RxB+ QxR 23 BxN. **22 N-B4 Q-Q1 23 Q-R5!** Threat 24 NxKP. **23...K-K2 24 QxRP K-K1** If 24... R-R1 25 N-N6+ or 24...R-KN1 25 NxKP! **25 N-R5 Q-N4 26 R-B7 R-QN1 27 N-N7+ Resigns** Because of 27...K-K23 28 B-B5+ K-Q1 29 NxKP+ PxN 30 QxN mate.

391   Karpov-Wirthensohn
            Sicilian Defence
            Notes by Karpov
1 P-K4 P-QB4 2 N-KB3 P-Q3 3 P-Q4 PxP 4 NxP N-KB3 5 N-QB3 P-QR3 6 P-B4 P-K4 7 N-B3 QN-Q2 8 B-B4 B-K2 9 P-QR4 0-0 10 P-B5?! Correct is 10 0-0. **10...P-QN3 11 B-K3** If 11 B-KN5 B-N2 12 BxN NxB 13 Q-K2 P-QN4! 14 B-N3 Q-N3∓ or 11 B-Q5 NxB 12 NxN B-N2 13 P-B4 N-B4 followed by 14...P-QN4 with a good game for Black. **11...B-N2 12 N-Q2 P-Q4** Also possible is 12...Q-B2 13 Q-K2 P-QN4 (or 13...N-B4 14 B-B2 KR-B1) 14 B-N3 N-B4 (or 14...P-N5 15 N-Q5 NxN 16 PxN N-B3) 15 BxN QxB. But with White's king still in the centre the text is more natural. **13 NxP NxN 14 BxN BxB 15 PxB B-B4** Not 15...N-B4 16 P-B4! N-Q6+

17 K-K2 N-B5+ (if 17...NxP 18 Q-N3 wins the knight) 18 K-B3 N-R4 19 P-KN4 N-B3 20 P-N5 and 21 N-K4. **16 Q-K2 Q-R5+ 17 P-N3 Q-QN5**

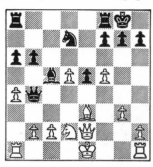

18 0-0 Not 18 R-R2 BxB 19 QxB N-B3 20 P-B4 KR-B1 21 0-0 N-N5 22 Q-K2 Q-B4+ 23 K-R1 N-K6∓. Castling must be White's first priority. **18...QxNP 19 P-B4 P-B3** Possibly better is 19...P-QN4. **20 K-R1 KR-B1** Better 20...Q-B6. **21 Q-Q3 BxB 22 QxB P-QR4 23 KR-B1 Q-N5** Better 23...Q-Q5. **24 R/B1-N1 Q-B4 25 QxQ RxQ 26 K-N2 K-B1?!** From a clearly superior position Black has drifted into a level ending and now he sinks still further. 26... P-K5 27 K-B2 N-K4 and 26...P-R4 were both better alternatives. **27 K-B3 K-K2 28 P-N4 R-R1 29 P-R4 R-KB1 30 K-K3 P-R3 31 R-N1 R/B4-B1 32 QR-N1 R-QN1 33 N-K4 R/N1-B1** If 33...R/B1-B1 34 R/KN1-QB1± and not 34 P-N5?! RPxP 35 PxP RxP 36 PxP NxP! 37 R-N7+ K-B1. **34 R/KN1-QB1 R/KB1-K1** (Why oh why must we use descriptive notation? — DNLL.) **35 R-N5 R/K1-Q1 36 K-Q3 K-B1? 37 P-N5 RPxP 38 PxP K-K2 39 R-KN1 R-KR1** If 39...R-KN1 40 P-Q6+ K-B1 41 PxP PxP 42 RxR+ KxR 43 P-B5 with a won ending. **40 PxP+ PxP 41 R-N7+ K-Q1 42 N-Q6 R-R6+ 43 K-K2 R-R7+ 44 K-K3**

Resigns If 44...R-B2 45 R-N8+ K-K2
46 R-K8+ KxN 47 R-K6 mate; or
44...R-N1 45 R-QN1 and 46 R/1-N1.

392   Karpov-Jansa
           Sicilian Defence

1 P-K4 P-QB4 2 N-KB3 P-K3 3 P-Q4
PxP 4 NxP N-QB3 5 N-N5 P-Q3 6
P-QB4 N-B3 7 N/1-B3 P-QR3 8
N-R3 B-K2 9 B-K2 0-0 10 0-0 P-QN3
11 B-K3 B-N2 12 R-B1 N-K4 13
Q-Q4 N/4-Q2 14 KR-K1 Not 14
P-B3 P-Q4! 15 KPxP PxP 16 PxP
B-B4 17 Q-Q2 BxB 18 QxB·NxP=.·
14...Q-B2 15 P-B3 KR-K1 16 P-QN4!
QR-N1 17 N/R3-N1 B-R1 18 P-QR3
B-B1 19 N-Q2 P-R3 20 P-B4
R/N1-B1 21 Q-Q3 21 P-K5 PxP 22
PxP NxP 23 QxP is rather unclear
but probably slightly better for
White. 21...Q-N1 22 R-B2 R/K1-Q1
23 B-B3 B-N2 24 R/1-QB1 K-R1! 25
Q-K2 B-K2 26 P-KR4! R-K1 27
Q-B2 B-R1 28 Q-K2 Black was in-
tending 28...P-KR4 (followed at some
time by ...N-N5) and if 28 P-N4
P-KN4 29 BPxP PxP 30 BxKNP
R-N1 with an unclear position. 28...
N-N1 29 P-N3 B-KB3 30 Q-Q3
R/K1-Q1 31 K-N2 B-K2 32 N-Q1
R-B2 33 B-Q4 B-KB3 Not 33...P-K4?
34 B-B2±; but possible was 33...
R/1-QB1 followed by ...P-QN4. 34
BxB N/1xB 35 N-B2 R/2-B1 36
N-B1 If 36 P-N4 P-KN4 with compli-
cations. 36...B-B3 37 N-K3 P-QN4 38
P-N4 38 PxP BxP 39 RxR RxR 40
RxR+ QxR 41 QxP Q-B8 with active
play for the pawn. 38...N-N3 39 P-N5
PxBP 40 NxP N-N1 41 **Drawn**

393   Karpov-Enevoldsen
           French Defence
           Notes by Karpov

1 P—K4   P—K3
2 P—Q4   P—Q4
3 N—Q2   P—KB3

This move is rare in tournament
play. The theoretical continuation is
now 4 PxBP PxP 5 Q-R5+ P-KN3 6
Q-K2+ Q-K2 7 N/2-B3 with an
advantage in the coming endgame. 4
P-K5 also gives White the advantage
but I did not wish to play a blocked
position.

4 PxBP   PxP
5 N/2—B3   N—KB3
6 B—KN5

The characteristic move of the
variation. Of course 6 B-Q3, 7 N-K2
and 8 0-0 also gives White a clear
advantage.

6 ...   B—K2

The only satisfactory move. White
was threatening Q-K2+ followed by
capturing on KB6. Now I decided to
sacrifice my QNP and go all out for a
win by direct attack on the K-side.

7 B—Q3   N—K5
8 BxB   QxB
9 N—K2   Q—N5+

Black must accept the challenge
because if White can get in 10 0-0 he
will have very powerful play against
Black's weak squares on the K-side.

10 P—B3   QxNP
11 0—0   0—0

If Black takes the second pawn he
gets horribly crushed after (11...
NxQBP) 12 NxN QxN 13 R-B1 and
14 R-K1+. The black knight at K5 is
the bulwark of his position and
cannot be exchanged for such a small
material gain.

12 P—B4   PxP

With 12...P-B3 13 N-B4, Black ties
himself down to the defence of his
QP. He could still defend it by 13...
N-KB3 (if 13...P-KN4 14 BxN BPxB
15 NxNP RxN 16 Q-R5 QxQP —
16...B-B4 17 Q-B7+ K-R1 18 Q-B8
mate — 17 QxRP+ K-B1 18
Q-QB7!), but then 14 R-B1 is very
strong, giving White play on the
QB-file after the exchange of pawns

on Q5.

| 13 BxP+ | K—R1 |
| 14 R—N1 | |

Of course 14 N-K5 also wins but I wanted to win by forced stages.

| 14 ... | Q—R6 |
| 15 N—K5 | P—KN3 |

The only defence against the threat of N-N6+ followed by R-N3 and mate at KR3.

16 R—N3	Q—K2
17 N—B4	K—N2
18 R—KR3!	

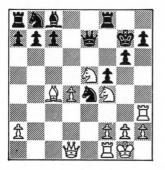

White has two threats: 19 RxP+ and 19 N/4xP. Black can defend against both threats by 18...N-N4 but after 19 R-K3 Q-Q2 20 R/1-K1 his position is hopeless.

| 18 ... | N—QB3 |
| 19 N/4xP | |

An inaccuracy. White had a beautiful way to win in 19 RxP+ KxR 20 N/4xP (20 N/5xP Q-Q3 21 NxR+ QxN/1 22 Q-R5+ fails to mate after 22...K-N2) 20...Q-Q3 21 NxR+ K-N2 (or 21...QxN 22 Q-R5+ Q-R3 23 B-N8+ K-N2 24 Q-B7+ K-R1 25 N-N6+) 22 Q-R5 NxN 23 Q-R7+ KxN 24 PxN! (the move that I missed over the board) 24...Q-Q2 25 Q-N8+ K-K2 26 Q-B7+ K-Q1 27 Q-B8+ Q-K1 28 R-Q1+ B-Q2 29 QxP followed by P-K6.

| 19 ... | PxN |
| 20 NxP | Q—B3! |

The only way to keep control of KR1. If 20...Q-N4 21 NxR KxN 22 R-R8+ K-K2 23 R-K1.

21 NxR

The quickest win. 21 N-B4 Q-N4 22 N-R5+ K-N3 23 B-Q3 (or Q5) Q-Q7 leaves White with no forced win.

| 21 ... | KxN |
| 22 R—R7 | N—K2? |

A better try was 22...N-N4 when 23 RxP does not work because of 23...Q-Q3 and so I had intended to play 23 R-R5 B-K3 24 BxB (Black can defend himself after 24 RxN BxB 25 Q-R5 N-K2 or 24 P-Q5 B-B2 25 PxN BxB 26 PxP R-N1 27 Q-B1 BxR 28 QxP RxP 29 QxR B-K7) 24...NxB 25 P-Q5 R-Q1 26 Q-N3 N/K3-Q5 27 QxP RxP 28 QxBP with a decisive advantage.

23 R—K1

There was no point in winning the queen by 23 R-B7+.

| 23 ... | Q—N3 |
| 24 R—B7+ | QxR |

If 24...K-K1 25 P-B3 B-K3 26 BxB QxB 27 R-R7.

25 BxQ	KxB
26 Q—R5+	K—B1
27 Q—R6+	K—B2
28 Q—R7+	Resigns

---

394   Bisguier-Karpov
            English Opening
            Notes by Karpov

1 P-QB4 P-QB4 2 N-QB3 P-KN3 3 N-B3 B-N2 4 P-K3 N-KB3 5 P-Q4 0-0 6 B-K2 PxP 7 PxP P-Q4 8 0-0 N-B3 9 P-KR3 B-B4 10 B-K3 PxP 11 BxP R-B1 12 B-K2 B-K3 13 Q-Q2 Q-R4 14 B-KR6 KR-Q1 15 BxB KxB 16 KR-Q1 R-Q3! 17 Q-K3 R/1-Q1 18 P-R3 A conventional opening has led to a position which I think the readers will find interesting. A sharp tactical struggle is just beginning.

18...B-N6 19 R-Q2 19 N-QN5 failed to 19...BxR 20 NxR BxB 21 NxNP Q-N3 22 NxR BxN. **19...R-K3 20 Q-B4 N-Q4 21 NxN RxN 22 P-N4** White defends against the threat of 23...R-KB4 followed by 24...RxN and 25...QxR. If 22 B-Q3, Black gets the advantage by 22...R-B3 23 Q-K3 RxN 24 PxR NxQP. This threatens 25...QxR and 26...NxP+ and if 25 B-K4 there comes the crushing blow 25...QxR 26 BxR BxB! 27 Q-K5+ (27 QxQ NxP+) 27...K-R3. **22... P-KN4 23 Q-N3 R-B3 24 B-Q1** White loses a pawn after 24 R-Q3 B-B5 25 R-K3 BxB 26 RxB RxN! 27 QxR NxQP followed by 28...NxR+. **24...B-B5** After 24...RxN 25 BxR QxR 26 BxB the weakness of Black's KR2 is fatally exposed. **25 P-N3 B-R3** Of course I would have liked to have taken the knight but after 25... RxN 26 BxR QxR, White does not play 27 R-Q1 allowing Black to finish him off by 27...Q-B6 28 PxB RxP 29 RxR NxR 30 Q-K5+ K-R3! but instead hurries to exchange his bishop and draws by 27 PxB RxP 28 BxN PxB 29 Q-K5+. **26 P-N4 Q-Q1 27 B-N3** It looks as though the American Grandmaster is winning but Black has a powerful tactical riposte.

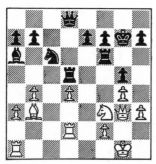

27...NxQP 28 RxN Bisguier does not wish to lose in a long and gruelling

endgame a pawn down after 28 BxR NxN+ 29 BxN QxR 30 R-Q1 Q-B6 and rushes precipitously to his doom. **28...RxR 29 NxP R-Q6 30 Q-R4 P-R3 31 NxP Q-Q5 32 R-K1 RxRP! 33 Resigns**

395 Karpov-Visier
Sicilian Defence
1 P-K4 P-QB4 2 N-KB3 P-K3 3 P-Q4 PxP 4 NxP P-QR3 5 B-Q3 Q-B2 6 0-0 N-QB3 7 NxN NPxN 8 P-KB4 P-Q4 9 N-Q2 N-B3 10 Q-K2 B-K2 11 P-QN3 0-0 12 B-N2 P-QR4 13 R-B3 B-R3 14 P-B4 KR-K1 15 QR-KB1 P-N3 16 K-R1 P-R5 17 R-R3 RPxP 18 RPxP B-N2 19 B-N1 PxKP 20 NxP NxN 21 BxN R-R7 22 B-N1 RxB 23 QxR P-QB4 24 Q-K2 R-Q1 25 R-Q3 RxR 26 BxR Q-B3 27 R-K1 B-R5 28 B-K4 Q-N3 29 R-QN1 B-KB3 30 BxB QxB 31 Q-Q3 Q-N3 32 Q-Q2 B-K2 33 Q-B3 Q-B2 34 R-KB1 B-Q3 35 Q-K3 P-R4 36 P-N3 B-K2 37 P-R3 B-B3 38 P-KN4 PxP 39 PxP K-N2 40 Q-KB3 Q-B1 41 K-N2 Q-R3 42 K-R3 Q-B1 43 R-Q1 Q-KR1+ 44 K-N2 Q-QB1 45 R-Q6 Q-QN1 46 R-Q7 B-Q5 47 P-B5 KPxP 48 PxP Resigns

396 Haase-Karpov
Centre Game
1 P-K4 P-K4 2 P-Q4 PxP 3 QxP N-QB3 4 Q-K3 P-Q3? That shaky theoretical foundation again. 4... N-B3, 4...B-N5+, 4...B-K2 and 4... P-KN3 are all preferable. **5 N-QB3 N-B3 6 B-Q2 B-K2 7 0-0-0 0-0 8 Q-N3 P-QR3 9 P-B4 P-QN4 10 P-K5 N-Q2 11 N-B3 R-N1 12 N-Q5 N-B4 13 B-K3 N-K5 14 Q-K1 P-B4 15 P-KR3 B-K3 16 R-N1 K-R1 17 P-KN4 PxKP 18 NxB QxN 19 NxP NxN 20 PxN R/N1-Q1 21 B-Q3 B-Q4 22 Drawn**

White clearly has the better attacking chances after 22 PxP QxP 23 Q-R4 but, for some inexplicable reason, Haase's team captain (Rossetto) agreed to a "package deal" of four draws in the match. Had the Argentinian players been permitted to continue their games the Soviet Union would probably have lost the match as Rubinetti was winning against Korchnoy and neither of the remaining Soviet giants had any prospects to offset these advantages.

397	Karpov-Ungureanu
	Sicilian Defence

1	P—K4	P—QB4
2	N—KB3	N—QB3
3	P—Q4	PxP
4	NxP	N—B3
5	N—QB3	P—Q3
6	B—KN5	

The variation 6 B-QB4 P-K3 will need some repair work after the fourth game of the Fischer-Spassky match. The classical attack 6 B-KN5 is getting more popular again.

6	...	P—K3
7	Q—Q2	B—K2

This old-fashioned line will give Black more problems than the modern 7...P-QR3 8 0-0-0 B-Q2 9 P-B4 B-K2 successfully adopted by Spassky in his match against Fischer. In the Sicilian, as a rule, one must be ready to plunge into great complications to solve the opening problems in a satisfactory way.

8	0—0—0	0—0
9	P—B4	NxN

This is considered best for Black; 9...P-Q4 10 P-K5 and 9...P-K4 10 N-B5 are inferior. But here, too, Black has problems.

10	QxN	Q—R4
11	B—B4!	

Among the many possibilities here, this move has the best reputation. The bishop is well placed here, supporting an eventual attack on the K-side, protecting his own king's position, and helping to control the important d5 square.

11	...	B—Q2

Black's main problem in this variation is the development of the QB. The text move leads to a position where White gets a slightly better game because of his two bishops. Therefore, 11...R-Q1 has been tried, in order to prepare 12... B-Q2, but then White will be able to use this loss of time to gain a dangerous initiative with 12 KR-B1 B-Q2 13 P-B5! etc.

12	P—K5!	PxP
13	PxP	B—B3
14	B—Q2!	

This is better than the complicated line 14 P-KR4 QR-Q1 15 Q-B4

N-R4! and Black can defend himself adequately. Now Black has little choice as 14...KR-Q1 leads to a bad game after 15 N-Q5!

14 ...	N—Q2
15 N—Q5	Q—Q1
16 NxB+	QxN
17 KR—K1	

White can be satisfied with the outcome of the opening. He has the advantage of the two bishops, a good development and chances for an attack on the K-side. Black will have a lot of trouble repelling all the threats. Now, for instance, he cannot play 17...BxP, as then 18 R-N1 followed by 19 B-KR6 would cost him the exchange.

17 ...   KR—B1

This is by no means an improvement over the continuation 17...Q-B4 18 Q-B4 B-N4 as in the game Kavalek-Benko, Netanya 1969. After the text move White will be able to return his bishop to Q3, where it will support the forthcoming attack against the black king.

18 Q—B4!

Avoiding the possible exchange of queens after 18...Q-B4. It does not help Black very much that he can now bring his knight to the strong central square Q4, as his king will remain almost without support.

| 18 ... | P—QR4 |
| 19 K—N1 | N—N3 |

It was probably wiser to take some care of his own king and play 19...N-B1. But who can resist the temptation to bring the knight to Q4?

| 20 B—Q3 | N—Q4 |
| 21 Q—KN4 | Q—B4 |

Again removing a piece from the K-side? This cannot end well, but it is already difficult to find a good plan against White's threats on that side. On 21...N-N5, for instance, there could already follow 22 B-KN5

Q-B1 23 BxP+ KxB 24 R-K3, with decisive threats.

The phase of the game following the opening has not been played by Black in the best way, no doubt. Nevertheless, it is interesting to follow the way Karpov punishes his opponent for his mistakes.

22 R—K4!

This rook will now take an active part in the coming attack. The direct threat is now 23 R-QB4 followed by 24 BxP+.

| 22 ... | P—QN4 |
| 23 Q—R3 | N—N5 |

Black is already defenceless. The threat was not only 24 QxP+ and 25 R-QB4+ winning a pawn, but mainly 24 R-R4 with a mating attack.

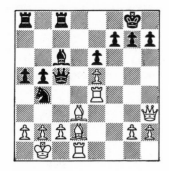

24 B—K3!

A typical Karpov move! There are few players who could resist to continue 24 RxN PxR 25 QxP+ K-B1 26 Q-R8+ K-K2 27 Q-R4+ (threatening 28 BxP/N4). This will also win, but after 27...P-KN4! Black can avoid immediate loss. The text move, on the other hand, leads to a material advantage for White without leaving his opponent the slightest chance for counterplay.

24 ...   BxR

Forced. After 24...Q-K2 White has the comfortable choice between 25 RxN QxR 26 P-R3!, and the more prosaic 25 R-R4 with an immediate win. With the text move, Black hopes to put up stubborn resistance after 25 BxQ BxB, etc. But Karpov has quite something else in mind.

25 BxB!

This is the simple point! Black must now lose at least a piece, with a completely hopeless position.

25 ...   QxKP

Again forced. After 25...Q-B5 26 QxP+ K-B1 27 Q-R8+ K-K2 28

B-N5+ Black will be mated.

26 QxP+   K—B1
27 BxR

Another easy win here was 27 R-Q7 K-K1 28 R-N7, but the text is simple enough. It threatens 28 Q-R8+ while 27...RxB 28 Q-R8+ K-K2 29 QxR QxB would allow 30 Q-Q8 mate.

27 ...   K—K2
28 Q—K4   Q—B2
29 Q—N7!   Resigns

San Antonio 1972

	1	2	3	4	5	6	7	8	9	10	11	12	13	14	15	16	
1 Karpov	x	½	0	1	½	½	1	½	½	1	1	½	½	1	1	1	10½
2 Petrosian	½	x	½	1	½	½	½	1	1	½	½	½	1	½	1	1	10½
3 Portisch	1	½	x	0	1	1	½	1	½	½	½	½	1	½	1	1	10½
4 Gligoric	0	0	1	x	½	½	1	½	½	1	1	½	½	1	1	1	10
5 Keres	½	½	0	½	x	1	½	1	1	1	½	0	½	1	1	½	9½
6 Hort	½	½	0	½	0	x	½	0	1	½	1	½	1	1	1	1	9
7 Suttles	0	½	½	0	½	½	x	½	½	½	½	1	1	1	1	1	9
8 Larsen	½	0	0	½	0	1	½	x	0	1	0	1	1	1	1	1	8½
9 Mecking	½	0	½	½	0	0	½	1	x	½	1	½	1	1	½	1	8½
10 D. Byrne	0	½	½	0	0	½	½	0	½	x	0	1	½	1	1	1	7
11 Browne	0	½	½	0	½	0	½	1	0	1	x	½	1	0	0	1	6½
12 Evans	½	½	½	½	1	½	0	0	½	0	½	x	0	½	½	1	6½
13 Kaplan	½	½	0	½	½	0	0	0	0	½	0	1	x	1	½	0	5
14 Campos	0	0	½	0	0	0	0	0	0	0	1	½	0	x	1	½	3½
15 Saidy	0	0	0	0	0	0	0	0	½	0	1	½	½	0	x	1	3½
16 Smith	0	0	0	0	½	0	0	0	0	0	0	0	1	½	0	x	2

---

398   Saidy-Karpov
Polish Defence
1 N-KB3 N-KB3 2 P-KN3 P-QN4!? This is really getting quite popular now; the young Yugoslav grandmaster Ljubojevic plays it very often. It had to come sooner or later, for it is certainly just as playable as 1 N-KB3 N-KB3 2 P-B4 P-KN3 3 P-QN4!?, as Smyslov, Benko and others have played many times. I (Larsen) think it is an advantage for Black that he has not played P-QB3.

I have played 1 N-KB3 P-K3 2 P-KN3 P-QN4 a few times myself, I prefer P-K3 for Black because I do not like to promise so early not to make it a Dutch Oran-Utan, with P-KB4. **3 B-N2 B-N2 4 0-0 P-K3 5 P-Q3 B-K2** This is much better than

5...P-Q4 6 P-K4! Black must keep things quiet in the centre until he has castled. **6 P-K4 P-Q3 7 P-QR4 P-QR3 8 PxP** Not a bad idea. Another one was 8 P-B3 followed by N-R3. In such an unknown position there is plenty of scope for imagination and originality. **8...PxP 9 RxR BxR 10 N-R3 P-N5 11 N-B4 0-0 12 B-Q2 N-B3 13 Q-R1?** A blind alley. Good was 13 R-K1. White has a nice position without pawn weaknesses, while the far advanced black QN pawn might be considered weak. **13... P-Q4 14 PxP NxP 15 Q-R6? B-B3 16 R-R1?** P-R3 **17 R-K1** A sad retreat. But Karpov's last move prevented tricks like 17 Q-N5 Q-Q2 18 R-R6 R-N1 19 QxR+ NxQ 20 RxB Q-B1 21 N-R5 because of K-R2! 22 N-B6 Q-N2. **17...Q-K2 18 N-R5** Why not to K5? **18...Q-Q3** After 18...NxN 19 QxN BxP 20 R-N1 B-B6 21 BxB PxB 22 N-Q4 Black cannot hold the plus pawn. **19 N-B4 Q-B4 20 B-K3** Probably best. White has lost the initiative, but he still has a playable game. **20...NxB 21 PxN N-K2!** Otherwise White would get the advantage with N/3-Q2. **22 N/3-Q2 B-Q4 23 N-K4 BxN/K5 24 BxB P-R4!? 25 Q-R1?!** Seeing the beginning of a Black attack, White retires. More energetic was 25 R-R1! **25... P-N3 26 Q-Q1 P-R5 27 Q-K2 Q-KN4 28 Q-B3 K-N2 29 Q-B4 Q-QB4 30 R-R1 N-Q4 31 Q-B2 P-B3** 31...B-N4 is not very good because of 32 R-R5 QxP 33 NxQ BxN 34 BxN. Saidy was short of time, so Karpov was hoping for a chance. **32 R-R5 Q-K2 33 P-N4?** Helping Black. Best was probably 33 B-B3, threatening P-K4. **33...Q-B2 34 R-R1 B-N4 35 K-R1 K-R3 36 R-KN1?** Again, better B-B3. But having played 33 P-N4? White could not play P-K4, as the black knight would go to B5. **36...**

N-B3 **37 B-B3 R-Q1**

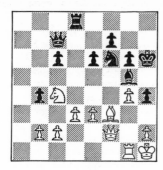

38 R-R1? P-N6! After this, Black's advantage is probably decisive. **39 R-R6 PxP 40 QxBP N-Q4 41 Q-Q2 P-QB4 42 Q-K2 N-N5 43 R-R3 K-N2 44 B-N2 B-B3 45 B-B1 N-B3! 46 Q-KB2 N-K4 47 NxN QxN 48 P-N3 R-Q2** Black wants to play B-N4, forcing P-K4, after which White will be terribly weak on the black squares. But first he prevents R-R7. **49 P-K4 Q-N4 50 Q-K2 R-N2 51 Q-B3 B-K4** A nice position! Karpov has slowly collected important positional advantages. The game might still take a long time without the following blunder, but there is no reason to doubt that he would have won. **52 R-R5?? Q-Q7 53 Resigns**

399   Karpov-Browne
       English Opening
       Notes by Karpov
    1 P—QB4   P—QB4
    2 P—QN3   N—KB3
    3 B—N2   P—KN3
    4 BxN!?

An original idea: in exchange for giving up his bishop, White takes control over Q5. If Black does not like the position which arises after White's fourth move, he could have played 3...P-K3 instead of 3...P-KN3. This entire idea needs verifying and it is for this reason that this game is interesting from the theoretical point of view.

4 ...	PxB
5 N—QB3	B—N2
6 P—N3	N—B3
7 B—N2	P—B4

This advance, as it turns out, is hasty. On KB4, the pawn hems in the white-squared bishop. Possibly better was 7...P-Q3, so as on 8 P-K3 to reply 8...N-N5, retaining the possibility of finding an active spot for the white-squared bishop.

8 P—K3	0—0

Now it would have been thoughtless to continue 8...N-N5 inasmuch as the check on Q3 is not dangerous for White; he could play either 9 Q-N1, defending against 9...N-Q6+, or 9 KN-K2, allowing 9...N-K6+.

9 KN—K2	P—QR3
10 QR—B1	

In order on 10...P-QN4 to have the possibility of 11 P-Q3 and on 11... PxP, of recapturing with the QP. 10 0-0 is also good.

10 ...	P—QN4
11 P—Q3	

Of course, dangerous was 11 PxP PxP 12 NxP RxP 13 RxP Q-R4 and on 14 N/5-B3, there follows 14... RxP!

11 ...	B—N2
12 0—0	P—Q3
13 Q—Q2	Q—R4

Black is in serious difficulties. The QN pawn needed defending. It could only be defended by the queen, but that piece is not well placed on R4. On the other hand, both the exchange on QB5 and the advance 13...P-N5 were unpleasant for Black. Browne selected the lesser evil.

14 KR—Q1	QR—N1
15 N—Q5	QxQ
16 RxQ	P—N5

Black must move the QN pawn, since to exchange it on QB5 serves no purpose and it is impossible to maintain the tension on the Q-side, for White threatened 17 PxP PxP 18 P-Q4 PxP 19 RxN BxR 20 N-K7+ and 21 NxB.

17 P—Q4

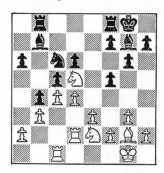

The game is strategically won: Q5 is firmly held. Black's pawns on the K-side have been stopped and White's extra pawn in the centre promises him all the winning chances.

17 ...   KR—Q1

Forced, inasmuch as after 17...PxP there would follow a massive exchange of pieces which would not be in Black's favour: 18 NxQP NxN 19 N-K7+ K-R1 20 PxN.

18 R/1—Q1

An inaccuracy. White has an overwhelming advantage after 18 PxP PxP 19 R/1-Q1, threatening 20 N-K7+.

18 ...	PxP
19 PxP	K—B1
20 P—B5?	

A serious error, letting the lion's share of White's advantage slip. The quiet 20 N-K3 was much simpler and stronger, and found when my head was clear; but, during the game ...

20 ...   N—R2!

The point. The knight will have a wonderful post on QN4, from where it can go to QB6 and attack the QP.

Any other move in this position would be much weaker.

21 N—K3

White gets nothing with 21 PxP BxN (worse is 21...RxP 22 N-K3 BxB 23 KxB and 24 P-Q5 with good prospects) 22 BxB RxP and 23...N-N4; also the simple 21 NxP does not work due to 21...BxB 22 NxP B-B6 23 NxR RxN. The text was probably the only possibility of preserving the knight and fighting for a further advantage.

21 ...	BxB
22 KxB	PxP
23 PxP	RxR
24 RxR	R—B1

White has a clear theoretical advantage thanks to the presence of an extra passed pawn on the Q-side, but for the moment, he must tend to its defence. I decided to exchange the QB pawn for the QN pawn, loosening Black's hold on the strongpoint at his QB6. After 25 R-B2 N-N4, Black is on his way to seizing the initiative.

25 N—Q5	RxP
26 NxP	P—QR4
27 N—Q5	R—B3

This move and those following were made by Browne in time-pressure, and therefore I succeeded in increasing my advantage and winning. Of course, the normal result from this position would be a draw. This move is the first mistake. More precise was 27...N-B3, without fearing 28 N-N6.

28 N—K3	R—B4
29 N—KB4	B—R3
30 R—Q5	

White goes in for an exchange of pieces so that he can take advantage of his extra pawn on the Q-side.

30 ...	RxR
31 N/4xR	BxN?

From this moment on White again has real winning chances. It was necessary to keep the bishop and

continue 31...N-B3; then White's winning chances would be extremely problematical. Now both opponents, as is usually the case in endgames, bring their kings to the centre.

32 NxB	K—K2
33 N—B4	N—B3
34 K—B3	K—K3
35 K—K3	K—Q4
36 P—QR3	

Preparing the king's entry to Q3. Now 36...P-R5 is impossible due to 37 N-N6+.

36 ...	K—K3
37 K—Q3	K—Q4
38 P—B3	P—R3
39 K—B3	P—R4
40 K—Q3	P—B3
41 P—B4!	

Zugzwang. Black cannot move his king to QB4 due to 42 NxP and 43 P-N4+; the knight cannot leave the defence of the QRP.

41 ...	P—N4
42 N—K3+	K—K3
43 P—KR4	

Blockading the pawns and guaranteeing the win.

43...PxRP 44 PxP N-K2 45 K-B4 N-N3 46 N-N2 K-Q3 47 K-N5 K-Q4 48 KxP K-K5 49 P-N4 K-B6 50 P-N5 KxN 51 P-N6 N-B1 52 K-N5 N-Q2 53 P-R4 NxP 54 KxN K-B6 55 P-R5 KxP 56 P-R6 K-K6 57 P-R7 P-B5 58 P-R8(Q) P-B6 59 Q-K8+ **Resigns**

---

400   Larsen-Karpov
Queen's Indian Defence
1 P-Q4 N-KB3 2 N-KB3 P-K3 3 P-B4 P-QN3 4 P-KN3 B-N2 5 B-N2 B-K2 6 0-0 0-0 7 P-N3 Of course, the most common move is 7 N-B3. I (Larsen) played the text move in order to get into less explored territory. By the way, Karpov knows the continuation 7 N-B3 N-K5 8 Q-B2 NxN 9 QxN P-QB4!? very well. It was rehabili-

tated by Korchnoi a few years ago, at a time when he was working together with Furman — and later Furman became Karpov's trainer! **7...P-B4** If Karpov had answered 7...P-Q4, I would have played 8 PxP, hoping to transpose into my game against Evans in the previous round. I would like to have the White pieces once in that position! **8 B-N2 PxP 9 QxP N-B3 10 Q-B4 P-Q4** After 10...Q-N1 White would play either 11 N-B3 or 11 QxQ QRxQ 12 N-B3 followed by pressure against the Black QP. **11 R-Q1 Q-B1?** 11...Q-N1 must be the right continuation, which I would probably have answered by 12 N-K5. 12 QxQ QRxQ 13 N-K5 QR-B1 leads to a very drawish position.

One of the ideas behind the text move is 12 N-B3 PxP 13 QxP N-QN5, so I preferred **12 QN-Q2 R-Q1 13 QR-B1 Q-N1 14 N-K5 B-Q3 15 NxN** The best answer to 15 N/2-B3 seems to be 15...N-K2. **15...BxN 16 Q-R4 B-K4** 16...B-K2 17 PxP BxP 18 N-K4 does not look very attractive for Black. **17 BxB QxB**

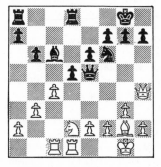

18 N-B3? I find it hard to explain why I abandoned my original plan: 18 PxP BxP 19 P-K4 B-N2 20 N-B4 RxR+ 21 RxR Q-B2 (21...Q-B6? 22 Q-B4!) 22 P-K5 N-Q4 (22...BxB?? 23 PxN B-B6 24 Q-N5!) 23 N-Q6. Really, the Black position would be

very difficult to defend, for instance, 23...B-B3 24 R-QB1. I remember seeing 23...Q-B7 24 Q-R5 P-N3 25 Q-B3 N-B6! 26 QxB QxR+ 27 B-B1 R-KB1 — but that is all nonsense! White should just play 24 R-KB1, with the double threat NxB and B-K4. I did not look deep enough and rejected a promising and logical continuation for no good reason. Maybe drawing a game in round three does not decide the outcome of the tournament, but I has the feeling that this was where I lost first prize! **18...Q-N1?** Correct was 18...Q-K5! The ending after 19 QxQ PxQ is tenable for Black. It looks as though the majority on the Q-side should offer White winning chances, but the White bishop is misplaced. **19 N-Q4 B-N2 20 PxP NxP 21 N-B6?** For the second time, a very tame continuation. 21 N-N5! offered winning chances. One of the ideas is 21...R-QB1 22 BxN! BxB (22...PxB gives White a clear positional advantage) 23 P-K4 B-B3 24 NxP! QxN 25 RxB, the back rank mating threat nets White an important pawn. **21...BxN 22 RxB Q-K4 23 Q-K4** The only good continuation. A good reply to 23 Q-QB4? is 23...N-K6!, for instance 24 RxR+ RxR 25 R-B8! Q-R8+ 26 Q-B1 QxQ+ 27 RxQ and White can just hold the ending. **23...QxQ 24 BxQ N-B3 25 RxR+ RxR 26 B-Q3** I believed that I still has some chances with bishop v knight in a rather open position and a more active rook. But Black has a very good defence, pointed out by Karpov after the game: 26...N-K1, followed by the centralisation of the king. White cannot find any weak spots in the Black fortress. **26...N-Q4? 27 P-QR3 K-B1 28 B-N5** Preventing 28...K-K2 because of 29 P-K4. Black now has some problems, but finds a good defence. **28...P-N4! 29 K-B1** Honestly I did not see Black's following manoeuvre, but also after 29 K-N2 P-N5! there would not be many winning chances. The advance of the Black KNP prevents White from a slow, broad advance on the K-side. **29...N-K2!** Exactly on time, before the White king reaches K1. **30 R-B7 R-Q8+ 31 K-N2 R-N8 32 B-B4 P-QR3! 33 P-QR4 Drawn** Because of 33...P-N4, eliminating all pawns on the Q-side.

(After failing to win this game Larsen played the remainder of the tournament with less spirit than usual. — D.N.L.L.)

---

401   Karpov-Campos-Lopez
        Alekhine's Defence

1 P-K4 N-KB3 2 P-K5 N-Q4 3 P-Q4 P-Q3 4 N-KB3 P-KN3 5 B-QB4 P-QB3 Most players prefer 5...N-N3 as did Fischer in the 13th match game in Reykjavik. Spassky continued very badly so that game was of no great importance for opening theory. Probably critical is 6 B-N3 B-N2 7 N-N5!? 0-0 8 P-KB4, but there are not too many good master games available yet with this ambitious attempt to build a strong centre and lock up the Black fianchetto bishop. **6 0-0 B-N2 7 PxP** There are other continuations, for example R-K1 or P-KR3. But the text move is not bad. The position now looks more like a Caro-Kann than an Alekhine. **7...QxP 8 P-KR3 0-0 9 B-N3 B-B4** Another possibility is 9...P-QN4!? followed by N-Q2 and B-N2. **10 R-K1 R-K1 11 QN-Q2 P-QN4!? 12 P-QR4 N-Q2 13 P-B4 N-N5??** Running completely wild. After 13...PxBP it would have been a normal game. Did Black see some

danger for his QB? It is not there, as 14 NxP Q-B2 15 P-N4? B-K3 15 N-N5 N-B1 only weakens White's own position. **14 P-B5 Q-B3 15 N-K4 BxN 16 RxB P-K4** To prevent R-B4. The Black position is already hopeless. **17 RPxP** Cat and mouse! QPxP was not bad either. **17...QR-Q1 18 B-N5 Q-B4 19 BxR RxB** Or 19...QxR 20 BxP+! **20 Q-K2 BPxP 21 RxRP N-QB3 22 R-B7 N-R4 23 B-Q5 Resigns**

---

402   Suttles-Karpov
        Sicilian Defence
        Notes by Karpov

1 P-KN3 P-QB4 2 B-N2 N-QB3 3 P-K4 P-KN3 4 N-K2 B-N2 5 0-0 P-Q3 6 P-QB3 In comparison to the Closed Variation of the Sicilian Defence, White has a somewhat better position as a result of his intricate move order. First of all, he has rapidly developed his K-side pieces; secondly, N-QB3 has been omitted, which allows White to occupy the centre with his pawns. Naturally, Black will try to prevent this by any means at his disposal. **6...P-K4 7 N-R3** The knight is headed for QB2, from where it will be able to support the thrust P-Q4, while at the same time it could go to Q5 via K3. Another possibility for White was to play 7 P-Q3 followed by B-K3 and P-Q4. **7...KN-K2 8 N-B2 Q-N3!?** First and foremost consistency! **9 N-K3** The plan 9 R-N1 and 10 P-QN4 is too slow. **9...0-0 10 P-Q3 B-K3 11 K-R1 Q-Q1** The queen has done her job on QN3. The way is now cleared for the Q-side pawns, while the queen goes to support an eventual P-Q4. After White plays P-KB4, the queen may go to Q2 to help prevent P-B5. **12 P-KB4 P-B4** Also possible was the aforementioned 12...

Q-Q2. **13 N-Q5 K-R1.** Black retreats his king to avoid checks in certain variations from K7 and KB6, while the square KN1 can be used later by the bishop on K3. **14 PxKP?!** This demands timing; 14 B-K3 should be played first. **14...QPxP 15 B-N5 P-KR3 16 NxN NxN 17 B-K3 Q-B2** With this move, Black not only protects his pawns, but frees the Q-file preparing to put pressure on White's weakened central pawns. **18 Q-Q2** 18 P-Q4 leads to complications which are unfavourable for White. **18... K-R2 19 P-N3 QR-Q1 20 P-B4** Hoping to control Q5, but this meets with an elegant refutation. **20... P-KN4!** 21 PxP Practically forced: P-B5 was threatened. **21...BxKBP 22 RxB** At first glance, the exchange sacrifice looks attractive, but no more than equal compensation for it is obtained. True, this is the only way out of the position for White. **22... NxR 23 B-K4 K-R1 24 N-B3** This looks very good for White, occupying the central squares, but Black shatters the illusion with one move. **24...N-Q3** Now the white-squared bishop must be exchanged, for to remove it from K4 would allow Black to free his black-squared bishop via P-K5. **25 N-Q5** 25 B-Q5 is no better, for Black follows with P-K5, with the advantage. **25...NxB 26 PxN Q-B1!** The blockade P-KN4 cannot be allowed. To prevent that, I had to agree to the loss of an important centre pawn on QB4. **27 Q-K2 P-N5 28 K-N2** Black succeeds more readily in realising his exchange advantage after this passive move. White had to accept Black's dangerous gift with 28 N-K7 Q-K3 29 BxBP P-N3 30 B-R3. **28...R-B6 29 R-Q1 R-Q2** Black has managed to defend his weaknesses and strengthen KB6. **30 P-KR4 P-KR4 31 B-N5 Q-B1**

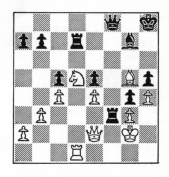

32 N-B4 Despair. Besides the variation which occurs in the game, 32... PxN also wins: 33 RxR RxP+ 34 K-B1 (34 K-R1 R-R6+ 35 K-N1 B-Q5+ and wins) 34...B-Q5! (threatening mate on KN8!) 35 K-K1 (35 Q-R2 R-B6+) 35...R-N8+ 36 K-Q2 P-B6 37 Q-Q3 P-B7 38 P-K5!?? (mate almost seems inevitable, but 38...P-B8(N)+ or 38...R-Q8+ leads to an easy win). **32...Q-K1 33 RxR QxR 34 N-Q5** After 34 NxP Q-Q6 White would be forced to exchange queens and knight for bishop. In the ensuing endgame, Black's rook will create havoc among the white pawns on the Q-side. **34...Q-B3 35 B-K3 K-R2 36 B-B2 P-N3 37 B-K1 Q-N2 38 B-B3 R-B1!** The rook frees KB6 for the queen. The exchange is unavoidable; the rest of the game is easy. **39 B-K1 Q-KB2 40 B-Q2 Q-B6+ 41 QxQ RxQ 42 B-B3 R-Q6 43 K-B2 R-B6+ 44 K-N2 K-N3 45 P-N4** White comes to the realisation that his position is hopeless. I intended to transfer the king to K3, the bishop to Q1 and break with P-R3 and P-N4. **45...PxP 46 BxNP R-Q6 47 N-K7+ K-B2 48 N-B8 K-K3 49 NxRP R-Q5 50 P-R3 RxBP 51 N-N5 B-R3 52 K-B2 R-B7+ 53 K-K1 B-K6 54 K-Q1 R-KN7 55 N-B7+ K-B2 56 N-Q5 RxP 57 P-R4 B-Q5 58 P-R5 PxP 59 BxP R-KR6 60 B-Q8 P-N6 61 Resigns**

403   Karpov-D. Byrne
        Sicilian Defence
**1 P-K4 P-QB4 2 N-KB3 P-Q3 3 P-Q4
PxP 4 NxP N-KB3 5 N-QB3 P-KN3 6
B-K3 B-N2 7 P-B3 0-0 8 Q-Q2 N-B3
9 B-QB4 P-QR4 10 P-QR4!** The only
way for White to extract any advan-
tage from Donald Byrne's pet varia-
tion. **10...NxN** 10...N-K4 11 B-N3
B-Q2 12 P-R4 and 10...N-QN5 11
N-Q5 KNxN 12 PxN BxN 13 BxB
P-K4 14 B-B2! are also good for
White. **11 BxN B-K3 12 B-N5** The
bishop does not accomplish very
much on this square which might
later be a useful outpost for White's
knight. 12 B-N3 might therefore be
more troublesome to Black, e.g. 12...
BxB 13 PxB N-Q2 14 BxB KxB 15
P-QN4 PxP 16 Q-Q4+ K-N1 17
QxNP Q-R4 18 QxQ RxQ 19 P-QN4
QR-R1 20 K-K2 KR-B1 21 KR-QB1
with the better ending for White.
Analysis by Rosenfeld. **12...R-B1 13
0-0-0 N-Q2 14 BxB KxB 15 P-B4
N-B3 16 KR-K1 Q-B2 17 Q-Q4
KR-Q1 18 R-Q2 P-Q4 19 PxP BxP
20 Q-K5 P-K3 21 KR-Q1**

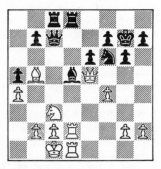

Now Byrne wanted to play 21...QxQ
but he noticed that after 22 PxQ
N-N5 23 NxB RxN 24 RxR PxR 25
RxP RxP+ 26 KxR N-K6+ 27 K-B3
NxR+ 28 K-Q4 and 29 K-B5 he loses
the ending. So to make the line play-
able he found... **21...P-N3??** ...which

prevents the entry of the White king
but which loses even sooner. Pro-
bably best was 21...R-KR1 followed
by ...P-R4, when White's advantage
is so slight that Karpov was unable to
win a single variation in the post-
mortem analysis. **22 B-R6 P-R4 23
BxR RxB 24 P-R3 QxQ 25 PxQ
N-K5 26 NxN BxN 27 R-K2 B-Q4 28
R-Q4 R-B4 29 P-R4 P-B4 30
PxPep+ KxP 31 R-B4+ K-N2 32
R-K5 R-B2 33 P-KN3 R-B3 34 K-Q2
R-B2 35 P-N3 R-Q2 36 K-K3 R-K2
37 P-KN4 PxP 38 RxNP K-B3 39
R/5-N5 R-KR2 40 RxP+ Resigns**

404   Petrosian-Karpov
        Queen's Indian Defence
1 P-Q4 N-KB3 2 P-QB4 P-K3 3
N-KB3 P-QN3 4 P-K3 B-N2 5 N-B3
P-Q4 6 B-Q3 B-K2 7 0-0 0-0 8
P-QN3 P-B4 9 B-N2 PxQP 10 KNxP
PxP 11 BxBP P-QR3 12 B-K2 P-QN4
13 B-B3 R-R2 14 BxB RxB 15 Q-B3
R-Q2 16 P-QR4 PxP 17 NxRP Q-B2
18 KR-B1 Q-N2 19 N-QB5 QxQ 20
PxQ BxN 21 RxP P-R3 22 K-N2
R-N2 23 P-B4 K-R2 24 QR-QB1
R-Q1 25 R/1-B2 N-K5 26 R-B7
R-Q2 27 RxR/N7 RxR 28 B-R3 P-N4
29 K-B3 N-KB3 30 Drawn

405   Karpov-Gligoric
        Ruy Lopez
        Notes by Karpov
1 P-K4 P-K4 2 N-KB3 N-QB3 3
B-N5 P-QR3 4 B-R4 N-B3 5 0-0
B-K2 6 R-K1 P-QN4 7 B-N3 P-Q3 8
P-B3 0-0
        9 P—KR3
Thus the Ruy Lopez — one of the
oldest and most studied openings.
Here it is difficult to devise some-
thing new in the very beginning of
the game, so chess players spend
much of their time in the opening
choosing the variation with which to

enter the middle game. In this game the players follow a classic pattern in one of the main variations.

9 ...   N—N1

9...N-QR4 leads to the so-called Tchigorin Defence.

10 P—Q3

The 9...N-N1 variation has recently become a frequent feature of international competition. 10 P-Q4 is considered the normal continuation. In that way White exerts pressure against the enemy centre, maintaining the initiative. With 10 P-Q3 White defers the start of active play for a while.

10 ...	QN—Q2
11 QN—Q2	B—N2
12 N—B1	N—B4
13 B—B2	R—K1
14 N—N3	B—KB1

This system is considered one of the best replies to the variation selected by White. Black has succeeded in regrouping his forces and is prepared for a battle in the centre.

15 P—QN4

This is the only way to drive away Black's knight. 15 P-Q4 is impossible because of the insufficient defence of White's K4.

15 ...	N/4—Q2
16 P—Q4	P—R3
17 B—Q2	

Defending against the possibility of ...P-Q4.

17 ...   N—N3

For some reason, Gligoric declines to play the known 17...P-QR4 which gives Black a completely equal game. Nevertheless, his move merits consideration.

18 B—Q3

This move blocks the incursion of Black's knight at White's QB4 and halts the advance of Black's QRP at the same time.

18 ...   R—B1

19 Q—B2!?

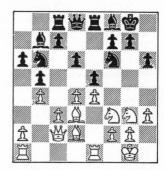

At first glance a strange continuation — White places his queen on the same file as Black's rook. But the QB file will not in fact be opened, either by the immediate 19...P-B4 20 NPxP PxP 21 P-Q5, or after the preliminary exchange 19...PxP 20 PxP P-B4 21 NPxP PxP 22 P-Q5 with a very sharp position.

19 ...   Q—Q2

A lethargic move that will cost Black dearly. Not only does it lose an important tempo, but the queen has taken the Q2 square away from Black's knights, limiting their manoeuvrability.

20 QR—Q1	Q—B3
21 B—K3	N—R5

This is the only way to gain time to defend against the threatened N-Q2-N3-R5. 21...N-B5 was impossible in view of 22 P-Q5 Q-Q2 23 BxN PxB 24 N-Q2 and 25 NxP.

22 R—QB1	N—N3
23 Q—N1	

Better is the immediate 23 N-Q2; then 23...P-Q4 is not dangerous since White's K4 is safely defended, e.g. 24 QPxP RxP 25 B-Q4! (25 P-KB4? PxP with a winning position for Black) 25...PxP 26 N/2xP. There is no defence against N-Q2-N3-R5.

23 ...	Q—Q2
24 N—Q2	P—B4

A forced action. Now White gets a strong, defended passed pawn on Q5.

25 NPxP   QPxP
26 P—Q5   N—R5
27 P—QB4   P—N5
28 R—B1

Black's trouble is that he cannot find a satisfactory defence against the breakthrough P-B4, initiating a fearsome assault on the king's position. Q-side counterplay is hopelessly late.

28 ...   Q—B2
29 P—B4   N—Q2
30 Q—B2   N—B6

This advance of Black's knight loses a pawn by force after the transfer of White's bishop to Q2, but a retreat to N3 would be even gloomier.

31 P—B5   N—B3
32 N—K2?!

Of course it would have been better to win the pawn by 32 N-B3, 33 B-Q2 and 34 BxN, but it seemed to me that Black was defenceless against a K-side pawn storm. However, it turns out that Black's king is able, a little at a time, to escape from its insecure refuge.

32 ...   NxN+
33 BxN   B—Q3
34 P—N4   K—B1
35 P—KR4   K—K2
36 P—N5   PxP
37 PxP   N—Q2
38 B—N4

White's pieces have turned out to be unprepared for such a swift unfolding of events. The decisive thrust requires regrouping and the supplying of new pieces to the K-side.

38 ...   R—KN1

White was threatening 39 P-B6+ PxP 40 PxP+ NxP 41 B-N5. But without the advance P-B3, Black will hardly be able to manage. Thus 38... P-B3 was better here.

39 K—B2   R—KR1
40 R—KR1   QR—KN1

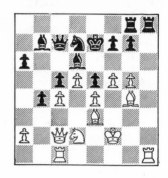

It is vital for the Black king to be able to escape to the Q-side without interference. Now White has an excellent chance to resolve the struggle in his favour by 41 P-R3 P-R4 42 Q-R4! N-N3 43 Q-N5! and Black cannot trap the queen since on 43...RxR 44 RxR R-QR1 there follows the deadly P-B6+, and Black has no time for P-B3 because of the manoeuvre N-N3 with attacks on Black's QR4 and QB4. But I bypassed this opportunity and made a not completely successful move.

41 Q—Q1   K—Q1

The sealed move. Gligoric, as previously, refrains from advancing P-B3. 41...N-N3 loses because of 42 P-B6+ PxP 43 Q-B3 N-Q2 44 N-N3 with the threats BxN and NxP. Also bad is 41...P-R4 42 Q-R4 N-N3 43 Q-N5.

42 Q—N1   N—N3
43 R—R2   Q—K2?

This is a serious mistake. It is necessary to push the Q-side pawns. White's knight immediately occupies QR5 and the game ends quickly.

44 N—N3   K—B2
45 K—B3

Yet another little strategem; White's king move frees the second rank for his rooks and opens the KN1-QR7 diagonal for his queen.

45 ...	N—Q2
46 P—R3	PxP
47 R—R2	R—R5
48 RxP	R/1—KR1
49 R—QN1	

Black lacks the strength to defend all his weak points, and the game ends very quickly.

49 ...   R—QN1?

An error which does not change matters. All the same 49...P-B3 was more tenacious.

50 Q—K1   RxB

On 50...R/5-R1 there would follow 51 Q-R5+ K-B1 52 P-B6 PxP 53 NxP.

51 KxR   B—B1
52 Q—R5+   Resigns

On 52...R-N3 decisive is 53 NxP BxN 54 RxR BxR 55 BxB+ NxB 56 P-B5.

(Karpov's handling of the subtle positional nuances present in the Closed Ruy Lopez provide convincing testamony to the maturity of his play. In particular, the present game and games 429 and 444 give one the feeling that the player of the white pieces is a Grandmaster of many years standing. In this respect Karpov's command of the game at such an early age is second only to that of Bobby Fischer. — D.N.L.L.)

406   Portisch-Karpov
Nimzo Indian Defence
Notes by Portisch

1 P-Q4 N-KB3 2 P-QB4 P-K3 3 N-QB3 B-N5 4 P-K3 P-B4 5 B-Q3 0-0 6 N-B3 P-Q4 7 0-0 PxBP 8 BxBP QN-Q2 9 Q-K2 PxP Slightly unusual, 9...P-QN3 at once is the normal move. 10 PxP P-QN3?! Rather dubious. In a recent Hungarian team tournament M. Kovacs played 10...

N-N3 against me. In any event White has good compensation for the isolated QP but after Black's move the problem of the isolated pawn is immediately solved. 11 P-Q5 BxN 12 PxP B-N5 13 PxN QxP 14 P-QR3! After 14 N-K5 Q-B4 Black has equalised completely (15 B-Q3 Q-K3). My move forces the bishop to a less favourable square. If it retreats to K2 the Black queen has no good square.

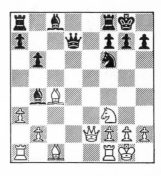

14...B-Q3 15 R-Q1? A hallucination. I had wanted to play 15 B-KN5 Q-K2 16 QxQ BxQ 17 KR-K1, but after 17...B-Q3 I analysed a position in my mind in which my QB was still on QB1 and I could find nothing better than 18 R-Q1. But of course with the rooks united, I would leave my KR on K1 and play 18 QR-Q1 with a very good game. 15...Q-B2 16 P-R3 16 B-KN5 B-KN5 17 BxN PxB 18 R-Q4 B-R4 gives White nothing. 16... B-N2 17 B-K3 QR-K1 At this point Karpov thought that he had the better game, so he gave me some chances by trying for a win. But in fact the position is equal. Instead of the text, 17...QR-B1 18 B-QR6 leaves White with the smallest of advantages. 18 QR-B1 Q-N1 19 B-QN5 R-K2 20 B-B6 A risky move because now the coming sacrifice is forced. 20...BxB Better than 20...B-B4!? 21

N-Q4 BxN (21...Q-K4 22 Q-B3) 22
RxB R-B1 23 R/4-QB4 B-R3 B-QN5
with a slight advantage to White. **21
RxB B-B4**

22 RxN Necessary. If 22 N-Q4 Q-K4!
and White has some problems. **22...
PxR** If 22...BxB then 23 R/6-Q6
B-N4 24 Q-Q3 B-B3 25 P-QN4 with a
slight plus for White, but Black's
game would be tenable. **23 N-Q4
BxN** The only move. If White's
knight is allowed to reach KB5
Black's game collapses. **24 RxB**
Stronger than 24 Q-N4+ K-R1 25
BxB R-K3! White needs his rook in
the middle of the board from where
it can quickly come into the attack.
24...Q-K4 25 Q-B3 K-R1?? 25...P-B4
was essential: 26 R-Q5 QxP 27 B-Q4
Q-B8+ (27...Q-N8+ 28 K-R2 P-B3
29 RxP Q-K5 is better for Black
according to Robert Byrne). **26 R-Q5
Resigns** There is no defence to the
mate threat. If 26...QxP 27 B-Q4
Q-B8+ 28 K-R2 followed by BxP+
etc.

**407   Karpov-Smith
          Sicilian Defence**
1 P-K4 P-QB4 2 N-KB3 P-Q3 3 P-Q4
PxP 4 NxP N-KB3 5 N-QB3 P-K3 6
P-KN4 P-KR3 7 P-N5 PxP 8 BxP
P-R3 9 Q-Q2 B-Q2 10 0-0-0 N-B3 11
P-KR4 Q-B2 12 B-K2 0-0-0 13 P-B4
B-K2 14 P-R5 K-N1 15 K-N1 B-K1

16 B-B3 N-R4 17 Q-K2 N-B5 18
KR-K1 R-QB1 19 R-Q3 N-N1 20
Q-N2 B-B1 21 R-R1 N-K2 22 P-N3
N-R6+ 23 K-N2 N-N4 24 QNxN PxN
25 Q-Q2 Q-N3 26 B-R4 P-N5 27
B-B2 Q-R4 28 B-K1 P-K4 29 N-K2
N-B3 30 P-B5 P-B3 31 R-Q5 Q-R6+
32 K-N1 B-KB2 33 R-Q3 P-QN3 34
B-B2 K-N2 35 P-B3 PxP 36 RxBP
B-K2 37 R-N1 KR-N1 38 Q-N2
QxQ+ 39 KxQ N-R2 40 RxR NxR
41 N-B3 B-Q1 42 B-K2 N-K2 43
B-B4 BxB 44 PxB R-R1 45 R-KR1
K-B3 46 K-N3 R-R2 47 B-K3 R-R1
48 K-N4 R-R2 49 N-Q5 NxN 50
BPxN+ K-N2 51 K-N5 B-B2 52 P-R4
R-R1 53 B-Q2 R-R2 54 B-N4 R-R1
55 R-KN1 R-R2 56 R-N6 B-N1 57
P-R6 PxP 58 RxBP P-R4 59 BxP
BxB 60 RxB P-R5 61 RxP+ K-R2 62
R-N6 P-R6 63 R-N1 R-R5 64 R-N7+
K-R1 65 P-B6 R-B5 66 P-B7 P-R7 67
R-R7 RxBP 68 RxP R-B5 69 P-Q6
RxP 70 R-R8+ Resigns

(A peculiar game. During the
adjournment Smith and some of his
friends expressed the opinion that he
was somewhat better. Even if this
was not the case it is surprising that
Karpov experienced such difficulty in
disposing of the tournament tail-
ender. D.N.L.L.)

**408   Evans-Karpov
          English Opening**
1 P-QB4 P-QB4 2 N-QB3 N-QB3 3
P-KN3 P-KN3 4 B-N2 B-N2 5 P-QR3
P-Q3 6 R-N1 P-QR4 It is not easy for
White to exploit this weakening of
the Q-side. **7 N-B3 P-K4 8 0-0
KN-K2 9 P-Q3 0-0 10 B-Q2 R-N1!?**
Black could also play 10...P-R3 pre-
paring for B-K3. But as N-K1 is pro-
bably White's next move, Black tries
to save P-R3 and make a more useful
move. **11 N-K1 B-K3 12 N-B2** 12
N-Q5 P-QN4! would prove that

Black's 10th move was very useful. **12...P-Q4** In time, before White can take the initiative with P-QN4. **13 PxP NxP 14 NxN BxN 15 P-QN4 BxB 16 KxB P-QN4!** To exchange twice would leave Black with a weak QNP. Now he is ready to play BPxP followed by P-R5, and 17 PxBP Q-Q4+ gives him a very comfortable game. If you are looking for a good defence against this opening, study Karpov's play in this game carefully! **17 PxRP! NxP 18 N-K3 R-K1** 18... N-B3 19 Q-B2 N-Q5 is playable for Black, but White can improve with 19 P-QR4! with some advantage. **19 Q-B1 B-B1 20 BxN** White's hope is the famous "Knight against bad Bishop." Black was ready to play N-B3 with a very fine game. **20...QxB 21 N-Q5 R-K3**

22 P-K4 Very thematic, supporting the knight and fixing the Black KP on a square of the same colour as the bishop. But a very interesting alternative was 22 P-B4!?, for instance 22...PxP 23 QxKBP!? RxP+ 24 K-B3 Q-Q7!? 25 N-B6+ K-N2 26 QxR P-R4! — and we have reached a point where we have to go back and take away the !s, leaving only the ?s at those interesting White moves. So, the annotator who likes "Knight vs, bad Bishop" has not yet found an improvement on White's play. **22...**

Q-R5! **23 P-B4 Q-Q5** White has a strong knight, indeed, but some weak pawns, too. Black is threatening P-B5. **24 PxP QxKP 25 R-B3 R-R3 26 R-N3 P-B4 27 Q-QN1** Attacks and defends. **27...R/1-R1 28 RxNP RxP 29 R-N7 R-R7+ 30 R-B2 RxR+ 31 KxR PxP 32 PxP P-B5** The bishop is not so bad any more. **33 K-N2 R-B1 34 N-N6 R-K1 35 Drawn** Because of 35 NxP. 35 N-Q7 Q-Q5 36 P-K5 B-N2 is risky for White.

In a way, this was one of the best-played games of the tournament. But neither player had to solve very difficult problems.

409   Hort-Karpov
        Sicilian Defence
1 P-K4 P-QB4 2 N-QB3 P-K3 3 N-B3 N-QB3 4 P-Q4 PxP 5 NxP P-QR3 6 P-KN3 KN-K2 7 B-N2 NxN 8 QxN N-B3 9 Q-K3 P-Q3 10 P-N3 B-K2 11 B-N2 0-0 12 0-0 R-N1 13 N-K2 P-QN4 14 QR-B1 Q-R4 15 P-QR3 Q-N3 16 Q-Q2 P-QR4 17 KR-Q1 R-Q1 18 N-B4 Drawn

410   Karpov-Kaplan
        Sicilian Defence
        Notes by Kaplan
1 P-K4 P-QB4 2 N-KB3 N-QB3 3 P-Q4 PxP 4 NxP P-KN3 5 P-QB4 N-B3 6 N-QB3 P-Q3 7 N-B2 This particular form of the Maroczy Bind gives Black an easy game, but recent games have shown that the more popular 7 P-B3 is not dangerous either. **7...B-N2 8 B-K2 0-0 9 0-0?** This natural move is an error which gives Black a very good game. Correct is 9 B-K3 N-Q2 10 Q-Q2 N-B4 11 P-B3 with chances for both sides. **9...N-Q2 10 Q-Q2?!** After the passive 10 B-Q2 N-B4 11 P-B3 P-B4 12 PxP BxP, the weakness at Q3 gives Black a slight advantage, but that is probably White's best course.

The text move leaves his pieces in a tangle since it is difficult to fianchetto the QB. Bad would be 10 B-K3 BxN! 11 PxB N-B4 when Black has all the chances; the weak dark squares around Black's king are not enough compensation for the doubled pawns. **10...N-B4 11 P-B3 P-B4 12 PxP BxP 13 N-K3 N-Q5 14 NxB NxN 15 R-N1 P-K3 16 Q-K1 P-QR3?** On the wrong track. I (Kaplan) was trying to get my bishop to Q5 and secure it against N-N5. I should have secured instead my powerful knights which exercise a cramping effect, with 16...P-QR4. Then, after 17 B-Q2 P-Q4! White has a miserable game. **17 K-R1 B-Q5 18 B-Q2 Q-K2 19 P-B4 QR-K1**

Black is hoping to open the K-file before White can co-ordinate his pieces. But it was still better to play 19...P-QR4 with a good game. Now White has the advantage. **20 P-QN4 N-Q2 21 B-Q3 P-K4 22 PxP NxP 23 Q-K4 B-R2 24 Q-Q5+ K-N2 25 QR-K1?** After 25 BxN RxB 26 RxR PxR 27 R-KB1, Black is in trouble. Now it is White who has to be careful. **25...Q-KB2!** The tempting 25... Q-R5 26 BxN N-N5 fails after 27 QxP+ K-R1 28 P-KR3! but not 28 BxN?? QxR! and wins.

With the text Black steers for an endgame in which his many isolated pawns are hard to attack, while the White pawn at QB4 is very sick. **26 BxN QxQ 27 NxQ RxB 28 B-B3 K-B2 29 RxR+ PxR 30 P-B5 N-Q6!**

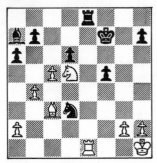

The key to the defence! Now 31 RxR KxR 32 PxP N-B7+ 33 K-N1 N-K5+ 34 K-B1 NxB 35 NxN K-Q2 leaves Black with the better endgame, for the bishop is better than the knight and White's Q-side is weak. The line Karpov plays also gives him a difficult game, so best is 31 RxR KxR 32 N-B6+ with equality. Karpov was probably trying to exploit my time pressure but that is a dangerous policy. **31 R-KB1 R-K7 32 RxP+ K-K3 33 R-R5 PxP 34 PxP BxP 35 P-QR4 Drawn** Here Karpov offered a draw. I had about three minutes left and decided to see if I could quickly find a forced win. Engrossed in the analysis, I forgot about the clock and almost let my flag fall! Having only a few seconds left I was happy to accept the offer. There was an unfortunate lapse of concentration (or perhaps too much of it) for after 35... R-QB7 White is in great difficulties.

411   Keres-Karpov
Nimzo Indian Defence
1 P-Q4 N-KB3 2 P-QB4 P-K3 3 N-QB3 B-N5 4 P-K3 P-B4 5 B-Q3 0-0 6 N-B3 P-Q4 7 0-0 PxBP 8 BxBP

PxP 9 PxP P-QN3 10 B-KN5 B-N2 11 Q-K2 QN-Q2 12 QR-B1 R-QB1 13 N-K5 P-KR3 14 B-B4 NxN 15 BxN Q-K2 16 B-R6 BxB 17 QxB BxN 18 PxB N-Q4 19 P-QB4 N-N5 20 Q-R3 P-B3 21 B-N3 Drawn

412 Karpov-Mecking
Sicilian Defence

1 P-K4 P-QB4 2 N-KB3 P-Q3 3 B-N5+ B-Q2 4 BxB+ QxB 5 0-0 N-QB3 6 P-B4 N-B3 7 N-B3 P-KN3 8 P-Q4 PxP 9 NxP Drawn

---

Budapest 1973

	1	2	3	4	5	6	7	8	9	10	11	12	13	14	15	16	
1 Geller	x	1	½	1	½	½	½	½	1	½	½	1	1	½	½	1	10½
2 Karpov	½	x	1	1	½	1	½	½	½	½	½	½	1	½	½	½	9½
3 Adorjan	0	0	x	½	½	½	½	½	½	½	1	½	1	1	1	½	8½
4 Hort	½	0	½	x	0	½	1	½	½	1	1	1	0	1	½	½	8½
5 Szabo	0	½	½	1	x	½	½	½	½	½	½	1	½	1	½	½	8½
6 Vaganian	½	0	½	½	½	x	1	½	½	½	1	½	½	½	½	1	8½
7 Antoshin	½	½	½	0	½	0	x	½	1	½	½	½	0	1	1	1	8
8 Bilek	½	½	½	½	½	½	½	x	½	½	½	½	½	1	½	½	8
9 Csom	0	½	½	½	½	½	0	½	x	½	½	½	1	½	½	1	7½
10 Ribli	½	½	½	0	½	½	½	½	½	x	½	1	½	0	½	½	7
11 Ciocaltea	½	½	0	0	½	0	½	½	½	½	x	½	1	½	½	½	6½
12 Hecht	0	½	½	0	0	½	½	½	½	0	½	x	½	1	1	0	6
13 Sax	0	0	0	1	½	½	1	½	0	½	0	½	x	0	1	½	6
14 Velimirovic	½	½	0	0	0	½	0	0	½	1	½	0	1	x	½	1	6
15 Forintos	½	½	0	½	½	½	0	½	½	½	½	0	0	½	x	½	5½
16 Lengyel	0	½	½	½	½	0	0	½	0	½	½	1	½	0	½	x	5½

413 Karpov-Hecht
English Opening

1 P-QB4 P-K4 2 N-QB3 N-KB3 3 N-B3 N-B3 4 P-KN3 B-N5 5 N-Q5 P-K5 6 N-R4 B-B4 7 B-N2 P-Q3 8 0-0 B-K3 9 P-Q3 NxN 10 PxN BxQP 11 PxP B-K3 12 B-Q2 Q-Q2 13 B-QB3 0-0 14 N-B3 B-KR6 15 Q-Q5 BxB 16 KxB QR-K1 17 P-K5 Q-K3 18 QR-Q1 QxQ 19 RxQ N-K2 20 R-Q3 N-B3 21 PxP BxQP 22 P-K3 P-B3 23 KR-Q1 R-Q1 24 N-R4 P-KN3 25 P-B4 P-B4 26 N-B3 B-B4 27 R-Q7 RxR 28 RxR R-B2 29 RxR KxR 30 P-K4 B-K2 31 PxP PxP 32 N-N5+ K-N3 33 N-K6 B-Q3 34 K-B3 P-KR4 35 P-KR3 N-K2 36 B-K5 N-B3 37 B-B3 K-B2 38 N-N7 K-N3 39 P-R3 P-R3 40 N-K8 K-B2 41 N-B6 K-N3 42 N-Q5 N-K2 43 N-B6 N-B3 44 K-K2 P-N4 45 K-Q3 P-R5 46 PxP BxBP 47 P-R5+ K-N4 48 P-KR4+ KxP 49 N-Q5 B-R3 50 NxP KxP 51 NxRP B-B1 52 N-B7 P-N5 53 PxP NxP 54 Drawn

414 Karpov-Hort
French Defence
Notes by Karpov

1 P-K4 P-K3 2 P-Q4 P-Q4 3 N-Q2 N-KB3 4 P-K5 KN-Q2 5 P-QB3 P-QB4 6 B-Q3 N-QB3 7 N-K2 Q-N3

8 N—B3

Also possible is 8 0-0 PxP 9 PxP NxQP 10 NxN QxN 11 N-B3 with some play for the pawn.

8 ...	PxP
9 PxP	P—B3
10 PxP	NxBP
11 0—0	B—Q3
12 N—B3!?	0—0
13 B—K3	Q—Q1

Not 13...QxNP? 14 N-QN5 B-K2 15 R-N1 QxRP 16 R-R1 Q-N7 17 R-R4! followed by 18 B-B1 trapping the queen.

14 B—KN5	B—Q2
15 R—K1	Q—N1

If 15...R-B1 16 R-QB1 followed by B-N1 and Q-Q3 with advantage. 15... Q-K1 loses a pawn to 16 BxN and 17 NxP.

16 B—R4!	P—QR3
17 R—QB1	P—QN4?

Better was 17...Q-R2.

18 B—N1	B—B5
19 B—N3!	

19 R-B2 Q-Q3 20 R/2-K2 gives no more than equal chances.

19 ...	BxB
20 RPxB	Q—N3

If 20...Q-Q3 21 N-K5 followed by P-B4.

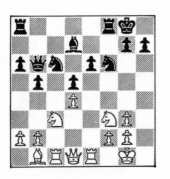

21 N—K2?!

Much stronger was 21 Q-Q3! and if 21...QR-K1 22 N-K5 QxP then 23

NxB winning at once.

21 ...	QR—K1

Playing for ...P-K4.

22 N—B4	NxP?

Better 22...R-K2.

23 QxN?

And here 23 NxN was correct. e.g. 23...P-K4 24 NxQP QxN (or 24... NxN 25 N-B3) 25 NxN+ RxN 26 QxQ PxQ 27 RxR+ BxR 28 R-B8 K-B2 29 R-Q8 with excellent winning chances in the endgame.

23 ...	QxQ
24 NxQ	P—K4
25 N/B4—K6!	BxN
26 RxP	B—Q2
27 RxR	RxR
28 P—B3!	R—QB1
29 RxR+	BxR
30 K—B2	K—B2
31 K—K3	K—K2
32 P—QN4!	

Fixing Black's Q-side pawns to restrict the scope of his bishop. Now the threat is 33 N-B5+.

32 ...	P—N3
33 P—N4	N—Q2
34 P—B4	

34 ...   N—B1?

Exchanging knights is the wrong plan — Black loses the bishop ending without a struggle but if he improves the position of his knight he can create many problems for White. 34...N-N3 at once is not

possible because of 35 N-B6+! K-Q3
36 N-K5 N-B5+ 37 K-Q4 when
Black's knight is doing very little.
Instead Black should play 34...K-Q3
(to restrict the movement of White's
knight). Then after 35 P-N5! N-N3 36
B-Q3 followed by B-K2, P-N4 and
P-B5 at the correct moment, White's
advantage would be considerably less
than in the game.

| 35 P—N5 | K—Q3 |
| 36 K—B3 | N—K3? |

Consistent but wrong. Both 36...
N-Q2 and 36...B-N2 would have pro-
longed the game.

37 NxN	BxN
38 K—K3	B—N5
39 B—Q3	B—K3
40 K—Q4	B—N5
41 B—B2	B—K3
42 B—N3!	B—B2

Black is almost in zugzwang.

43 B—Q1	B—K3
44 B—B3	B—B2
45 B—N4!	**Resigns**

In order to prevent 46 B-B8 Black
must exchange bishops: 45...B-K3 46
BxB KxB 47 P-N4 K-Q3 48 P-B5
zugzwang.

415   Geller-Karpov
        Ruy Lopez

1 P-K4 P-K4 2 N-KB3 N-QB3 3
B-N5 P-QR3 4 B-R4 N-B3 5 0-0
B-K2 6 R-K1 P-QN4 7 B-N3 P-Q3 8
P-B3 0-0 9 P-KR3 N-N1 10 P-Q4
QN-Q2 11 QN-Q2 B-N2 12 B-B2
R-K1 13 N-B1 B-KB1 14 N-N3 P-N3
15 P-QR4 P-B4 16 P-Q5 P-B5 17
B-N5 P-R3 18 B-K3 N-B4 19 Q-Q2
K-R2 20 R-R3 Q-B2 21 KR-R1 B-N2
22 Q-Q1! Intending to triple his
major pieces on the QR-file. 22...
QR-N1 23 PxP PxP 24 R-R7 Q-N3
Not 24...R-QR1? 25 BxN PxB 26
P-Q6! 25 R/1-R5 R-QR1 26 Q-R1
RxR 27 RxR KN-Q2

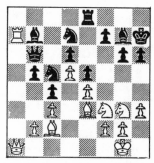

28 P-R4 An alternative plan was 28
N-Q2 followed by P-N4. 28...R-QN1!
29 P-R5 Q-Q1 30 N-Q2 R-R1 31
P-N4 Probably stronger was 31 RxR
QxR 32 QxQ BxQ 33 N-N1 B-N2 34
N-R3 B-R3 35 PxP+ PxP 36 N-K2
followed by N-B1-R2-N4 with good
play on the Q-side. 31...PxPep 32
NxP NxN 33 BxN RxR 34 QxR Q-R1
35 QxQ BxQ 36 P-QB4 PxBP 37
B-R4 N-N1 38 B-R7 N-R3 39 B-N5
39 B-B6 BxB 40 PxB P-B6 41 B-N8
P-B7 42 N-K2 PxP 43 BxP B-B3 is
also only a draw. 39...B-N2 40 BxP
B-KB3 41 N-B1 B-N4! 42 B-N5 K-N2
43 PxP PxP 44 P-B3 K-B2 45 K-B2
K-K2 46 N-K3 BxN+ 47 KxB P-N4
48 K-Q3 N-B2 49 K-B4 B-B1 50
B-K3 B-Q2 51 B-B6 B-B1 52 B-N5
B-Q2 53 **Drawn**

416   Karpov-Szabo
        Sicilian Defence

1 P-K4 P-QB4 2 N-KB3 P-Q3 3 P-Q4
PxP 4 QxP N-QB3 5 B-QN5 P-QR3 6
BxN+ PxB 7 0-0 P-K4 8 Q-Q3 B-K2
9 P-B4 N-B3 10 N-B3 N-Q2 11
P-QN4 0-0 Or 11...P-QR4 12 P-N5
forcing a strong passed pawn as in
the game. 12 B-K3 P-QR4 13 P-N5
B-N2 14 P-QR4 P-QB4 15 N-Q2
N-N3 16 KR-Q1? Stronger is 16
P-B4. 16...Q-B1 17 P-B3 Q-K3 18
N-Q5 BxN 19 BPxB Q-N3 20 N-B4
NxN 21 QxN B-N4 22 B-B2 QR-N1
23 P-N4 P-R4 Better 23...B-B5 fol-

lowed by ...P-B4. **24 P-R3 Q-R3 25 K-N2 B-K6 26 BxB QxB 27 Q-Q3 QxQ 28 RxQ P-R5 29 R-N3 R-N3 30 P-N5 P-B4 31 PxPep RxBP 32 K-B2 R-N3 33 R/1-QN1 K-B2** If 33...R-N6 34 R-KR1 followed by R/3-N1 and R/N1-N1 when Black loses the rook ending. **34 R-N1 RxR 35 RxR K-B3** Just in time to meet R-N4 with ...P-N4. **36 K-K3 P-N4 37 K-Q3 R-N1 38 R-N1 R-N3 39 Drawn**

417   Ciocaltea-Karpov
Sicilian Defence
1 P-K4 P-QB4 2 N-KB3 P-K3 3 P-Q3 N-QB3 4 P-KN3 P-KN3 5 B-N2 B-N2 6 0-0 KN-K2 7 P-B3 0-0 8 N-R4 P-Q4 9 P-KB4 P-B4 10 PxBP KPxP 11 N-R3 R-N1 12 N-B3 Drawn

418   Karpov-Lengyel
Ruy Lopez
1 P-K4 P-K4 2 N-KB3 N-QB3 3 B-N5 P-QR3 4 B-R4 N-B3 5 0-0 B-K2 6 R-K1 P-QN4 7 B-N3 P-Q3 8 P-B3 0-0 9 P-KR3 N-N1 10 P-Q3 QN-Q2 11 QN-Q2 N-B4 12 N-B1 R-K1 13 N-N3 B-N2 14 B-B2 B-KB1 15 P-N4 N/B4-Q2 16 P-Q4 P-N3 17 P-QR4 B-N2 18 B-Q3 P-B3 19 B-N5 P-R3 20 B-K3 Q-B2 21 QR-B1 QR-Q1 22 Q-Q2 K-R2 23 Q-R2 R-K2 24 P-B4 KPxP 25 BxQP N-K4 26 B-K2 NxBP 27 BxN/B4 PxB 28 QxP R/Q1-K1 29 P-K5 N-Q4 30 PxP RxR+31 NxR QxP 32 BxB KxB 33 N-Q3 N-N3 34 Q-B3+ Q-B3 35 Q-B2 N-Q2 36 P-R5 P-B4 37 PxP R-QB1 38 Q-N3 B-B3 39 N-N4 R-QN1 40 Q-R3 N-K4 41 R-Q1 BxP 42 KxB RxN 43 QxR Q-B6+ 44 K-N1 QxR+ 45 N-B1 N-B6+ 46 K-N2 N-K8+ 47 K-N1 N-B6+ 48 K-N2 N-K8+ 49 K-N1 Drawn

419   Antoshin-Karpov
Queen's Indian Defence
1 P-Q4 N-KB3 2 P-QB4 P-K3 3 N-KB3 P-QN3 4 P-KN3 B-N2 5 B-N2 B-K2 6 0-0 0-0 7 N-B3 N-K5 8 NxN BxN 9 N-K1 BxB 10 NxB P-Q4 11 Q-R4 Q-Q2 12 QxQ NxQ 13 PxP PxP 14 N-B4 N-B3 15 B-K3 P-B4 16 PxP PxP 17 Drawn

420   Karpov-Sax
King's Indian Defence
1 P-Q4 N-KB3 2 P-QB4 P-KN3 3 N-QB3 P-Q3 4 P-KN3 B-N2 5 B-N2 0-0 6 N-B3 P-B4 7 P-Q5 P-K4 8 0-0 Bad for White is 8 PxPep BxP 9 N-KN5 BxP 10 BxP QN-Q2. **8...N-R3** Better is 8...QN-Q2 9 P-QR3 N-K1 10 P-K4 P-KR3! 11 N-K1 P-B4 12 N-Q3 N/1-B3. **9 P-K4 N-B2 10 P-QR4 P-N3 11 N-K1 N-R4 12 N-Q3** If 12 P-B4? PxP 13 PxP? B-Q5+ 14 K-R1 Q-R5 and White is lost. **12... P-B4 13 PxP BxP 14 N-K4 Q-Q2 15 P-B3 N-B3 16 N/3-B2 BxN 17 PxB! P-QR3 18 B-K3 KR-N1** Black should play 18...P-QN4 at once and if 19 B-R3 Q-K2 20 P-QN4 BPxP 21 RPxP (or 21 P-B5 PxRP 22 RxP N-N4!) 21...PxP 22 RxR RxR 23 P-B5 then 23...R-R6! with good counterplay. **19 B-R3 Q-K2 20 Q-Q2 P-QN4 21 P-QN4!?**

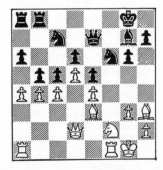

21...BPxP 22 RPxP PxP 23 P-B5

R-R5 24 QR-B1 N/2-K1 If 24...
N/3-K1 25 N-N4 N-B3 26 B-N5! 25
P-B6 N-B2 26 R-R1 N-R3 Better 26...
R/1-R1. 27 Q-Q3 N-B2 28 QR-N1
N-R3 29 R-R1 N-B2 30 Q-N3
R/1-R1 31 RxR RxR 32 B-Q2 N-R3
33 Q-Q3 R-R4 34 Q-K2 Q-R2 35
B-K3 N-B4? 36 R-B1 N-K1 Pre-
venting 37 BxN PxB 38 P-Q6 but
allowing 37 Q-N4! Threatening 38
BxN PxB 39 Q-K6+ and 40 P-Q6.
37...P-N6 38 K-N2 P-N7 39 R-QN1
R-R6? Better 39...Q-N1. 40 BxN PxB
41 RxP Q-N1 42 Q-K6+ Resigns
Because if 42...K-R1 43 RxP! or 42...
K-B1 43 N-N4 and 44 R-KB2+.

---

421   Forintos-Karpov
Queen's Gambit Declined
1 P-Q4 N-KB3 2 P-QB4 P-K3 3
N-KB3 P-Q4 4 N-B3 B-K2 5 B-B4
0-0 6 P-K3 P-QN3 7 B-Q3 B-N2 8
0-0 P-B4 9 Q-K2 N-B3 10 QPxP
NPxP 11 PxP PxP 12 KR-Q1 Q-R4
13 P-QR3 KR-Q1 14 Q-B2 P-B5 15
B-K2 B-QB1 16 N-K5 NxN 17 BxN
B-K3 18 B-B3 Q-Q2 19 P-R3 QR-Q1
20 N-K2 N-K1 21 N-B4 B-B3 22 BxB
NxB 23 P-QN3 PxP 24 QxNP P-KR3
25 R-Q4 R-QB1 26 R-R4 Q-B4 27
Q-Q3 Q-B6 28 QxQ RxQ 29 R-R5
K-B1 30 R-N1 R-B1 31 R-Q1 P-N4
32 N-R5 NxN 33 BxN K-K2 34 B-B3
R-B6 35 R-Q4 K-B3 36 K-R2 R-B7
37 K-N3 R-N2 38 R-QN4 RxR 39
PxR R-B5 40 BxP BxB 41 RxB RxP
42 R-Q6+ K-N2 43 R-R6 R-N2 44
P-R4 R-N5 45 PxP PxP 46 RxP K-N3
47 R-R6+ P-B3 48 P-B3 R-N7 49
P-K4 R-K7 50 K-R3 K-N2 51 P-N3
K-N3 52 R-R3 R-K8 53 K-N4 R-K7
54 R-N3 R-K8 55 R-N4 R-K6 56
R-N6 R-K7 57 K-R3 R-K6 58 K-N4
R-K7 59 R-N3 R-K8 60 R-N4 R-K6
61 P-B4 RxKP 62 RxR P-B4+ 63
K-B3 PxR+ 64 KxP Drawn

---

422   Karpov-Adorjan
Grunfeld Defence
1 P-QB4 P-KN3 2 P-Q4 N-KB3 3
N-QB3 P-Q4 4 N-B3 B-N2 5 B-N5
N-K5 6 PxP NxN 7 NxN P-K3 8
Q-Q2 P-KR3 9 N-R3 PxP 10 N-B4
0-0 11 P-KN3 If 11 N/4xQP P-QB3!
or 11 P-K3 P-QB4! 11...N-B3 12
P-K3 N-K2 13 B-N2 P-QB4 14 PxP
If 14 0-0 PxP 15 PxP N-B3 16
N/3-K2 P-KN4! ∓ Possibly best is 14
N/3xP PxP 15 0-0 with equal
chances. 14...P-Q5 15 N-Q1 15 0-0-0
PxN 16 QxQ PxP+ 17 K-N1 B-B4+
18 Q-Q3 BxQ+ 19 NxB QR-N1 leads
to obscure complications. 15...PxP 16
NxKP QxQ+ 17 KxQ BxP 18
QR-N1 B-QR6! 19 N-Q3 R-Q1 20
K-B3 P-QR4 21 KR-Q1 B-K3 22
BxP QR-N1 23 P-B6

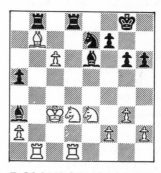

23...B-Q3 24 N-QB4 N-Q4+ 25 K-N2
N-K2 26 K-B3 Not 26 NxP NxP!
26...N-Q4+ 27 K-B2? White should
be content to repeat moves. 27...B-
KB4 28 P-QR3 B-B2 29 R-N5 N-K2
30 P-B3 P-R4? A time trouble error.
After 30...R-Q4! 31 K-B3 (not 31
N-K3 R/1-Q1 winning) 31...R/1-Q1
32 N/4-N2 White's position is held
together as if by a taut elastic band
— likely to snap at any moment. 31
K-B3 N-Q4+ 32 K-N2 N-K2 33 N-B2
RxR 34 NxR P-KR5! 35 PxP B-Q6
36 K-B3 B-K7 37 N/1-K3 BxBP 38
NxP BxN?? 38...P-B4 leaves Black

with the edge. **39 RxB NxP** Better
39...BxP though White should still
win after 40 BxB NxB 41 R-QB5 **40
R-R8! RxR 41 BxR N-K4 42 BxB
NxB 43 P-R4 N-K4 and Black
Resigned** 44 K-N4 followed by K-N5
etc., is immediately decisive.

423   Ribli-Karpov
Sicilian Defence

1 P-K4 P-QB4 2 N-KB3 P-K3 3 P-Q4
PxP 4 NxP N-QB3 5 N-QB3 Q-B2 6
B-K2 N-B3 7 0-0 P-QR3 8 B-K3
B-N5 9 N-R4 0-0 10 NxN QPxN 11
B-N6 Q-B5 12 B-Q3 N-Q2 13 P-KN3
Q-B3 14 P-QR3 B-K2 15 B-B7 P-K4
16 P-QN4 P-QN4 17 N-N6 NxN 18
BxN B-R6 19 R-K1 KR-N1 20 B-K3
P-QR4 21 P-QB3 PxP 22 BPxP R-Q1
23 B-N6 R-Q2 24 Q-B2 R-N1 25
B-R5 P-B4 26 B-K2 P-B5 27 P-R4
PxP 28 RxP R-Q5 29 P-N5 RxNP 30
B-QB3 R-Q1 31 R-Q1 R-QB1 32
RxP R/N4-B4 33 RxR BxR 34 B-B1
BxB 35 KxB BxP 36 QxB RxN 37
K-N2 P-R4 38 R-Q5 K-R2 39 Q-B5+
QxQ 40 PxQ P-B3 41 P-R4 R-B3 42
K-B3 P-N3 43 PxP+ KxP 44 R-Q8
R-B6+ 45 K-B2 K-B4 46 R-KR8
R-B7+ 47 K-K3 K-N5 48 R-KN8+
K-B4 49 R-KR8 R-B6+ 50 K-B2
P-K5 51 R-KN8 R-R6 52 R-K8 R-R4
53 R-KN8 R-R7+ 54 K-K3 R-KN7
55 R-N7 K-K4 56 R-K7+ K-Q4 57
R-Q7+ K-K3 58 R-QR7 RxP+ 59
KxP R-N5+ 60 K-B3 K-B4 61
R-R5+ K-N3 62 R-QN5 RxP 63
R-R5 R-R8 64 K-N2 R-R5 65 K-B3
R-QN5 66 R-QB5 R-N1 67 R-B4
K-N4 68 R-B5+ P-B4 69 R-B4 P-R5
70 K-N2 R-N7+ 71 K-R3 R-N6+ 72
K-N2 R-N6+ 73 K-B2 R-N5 74 R-B8
P-R6 75 R-QR8 R-N5 76 K-N3
R-N6+ 77 K-R2 P-B5 78 R-KN8+
K-R4 79 R-R8+ K-N5 80 R-KN8+
K-B4 81 R-KB8+ K-K5 82 R-K8+
K-B6 83 R-KB8 R-N2 84 R-QR8

R-K2 85 R-R6 R-K8 86 R-QR8 K-B7
87 KxP P-B6 88 R-R2+ R-K7 89
R-R1 Drawn

424   Karpov-Vaganian
French Defence
Notes by Karpov

1 P-K4 P-K3 2 P-Q4 P-Q4 3 N-Q2
P-QB4 4 KN-B3 N-QB3 5 KPxP
KPxP 6 B-N5 B-Q3 7 PxP BxBP 8
0-0 N-K2 9 N-N3 B-N3 10 R-K1 0-0
11 B-N5!? P-KR3 12 B-KR4 P-N4
Possible was 12...P-B3 13 B-N3 N-B4
with an unclear position. **13 B-N3
N-B4** If 13...B-N5 14 Q-Q3 followed
by N/B3-Q4. **14 Q-Q2 NxB 15 PxN
Q-B3 16 P-B3 B-KB4 17 QxQP
QR-Q1 18 Q-B4 B-Q6 19 Q-QR4
BxB 20 QxB P-N5 21 N/B3-Q4 NxN
22 PxN** Not 22 NxN? P-R3 23
Q-KR5 BxN 24 PxB RxP restoring
material equality. **22...P-R3   23
Q-KR5 BxP 24 QxNP+ Q-N2 25
Q-B3 BxNP 26 QR-Q1 P-N3 27
Q-N7 RxR! 28 RxR Q-N5 29 R-N1
R-Q1 30 QxRP R-Q8+ 31 RxR
QxR+ 32 Q-B1 Q-B7 33 Q-N5 R-B6
34 Q-Q5 B-B4** Better 34...B-B4. **35
Q-Q2 Q-K5 36 K-R2 B-B4 37 N-B1
K-N2 38 N-Q3 Q-Q5 39 Q-K2
B-Q3?!** Better 39...Q-QB5. **40 K-R3
Q-Q4 41 N-B4 BxN 42 PxB K-B1 43
K-N3 P-N4 44 Q-N2 Q-Q6+ 45
K-R4 Q-Q1+ 46 K-N3 Q-Q6+ 47
K-R2 K-N1 48 P-R3 Q-Q3 49 Q-N4
Q-KB3 50 P-B3!** Q-R5+ 51 K-N1
Q-R4? 52 Q-K7 K-R2 If 52...Q-N3
53 Q-K8+ and 54 QxNP; or 52...
Q-KB4 53 Q-K8+ K-N2 54 Q-K5+
QxQ 55 PxQ K-N3 56 P-B4 K-B4 57
P-N3 P-R4 58 K-B2 K-N5 59 K-K3!
K-N6 60 P-B5 P-R5 61 P-K6 PxP 62
PxP P-R6 63 P-K7 P-R7 64 P-K8(Q)
P-R8(Q) 65 Q-KN8+ K-R6 66
Q-KR8+ winning. **53 P-N4 Q-R6 54
QxP+ K-R1 55 Q-K8+ K-R2 56
Q-K4+ K-N1 57 P-B5 Q-N6+ 58**

K-B1 Q-R6+ 59 K-K2 Q-N7+ and
Black Resigned.

425 Bilek-Karpov
English Opening
1 P-QB4 P-QB4 2 P-KN3 P-KN3 3
B-N2 B-N2 4 N-QB3 N-QB3 5 P-K3
P-K3 6 KN-K2 KN-K2 7 0-0 0-0 8
P-Q4 PxP 9 NxP P-Q4 10 PxP NxN
11 PxN NxP 12 NxN PxN 13 B-K3
B-K3 14 Q-Q2 Q-Q2 15 Drawn

426 Karpov-Csom
Sicilian Defence
1 P-K4 P-QB4 2 N-KB3 P-Q3 3 P-Q4
PxP 4 QxP N-QB3 5 B-QN5 Q-Q2?!
Usual is 5...B-Q2. The text is a
suggestion of I. Zaitsev's. 6 Q-K3?!
Simpler is 6 BxN and if 6...PxB 7
P-B4 or if 6...QxB then 7 N-B3 as
suggested by Zaitsev. 6...P-QR3 7
B-R4 7 BxN was still better.
7...P-QN4 8 B-N3 N-R4 9 0-0 P-K3
10 R-Q1 B-N2 11 N-B3 B-K2 12
P-K5 NxB 13 RPxN Probably 13
BPxN was better so that White would
later be able to make use of the
QB-file. 13...R-Q1? Black should
have increased his pressure on the
QR1-KR8 diagonal by 13...Q-B3 and
if 14 PxP BxP 15 Q-Q4 0-0-0 16
QxP? N-K2 17 QxBP KR-N1 with a
killing attack. 14 N-K4! Q-B3 15
NxP+ BxN 16 PxB RxP 17 B-Q2
N-K2 18 B-N4 R-Q4 Safer was
18...R-Q2, but not 18...RxR+ 19
RxR N-Q4 20 Q-Q4. 19 P-B4!

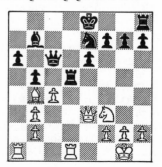

19...PxP 20 PxP QxP 21 BxN KxB 22
N-K5 Q-K5?! It was better to defend
by 22...Q-N4. 23 Q-N5+ K-B1 24
P-B3? Missing a win by 24 N-Q7+!
K-K1 25 QxP KxN 26 QxR QxP+ 27
KxQ RxR+ 28 P-B3 RxR 29 QxP
and the advance of the white KRP
will decide the game. 24...QxN 25
QxQ RxQ 26 R-Q8+ K-K2 27 RxR
Although the exchange up (for a
pawn) Karpov faces enormous tech-
nical problems. 27...R-KN4! 28 R-R3
R-N4? Correct was 28...P-KR4 and
then ...R-N4 29 RxKRP K-B3 30
P-QN3 R-N3 31 R-KR4 B-Q4 32
P-QN4 P-N4 33 R-N4 K-B4 34 R-R5
P-B3 35 K-B2 K-K4 36 K-K3 R-B3
37 R-B5 R-N3 38 R-Q4 P-B4 39
P-R4? 39 P-N3 was essential.
39...P-B5+ 40 K-Q3 PxP 41 K-B3
R-N2 42 R-Q2 R-KR2 43 Drawn

427 Velimirovic-Karpov
Ruy Lopez
1 P-K4 P-K4 2 N-KB3 N-QB3 3
B-N5 P-QR3 4 B-R4 N-B3 5 0-0
B-K2 6 R-K1 P-QN4 7 B-N3 P-Q3 8
P-B3 0-0 9 P-KR3 N-QR4 10 B-B2
P-B4 11 P-Q4 Q-B2 12 QN-Q2 N-B3
13 N-N3 B-N2 14 P-Q5 N-N1 15
P-B4 QN-Q2 16 B-Q2 P-N5 17 N-B1
N-K1 18 N-Q3 P-N3 19 B-R6 N-N2
20 P-N4 Drawn

Moscow 1973
(Triangular Team Competition)

428 Taimanov-Karpov
Nimzo-Indian Defence
1 P-Q4 N-KB3 2 P-QB4 P-K3 3
N-QB3 B-N5 4 P-K3 P-B4 5 B-Q3
0-0 6 N-B3 P-Q4 7 0-0 PxBP 8 BxBP
PxP 9 PxP P-QN3 10 Q-K2 B-N2 11
R-Q1 QN-Q2 12 B-Q2 R-B1 13
B-QR6 BxB 14 QxB BxN 15 PxB
R-B2 16 QR-B1 Q-B1
17 Q—R4

So far the struggle has been even and the game seems to be heading for a draw. But the main events come after Black's next move.

17 ...   **R—B5!**

The combination of the moves P-QB4 and B-B4 constitutes a serious threat to Black so he blockades the QBP even at the cost of a pawn.

18 QxP

Now White has a material advantage and Black a positional one.

18 ...	**Q—B3**
19 Q—R3	**R—B1**
20 P—R3	**P—R3**
21 R—N1	**R—R5**

Not without justification. Black counts on winning one of White's Q-side pawns.

22 Q—N3	**N—Q4**
23 R/Q1—QB1	**R—B5**

Hereabouts Black's pressure wavers. It is perfectly adequate to compensate for the pawn but hardly sufficient for a tangible advantage. In the post-mortem analysis the players, at every move, first studied the problem of the endgame. For example, here Karpov suggested the following plan in reply to 24 Q-N5: 24...QxQ 25 RxQ R-R1 26 R-B2 P-B3 27 K-B1 K-B2 28 K-K2 P-K4 29 K-Q3 R/R-R5 30 R-N3 K-K3 and suddenly there hangs over White the

piquant threat of 31 P-N4 P-K5+! 32 KxP N-B4 mate! Of course this variation is far from forced but it illustrates how carefully White must play despite his extra pawn. All in all the chances are equal and it seems that White would have achieved a draw.

However Taimanov is not one of those players who only aim at drawing when a pawn up.

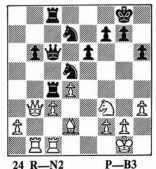

24 R—N2	**P—B3**

After 24...NxP 25 BxN RxB 26 RxR QxR 27 QxQ RxQ 28 N-K5 NxN 29 PxN, the players could agree to a draw.

25 R—K1	**K—B2**
26 Q—Q1	

"It cannot be worse for me here" said Taimanov with confidence. It is true that the battle front has widened and the hope (albeit a weak one) has arisen that White's pieces may enter the fray with an attack against the black king. White's position looks much more appealing than a few moves ago.

In the press room some masters favoured White and others Black.

26 ...	**N—B1**
27 R—N3	**N—N3**
28 Q—N1	**R—QR1**
29 R—K4	

White's queen is tied to defence. Perhaps now was the time for White to burn his boats with 29 Q-Q3

RxRP 30 RxKP!? KxR 31 QxN.

29 ...	R/5-R5
30 R—N2	N—B1
31 Q—Q3	R—B5
32 R—K1	

"Cordially" inviting the knight to return to N3 after which 33 RxKP!? would doubtless have followed. White is not afraid for his QBP: 32...NxP 33 BxN RxB 34 RxNP RxQ 35 RxQ etc.

32 ...	R—R6

The battery of Black's pieces strengthen their fire on the Q-side. What now follows can be largely attributed to the time trouble that was affecting White.

33 Q—N1	N—N3
34 R—QB1	

In vain White goes on the defensive. 34 Q-Q3 deserved consideration and if 34...NxP? then 35 R-N3! and 36 RxKP after all.

34 ...	NxP

Black has restrained himself from this piece of greed for a good fifteen moves.

35 Q—Q3	N—K7+!
36 QxN	RxR+
37 BxR	QxB+
38 K—R2?	

The decisive mistake. 38 N-K1 was essential.

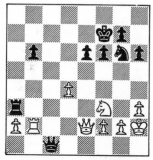

38 ...	RxN!

Well calculated. After 38...N-B5 39 Q-Q2 the worst is over for White.

39 PxR	N—R5!

At this moment White's flag fell. It is hard to find an acceptable defence for White, e.g. 40 RxP or 40 K-N3? Q-N4+. There remains only 40 R-N3 but then 40...Q-N4! 41 Q-B1 Q-B5+ 42 K-N1 NxP+ (or 42...QxQP) and Black has good winning chances.

40 White lost on time

429   Karpov-Spassky
          Ruy Lopez
     Notes by Karpov

1 P-K4 P-K4 2 N-KB3 N-QB3 3 B-N5 P-QR3 4 B-R4 N-B3 5 0-0 B-K2 6 R-K1 P-QN4 7 B-N3 P-Q3 8 P-B3 0-0 9 P-KR3 N-N1 10 P—Q3

The main continuation is 10 P-Q4. The move played hardly gives White any advantage, but leads to a long, tense struggle.

10 ...	B—N2
11 QN—Q2	QN—Q2
12 N—B1	N—B4
13 B—B2	R—K1
14 N—N3	B—KB1
15 P—N4	N/4—Q2
16 P—Q4	

This has all been seen more than once before. White has to advance his QP else Black would have played the freeing move ...P-Q4 and seized the initiative.

16 ...	P—R3
17 B—Q2	N—N3
18 B—Q3	P—N3

Spassky varies from Karpov-Gligoric, game 405.

| 19 Q—B2 | |

Regrouping. White's queen makes way for the rook and overprotects the KP.

19 ...	KN—Q2

Since White has his QB4 square well under control Black must organize immediate pressure against the neighbouring Q4 square with the help of the KB.

20 QR—Q1   B—N2
21 PxP

Here I thought for over thirty minutes. Black has placed his pieces very cunningly and it is hard to find an advantageous plan. The standard attacking ideas on the K-side or in the centre (with P-KB4) are no good — In either case Black will carry out a counter-stroke in the centre with ...P-Q4. I came to the conclusion that White was almost compelled to exchange in the centre.

21 ...   PxP

This certainly cannot be called a mistake, but perhaps it would have been better to exchange knights with 21...NxP.

22 P—B4

I must hurry. There is no time to prepare this move by 22 B-K3 because of 22...Q-K2 23 N-Q2 P-QB4 with equality.

22 ...   PxP

After 22...P-QB4 it was possible to sacrifice a piece: 23 PxNP P-B5 24 BxBP R-QB1 25 BxP+ KxB 26 Q-N3+.

23 BxBP   Q—K2

This is an inaccuracy. In allowing the dangerous Spanish bishop to live Black makes trouble for himself. After 23...NxB 24 QxN the chances are even.

24 B—N3!   P—QB4
25 P—QR4

Of course in making this move White saw the exchange sacrifice and had calculated its consequences. In fact White decided on the sacrifice the previous move and now there is no way out of it (nor any need for one).

25 ...   P—B5

Also bad were 25...PxP 26 P-R5 and 25...QR-B1 26 P-R5 PxP 27 Q-R2 N-R1 28 BxNP!

26 B—R2   B—QB3
27 P—R5   B—R5
28 Q—B1   N—QB1

Hardly better for Black was 28...BxR 29 RxB N-R5 30 BxRP BxB 31 QxB when 31...N-B6 is impossible because of 32 BxP (threatening 33 QxP+), and on 31...N-B1 White obtains beautiful attacking chances with 32 R-QB1.

29 BxRP   BxR
30 RxB   N—Q3?

After this move there follows a very surprising upset. 30...BxB 31 QxB N-Q3 also lost: 32 N-N5 N-B1 33 N-R5 PxN 34 RxN QR-B1 35 R-KB6. Best appears to be 30...R-R2 but even then, after 31 BxB KxB 32 QxP, White gets more than adequate compensation.

31 BxB   KxB

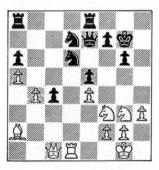

32 Q—N5!

The surprise! White unexpectedly offers the exchange of queens but Black cannot accept. After 32 Q-Q2 QR-Q1 33 QxN? N-B1 White would have lost.

32 ...　　　　P—B3

The struggle would have been prolonged by 32...QR-B1 33 RxN QxQ 34 NxQ N-B3 35 N-K2 P-B6 36 BxP, when White would realise his material advantage.

33 Q—N4　　　　K—R2

The only defence to 34 RxN and 35 N-B5+, but the position is indefensible.

34 N—R4　　　　Resigns

Some may think that the resignation was premature but the following variations show that Black's position is hopeless: 34...R-KN1 35 BxP R-N2 36 RxN QxR 37 N/4-B5 and in order to prevent mate Black must sacrifice his queen by 37...Q-Q8+. Or 34...N-B1 35 NxNP followed by 36 Q-R5+ and 37 RxN.

430　　Karpov-Taimanov
　　　　Sicilian Defence
1 P-K4 P-QB4 2 N-KB3 N-QB3 3 P-Q4 PxP 4 NxP P-K3 5 N-N5 P-Q3

6 P-QB4 N-B3 7 QN-B3 P-QR3 8 N-R3 B-K2 9 B-K2 0-0 10 0-0 P-QN3 11 B-K3 B-N2 12 R-B1 R-B1 13 Q-Q2 N-K4 14 Q-Q4 N/K4-Q2 15 KR-Q1 R-K1 16 N-B2 Q-B2 17 K-R1 P-R3 18 P-B3 P-Q4 19 BPxP PxP 20 PxP B-B4 21 Q-Q2 BxP 22 NxB Q-B5 23 N-N4 NxP 24 BxP BxB 25 QxN N-B4 26 R-QN1 B-N2 27 Q-Q2 N-K3 28 N-N5 P-R4 29 N-B2 Q-QR5 30 N-B3 Q-R5 31 N/B2-K4 BxN 32 NxB R/K1-Q1 33 Q-K3 P-QN4 34 R/Q1-QB1 R-R1 35 P-QR3 R-Q5 36 R-Q1 R/R1-Q1 37 N-B3 P-N5 38 PxP RxP 39 N-Q5 R-N4 40 Q-K4 QxQ 41 PxQ R-N6 42 N-K7+ K-B1 43 RxR+ NxR 44 N-Q5 K-K1 45 Drawn

---

431　　Spassky-Karpov
　　　　English Opening
1 P-QB4 N-KB3 2 N-QB3 P-B4 3 N-B3 P-Q4 4 PxP NxP 5 P-K3 NxN 6 NPxN P-KN3 7 P-Q4 B-N2 8 B-Q3 Q-B2 9 0-0 0-0 10 B-R3 N-Q2 11 P-K4 P-K4 12 B-N5 P-QR3 13 BxN BxB 14 BxP KR-K1 15 NxP B-N4 16 P-QB4 BxN 17 PxB QxB 18 PxB PxP 19 Drawn

SPECIAL ANNOUNCEMENT

The reader's attention is directed to two pages in the back of this book where we describe a new and exciting project—The R.H.M. Survey of Current Chess Openings.

With a world-renowned Editorial Board which includes Anatoly Karpov, Viktor Korchnoi, Boris Spassky, Tigran Petrosian, Svetozar Gligoric, Bent Larsen and other top grandmasters, we are presenting an important new approach to the Openings in chess, which we are sure you will find of great interest.

Please refer to those two pages in the back of the book for full details.

R.H.M. Press

PART FOUR

WORLD CHAMPIONSHIP CANDIDATE

Leningrad 1973
(Interzonal Tournament)

	1	2	3	4	5	6	7	8	9	10	11	12	13	14	15	16	17	18	
1 Karpov	x	½	½	1	½	½	1	1	½	½	1	½	1	1	1	1	1	1	13½
2 Korchnoy	½	x	1	½	1	1	½	½	1	1	1	1	1	1	½	0	1	1	13½
3 R. Byrne	½	0	x	½	1	½	½	½	1	½	1	1	1	½	1	1	1	1	12½
4 Smejkal	0	½	½	x	0	0	½	1	1	½	0	1	1	1	1	1	1	1	11
5 Larsen	½	0	0	1	x	1	1	0	½	0	0	1	½	1	1	½	1	1	10
6 Hubner	½	0	½	1	0	x	½	1	½	1	½	1	1	½	½	½	0	1	10
7 Kuzmin	0	½	½	½	0	½	x	0	½	1	½	½	½	1	1	1	1	½	9½
8 Gligoric	0	½	½	0	1	0	1	x	½	0	½	½	1	½	½	0	1	1	8½
9 Taimanov	½	0	0	0	½	½	½	½	x	½	½	1	½	½	1	½	1	½	8½
10 Tal	½	0	½	½	1	0	0	1	½	x	1	1	0	½	0	1	0	1	8½
11 Quinteros	0	0	0	1	1	½	½	½	½	0	x	0	½	0	½	1	½	1	7½
12 Radulov	½	0	0	0	0	0	½	½	0	0	1	x	1	1	½	½	1	1	7½
13 Torre	0	0	0	0	½	0	½	0	½	1	½	0	x	½	½	1	1	1	7
14 Uhlmann	0	½	½	0	0	½	0	½	½	½	1	0	½	x	½	½	½	1	7
15 Rukavina	0	1	0	0	0	½	0	½	0	1	½	½	½	½	x	0	1	½	6½
16 Tukmakov	0	0	0	0	½	½	0	1	½	0	0	½	0	½	1	x	½	1	6
17 Estevez	0	0	0	0	0	1	0	0	0	1	½	0	0	½	0	½	x	1	4½
18 Cuellar	0	0	0	0	0	0	½	0	½	0	0	0	0	0	½	0	0	x	1½

432   Estevez-Karpov
      Queen's Gambit Declined
1 P-Q4 N-KB3 2 P-QB4 P-K3 3
N-KB3 P-Q4 4 N-B3 B-K2 5 B-N5
0-0 6 P-K3 P-KR3 7 B-R4 P-QN3 8
B-K2 B-N2 9 BxN BxB 10 PxP PxP
11 P-QN4 P-B3 12 0-0 P-QR4 13
P-QR3 Q-Q3 14 Q-N3 PxP 15 PxP
N-Q2 16 KR-Q1 RxR 17 RxR B-K2
18 R-R7 R-N1 19 N-R2 B-QB1 20
Q-B2 B-B3 21 N-B1 N-B1 22 N-Q3
B-B4 23 Q-R4 N-Q2 24 R-R8 RxR 25
QxR+ K-R2 26 Q-R6 P-N3 27 Q-N7
K-N2 28 P-R3 P-R4 29 Q-R7 B-Q1

30 Q-N7 Q-B2 31 Q-R8 B-K2 32
N/Q3-K5 BxNP

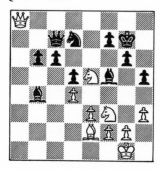

33 QxP?! Correct is 33 NxQBP!
B-Q3 34 B-N5. **33...QxQ 34 NxQ
B-Q3** This ending favours Black
because of his two bishops and
passed QNP. **35 B-N5 N-B3 36 N-Q2
N-K1 37 P-B3 N-B2 38 B-K2 B-B7
39 K-B2 B-R5 40 N-K5 P-QN4 41
N-Q3** Better 41 N-B6 P-N5 42 N-R5.
41...P-R5! 42 N-N2 Better 42 N-QB1
followed by B-Q3 and N/2-N3.
**42...B-N5 43 N-N1 B-N6 44 B-Q3
B-B5 45 P-K4 P-N4 46 PxP BxP 47
N-Q1 B-B3 48 N/N1-B3 B-Q2 49
N-K4 B-K2 50 N-B5?** Correct is 50
K-K2. **50...BxN! 51 PxB N-K3 52
N-B3 P-N5 53 N-K4 P-N6 54 N-Q2
NxP 55 B-N1 K-B3 56 K-K3** This
was the last move of the second time
control but before he could press the
button on his clock Estevez' flag fell
and he **lost on time.** His position of
course is quite lost.

**433   Karpov-Hubner
               Sicilian Defence**
"One of the best games of the
tournament was Karpov-Hubner
from the second round. Although it
was drawn the presence of fine
strategical concepts, clear tactical
ideas, blows and counterblows made
this game an original model of
creative chess. We judges even had a
mind to award this game the best
game prize." — Kotov
**1 P-K4 P-QB4 2 N-KB3 P-K3 3 P-Q4
PxP 4 NxP P-QR3 5 B-Q3 N-KB3 6
0-0 Q-B2**
The continuation of a theoretical
discussion on the Kan variation
begun by these opponents in the
Students' Olympiad at Graz 1972
(game 381).

  **7 Q—K2   P—Q3
  8 P—QB4   P—KN3**
Hubner plumps for a sharp line.

This decision seems to have been
prompted by a desire to avoid well
known systems.
  9 N—QB3
There are many possibilities here.
As an illustration consider the move
9 P-QN4!? e.g. 9...N-B3 10 NxN QxN
(if 10...PxN 11 B-N2 B-KN2 12 P-K5)
11 B-N2 B-N2 12 N-Q2 0-0 13
QR-B1 with a promising position for
White.
  **9 ...   B—N2
  10 B—K3   0—0
  11 QR—B1**
White could also keep an advan-
tage in space by 11 N-N3 N-B3 12
P-B4, when the struggle would have
been more complicated.
Another possibility is the imme-
diate 11 P-B4.
  **11 ...   N—B3
  12 NxN**
This exchange is unavoidable as it
is otherwise impossible to prevent
12...N-K4 or 12...N-KN5.
  12 ...   PxN
More natural and stronger than
12...QxN after which White streng-
thens his centre by 13 P-B4. Then, in
contrast to the game situation, Black
would not be able to control his Q5
square.
  13 P—B4
Of course it is desirable for White
to prevent ...P-QB4 but on 13 N-R4
would follow 13...R-N1 (if 13...P-B4
14 P-K5) 14 B-B4 P-K4 15 B-Q2 and
now, not 15...R-Q1 because of 16
Q-K1, but 15...N-R4 creating play on
the K-side.
  **13 ...   P—B4
  14 KR—Q1   B—N2?!**
Better is 14...R-N1.
  15 P—QR3   B—B3
Black faces one of the traditional
problems of the Sicilian Defence —
how to cope with the Maroczy Bind
without compromising his position.

By exerting pressure on White's KP Hubner is hoping to encourage it to advance. But the position required very precise play from Black otherwise the passed QNP could be dangerous. It seems that a less exacting continuation would be 15...N-Q2 with the idea, after 16 P-QN4 QR-K1, of preparing the counter-stroke ...P-KB4.

16 P—QN4!

16 P-K5 PxP 17 BxP gives nothing on account of 17...B-B6 18 QxB QxB+ 19 K-R1 PxP 20 QxP P-QR4 and Black is slightly better.

Now White is threatening 17 PxP PxP 18 P-K5.

16 ...	PxP
17 PxP	Q—N2
18 P—K5	

If 18 B-Q2 QxP 19 N-Q5 Q-N1 20 N-K7+ K-R1 21 NxB Q-N3+ 22 N-Q4 N-Q2 23 P-K5 PxP 24 P-QB5 NxBP 25 R-N1 Q-Q1. Analysis by Hubner.

18 ...	PxP
19 PxP	N—Q2

19...N-K5 20 BxN BxB 21 B-B5 and 19...N-R4 20 P-N5 (followed by 21 P-N4) both lose material for Black.

20 P—N5	PxP
21 PxP	B—Q4

Both players have been aiming for this position.

The passed white QN and the active position of his pieces compensate for the weakness of his KP.

22 B—Q4!

If 22 NxB PxN 23 P-N6 BxP 24 B-QN5 QR-Q1 25 B-B6 Q-N1 with an unclear position.

22 ...	Q—N1!
23 R—K1	

White does not hurry to exchange on Q5 because after 23 NxB PxN 24 R-K1 R-K1 he cannot hold the KP.

23 ...	B—N2
24 P—N6	

An inaccuracy. White should consolidate with 24 Q-K3 followed by B-B1.

24 ...	R—Q1

The inadequacy of White's last move could only have been reversed by the far from obvious manoeuvre 24...Q-Q1! Both White pawns then come under attack since as well as 25...NxNP Black threatens 25...NxKP 26 BxN BxB 27 QxB QxB.

25 B—N5	R—R4
26 Q—K3	Q—R1?

According to Hubner he should have played 26...B-R1! followed by ...Q-N2.

27 Q—B2	B—QR3

Black tries to increase the scope of his QR so that it attacks the white KP.

28 R—N1	BxB

29 RxB?

29 NxB gives White a tremendous game because of the threat of N-Q6 followed by the advance of the QNP as well as the threat of QxP+. If then 29...Q-Q4 30 N-Q6 NxP (or 30...R-KB1 31 P-N7 threatening 31 P-N8 (Q)) 31 BxN BxB 32 QxP+ K-R1 33 N-K8! winning.

Instead of 29...Q-Q4, I. Zaitsev and Fridstein suggest 29...Q-B3 so that 30 KR-QB1? can be drastically refuted by 30...RxN!, but White still continues with 30 N-Q6 NxKP 31 BxN BxB 32 QxP+ K-R1 and now 33 N-K4.

29 ...	RxR
30 NxR	Q—R4
31 N—Q6	

The penetration of White's pieces looks decisive. However, Hubner has been aiming for this position from a long way back and now he saves himself with a neat tactical nuance.

| 31 ... | NxKP |
| 32 BxN | |

32 N-N7 fails to 32...N-B6+! 33 PxN Q-N4+.

| 32 ... | RxN! |

Not 32...BxB? 33 N-B4.

33 BxB

The rook is invulnerable: (33 BxR B-Q5!) and other moves also lose for White: (i) 33 R-KB1? QxP; or (ii) 33

P-N8 (Q)+ RxQ 35 BxR B-Q5) 34... BxB 35 RxQ R-N8+ 36 Q-B1 B-Q5+ and mates.

| 33 ... | KxB |
| 34 R—N1?! | |

Stronger is 34 Q-N2 — Hubner.

| 34 ... | R—Q1 |
| 35 Q—N2+ | K—N1? |

Better is 35...P-K4.

| 36 P—N7 | R—N1? |

Black should first centralize his queen: 36...Q-QB4+ 37 K-R1 R-N1.

37 Q—QB2

Not 37 R-R1? and RxP and Black wins.

37 ...	K—N2
38 Q—B8	Q—R7
39 Q—B3+	K—N1
40 R—R1	

At this moment applause broke out as some of Karpov's fans thought he was winning. Hubner's reply dispelled the illusion.

| 40 ... | Q—Q4 |

Here the game was adjourned. White sealed **41 Q-B8+** but the game was not continued. After 41...K-N2 42 QxR Q-Q5+ 43 K-B1 QxR+ the white king cannot escape from perpetual check. **41...Drawn**

434   Tukmakov-Karpov
            Ruy Lopez

1 P-K4 P-K4 2 N-KB3 N-QB3 3 B-N5 P-QR3 4 B-R4 N-B3 5 0-0 B-K2 6 R-K1 P-QN4 7 B-N3 P-Q3 8 P-B3 0-0 9 P-KR3 N-N1 10 P-Q4 QN-Q2

11 P—B4

Much rarer than 11 QN-Q2.

| 11 ... | P—B3 |
| 12 B—N5 | |

An innovation, but one which turns out to be harmless. The usual continuation is 12 P-B5 Q-B2 13 PxQP BxP 14 B-N5 PxP 15 BxN PxB

16 NxP or 16 QxP.

| 12 ... | P—R3 |
| 13 B—R4 | N—R4 |

The typical Lopez method of exchanging dark squared bishops, guaranteeing Black equality.

14 BxB	QxB
15 PxNP	RPxP
16 N—B3	

More cautious was 16 QN-Q2 or 16 Q-B1 B-N2 17 Q-B3 N-B5 18 QN-Q2.

| 16 ... | P—N5 |
| 17 N—N1 | |

Too optimistic. 17 N-K2 was more promising. White is still playing for the advantage but he just gets into difficulties.

17 ...	N—B5
18 QN—Q2	PxP
19 NxP	

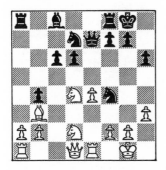

| 19 ... | N—K4 |

In playing into this position White clearly expected to drive Black's knights away from their strong outposts but this proves impossible because of a tactical resource.

20 N/2—B3

Black was threatening 20...BxP 21 PxB Q-N4+

| 20 ... | Q—B3 |
| 21 NxN | PxN |

Probably it was only at this point that the Odessa Grandmaster noticed that after 22 N-K2 would follow 22...

R-Q1 23 Q-B2 NxRP+ 24 PxN Q-B6 and to avoid the mate threat White must play 25 BxP+ although this would not help him very much.

22 N—B5	BxN
23 PxB	QR—Q1
24 Q—B3	

After 24 Q-B2 very strong was 24... R-Q7! 25 QxR Q-N4 and White must give up his queen.

| 24 ... | R—Q7 |
| 25 R—K3 . | |

Best. If 25 QR-B1 QxP 26 RxP NxRP+! 27 QxN QxP+.

| 25 ... | RxNP |

25...QxP 26 QR-K1 Q-N3! deserved attention — the days of the QNP are numbered in any case.

| 26 QR—K1 | R—K1 |
| 27 R—K4 | N—Q4 |

The knight must move because of the threat of 28 RxN.

| 28 Q—N3 | N—B6 |
| 29 RxNP | |

29 R-N4 is met by 29...K-R1 and not 29...N-K7+ 30 RxN RxR 31 R-N6!

| 29 ... | N—K7+ |
| 30 RxN | RxR |

31 R—N7?

The only way to take advantage of Black's inaccuracy on move 25 was to play 31 Q-N6. For example 31...K-B1 32 Q-R7 or 31...Q-K2? 32 R-N4! The variation 31...P-K5 32 R-N7 Q-R8+

33 K-R2 Q-K4+ 34 P-N3 RxBP+ 35
K-N1 P-K6 ends in tears for White
but 32 QxQ PxQ 33 K-B1 R-Q7 34
R-N7 R-KB1 35 R-B7 keeps the
question open.

31 ...	R—K2
32 R—N8+	K—R2
33 K—B1	R—Q7!

The only retreat for the rook. If
33...R-K5 or 33...R-N7 White saves
himself with the miraculous 34
Q-N6+!! QxQ (34...PxQ allows per-
petual check by 35 B-N8+ etc.) 35
PxQ+ KxP and now 36 B-B2 (if
Black played 33...R-K5) or 36 BxP+
(if he played 33...R-N7).

34 Resigns

Black's material advantage is
decisive.

---

435   Karpov-Korchnoy
Pirc Defence

1 P-K4 P-Q3 2 P-Q4 N-KB3 3
N-QB3 P-KN3 4 N-B3 B-N2 5 B-K2
0-0 6 0-0 N-B3 7 P-Q5 N-N1 8
P-KR3 P-B3 9 P-QR4 P-QR4 10
B-KN5 B-Q2 11 R-K1 N-R3 12
PxP?! BxP 13 B-N5 N-QN5 14 Q-K2
R-B1?! Better 16...N-Q2!, or 16...
Q-K2. 17 QR-Q1 Q-K2 18 R-Q2
P-R4 19 Drawn

---

436   Taimanov-Karpov
Nimzo Indian Defence

1 P-Q4 N-KB3 2 P-QB4 P-K3 3
N-QB3 B-N5 4 P-K3 0-0 5 KN-K2
P-Q4 6 P-QR3 B-K2 7 PxP NxP 8
B-Q2 8 P-K4, 8 Q-B2, 8 Q-N3, 8
P-KN3 and 8 NxP are all more usual.
8...NxN 9 NxN P-QB4 10 PxP BxP
11 N-K4 B-K2 12 B-B3 N-B3 13
B-N5 P-QR3 14 BxN PxB 15 Q-B3
Q-B2 16 R-QB1 R-N1 17 0-0 P-B3 18
Q-K2 R-Q1 19 R-B2 Q-N3 20 KR-B1
Q-N4 21 Q-K1 P-KB4 22 N-Q2 B-N2
23 P-B3 B-KB1 24 Q-N3 R/N1-B1 25

B-K5 R-Q4 26 N-B4 R/B1-Q1 27
P-KR4 P-B4 28 K-R2 R-Q8 29 Q-B4
RxR 30 RxR B-Q4 31 R-B3 R-Q2 32
P-QN3 BxN 33 QxB QxQ 34 RxQ
R-Q6 35 R-B3 P-QB5 36 RxP RxKP
37 P-B4 RxP 38 P-R4 B-K2 39 R-B7
B-B3 40 BxB PxB 41 Drawn

---

437   Cuellar-Karpov
English Opening

1 P-QB4 N-KB3 2 N-KB3 P-B4 3
P-Q4 PxP 4 NxP N-B3 5 N-QB3
Q-N3 6 P-K3 P-K3 7 B-K2 B-K2 8
0-0 0-0 9 P-QN3 P-QR3 10 B-N2
P-Q3 11 Q-Q2 B-Q2 12 QR-Q1
KR-Q1 13 P-KN4 Q-R2 14 P-N5
N-K1 15 N-B3 QR-N1 16 P-K4
B-KB1 17 Q-B4 N-K2 18 N-KR4
P-N4 19 R-Q2 B-B3 20 KR-Q1 Q-R1
21 B-Q3 R-Q2 22 Q-N4 N-B2 23
N-Q5 PxP 24 NxN+ BxN 25 PxP
P-N3 26 B-B3 P-QR4

27 B-B2 If 27 N-B5? not 27...NPxN
28 PxP B-B6 29 Q-R4 with a mating
attack, but 27...KPxN 28 PxP (threa-
tening Q-Q4) 28...Q-R2! and if 29
PxP BPxP 30 B-K4 BxB 31 QxR
B-B1 32 B-Q4 Q-R1 33 QxN R-N2!
trapping the queen. 27...N-K1 28
N-B3 R/2-Q1 29 N-Q4 Better 29
Q-B4 threatening 30 N-K5 PxN 31
QxKP. 29...B-Q2 30 P-K5 B-KB1 31
N-K2 P-Q4 32 R-Q3? Better 32
N-B4. 32...R/N-B1! 33 PxP PxP 34
Q-KR4 B-KB4 35 P-K6 PxP 36 N-Q4
N-N2 37 NxB NxN 38 Q-R4 B-N2 39

BxB KxB 40 B-N3 R-B4 41 R-K1
Q-B3 42 Q-KB4 Q-Q3 43 Q-Q2
K-N1 44 P-B4 N-N2 45 R-Q4 Q-N3
46 K-R1 R-N4 47 R-QB1 R-KB1 48
R-Q3 R-N5 49 R-KB3 Q-Q3 50 P-B5
NxP 51 P-QR3 R-KR5 52 B-Q1
Q-K4 53 Q-KB2 R-K5 54 K-N2
N-R5+ 55 K-R3 NxR 56 BxN and
White Resigned

438   Karpov-Kuzmin
          French Defence
**1 P-K4 P-K3 2 P-Q4 P-Q4 3 N-Q2
P-QB4 4 PxQP KPxP 5 KN-B3
N-QB3 6 B-N5 B-Q3 7 PxP BxBP 8
0-0 N-K2 9 N-N3 B-Q3** For 9...B-N3
see game 424. **10 B-N5! 0-0 11
B-KR4 Q-B2?** Better is 11...B-KN5
12 B-N3 BxB 13 RPxB Q-N3 14
B-Q3 N-B4. **12 B-N3 BxB 13 RPxB
B-N5 14 R-K1 QR-Q1 15 P-B3 Q-N3
16 B-Q3 N-N3 17 Q-B2 BxN 18 PxB
R-Q3** If 18...P-Q5 19 P-QB4 N-N5 20
Q-Q2 NxB 21 QxN and Black's QP
has become more vulnerable. Possibly better than the text is 18...
KR-K1. **19 P-KB4 KR-Q1 20 P-R3!**
So that 20...P-Q5 21 P-QB4 cannot
be met by 21...N-N5. **20...P-KR4 21
K-N2 P-R5 22 R-K2 N-B1 23 N-Q2
R-R3 24 N-B3 PxP 25 PxP N-Q2 26
QR-K1 K-B1 27 P-KN4! Q-B2 28
P-N5 R-KR1 29 K-N3! N-B4 30 B-B5
P-KN3**

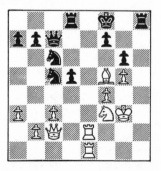

31 P-N4! N-K5+ 31...N-Q2 32 BxP

PxB 33 QxP and 31...PxB 32 PxN are
equally hopeless. **32 BxN PxB 33
QxP K-N2 34 P-N5 N-R4 35 Q-K7
QxQ** Or 35...QxQBP 36 R-K3 Q-N7
37 R-K5 and 38 Q-B6+. **36 RxQ
R-Q6 37 R-B7! N-N6 38 K-N4
R-KB1 39 R/1-K7 Resigns**

439   Tal-Karpov
          Ruy Lopez
**1 P-K4 P-K4 2 N-KB3 N-QB3 3
B-N5 P-QR3 4 B-R4 N-B3 5 0-0
B-K2 6 R-K1 P-QN4 7 B-N3 P-Q3 8
P-B3 0-0 9 P-KR3 N-N1 10 P-Q4
QN-Q2 11 QN-Q2 B-N2 12 B-B2
R-K1 13 P-QN4 B-KB1 14 B-N2
P-QR4 15 B-Q3 P-B3 16 P-R3 N-N3
17 R-QB1 PxQP 18 NxP KN-Q2 19
N/2-N3 N-K4! 20 NxRP RxN! 21
PxR N/3-B5 22 R-B2 QxP 23 B-KB1**
If 23 B-QB1 NxB 24 QxN P-Q4 25
R/2-K2 P-QB4 26 N-N3 with a slight
advantage. **23...NxB 24 RxN QxBP
25 R-N3 Q-R4 26 Q-N1 Q-R2 27
R-Q1 N-Q2 28 N-B5 R-K3 29 N-Q4
R-K1**

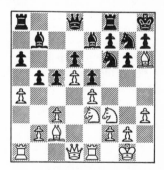

**30 BxP! PxB 31 NxP Q-B4 32 NxP
BxN 33 RxB/N7 N-B3 34 Q-N3 B-B2**
34...R-K3 looks stronger. There was
no need to fear the ghost of an attack
— after 35 R-N6 (threatening 36
R/6xB RxR 37 Q-N8+) Black has
35...K-B1! **35 Q-N5 Q-B7 36 Q-N1!
QxQ 37 R/1xQ B-Q3 38 P-QR4 RxP
39 R-Q1** 39 P-R5 gave better winning

chances. **39...N-K1 40 P-R5 K-B1 41
P-R6** 41 R-R7 also deserves consideration. **41...R-QR5 42 R-R7
P-N4!** The immediate 42...B-K4 loses
to 43 P-N3 N-Q3 44 R-K1! P-B3 45
R-N1 and there is no defence. **43
R-R8 B-K4 44 P-N3** The surprising
move 44 P-B4 leads, after 44...RxBP
45 P-R7 (or 45 R/1-Q8 B-Q5+ 46
K-R2 R-K5) 45...R-QR5 45 R/1-Q8
K-N2 47 RxN RxP! to a theoretical
draw. **44...K-K2 45 R-K1 P-B3 46
P-R7 N-B2 47 R-R8 RxP 48 Drawn**

**440   Karpov-Quinteros
        Sicilian Defence**
**1 P-K4 P-QB4 2 N-KB3 P-Q3 3 P-Q4
PxP 4 NxP N-KB3 5 N-QB3 P-QR3 6
B-KN5 P-K3 7 P-B4 Q-N3 8 N-N3
B-K2 9 Q-B3 P-R3 10 B-R4 QN-Q2**
Not 10...NxP? 11 BxB NxN 12
QxN KxB 13 QxP with a very big
advantage.
        **11 0—0—0   Q—B2
        12 B—N3!**
12 P-N4 is met by 12...P-KN4.
Now White threatens 13 P-K5.
        **12 ...   P—QN4
        13 P—K5   B—N2
        14 Q—K2   PxP?**
Correct is 14...N-Q4! when 15 PxP
is met by 15...NxN! 16 PxQ NxQ+
17 BxN R-QB1 18 P-B5 P-K4 with
equal chances. Best is 15 NxN BxN
16 PxP QxQP 17 P-B5 P-K4! and
now: (i) 18 Q-Q3 N-B3 19 Q-QB3
N-K5 20 QxP QxQ 21 BxQ N-B7
with an unclear position; or (ii) 18
P-KR4! 0-0 19 R-R3! QR-B1 20
B-R2 Q-B3 21 N-R5 Q-B4 (or 21...
Q-R1 22 R/3-Q3) 22 R-B3 with the
more active game.
        15 PxP   N—R2
Now 15...N-Q4 is refuted by 16
NxN BxN 17 RxB PxR 18 P-K6.
        16 N—K4!   B—N4+
16...NxP is met by 17 N/4-B5 BxN

18 BxN Q-B3 19 NxB QxN 20 BxP,
and 16...N-N4 by 17 N-B6+ PxN 18
PxP Q-QB5 19 Q-Q2. In each case
Black's king has nowhere to hide.
        17 K—N1   0—0
        18 P—KR4   B—K2
        19 N—Q6   B—Q4?
Both 19...QR-Q1 and 19...B-QB3
are superior alternatives.

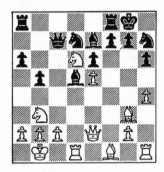

        20 RxB!
Decisive.
        20 ...   PxR
        21 N—KB5   Q—Q1
        22 Q—N4   P—N3
        23 NxP+   K—N2
        24 N—B5+
After the game it was discovered
that White has a prettier win in 24
N-Q4! e.g. 24...KxN 25 N-B5+!! PxN
26 B-KB4+ N-N4 27 QxP K-N2 28
PxN R-R1 29 R-R6! with over-
whelming threats (30 B-Q3, 30 P-K6,
30 P-N6). One can understand
Karpov's attitude however. Why look
for something fancy when you see a
straightforward win? Especially in
such an important tournament.
        24 ...   K—R1
        25 B—Q3   R—KN1
If 25...PxN 26 QxP N/Q2-B3 27
PxN NxP 28 B-K5 winning.
        26 N—R6   R—N2
        27 P—R5   Q—K1
        28 P—K6   N/Q2—B3
        29 PxP   Q—Q1

After 29...Q-KB1 White wins beautifully by means of a queen sacrifice: 30 PxP NxQ 31 NxN (threatening 32 B-K5) 31...B-Q3 32 N-B6! BxB 33 NxN Q-Q3 34 N-B6+ B-R7 35 N-K8! RxNP 36 BxR.

30 Q—Q4	NxP
31 B—K5	B—B3
32 KR—K1	

Also conclusive was 32 N-N4 RxP 33 BxKNP.

32 ...	BxB
33 RxB	N/4—B3
34 P—N4	Q—KB1
35 P—N5	N—K5
36 BxN	PxB
37 QxP	**Resigns**

441   Larsen-Karpov
English Opening
1 P-QB4 P-QB4 2 P-KN3 P-KN3 3 B-N2 B-N2 4 N-QB3 N-QB3 5 P-QR3 P-K3 6 R-N1 P-QR4 7 N-R3 KN-K2 8 N-B4 0-0 9 P-Q3 R-N1 10 B-Q2 P-N3 11 0-0 B-N2 12 R-K1 P-Q3 13 N-N5 N-Q5 14 NxN BxN 15 BxB RxB 16 Q-R4 Q-Q2 17 QxQ RxQ 18 B-B3 B-N2 19 BxB KxB 20 P-QN4 RPxP 21 PxP R-QR1 22 **Drawn**

442   Karpov-R. Byrne
Sicilian Defence
1 P-K4 P-QB4 2 N-KB3 P-Q3 3 P-Q4 PxP 4 NxP N-KB3 5 N-QB3 P-QR3 6 B-K2 P-K4 7 N-N3 B-K3 8 P-B4 Q-B2 9 P-B5 B-B5 10 P-QR4 QN-Q2 11 B-K3 B-K2 12 P-R5 0-0 13 0-0 P-QN4 14 PxPep NxNP 15 K-R1 KR-B1 16 BxN QxB 17 BxB RxB 18 Q-K2 QR-QB1 19 R-R2 B-Q1 20 KR-R1 Q-N2 21 R-R4 RxR 22 **Drawn** All well known theory, cf Karpov-Bronstein (Game 343) and Karpov-Stoica (Game 378).

443   Uhlmann-Karpov
Queen's Gambit Declined
1 P-QB4 P-QB4 2 N-KB3 N-KB3 3 N-B3 P-Q4 4 PxP NxP 5 P-K3 P-K3 6 P-Q4 N-QB3 7 B-Q3 PxP 8 PxP B-K2 9 0-0 0-0 10 R-K1 N-B3 11 P-QR3 P-QN3 12 B-K3 B-N2 13 R-QB1 R-B1 14 B-N1 R-B2 15 Q-Q3 R-Q2 16 Q-B2 P-N3 17 B-R2 N-KN5 18 R/B1-Q1 NxB 19 PxN B-B3 20 Q-B2 B-N2 21 R-Q2 N-K2 22 P-K4 P-KR3 23 R/K1-Q1 Q-N1 24 Q-K3 KR-Q1 25 P-R3 K-R2 26 K-R1 P-R3 27 R-KB2 N-N1 28 R/Q1-KB1 P-QN4 29 P-KR4? 29 P-Q5 29... N-B3! 30 N-K5 RxP 31 RxN QxN 32 RxBP R/Q1-Q2 33 RxR RxR 34 Q-R3 R-Q3 35 B-N1 R-Q7 36 P-R5 PxP 37 N-Q1 B-QB3 38 Q-KB3 B-K1 39 P-QN4 B-N3 40 N-B2 Q-Q5 41 N-R3 P-K4 42 N-B2 R-N7 43 K-R2 Q-B5 44 R-Q1 N-N6 45 N-Q3 QxKP 46 **Resigns**

444   Karpov-Gligoric
Ruy Lopez
Notes by Karpov
1 P-K4 P-K4 2 N-KB3 N-QB3 3 B-N5 P-QR3 4 B-R4 N-B3 5 0-0 B-K2 6 R-K1 P-QN4 7 B-N3 P-Q3 8 P-B3 0-0 9 P-KR3 N-N1 10 P-Q4 QN-Q2 11 QN-Q2 B-N2 12 B-B2 P-B4

Gligoric employs this line regularly. He played it against Keres at San Antonio and against Tal in this Interzonal. Both Keres and Tal carried out the manoeuvre N-B1-N3. I decided instead to close the centre.

| 13 P—Q5 | N—K1 |

Black plans, after ...P-N3 and ...N-N2, the move ...P-B4.

| 14 N—B1 | P—N3 |
| 15 B—R6 | |

After this Black does not succeed in playing ...P-B4.

| 15 ... | N—N2 |
| 16 N—K3 | N—B3 |

The only chance of counterplay — somehow to get rid of the bishop at KR3. Otherwise, after P-KN4, K-R2 and R-KN1, White will prepare for the standard Lopez attack with N-B5.

| 17 P—QR4 | K—R1 |

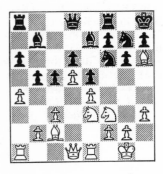

18 P—QN3

I rejected the immediate 18 Q-K2 because of 18...P-B5. The siege of the QBP would then require much preparation. It cannot be undermined with P-QN3 as long as the white KP is undefended.

The text move is slow but it hinders the breakthrough ...P-B5, thereby reducing Black's Q-side counterplay.

| 18 ... | R—QN1 |

Otherwise it is difficult to defend the QNP.

| 19 Q—K2 | B—B1 |

I prefer 19...Q-N3. It it true that this isn't a Lopez move but there is no white bishop on K3 so ...Q-N3 is quite possible. It is important for Black not to allow his opponent's rook into the seventh rank.

20 PxP	PxP
21 R—R7	N—N1
22 BxN+	KxB
23 R/1—R1	

While Black has been getting rid of the bishop at KR3 White has taken complete control of the QR-file.

23 ...	B—Q2
24 B—Q3	N—B3
25 Q—R2	

White intends to offer the exchange of queens by Q-R5. After that his rooks can make trouble on the seventh rank.

| 25 .. | N—K1 |
| 26 Q—R6 | |

On 26 Q-R5 Black avoids the queen swap by 26...Q-B1 and then worries White's queen by ...B-Q1.

| 26 ... | R—N3 |

Now White's positional advantage becomes very menacing. Why did the Yugoslav Grandmaster refrain from 26...N-B2 ? After 27 Q-R5 R-QR1 (bad is 27...R-B1 because of 28 Q-N6 followed by R-N7 and all White's heavy pieces penetrate the seventh rank) and now both players considered the following forced variation: 28 RxR QxR 29 QxN QxR+ 30 K-R2 R-Q1 31 BxP BxB 32 QxB R-Q2. White has given up the exchange for a pawn but I thought that I would obtain sufficient compensation, e.g. after 33 Q-N5 or 33 Q-R4 White has good attacking chances.

Gligoric avoided this line because of 33 N-B5+ but this sacrifice would give White no more than perpetual check.

| 27 Q—R5 | N—B3 |

The only move, otherwise 28 RxB wins. Black cannot retreat the rook to QN1 because of 28 QxQ RxQ 29 R-N7 winning the QNP.

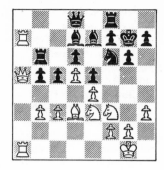

28 N—N4!

Again threatening 29 NxN and 30 RxB. Now Black must retreat his QR, allowing White's pieces to infiltrate at QB7.

28 ...   **R—QN1**

29 NxN

It looks as though 29 Q-B7 is strong and if 29...R-B1 then 30 QxQ and 31 R-N7. However, Black continues 29...BxN 30 PxB QxQ 31 RxQ B-Q1, and after 32 R-B6 P-B5 33 PxP PxP 34 RxP NxNP Black has counterplay based on the weakness of White's KB2 square.

29 ...   **BxN**

Black cannot recapture with the king because of 30 Q-B7.

30 Q—B7   **QxQ**

31 RxQ   **KR—Q1**

32 R/1—R7   **B—K1**

33 R/R—N7

Threatening 34 BxP BxB 35 RxKBP+ K—N1 36 RxR RxR (or 36...KxR 37 RxB) 37 RxB.

33 ...   **K—N1**

Evidently the only move.

34 P—KN4

White's plan is to play P-N5 and, having driven the dark squared bishop off the Q1-KR5 diagonal, to ensure the domination of the K7 square.

I rejected the alternative possibility — restricting the action of the KB6 bishop by P-R4 and P-N3 — as in some variations the bishop can get into KR3 after ...P-R4.

34 ...   **P—R3**

35 P—R4   **RxR**

Otherwise 36 P-N5 follows. After 36...PxP 37 PxP B-N2, the manoeuvre N-R2-N4 gives White a winning position.

If the bishop retreats at once (36...B-N2 instead of 36...PxP) White exchanges on KR6 himself and plays N-N5. After the enforced exchange 38...BxN Black must eventually lose the QNP.

The move played in the game does not save him either.

36 RxR   **P—B5**

37 PxP   **PxP**

38 B—K2

38 BxP is not good because of 38...B-Q2 and on 39 P-N5 Black answers 39...B-N5! 40 PxB BxN 41 B-Q3 P-N4!

38 ...   **R—R1**

Now 38...B-Q2 is senseless as after 39 P-N5 Black has not got the move 39...B-N5 at his disposal — the knight is defended. And 39...PxP 40 NxNP is no better for Black.

39 BxP   **B—R5**

In the tournament bulletin and elsewhere, 39...R-B1 is recommended. In reply I would have played 40 B-K2 to which the only reply is 40...B-R5 (40...RxP? 41 R-N8 K-B1 42 B-N5). Then comes 41 P-B4 B-B7 42 P-N5 PxP 43 NxNP BxN 44 PxB BxP 45 R-Q7 and there seems no way for Black to defend the QP (on 45...R-R1 comes 46 P-B3! defending against perpetual check). And so, after 39...R-B1, Black loses a pawn without sufficient counterplay.

40 B—N3   **BxB**

41 RxB   **R—QB1**

The best chance. Black must control his back rank otherwise, after a check on QN8, the white rook occupies the QB-file with decisive effect. For the same reason 41...R-R5 is no good in view of 42 R-N4 followed by R-B4.

42 K—N2

The sealed move.

42 ...   P—R4

I did not see this move. After the game Gligoric said that he did not foresee my sealed move. He only analysed 42 P-R5 and came to the conclusion that Black was lost. However, 42 P-R5 frees the enemy bishop and I preferred the "capital" K-N2.

I judged that after my sealed move Black was forced to defend against the manoeuvre R-N6, the exchange of the QBP for the QP favouring White.

As it is impossible to defend the QP with the rook because of R-B6, my analysis centred on 42...K-B1, 42...B-Q1 and 42...B-K2. The idea of this last move is to create counterplay by ...P-B4. I intended to reply to 42...B-K2 with 43 K-N3 P-B4 44

NPxP PxP 45 N-Q2 K-B2 46 K-R3! (important, in order that Black's BP advances to KB5 **without** check!). In a word, Black would get no counterplay.

43 PxP	PxP
44 R—N6	RxP
45 RxP	K—N2
46 R—B6	R—Q6

It is easy to understand Black's desire to hinder the manoeuvre N-Q2-B4 and somehow to hold back the advance of the QP. However, 46...R-N6 or 46...R-R6 would have been more stubborn continuations, although against precise play by White the game could not be saved. After 46...R-N6, for example, there could follow 47 N-N5, P-B3, K-N3 eventually forcing Black into an unfavourable ending. The text move meets with a forced refutation.

47 R—B7	K—N3

Otherwise 48 N-N5. But now White can take the KP with check. This is very important as it does not allow Black to attack White's KP.

48 R—B8	B—N2
49 R—B6+	K—R2
50 N—N5+	K—N1
51 R—B8+	B—B1
52 R—B7	P—B3
53 N—K6	

Now it is obvious, even at a casual glance, that Black's position is hopeless.

53 ...	B—R3
54 R—Q7	

Ensuring the advance of the QP. The bishop cannot leave R3 because of R-KN7+ followed by R-KB7. Also, the king has no moves because of 55 R-KB7 and the rook must watch the QP.

54 ...	R—Q7
55 K—B1	R—Q8+
56 K—K2	R—Q7+
57 K—K1	

57 ...   R—B7

There are no more checks or any moves for the other pieces and so the rook must leave the Q-file. Now White's passed pawn moves into action.

58 P—Q6	R—B8+
59 K—K2	R—B7+
60 K—B1	R—B3
61 K—N2	

Now, apart from 61...R-N3 and 61...R-R3 Black does not have one move. The rook cannot leave the third rank because of R-K7 followed by P-Q7, and after 61...B-Q7, 62 R-KN7+ K-R1 63 P-Q7 R-Q3 64 R-K7 B-R4 65 R-K8+ is decisive.

| 61 ... | R—N3 |
| 62 N—B7 | R—N2 |

If 62...B-B1 then 63 N-K8. On 62...B-Q7 comes 63 N-Q5 and if 62...K-B1 63 R-R7 B-N2 64 P-Q7.

63 N—Q5   Resigns

---

445   Rukavina-Karpov
English Opening
1 P-QB4 N-KB3 2 N-QB3 P-K3 3 N-B3 P-B4 4 P-Q4 PxP 5 NxP B-N5 6 N-B2 BxN+ 7 PxB Q-R4 8 N-N4 0-0 9 P-K3 P-QN3 10 B-K2 B-N2 11 0-0 R-B1 12 P-B3 N-B3 13 Q-N3 Q-K4 14 NxN RxN 15 B-Q2 Q-B2 16 Q-R4 P-QR4 17 KR-N1 B-R3 18 R-N2 BxP 19 BxB RxB 20 Q-N5 R-B3 21 P-K4 P-Q3 22 Q-N5 N-Q2

23 Q-K7 N-K4 24 QxQ RxQ 25 R-N5 N-B5 26 B-B1 QR-QB1 27 QR-N1 R-B4 28 K-B1 K-B1 29 K-K2 K-K2 30 R/N5-N3 K-Q2 31 P-QR4 K-B2 32 B-B4 K-N2 33 B-K3 R/B4-B3 34 B-Q4 P-B3 35 R-Q1 R-Q1 36 P-B4 P-Q4 37 B-B2 R/B3-Q3 38 B-B5 R-B3 39 B-B2 R/Q1-Q3 40 PxP RxP 41 RxR PxR 42 R-N5 R-K3+ 43 K-Q3 K-B3 44 P-N3 R-K2 45 R-N1 R-N2 46 R-N5 N-Q3 47 R-N2 P-QN4 48 PxP+ RxP 49 R-K2 and White Resigned

---

446   Karpov-Radulov
English Opening
1 P-QB4 P-K4 2 N-QB3 P-QB4 3 P-KN3 P-KN3 4 B-N2 B-N2 5 N-B3 N-K2 6 0-0 0-0 7 N-K1 QN-B3 8 N-B2 P-Q3 9 N-K3 B-K3 10 P-QR3 Q-Q2 11 P-Q3 B-R6 12 N/K3-Q5 BxB 13 KxB NxN 14 NxN N-K2 15 NxN+ QxN 16 P-K4 P-B4 17 P-B3 P-KR4 18 B-Q2 K-R2 19 P-QN4 B-R3 20 KPxP RxP 21 BxB KxB 22 Q-Q2+ K-N2 23 PxP PxP 24 QR-K1 R-Q1 25 R-K3 R-Q5 26 Q-K2 Q-Q3 27 R-QN1 R-B2 28 P-QR4 P-N3 29 R-K1 R-Q2 30 P-R4 RxQP 31 RxR QxR 32 QxP+ K-R2 33 Q-K6 Q-B4 34 QxQ PxQ 35 K-B2 K-N2 36 P-R5 R-Q5 37 PxP PxP 38 R-K6 RxBP 39 RxP P-B5 40 Drawn

---

447   Smejkal-Karpov
Sicilian Defence
1 P-K4 P-QB4 2 N-KB3 P-K3 3 P-Q4 PxP 4 NxP N-QB3 5 N-QB3 P-QR3 6 B-K2 Q-B2 7 0-0 N-B3 8 B-K3 B-N5 9 N—R4

The generally accepted move, though 9 NxN also gives White a slight advantage.

9 ...   0—0

Undoubtedly the most solid of the five theoretical replies (the others are 9...B-K2, 9...N-K2, 9...B-Q3 and 9...P-QN4).

10 NxN	NPxN
11 N—N6	

The tempting 11 Q-Q4 is no good because of 11...B-Q3 12 N-N6 R-N1 13 N-B4 BxP+ 14 K-R1 P-Q4 15 P-K5 PxN 16 KxB R-Q1.

11 ...	R—N1
12 NxB	KRxN
13 BxP	R—Q1!

A novelty. This move was played in several games at Leningrad but it is not more widely known. 13...R-K1 used to be played but that move has two important disadvantages: (i) it impedes the black knight. This induced Geller to start a knight hunt in his game with Tal at the 1971 USSR Championship (14 B-Q3 B-Q3 15 P-N4!?); (ii) less obviously, the rook on K1 often comes under attack from White's queen (after an eventual QxKBP+).

14 B—Q3	B—Q3
15 K—R1!	

The best move. After 15 P-KB4 P-K4 16 P-B5 RxP 17 P-N4 Q-R4 18 K-R1 B-B4 19 B-B1 RxRP 20 RxR QxR 21 P-N5 N-K1 22 Q-R5 P-Q4 Black can defend himself.

The pawn on KR2 is untouchable: 15...BxP 16 P-KB4 B-N6 17 Q-B3 and White wins a piece.

15 ...	B—K4

In capturing the QNP at once Black risks coming under attack: 15...RxP 16 B-Q4 R/7-N1 17 BxN

PxB 18 Q-R5.

16 P—QB3	

16 P-KB4 BxNP 17 R-QN1 P-Q4 18 P-K5 N-Q2 19 Q-N4 does not promise much, though White would, of course, obtain some initiative on the K-side.

16 ...	RxP
17 Q—B1!	

With the black rook on K1 White has succeeded more than once in this variation.

17 ...	N—N5
18 P—KB4	

Not 18 QxR?? BxBP 19 QxB QxRP mate.

18 ...	NxB
19 QxR	

19 PxB would be a mistake because of 19...Q-N3∓.

19 ...	BxKBP

20 Q—KB2!	

The attempt to keep the exchange by 20 R-B3 is not good because of 20...N-N5 21 P-N3 (if 21 P-KR3 or 21 QR-KB1 then 21...B-B8!) 21...N-K4 and Black has many threats.

20 ...	NxR
21 RxN	P—K4

At last the point of the innovation on the thirteenth move becomes clear! With the rook on K1 the threat against KB2 is not such a fatal one. But after 21...P-N4?! 22 P-N3 Q-Q3 23 B-K2 (or B-B2) 23...B-K4 24 QxP+ K-R1 25 R-Q1 Q-B1 26

QxQ+ RxQ 27 RxP BxP 28 B-B4 (or
28 B-N3 if White played 23 B-B2)
Black's position is difficult.

22 P—N3   Q—Q3

The immediate retreat of the
bishop allows mate in three.

23 B—K2

23 B-B4 also looks interesting. e.g.
23...B-N4 24 QxP+ K-R1 25 P-QR4
B-B3 26 P-R5 R-KB1 27 Q-R5 Q-Q7
28 QxKP P-R3 29 Q-QB5 QxBP 30
P-K5 and White wins. But a more
convincing defence is 25...B-B3 26
P-R5 R-KB1 27 Q-R5 Q-B4 28 B-B7
B-Q1; or 25...P-R3 26 P-R5 Q-B4 27
P-R6 P-Q4 28 B-Q3 QxP.

23 ...   B—N4
24 QxP+   K—R1
25 P—QR4

25 B-N4 also deserves to be con-
sidered.

25 ...   B—K2

Variations on a ventilating theme
were weaker. e.g. 25...P-R3 26 B-R5!
Q-Q6 27 B-N6.

26 P—R5   R—KB1
27 Q—QB4   RxR+
28 BxR   Q—B3
29 K—N2   Q—B1!
30 B—K2   B—B4
31 B—N4   Q—B7+

If 31...Q-Q3 32 Q-B7 Q-Q7+ 33
K-R3 Q-R3+ 34 B-R5 Q-K3+ (not
34...P-N3? 35 Q-K8+) 35 QxQ with
drawing chances.

32 K—R3   P—Q3

33 B—Q7?

According to Petrosian and Keres
who were analyzing the game in the
press room, White should have
played 33 Q-K6! They judged the
ending, after 33...Q-B8+ 34 K-R4
Q-B3+ 35 QxQ, as very promising
for White.

Now Black's pieces are sufficiently
active to ensure a draw.

33 ...   P—N3
34 BxP   K—N2
35 B—N5   Q—QN7!
36 P—R6   B—N8
37 Q—K2   QxP
38 B—B4   Q—B8
39 Q—B1?

An oversight in a level position.
Black can now switch from defence
to attack. The correct move was 39
K-N2.

39 ...   Q—R3+
40 K—N2   QxP+
41 K—B3   Q—R4+
42 K—N2

Here the game was adjourned.

42 ...   Q—R7+
43 K—B3   B—Q5
44 B—Q5   B—B4
45 B—B6   B—Q5
46 B—N7?

As Furman later showed the
correct move is 46 B-Q5!

**46...P-N4! 47 K-N4 P-R4+ 48 K-B5
QxP 49 K-K6 B-B7 50 Q-N5 Q-B3+
51 K-Q5 P-N5 52 B-B8 Q-K2 53
B-B5 K-R3 54 Q-B1 Q-QB2 55 Q-K2
Q-B4+ 56 K-K6 K-N4 57 Q-B1
Q-R6 58 Q-K2 B-B4 59 Q-Q2+
Q-K6 60 Q-R5 B-N3 61 Q-R2 Q-B7
62 Q-N1 P-N6 63 B-R3 K-R5 64
B-N2 Q-N8 65 QxQ BxQ 66 KxP If
66 K-B5 B-Q5 67 B-B1 P-N7! 68 BxP
K-N6 followed by the advance of the
KRP. 66...B-Q5 67 P-R7 BxP 68 KxP
K-N5 69 K-Q5 P-R5 70 P-K5 P-R6
71 BxP KxB 72 P-K6 B-B4! 73
Resigns**

448   Karpov-Torre
                   Alekhine's Defence
**1 P-K4 N-KB3 2 P-K5 N-Q4 3 P-Q4
P-Q3 4 N-KB3 P-KN3 5 B-QB4 N-N3
6 B-N3 B-N2 7 N-N5 P-Q4 8 P-KB4
N-B3 9 P-B3 P-B3 10 N-B3 B-B4**
  11 0—0   **Q—Q2**
If 11...0-0 12 QN-Q2 is still good
for White.
  12 QN—Q2
If 12 N-R4 B-N5 13 Q-K1 0-0-0
and Black will create K-side play
with ...P-N4.
  12 ...   **PxP**
  13 BPxP   **0—0**
  14 R—B2!   **N—R4**
  15 B—B2   **BxB**
  16 QxB   **Q—B4?!**
More solid was 16...P-K3.
  17 Q—Q1   **P—K3**
If 17...Q-Q6 18 N-K1.
  18 N—B1   **P—B4**

19 P—KR3!

Preparing to ensnare the black
queen by P-KN4 at the correct
moment. 19 N-K3 looks tempting,
e.g. 19...Q-K5 20 N-N5 Q-R5 21
RxR+ RxR 22 NxKP Q-B7+ 23
K-R1 and White has a pawn for
nothing. But after 19...Q-R4 20
P-KN4 Q-R6 21 N-N5 Q-R5 White
gets nowhere.

  19 ...   **PxP**
  20 PxP   **N—B3**
  21 P—QN3   **N—Q2**
  22 B—R3   **R—B2**
If 22...KR-Q1 23 N-N3 Q-B5 24
N-K2 Q-K5 (or 24...Q-B2 25 N-N5)
25 N-N5 Q-K6 26 B-B1 trapping the
queen.
  23 P—KN4!
On 23 N-N3 Q-B5 24 N-K2 comes
24...Q-B4 25 P-KN4 QxN 26 RxQ
RxR when the win is a much slower
process.
  23 ...   **Q—K5**
Or 23...Q-B5 24 B-B1 Q-K5 25
N-N3.
  24 N—N5 **Resigns**
Black has saved his queen but lost
a rook.

Bath 1973
(European Team Championship)

449   Karpov-Whiteley
    Sicilian Defence
    Notes by Karpov
**1 P-K4 P-QB4 2 N-KB3 P-Q3 3 N-B3
P-KN3 4 P-Q4 PxP 5 NxP** 5 QxP
N-KB3 6 P-K5 N-B3 7 B-QN5 PxP 8
QxQ+ KxQ 9 BxN PxB 10 NxP only
leads to equality after 10...K-K1 11
NxQBP B-QN2 12 N-K5 BxP. **5...
N-KB3 6 B-K3 B-N2 7 B-QB4 N-B3
8 P-B3 0-0 9 Q-Q2 B-Q2 10 0-0-0
Q-R4 11 B-N3 KR-B1 12 P-KR4
N-K4 13 K-N1** 13 P-R5 NxRP 14
B-R6 N-Q6+ 15 K-N1 NxP 16 KxN
BxB 17 QxB RxN! is satisfactory for
Black. **13...N-B5 14 BxN RxB 15
N-N3 Q-Q1** If 15...Q-R3? 16 P-K5
N-K1 (16...PxP loses to 17 N-B5) 17
N-Q5±. **16 B-R6 Q-B1?!** Better was
16...B-R1. **17 BxB QxB 18 P-N4**
Threatening 19 P-K5 PxP 20 P-N5
winning a piece. **18...B-K3 19 N-Q4
N-Q2 20 P-R5 QR-QB1 21 PxP
RPxP**

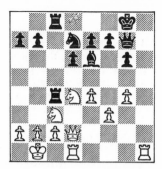

22 N/3-K2 After 22 N-B5 BxN 23 NPxB RxN 24 PxR QxP 25 PxP PxP Black may be able to survive. **22... R/5-B4** Or 22...N-K4 23 P-B3. **23 P-B3 N-B1 24 QR-N1** Now 25 N-B5 is a real threat. **24...Q-K4 25 N-KN3 P-KN4** If 25...R-R4 26 P-R3 followed by 27 P-KB4 or 27 N/3-B5. **26 N/3-B5 BxN 27 PxB P-B3 28 P-KB4 QxKP+ 29 K-R1 K-B2** Or 29...N-R2 30 Q-R2. **30 PxP PxP 31 QxP R-K4** If 31...K-K1 32 R-K1. **32 Q-R5+ Resigns**

450   Ghizdavu-Karpov
              Sicilian Defence
              Notes by Karpov

1 P-K4 P-QB4 2 N-KB3 P-Q3 3 P-Q4 PxP 4 NxP N-KB3 5 N-QB3 P-QR3 6 P-B4 QN-Q2 7 P-QR4 P-KN3 8 B-Q3 B-N2 9 N-B3 0-0 10 0-0 N-B4!? Better is 10...P-K4 followed by ...Q-B2 and ...P-N3. **11 Q-K1 R-N1** Not 11...B-N5 12 Q-R4 BxN 13 RxB when White has a strong K-side attack. **12 Q-R4 P-QN4 13 PxP PxP 14 P-K5?!** White should first remove his king from the KN1-QR7 diagonal. **14...NxB 15 PxN/Q3** Not 15 PxN/B6 BxP 16 N-N5 BxN 17 PxB NxB winning; or 15 N-N5 PxP 16 PxP P-R3. **15...N-K1** Black is also better after 15...P-N5 16 PxN BxP 17 N-KN5 BxN/4 18 PxB PxN. **16 P-Q4**

If 16 N-Q4? PxP 17 PxP P-N5. 16 N-Q5 should be met by 16...R-N2 17 R-R8 PxP and not by 16...P-B3?! 17 N-Q4 because 17...QPxP allows 18 N-B6 winning material. **16...N-B2 17 N-K4 P-B4!** Preventing 18 P-B5. **18 N/4-N5 P-R3 19 N-R3 B-K3 20 Q-N3 B-B2 21 R-K1 P-N5 22 K-R1 N-Q4?!** Better 22...R-N2. **23 Q-R4 R-N2**

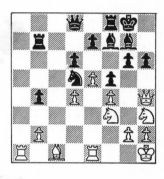

24 N/R3-N5 P-K3 25 NxB Or 25 R-R6 PxN 26 NxP R-K1 27 RxP Q-B1 and White does not have enough for the piece. **25...QxQ 26 NxQ KxN 27 N-B3 PxP 28 QPxP R-B1 29 N-Q4 B-B1 30 R-R6 R-N3** Stronger is 30...B-B4! and if 31 NxKP? B-N3 trapping the knight; or 31 N-N3 B-N3 and White's pieces are all impotent. **31 R-R7+ R-B2 32 R-R8 P-N6 33 R-R4 B-B4 34 N-K2 B-N5?!** Better is 34...B-K6! **35 R-Q1 R/3-B3 36 R-R1 R-N3** Not 36...R-B7 37 N-Q4 R-B7?? 38 K-N1 winning material. **37 R-Q3 B-K2 38 P-N3 R-B5 39 K-N2 R-B7 40 K-B3 R-N5** Possibly more accurate was 40...R-N2 followed by ...B-B4. **41 P-R4?** 41 R-R7 R-K5 42 B-Q2 RxNP 43 R-N7 would offer much more resistance. **41...B-B4?** Missing a quick win by 41...R-K5 e.g. 42 B-Q2 RxNP 43 N-Q4 R-R7 and the NP soon queens; or 42 N-Q4 R-R7 followed by 43...

B-B4 or 43...R-K8 and White is in a mating net. **42 B-Q2 R-K5 43 R-QB1 B-N5 44 RxR PxR 45 B-B1** Of course not 45 BxB RxN. **45...R-B5 46 R-Q4 R-B2 47 P-N3 B-K8** If 47...B-B6? 48 R-B4 R-N2 49 P-QN4 and Black has problems. But 47...B-R4 is possible, and on 48 R-B4 RxR 49 PxR comes 49...N-B6 50 NxN BxN with a winning position because as soon as White's king comes to the Q-file, Black plays ...B-K8. **48 R-B4 RxR 49 PxR N-B6** If 49...N-N5? 50 K-K3 N-R7?? 51 B-Q2 and Black is lost. **50 NxN?** After 50 N-Q4 N-K5 51 NxQBP BxP 52 P-R5 Black still has many technical problems to solve. **50...BxN 51 P-N4 PxP+ 52 KxP P-R4+ 53 K-B3 B-K8 54 K-K2 BxP 55 K-Q3 B-B7 56 KxP P-R5 57 K-Q3 P-R6 58 Resigns**

---

451   Matanovic-Karpov
            Ruy Lopez

1 P-K4 P-K4 2 N-KB3 N-QB3 3 B-N5 P-QR3 4 B-R4 N-B3 5 0-0 B-K2 6 R-K1 P-QN4 7 B-N3 P-Q3 8 P-B3 0-0 9 P-KR3 N-N1 10 P-Q4 QN-Q2 11 QN-Q2 B-N2 12 B-B2 R-K1 13 P-QN4 B-KB1 14 P-QR4 P-QR4! After the tenth Fischer-Spassky game nobody will ever allow 15 P-R5 again. **15 PxRP RxP 16 R-N1 B-R3 17 PxNP RxP 18 R-R1** Razuvayev-Furman, USSR Ch 1972 went 18 B-N3 R-K2 19 Q-B2 R-R4! (weaker is 19...R-N1 which was played by Reshevsky against Mecking at the Petropolis Interzonal, 1973) 20 N-B4 BxN 21 BxB Q-R1 with equal chances. **18...R-N3 19 B-N3 P-R3 20 Q-B2 B-N2!** So that 21 Q-R2 can be met by 21...P-Q4 22 KPxP R-R3. **21 B-R4 R-R3! 22 B-N2 Q-R1 23 B-N5 RxR 24 RxR Q-B1 25 R-K1 Q-R1 26 R-R1 Q-B1 27 R-K1 Drawn**

---

452   Karpov-Schauwecker
            English Opening

1 N-KB3 N-KB3 2 P-QB4 P-QB4 3 N-QB3 P-K3 4 P-KN3 N-B3 5 B-N2 P-Q3 6 0-0 B-Q2 7 P-Q4 PxP 8 NxP P-QR3 9 P-N3 B-K2 10 P-QR4 0-0 11 B-QR3 Q-N1 12 R-R2! R-Q1 13 R-Q2 NxN 14 RxN B-B3 15 Q-Q2 N-K1 Trading bishops in no way helps to relieve the pressure on the QP. **16 R-Q3 Q-B2 17 R-Q1 R-Q2 18 N-Q5 PxN 19 PxP BxRP 20 PxB B-B3 21 Q-N4 R-K2 22 B-B3 B-K4 23 R-N3 P-KN3 24 R/1-N1 R-N1 25 P-K4 N-B3 26 B-N2 Q-B7 27 R-QB1 Q-K7 28 P-R3 P-KN4 29 R-K3 Q-R4 30 Q-N6 N-K1 31 B-N4 Q-N3 32 Q-R7 R-Q1 33 B-R5 R/1-Q2 34 R-B8 K-N2 35 Q-N8 P-B3 36 B-Q8 R-KB2 37 B-N6 R/B2-K2 38 P-R5 P-R4 39 B-B3 K-R3 40 B-Q1 P-B4 41 PxP Q-B2 42 B-R4 N-B3 43 R-B8 Q-N2 44 R-KR8+ N-R2 45 R-N8 Resigns**

---

453   Hecht-Karpov
            French Defence

1 P-K4 P-QB4 2 N-KB3 P-K3 3 P-B3 P-Q4 4 P-K5 B-Q2 5 P-Q4 Q-N3 6 B-K2 B-N4 7 0-0 BxB 8 QxB Q-R3 9 Q-Q1 P-B5 10 R-K1 N-QB3 11 QN-Q2 0-0-0 12 N-B1 R-Q2! Intending ...N-Q1 followed by ...P-B3; or ...P-QN4 followed by ...R-N2; or ...Q-N3 followed by ...Q-Q1. **13 B-B4** Stronger is 13 P-KR4 (to meet ...KN-K2 with P-R5) and then B-B4. **13...KN-K2! 14 P-KR4 P-R4 15 N-N3 N-N3 16 B-N5 B-K2 17 Q-Q2 Q-N3! 18 BxB RxB 19 R-K2 Q-Q1** Threatening 20...R-B2 followed by ...NxRP. **20 N-B1 P-B3 21 N/1-R2! PxP 22 NxP NxRP?** Correct was 22... N/N3xN 23 PxN R-Q2, threatening 24...P-Q5 with equal chances. **23 NxN PxN 24 P-QN3! PxP 25 PxP K-N2?!** Better was 25...R-R3 26

Q-Q3 K-N1 27 P-N3 N-N3. **26 Q-Q3
K-R1 27 P-N3 N-B4 28 N-B3 P-R5
29 P-KN4 N-Q3 30 N-K5 R-QB2 31
R/2-R2 N-B1 32 R-R6 Q-K1 33
Q-Q2 P-R6 34 K-R2 P-B4 35 PxP
RxP 36 Q-Q4 R-B2**

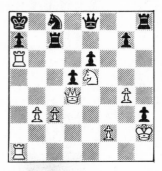

37 P-KB4?? In time trouble Hecht
overlooks the strength of 37 P-QB4:
(i) 37...R-B1 38 PxP PxP 39 QxQP+
R-N2 40 R/1-R2 with excellent
winning chances; or (ii) 37...PxP? 38
Q-K4+ R-N2 39 NxP and 40 N-R5
winning. **37...Q-N4 38 R/6-R2 QxP
39 N-B6 Q-N2 40 NxP NxN 41
RxN+ QxR 42 RxQ+ RxR 43 Q-N6
Drawn** 43...R-KR3 is met by 44
Q-Q8+ K-N2 45 Q-Q7+ K-N3 46
Q-Q6+ K-N4 47 Q-N8+ etc.

454 Karpov-Ribli
Sicilian Defence
1 P-K4 P-QB4 2 N-KB3 P-Q3 3
B-N5+ B-Q2 4 BxB+ QxB 5 P-B4
P-K4 6 N-B3 N-QB3 7 0-0 KN-K2 8
N-Q5 NxN 9 BPxN N-Q5 10 NxN
BPxN 11 P-Q3 B-K2 12 Q-N3 0-0 13
P-B4 QR-B1 14 B-Q2 P-B3 15
P-KR3 R-QB2 16 R-B2 KR-B1 17
QR-KB1 R-B7 18 P-N4 P-QR3 19
P-QR4 R/B1-B4 20 B-N4 RxR 21
KxR R-B2 22 B-Q2 Q-B1 23 K-K2
R-B4 24 P-B5 B-Q1 25 Q-R3 K-B2
26 R-QN1 K-K2 27 K-Q1 Q-Q2 28
P-N4 R-B1 29 Q-R2 B-N3 30 B-K1
K-B2 31 R-R1 B-Q1 32 B-Q2 B-N3
33 P-R5 B-Q1 34 Q-R4 QxQ 35 RxQ
K-K1 36 P-R4 P-R3 37 R-R2 K-Q2
38 B-K1 B-K2 39 R-KN2 B-Q1 40
B-Q2 B-K2 41 R-N3 R-KR1 42 K-B2
R-QB1+ 43 K-N2 R-KR1 44 R-N2
R-QB1 45 R-N1 R-KR1 46 K-B2
R-QB1+ 47 K-Q1 R-KR1 48 B-K1
R-QB1 49 R-N2 R-KR1 50 R-N2
R-QB1 51 B-Q2 B-Q1 52 P-QN5 PxP
53 RxP K-B2 54 K-K2 K-N1 55 B-N4
B-B2 56 P-R6 K-R2 57 PxP R-QN1
58 B-Q2 RxP 59 RxR KxR 60 P-N5
RPxP 61 PxP B-Q1 62 K-B3 K-B1 63
K-N4 K-Q2 64 K-R5 K-K1 65 B-N4
PxP 66 BxP B-B3 67 B-N4 K-B2 68
B-Q2 B-K2 69 BxP B-R6 70 B-Q8
B-Q3 71 K-N5 Resigns

Moscow 1973
(41st USSR Championship)

	1	2	3	4	5	6	7	8	9	10	11	12	13	14	15	16	17	18	
1 Spassky	x	½	½	½	½	½	½	½	½	1	0	½	1	1	1	1	1	1	11½
2 Karpov	½	x	1	1	0	½	½	½	½	½	1	½	1	½	½	½	½	1	10½
3 Korchnoy	½	0	x	½	½	½	½	½	½	½	1	½	1	1	½	1	1	½	10½
4 Kuzmin	½	0	½	x	½	½	½	½	½	1	½	½	½	1	1	1	1	½	10½
5 Petrosian	½	1	½	½	x	½	½	½	1	½	½	½	½	½	½	½	1	1	10½
6 Polugayevsky	½	½	½	½	½	x	½	1	1	½	½	½	1	½	½	½	½	1	10½
7 Geller	½	½	½	½	½	½	x	½	½	0	½	1	½	0	½	1	1	0	8½
8 Grigorjan K.	½	½	½	½	½	0	½	x	1	½	1	½	½	1	½	0	0	½	8½
9 Tal	½	½	½	½	0	0	½	0	x	0	½	1	½	½	1	½	½	1	8
10 Taimanov	0	½	½	0	½	½	1	½	1	x	½	½	0	½	½	½	½	½	8
11 Savon	1	0	0	½	½	½	½	0	½	½	x	½	½	½	½	½	½	1	8
12 Keres	½	½	½	½	½	½	0	½	0	½	½	x	½	½	½	½	½	1	8
13 Rashkovsky	0	0	0	½	½	0	½	½	½	1	½	½	x	½	½	½	½	1	7½
14 Tukmakov	0	½	0	0	½	½	1	0	½	½	½	½	½	x	½	½	½	1	7½
15 Averkin	0	½	½	0	½	½	½	½	0	½	½	½	½	½	x	½	0	1	7
16 Smyslov	0	½	0	0	½	½	0	1	½	½	½	½	½	½	½	x	½	½	7
17 Sveshnikov	0	½	0	0	0	½	0	1	½	½	½	½	½	½	1	½	x	0	6½
18 Beliavsky	0	0	½	½	0	0	1	½	0	½	0	0	0	0	0	½	1	x	4½

---

455   Karpov-Savon
English Opening
**1 N-KB3 N-KB3 2 P-B4 P-QN3 3
P-KN3 B-N2 4 B-N2 P-B4 5 0-0 N-B3
6 P-Q3 B-N2 7 P-K4 0-0 8 N-B3
N-B3 9 R-N1 N-K1 10 B-K3 N-Q5 11
N-K2 P-K4** One of the complicated
strategic patterns of contemporary
chess. Instead of the last move it was
worth considering 11...NxN/6+ 12
BxN P-B4 and, if 13 P-QN4, then 13...
N-Q3. **12 P-QN4 P-Q3 13 PxP** Pos-
sibly better was 13 N-B3 followed by
14 N-Q5 and 15 NxN. **13...QPxP 14
N/2xN!** Now that the centre is
thoroughly blocked the attention of
the players will be devoted to opera-
tions on the flanks. **14...BPxN** Also
possible is 14...KPxN 15 B-B4
P-KR3. **15 B-Q2 N-B2 16 N-K1
N-K3** Korchnoy-Kuzmin, Leningrad
1973 went 16...N-R3 17 P-QR4

B-QB3 18 P-R5?! PxP! 19 R-R1
P-R5 and Black was clearly better,
but White could have kept the
balance with 18 P-B4. Another possi-
bility is 16...P-B4. **17 B-N4 R-K1 18
P-B4 PxP 19 PxP Q-B2 20 Q-N4
N-B4 21 BxN** A concrete approach to
the position. White concedes the two
bishops but the Black bishop pair
will be ineffective for a long time to
come. **21...PxB 22 R-N2 QR-N1 23
R/2-KB2 B-QB1 24 Q-N3 R-N8 25
P-KR4 P-KR4 26 N-B3!** Karpov
thought for a long time before
making this move. He intends to
advance his pawn to K5, manoeuvre
his knight via Q2 to K4 and thereby
create unpleasant threats to the
squares Q6 and KB6. Black should
have adequate counterplay because
of his control of KN5 and his pres-
sure on White's KBP. **26...RxR+ 27**

BxR B-KR3 28 N-Q2 K-R2 29 K-R2 B-N5 30 P-K5 P-B4? On 30...P-B3, 31 N-K4 is unpleasant; but now the bishop on KN5 is entombed and White's pieces can penetrate on the light squares without meeting any resistance. Best was probably 30... B-N2 (threatening 31...RxP) and if 31 K-N1 P-B3 32 PxP R-K6! 33 Q-R2 BxP with equal chances. **31 Q-N2 R-QN1** Black should probably have relied on his tactical resources with 31...Q-Q1 (not 31...Q-K2 32 K-N3 P-N4?! 33 RPxP BxP 34 PxB QxKP+ 35 K-R4!) 32 K-N3 B-N2 (threatening 33...RxP 34 PxR BxP+ 35 R-B4 BxR+ 36 KxB Q-Q3+ 37 K-N5 Q-K2+ 38 K-B4 Q-K6 mate) 33 N-B3 (or 33 Q-Q5 Q-QB2) 33... BxN 34 QxB B-B3 35 R-R2 RxP 36 PxR BxP+ 37 K-R3 BxR 38 KxB QxP+. This analysis is only very rough and Karpov may have found some way to preserve his advantage but Black should have tried to create some semblance of counter-threats.

32 K-N3 Karpov often delights in bringing his king into active play. As usual, this idea requires exact calculation and cool nerves. One may recall two of his remarkable victories in this connection: Over Gligoric at San Antonio 1972 (Game 405) and A. Zaitsev in the 1970 RSFSR Championship (Game 213). **32...R-Q1 33**

N-B3 R-Q2? Better was 33...R-QN1 followed by ...B-B1-K2 and ...Q-Q1. **34 R-N2 Q-R4 35 Q-Q2** After any of the possible exchanges the invasion of White's pieces ensured him a great advantage. **35...Q-B6 36 B-N2 R-Q1?** Black could offer more resistance by 36...BxN 37 BxB QxQ 38 RxQ R-Q1. **37 R-N3 Q-R8 38 R-N7+ K-R1** If 38...B-N2 39 N-N5+ K-N1 40 RxB+ winning a piece. **39 Q-K1! Q-B6 40 P-K6 QxQ+ 41 NxQ Resigns** There is no defence to 42 P-K7 R-K1 43 B-B6.

---

456   Taimanov-Karpov
Nimzo-Indian Defence
1 P-Q4 N-KB3 2 P-QB4 P-K3 3 N-QB3 B-N5 4 P-K3 P-B4 5 N-B3 0-0 6 B-Q3 P-Q4 7 0-0 QPxP 8 BxBP N-B3 9 P-QR3 B-R4 10 B-R2 P-QR3 11 N-K2 PxP 12 N/K2xP NxN 13 NxN B-B2 14 B-Q2 B-Q3 15 R-B1 B-Q2 16 B-N1 R-B1 17 Q-N3 RxR 18 RxR Q-N1 19 P-R3 R-B1 20 RxR+ Drawn

457   Karpov-Sveshnikov
Sicilian Defence
1 P-K4 P-QB4 2 N-KB3 P-K3 3 P-Q4 PxP 4 NxP N-QB3 5 N-N5 N-B3 6 N/1-B3 P-Q3 7 B-KB4 P-K4 8 B-N5 P-QR3 9 N-R3 P-N4 10 N-Q5 B-K2 11 BxN Also good is 11 NxB QxN 12 P-QB4 N-Q5 13 N-B2. **11...BxB 12 P-QB3!** After 12 B-K2 0-0 13 0-0 B-N4 14 P-QB3 N-K2 15 N-B2 NxN 16 QxN B-K3 17 Q-Q3 P-Q4 Black has the initiative. **12...0-0 13 N-B2 B-N4** Better 13...R-N1. **14 P-QR4 PxP** Probably better than 14...R-N1 which Sveshnikov had played against Kupreichik earlier in the year. **15 RxP P-QR4 16 B-B4 R-N1 17 P-QN3** Stronger is 17 Q-R1. **17...B-K3 18 Q-R1 P-N3 19 0-0 Q-Q2** Not 19... P-B4? 20 N/5-N4. **20 R-Q1 P-B4**

Maybe 20...K-R1 is better. **21 PxP PxP 22 P-QN4** This dissipates some of White's advantage. 22 N-R3 would have been better. **22...PxP 23 PxP K-R1 24 P-N5** Over-hasty. 24 Q-R2 looks stronger. **24...BxN!** More accurate than 24...N-K2 25 R-R7 R-N2 26 P-N6 with good chances for White. **25 RxB N-K2**

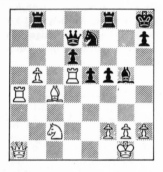

26 QxP+ White wins a pawn but loses the initiative. The quiet move 26 R-Q1 was probably stronger. It was also tempting to play 26 R-R7 Q-Q1 (not 26...Q-K3 27 R-B5 Q-N3 28 R/5-B7) 27 R-Q1 (27 Q-Q1?! NxR 28 Q-R5 is weak in view of 28...N-B2, but 27 N-N4!? NxR 28 NxN Q-B1 29 R-B7 R-R1 is far from clear). Also good is 26 R-Q3! e.g. 26...B-B3 27 R-R7 Q-Q1 (or 27...R-N2 28 RxR QxR 29 RxP) 28 Q-Q1! N-B1 29 R-R6±. **26...PxQ 27 RxQ N-B1** the most accurate defence. Now the chances are even. **28 R-QB7 B-Q1! 29 R-B6 N-N3 30 R-N4 NxB 31 R/6xN B-N3 32 K-B1** 32 P-N3 P-B5! is also satisfactory for Black, whose pieces are active enough to ensure the draw. e.g. 33 PxP PxP 34 RxP RxR 35 RxR B-B4 36 R-B5 RxP 37 K-N2 R-QR4. **32...KR-Q1 33 K-K2 B-R4 34 R-N3 R-Q7+ 35 K-K3 P-B5+ 36 K-K4 RxBP 37 KxP RxKNP 38 N-Q4 RxRP 39 R-B6 B-N3 40 N-K6 P-B6 41 RxP R-R4+**

42 K-B6 RxP 43 R-Q6 R-N7 44 K-K7 B-R4 45 Drawn

458   Beliavsky-Karpov
       Nimzo-Indian Defence

1 P-Q4 N-KB3 2 P-QB4 P-K3 3 N-QB3 B-N5 4 P-K3 P-B4 5 B-Q3 0-0 6 N-B3 P-Q4 7 0-0 QPxP 8 BxBP PxP 9 PxP P-QN3 10 B-KN5 B-N2 11 Q-K2 QN-Q2 Better 11...B-K2 followed by ...N-B3. **12 QR-B1 R-B1 13 N-K5 Q-B2 14 B-N5 Q-Q3 15 KR-Q1 BxN 16 PxB Q-Q4 17 P-KB4! Q-Q3** If 17...NxN? 18 BPxN N-K5 19 P-B4! **18 P-B4 Q-B2 19 B-QR4 P-QR3 20 B-B2 P-N3 21 Q-K1 K-N2 22 B-QR4 P-R3 23 B-R4 P-QN4 24 PxP Q-Q3 25 PxP BxRP 26 P-Q5! RxR** Not 26...PxP? 27 NxN NxN 28 B-K7 winning. **27 RxR B-B1**

28 BxN/7? 28 NxBP! wins at once. e.g. 28...RxN 29 PxP R-K2 30 RxB! or 28...KxN 29 PxP+ QxP 30 B-N3 N-Q4 31 QxQ+ KxQ 32 R-B6+! **28...NxB 29 PxP QxP 30 N-B4 B-R3 31 QxQ PxQ 32 B-N3** If 32 N-K5 RxP! with a draw, but not 32...NxN? 33 PxN P-N4 34 B-B2 with a big plus for White. **32...R-B1 33 R-Q1 BxN 34 RxN+ K-B3 35 P-QR3 B-Q4 36 P-R3?** 36 B-R4+ draws easily. **36... R-B8+ 37 K-B2 R-B7+ 38 K-K3 R-B6+ 39 K-B2 RxP 40 B-R4+ P-N4 41 PxP+ PxP 42 B-N3 R-R7+ 43 K-K3 RxP 44 B-B7 R-QR7 45**

R-R7? Correct is 45 P-R4 reaching a position in which Black has a RP instead of a NP. **45...R-R1! 46 K-B2 K-N3 47 R-Q7 R-R6 48 R-Q8 R-KB6+ 49 K-N1 RxP 50 R-QN8 R-QB6 51 B-Q6 R-B7 52 R-KB8 R-B3 53 B-K5 P-N5 54 R-B6+ K-N4 55 R-B8 B-B6 56 B-B4+ K-N3 57 K-B2 R-B7+ 58 K-N3 R-KN7+ 59 K-R4 R-K7 60 B-N3 P-K4 61 R-QN8 P-K5 62 R-N5 R-K6 63 R-N6+ K-B2 64 K-N5 R-Q6 65 K-B5 P-K6 66 R-Q6 R-N6 67 R-Q7+ K-K1 68 K-K6 P-K7 69 R-K7+ K-B1 70 K-B6 B-Q4 71 B-R4 R-KB6+ 72 K-N6 B-B2+ 73 Resigns**

---

459 Karpov-Tal
Slav Defence

1 N-KB3 P-Q4 2 P-B4 P-QB3 3 P-Q4 N-B3 4 N-B3 P-K3 5 P-K3 QN-Q2 6 B-Q3 B-N5 7 0-0 0-0 8 P-QR3 B-Q3 9 Q-B2 PxP 10 BxBP Q-K2 11 P-R3 P-K4 12 B-R2 P-QR4 13 P-QR4 B-N5 14 R-Q1 P-QN3 15 PxP NxP 16 N-Q4 B-Q2 17 B-Q2 QR-Q1 18 B-K1 N-N3 19 N-B3 N-K4 20 N-Q4 N-N3 21 N-B3 N-K4 22 Drawn

---

460 Korchnoy-Karpov
Polish Defence

1	N—KB3	N—KB3
2	P—KN3	P—QN4
3	P—B3	

Although this opening does not yet have a name it is met not infrequently in tournament practice. The usual continuation is 3 B-N2 but Korchnoy's move begins a new plan — to attack the black QNP.

| 3 | ... | B—N2 |

Better is 3...P-K3 4 P-QR4 P-N5.

| 4 | P—QR4 | P—QR3 |
| 5 | P—K3?! | |

A dubious move. White now has too many light squared weaknesses (KB3, Q3 and QN3).

| 5 | ... | N—B3 |

If 5...P-K4 6 P-Q4.

| 6 | P—Q4 | |

If 6 PxP PxP 7 RxR QxR 8 BxP N-Q5 9 NxN BxR 10 P-B3 P-K4.

| 6 | ... | P—K3 |

6...P-K4 was also possible.

| 7 | P—QN4 | B—K2 |
| 8 | QN—Q2 | |

Defending the KN and therefore threatening 9 PxP PxP 10 RxR and 11 BxP. So Black's QN is pushed to the edge of the board and White consolidates his position.

8	...	N—R2
9	B—Q3	0—0
10	P—K4	P—Q3

Preparing for the advance ...P-B4, closing the centre.

| 11 | 0—0 | P—B4 |
| 12 | NPxP | |

Otherwise, after 12 B-N2 for example, there could follow 12... PxNP 13 BPxP P-Q4.

| 12 | ... | QPxP |
| 13 | B—N2 | N—B3 |

This pawn sacrifice leads to complicated play.

| 14 | P—K5 | |

Korchnoy is confident and takes the pawn. But better was 14 PxNP PxNP 15 BxP Q-N3 16 P-B4 (after 16 Q-K2 N-R2 17 B-Q3 QxB 18 QR-N1 QxP 19 RxB, material equality is re-established).

14	...	N—Q4
15	PxNP	PxNP
16	Q—N1	PxP
17	PxP	

If 17 BxRP+ K-R1 18 PxP P-N3 19 BxP PxB 20 QxP Q-K1 21 QxP Q-B2 and Black's extra piece is better than White's pawns.

17	...	P—R3
18	BxP	Q—N3
19	B—K2	

19 B-Q3 is not a bad alternative, with the idea of transferring the

bishop to K4.

| 19 ... | RxR |
| 20 BxR | Q—R2 |

Black has compensation for the sacrificed pawn. He has a strong knight at Q4 and active play for his pieces. Also, the white bishop at QR1 is a sorry sight.

21 N—B4

Much better was 21 N-K4 intending 22 N-B5.

21 ...	R—N1
22 B—N2	B—R3
23 Q—B2	Q—N2
24 B—R1	N/3—N5
25 Q—Q2	R—QB1
26 N—K3	

If 26 R-B1 Q-B2 27 B-N2 then 27...N-R7 28 R-B2 N/4-N5.

| 26 ... | NxN |
| 27 QxN | |

Not 27 BxB NxR, nor 27 PxN R-B7.

| 27 ... | BxB |

From now on the moves were made in a flurry as the time control was approaching.

28 QxB	R—B7
29 Q—Q1	Q—B3
30 P—R3?	

30 P-Q5! QxP 31 QxQ NxQ 32 B-Q4 draws. Obviously Korchnoy was playing for a win.

30 ...	N—Q4
31 Q—Q3	Q—R5
32 N—Q2	R—R7
33 N—N3	N—N5

If 33...R-R6 simply 34 R-N1.

34 Q—N1	N—Q4
35 R—B1	Q—R1
36 R—B8+	QxR
37 QxR	Q—B5
38 Q—N1	Q—K7

39 Q—QB1??

Best is 39 N-B5 BxN (not 39...B-N4 40 N-K4) 40 PxB Q-B5 41 Q-Q1 QxP 42 B-Q4 when it would be much more difficult for Black to make progress.

| 39 ... | B—N4 |
| 40 Q—B1 | Q—B6 |

Threatening 41...QxN. If White's knight moves then 41...N-K6 is decisive, while 41 Q-N1 loses to 41...N-K6 42 PxN BxP+ 43 K-R2 B-B7.

41 P—R4

The sealed move. Now Black can play 41...B-K6! and if 42 Q-N2 BxBP+ 43 QxB QxN 44 K-R2 Q-Q6 45 B-N2 N-K6 46 K-R3 P-R4! 47 Q-B3 Q-Q7 and 48...N-N5; or 42 PxB QxNP+ 43 K-R1 QxRP+ 44 K-N1 Q-N6+ 45 K-R1 NxP. And so **White Resigned** without resuming.

461   Karpov-Spassky
              Ruy Lopez
           Notes by Karpov
1 P-K4 P-K4 2 N-KB3 N-QB3 3
B-N5 P-QR3 4 B-R4 N-B3 5 0-0
B-K2 6 R-K1 P-QN4 7 B-N3 P-Q3 8
P-B3 0-0 9 P-KR3 N-QR4 10 B-B2
P-B4 11 P-Q4 Q-B2 12 QN-Q2 N-B3
13 P-Q5 N-Q1 14 P-QR4 R-N1

This variation occurred in the first
game of the Spassky-Korchnoy
match in 1968.

15 PxP

The immediate 15 P-QN4 is also
good though the course chosen by
White is not bad.

15 ...	PxP
16 P—QN4	P—B5
17 N—B1	N—K1

In my opinion this is an inaccuracy
as it exposes Black's cards too soon,
making his intentions clear. Also, it
is not good to deprive the KR of the
square K1 at such an early stage. In
order to take advantage of this I
managed to evolve a comparatively
new plan involving the moves N/3-R2
and P-B4.

18 N/3—R2	P—B3

I believe that 18...B-B3 was better.

19 P—B4	N—B2

20 N—B3

Here White has many varied
possibilities. It looks natural to play
20 P-B5 P-N3 21 P-N4 N-N2 and
then, by means of 22 B-K3, White
obtains firm control of the QR-file. It
remains unclear however, what
benefit White could derive from
control of the only open file.

20 ...	P—N3
21 P—B5	N—N2
22 P—N4	B—Q2
23 B—K3	R—R1
24 Q—Q2	

Evidently not the best move even
though it forces Black's queen to
move to QN2. More consistent was
24 R-B1 in order, after 24...R-R7, to
chase the rook off the second rank by
25 B-N1 and only then to play 26
Q-Q2.

24 ...	Q—N2
25 QR—B1	

An important decision, conceding
the QR-file to my opponent. But if I
exchange even one pair of rooks I
have little chance of success. If you
want to play for a win give your
opponent counterplay!

Spassky decides to accept my
invitation and continues in the most
natural way.

25 ...	R—R7
26 N—N3	KR—R1
27 P—R4	B—Q1
28 K—R1	B—N3
29 R—KN1	BxB
30 QxB	Q—R2
31 Q—Q2	B—K1

I don't like this move. Black's
pieces were already very passively
placed. In covering the KN3 square
yet again Black gives his opponent a
completely free hand to attack his
K-side.

It was better to manoeuvre the
queen to Q1 via QN3.

32 P—N5	Q—K2
33 R/B1—B1	PxNP

Black had to reconcile himself to this exchange as otherwise White could deprive him of the opportunity altogether by 34 N-R2.

34 RPxP   Q—Q2
35 N—R2

Simplest here was 35 R-B2, keeping in reserve the threat P-B6. This move would have set Black very difficult problems, particularly as Spassky only had four minutes left on the clock.

Instead of this strong continuation I played several ill-considered moves.

35 ...   Q—Q1
36 P—B6

It seemed to me that after 36 PxP PxP 37 N-N4 QxP 38 N-B6+ K-R1 39 Q-R2+ Q-R3 40 R-N2 (not distracting the other rook which may still come in useful on the KB-file) 40...R-R8 41 B-N1 QxQ+ 42 RxQ+ N-R4 43 N/3xN PxN, there is no forcing continuation to be seen and Black's position holds together.

If White plays 40 R-B2 (instead of 40 R-N2) then soon after 40...R-R8 41 QxQ+ NxQ 42 R-R2 N-R4 43 N/3xN PxN, Black's KN1 square is indirectly protected because White's rook is pinned.

It is true that in all cases Black's position remains extremely dubious and one must expect that White's play can be strengthened in one of the above variations. But at the time I succumbed to the temptation to win a piece.

36 ...   B—Q2

Black has nothing to lose and plays the best moves.

37 PxN   QxP
38 Q—N2

Stronger was 38 Q-B2, and after the forced reply 38...Q-B5 39 N-B5 it seems that White has a considerable advantage.

38 ...   R—N7

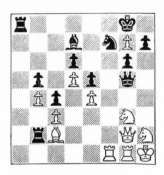

39 R—N1

Even here 39 Q-B2 was better. It would have given rise to variations which I later analysed at home as they could have arisen from the adjourned position. For example, 39...Q-K2 40 N-B5 PxN 41 PxP R/1-R7 (if 41...Q-B3 42 N-N4 Q-N4 43 R-N2 and White has a great advantage) 42 P-B6 Q-K1 43 R-QB1 N-R3 44 R-N5 (preventing the assault ...B-B4) 44...Q-B2 45 K-N1 B-B4 (if 45...N-B4 46 N-N4 or 45...P-K5 46 Q-R4 QxBP 47 R-B1) 46 Q-N6 (the tempting 46 RxB Q-N3+ 47 K-R1 NxR 48 BxN RxQ 49 B-K6+ Q-B2 50 N-N4 fails unfortunately to 47...RxB 48 RxR R-R8+). Evidently, in place of 45...B-B4, it is preferable to play 45...B-B1 46 N-B1 RxB 47 RxR RxR 48 QxR QxBP 49 R-N2 N-N5 50 N-K3 P-R4 (if 50...NxN 51 QxP+ KxQ 52 P-B8(Q)+) 51 NxN BxN 52 Q-B2 KxP 53 Q-K3 and White's position is slightly better.

After 39 Q-B2, the move 39...Q-B5 (instead of 39...Q-K2) deserves investigation. Even in this case it seems to be possible to play 40 N-B5 QxQ 41 RxQ PxN 42 PxP, and by means of a subsequent P-B6 White poses his opponent difficult problems. If Black tries to stop P-B6 the following piquant finish could occur: 42...R/1-R7 43 N-N4 KxP 44 N-R6+ and all retreats of the king lead to

mate. If Black plays the immediate
40...R/1-R7 then 41 N-K3 followed
by N-B3-N5-K6 also gives White the
advantage.

Of course I must allow myself the
disclaimer that all the above
variations are approximate and
require thorough verification.

39 ...	R/7—R7
40 Q—K2	Q—R5
41 R/QN1—KB1	

The sealed move. In the adjourned
position whatever advantage there is
belongs to Black, despite White's
extra piece.

41 ...	B—R6
42 R—B2	N—N4
43 Q—K3	B—N5

For move after move Black builds
up threats forcing White to make the
only possible replies.

| 44 R/1—KB1 | KxP |
| 45 B—Q1 | |

I can find no other suitable reply.

45 ...	BxB
46 RxB	R—R8
47 R/1—KB1	

47 R/2-B1 is unsatisfactory be-
cause of 47...R/1-R7, and 47 R/2-Q2
for the same reason.

47 ...	RxR+
48 RxR	R—R7
49 R—B2	R—R8+
50 R—B1	R—R7
51 R—B2	R—R8+
52 R—B1	RxR+
53 NxR	QxP+
54 K—N1	

| 54 ... | QxQ+ |

An unnecessary exchange in my
opinion. Black has the good move
54...Q-R5 (54...P-R3 55 Q-R7+ K-B3
is unsatisfactory because of 56 Q-Q7)
with the idea of the manoeuvre
N-R6-B5. White is practically forced
to play 55 Q-R7+ K-R3 56 Q-K3.

However, the ending reached in
the game is also favourable for
Spassky. (Spassky was short of time
— D.N.L.L.).

| 55 NxQ | N—K5 |
| 56 N—Q1 | N—B3 |

(56...K-B3 was subsequently dis-
covered to lead a win for Black —
D.N.L.L.)

| 57 N—K3 | P—R4 |

In my opinion it would have been
better to play for the immediate
penetration of the king (57...K-R3)
before White's knight succeeded in
creating a barrier.

| 58 N—B3 | N—K5 |
| 59 N—Q1 | Drawn |

The ending still contains some
sharp play. e.g. 59...K-B3 60 N-K1
K-B4 61 N-QB2 N-B3 62 N-R3 or
59...P-N4 60 N-K1 N-B3 61 N-K3
K-N3 (if 61...N-K1 62 N-B3 K-N3 63
N-Q2 N-B3 64 N/2xP PxN 65 P-N5
K-B2 66 P-N6 N-Q2 67 P-N7, and
the black QP is lost after all) 62
N/1-B2 N-K1 63 N-R3 (possibly
more accurate is the immediate 63
NxP) 63...N-B2 64 K-N2 P-N5 65

N/K3xBP PxN 66 P-N5 NxQP 67 NxP P-R5 68 NxP and although Black is naturally in no danger of losing, White's pawns can, in some cases, become dangerous.

462   Petrosian-Karpov
Queen's Indian Defence

1 P-Q4 N-KB3 2 N-KB3 P-K3 3 P-B4 P-QN3 4 P-K3 Since Petrosian does not play 4 P-KN3 (which has been thoroughly studied) Karpov should have been on his guard that the former world champion was ready for battle. **4...B-N2 5 N-B3 B-K2 6 B-Q3 P-Q4 7 0-0 0-0 8 Q-K2 P-B4 9 PxBP QPxP** Karpov tries for a symmetrical position, thinking that symmetry is the shortest way to the draw. During the post-mortem, the young grand-master asked his opponent, "Please, where did I make my mistake?" Petrosian could only smile and admit that he could not pinpoint Karpov's error exactly. Perhaps the immediate 9...BxP was more precise. **10 BxBP BxP 11 P-K4** A typical advance in QP openings, after which White is better developed, with an advantage in space and attacking chances. It is because of this that Black should not delay the recapture on his QB4. **11... QN-Q2 12 P-K5 BxN** Naturally, on other continuations White has a clear advantage. Karpov therefore decides to saddle Petrosian with doubled pawns — as they say, "to mess up his hair." **13 PxB N-R4 14 R-Q1 Q-K2 15 P-B4 P-N3 16 P-B5!** So, if Karpov was thinking about "messing up Tigran's hair," he has figured wrong. Black's position is not very pleasant (nor would it be after a positional move like 16 P-QR3). But with the energetic break 16 P-B5, Petrosian sets up his opponent for a knockout. Fearing nothing, however, Karpov

does not give up but struggles for all his life. **16...KPxP 17 P-K6 QN-B3** As the next few moves show, Black will have to give up the exchange. **18 PxP+ K-N2 19 QxQ BxQ 20 N-N5 QR-B1 21 B-N3 P-QR3 22 N-Q4** Karpov bravely tries to stave off material loss, but the manoeuvre N-N5-Q4-K6 will win the exchange. **22...RxP** This pawn was a real bone in Karpov's throat, but he must give up the exchange to get rid of it. What else was there? If 22...K-R1 23 B-R6 N-N2 24 BxN+ KxB 25 N-K6+. **23 B-K3** The rook will not run away. **23...N-N5 24 BxR KxB 25 QR-B1 R-B4 26 K-N2 N/4-B3 27 B-Q2 R-Q4 28 B-K1 P-QR4 29 N-B3 RxR** Black has a pawn for the exchange, which often turns out to be sufficient compensation. In this case, Black does not manage to save himself even after the exchange of rooks. It is instructive how methodically, even simply, Petrosian realises his material advantage. It is more than just a simple "matter of technique." **30 RxR N-K5 31 N-Q2 N-Q3 32 P-N3 N-K4 33 N-N1 K-K3 34 N-B3 N/4-B2 35 P-B3 B-Q1 36 B-B2 N-B1 37 N-N5 N/1-Q3 38 N-Q4+ K-Q2 39 B-N3 B-K2 40 K-B1 B-B3 41 N-N5 B-K2**

The adjourned position. Of course, it is difficult for Karpov. But can this

position be won? White must find
sensitive points in Black's position
and the White king must prove the
rule that he is the strongest piece in
the endgame. Of course, this is all
well known to Petrosian. **42 P-KR4
K-K3 43 N-Q4+ K-Q2 44 K-N2
B-B3 45 N-N5 B-K2 46 P-R4 P-R3**
Instead of creating this weakness, it
might have been better to say "I
pass." But if 46...K-B3 then 47
R-B1+ K-Q2 48 R-B7+; or
46...P-R3 47 P-R5! P-N4 48 P-B4!
P-N5 49 B-B2 B-Q1 50 N-Q4 K-K1
51 N-K6 winning the QNP or the
KBP. **47 P-R5 PxP** The points of
attack are KR5, KR6, and perhaps
even QN6. The picture is clearing up
nicely. **48 B-B2 B-Q1 49 N-Q4 P-B5
50 N-K2 K-B3 51 NxP P-R5 52 N-N6
N-N2 53 P-B4 B-B3** There are no
more unanswered questions: Black
can quietly resign. **54 R-B1+ N-B4
55 K-R3 N-Q3 56 BxN PxB 37 NxP
P-R4 58 N-B3 K-Q4 59 R-Q1+ B-Q5
60 N-Q2 K-K3 61 K-N3 N-B4+ 62
K-B3 P-R5 63 N-B4 B-B6 64 K-N4
B-N5 65 R-Q3 Resigns**

**463   Karpov-Kuzmin
         Sicilian Defence**
**1 P-K4 P-QB4 2 N-KB3 P-Q3 3 P-Q4
PxP 4 NxP N-KB3 5 N-QB3 P-QR3 6
P-B4 Q-B2 7 P-QR4 P-KN3 8 N-B3
B-N5 9 B-Q3 N-B3 10 P-KR3 BxN 11
QxB B-N2 12 0-0 0-0 13 B-Q2 P-K3
14 N-K2 QR-B1?** Black had two
better continuations: 14...N-Q2 15
B-B3 BxB 16 PxB (not 16 NxB
Q-N3+ and 17...QxP) 16...Q-Q1!
when White cannot make progress
on the K-side; and 14...N-QN5 15
BxN Q-N3+ and 16...QxB. **15 K-R1
P-K4 16 N-B3 PxP 17 BxBP N-QN5
18 B-Q2 N-Q2 19 Q-N3 Q-B3 20
B-KN5 QR-K1 21 QR-Q1 N-K4**
(Some sources mistakenly give this

move as ...N-B4) It would have been
better to drive White's QB from the
KR4-Q8 diagonal by 21...P-R3.

22 Q-R4 N/4xB Possibly better is
22...R-K3 followed by ...P-B3. **23
PxN Q-Q2 24 B-B6 P-QR4 25 P-Q4!
R-K3 26 P-K5 P-Q4** Kotov suggests
26...PxP 27 PxP Q-B3 but then 28
N-K4, threatening simply 29 N-N5, is
killing. **27 BxB KxB 28 R-B6 P-R3
29 R/1-KB1 RxR 30 RxR R-K1 31
N-K2 N-B3** If 31...R-K3 32 N-B4
RxR 33 QxR+ and 34 P-K6 winning
easily. The text costs Black a pawn.
**32 R-Q6 Q-B4 33 N-N3 Q-Q6 34
RxQP R-K3 35 Q-B4 R-K2 36 K-R2
K-N1 37 QxRP Q-B5 38 N-K4
Resigns**

**464   Averkin-Karpov
                Reti**
**1 N-KB3 N-KB3 2 P-B4 P-QN3 3
P-QN3 B-N2 4 B-N2 P-K3 5 P-K3
B-K2 6 B-K2 0-0 7 0-0 P-Q4 8 N-B3
P-B4 9 PxP NxP 10 P-Q4 NxN 11
BxN N-B3 12 R-B1 R-B1 13 PxP BxP
14 QxQ KRxQ 15 B-N2 N-N5 16
KR-Q1 NxP 17 RxR+ RxR 18 R-R1
N-N5 19 RxP B-Q4 20 N-Q4 P-R3 21
R-B7 R-R1 22 B-KB1 B-Q3 23 R-B1
B-K4 24 R-R1 RxR 25 BxR B-KB3
26 B-B4 BxB 27 PxB K-B1 28 K-B1
K-K2 29 B-B3 Drawn**

465 Karpov-Geller
Ruy Lopez
1 P-K4 P-K4 2 N-KB3 N-QB3 3 B-N5 P-QR3 4 B-R4 N-B3 5 0-0 B-K2 6 R-K1 P-QN4 7 B-N3 0-0 8 P-QR4 B-N2 9 P-Q3 P-Q3 10 N-B3 N-QR4 11 B-R2 P-N5 12 N-K2 P-B4 13 P-B3 P-B5 14 N-N3 On 14 QPxP, Black does not play 14...NxKP? because of 15 PxP Q-N3 16 PxN QxBP+ 17 K-R1 Q-B4 18 R-B1 N-B7+ 19 RxN QxR 20 Q-K1 and White repels the attack. Instead, Black continues with 14...BxP! 15 PxP N-B3 16 P-N5 N-QN5 17 N-B3, and now either 17...BxN or 17...B-N3 with a good game. **14...BPxP 15 B-N5 P-R3 16 BxN BxB 17 R-K3 PxP 18 PxP Q-B2 19 RxP QR-Q1 20 N-K1 P-N3 21 N-B2 B-N2 22 N-K3 K-R1 23 R-N1 B-B1 24 R-N2 N-N2 25 N-Q5 Q-Q2 26 N-N6 Q-B2 27 NxB RxN 28 P-R4 N-B4 29 R-Q5 P-KR4 30 R/N2-Q2 Q-K2 31 Drawn**

466 Tukmakov-Karpov
Sicilian Defence
1 P-K4 P-QB4 2 N-KB3 P-K3 3 P-Q4 PxP 4 NxP P-QR3 5 B-Q3 N-KB3 6 0-0 Q-B2
7 QN—Q2
If 7 P-QB4 N-B3 8 B-K3 (or 8 NxN QPxN) 8...N-K4.

7 ...		**N—B3**
8 NxN		**NPxN**
9 P—KB4		**P—Q4**
10 P—QN3		**B—K2**
11 B—N2		**P—QR4**
12 P—B4		

The first moment of decision. Black wants to get rid of his "bad" pawns (the QRP and QBP) by playing ...P-R5 and ...B-R3. 12 P-QR4 (instead of P-B4) is not very promising for White after 12...B-R3 but even the text move has its disadvantage — it weakens the QN4 square.

12 Q-K2 deserved consideration — K2 is a better square for the queen than QB2.

12 ... **0—0**
Karpov made this move after a long thought. 12...P-R5 is not as good because White can play 13 R-B1 or 13 Q-B2 and the evacuation of the black king is postponed once again.

Before castling Karpov must have forseen the consequences of the sacrifice 13 P-K5 N-Q2 (on K1 the knight has no prospects) 14 BxP+ KxB 15 Q-R5+ K-N1 16 R-B3 P-KB4 17 R-R3. After 17...R-Q1 White can only draw.

13 Q—B2 **P—R3!**
Better than the traditional Sicilian answer 13...P-N3.

14 K—R1
Threatening 15 BPxP and capitalising on the pin of Black's QBP.

14 ... **Q—N3**
15 QR—K1?!
Tukmakov thought that after the ensuing exchange sacrifice his position was very ominous but in fact it wasn't so simple.

15 N-B3 would have been better.

15 ... **N—N5**

16 KPxP
Now 16 N-B3 is not good because of 16...B-B4.

16	...	BPxP
17	PxP	N—B7+
18	RxN	QxR
19	R—K2	

After 19 R-KB1 Q-B4 White does not have sufficient compensation for the exchange because 20 N-B4 PxP 21 B-R3 is met by 21...Q-B2 when the bishop on K2 is defended.

| 19 | ... | QxBP |

According to Tukmakov 19...Q-B4 is bad because of 20 N-B4 PxP 21 B-R3 PxN 22 B-R7+ K-R1 23 BxQ, but Lilienthal points out that instead of 21...PxN Black can play 21...Q-Q5! 22 BxB PxN 23 B-R7+ K-R1 24 BxR B-N5! and if 25 R-Q2 then 25...R-K1 gives Black the advantage, or if 25 Q-K4 QxQ 26 BxQ RxB.

Instead of 20 N-B4 White can try 20 PxP QxQ 21 PxP+ ("with sufficient compensation" — Tukmakov) but after 21...RxP 22 BxQ B-R3 Black is better. e.g. 23 R-K4 B-N5 24 N-B4 B-N2 or 23 N-B4 RxP.

Lastly, 20 B-B4 is met by 20...PxP 21 N-K4 Q-B3! when again Black is better.

| 20 | R—K4 | Q—Q3 |

The queen cannot return to KB7 because after 21 B-Q4 she is trapped. 20...Q-N4 was possible after which 21 R-K5 Q-KB5 (21...P-B4 is too dangerous) 22 R-K4 gives White chances of a draw. But the move in the game was better.

| 21 | N—B4 | QxQP |
| 22 | R—N4! | |

Winning back the exchange by 22 N-N6 Q-N2 23 Q-B3 P-K4 (23...P-B3 is also possible but not 23...B-B3? 24 QxB and White wins) 24 NxR QxN leaves Black with an extra pawn.

| 22 | ... | P—K4 |
| 23 | R—N3 | R—R3 |

Here Black has a wide choice of moves. 23...Q-K3, 23...Q-Q1 and 23... R-Q1 were all possible. Pro-

bably 23...Q-K3 was best. And if 24 NxP then 24...B-B3.

24 NxKP

Here Karpov thought for a long time. Perhaps when making his previous move, he hadn't noticed that 24 24...R-K3 25 B-B4 RxN can be answered by 26 RxP+! when White wins. Also, 24...R-KB3 is not possible because of 25 N-B6! — a nasty threat in any event. Karpov's next move is, therefore, almost forced.

Just to add to all these complications, Karpov now had only twenty minutes left on the clock, Tukmakov only ten.

| 24 | ... | B—B3 |
| 25 | B—B4 | Q—Q3 |

Also possible was 25...Q-N2 and if 26 BxR QxB 27 N-B4 R-K1 with some advantage.

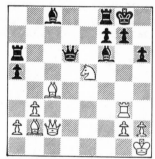

| 26 | NxP! | RxN |
| 27 | BxB | |

27 BxR+ KxB 28 BxB loses to 28...B-B4 (but not 28...QxB 29 R-KB3 or 28...PxB 29 Q-R7+).

| 27 | ... | B—K3! |

If 27...QxB 28 BxR+ QxB (28... KxB 29 R-KB3) 29 QxB+

| 28 | R—Q3 | Q—B2 |

After 28...BxB 29 RxQ RxR 30 PxB White cannot lose.

| 29 | R—Q8+ | QxR! |

In reply to the obvious 29...R-B1 there is the shocking answer 30 RxR+ KxR 31 BxP+! The bishop is then untouchable: 31...KxB loses to 32 Q-N2+ and 33 BxR; 31...QxB to 32 Q-B2+ and 33 BxR. The only move left is 31...K-N1, but then comes 32 B-N2 when White has two pawns for the exchange and Black's king is exposed. The chances would be roughly equal.

| 30 BxQ | BxB |
| 31 P—KR3! | |

If 31 QxB R-QB3 when it is impossible for White to defend against the two mate threats at QB1 and KB1 (and the endgame, after 32 QxR/B7+ KxQ is lost for White).

By now White had only one minute left on his clock and his opponent five minutes.

| 31 ... | B—B8 |

Best is 31...B-Q4 and if 32 Q-Q3 then 32...R-Q3! or if 32 Q-QB5 B-N2. So White must play 32 K-R2 and the position would be roughly the same as in the game after a few more moves.

32 Q—K4!	P—R5
33 PxP	R—Q3
34 B—R5	R/3—KB3
35 B—K1	B—R3
36 K—R2	B—N2
37 Q—QB4	R—B3
38 Q—N3	R—KN3
39 B—N3	R—N4
40 Q—B4	B—Q4
41 Q—B8+	

The sealed move. White's QRP provides sufficient distraction to ensure the draw.

41 ...	R—B1
42 Q—B2	P—R4
43 P—R5!	Drawn

After 43...P-R5 33 BxP RxP+ 45 QxR BxQ 46 KxB it is impossible for Black to win the endgame.

467   Karpov-Polugayevsky
Slav Defence
1 P-Q4 P-Q4 2 P-QB4 P-QB3 3 N-KB3 N-KB3 4 N-B3 P-K3 5 P-K3 QN-Q2 6 B-Q3 PxP 7 BxBP P-QN4 8 B-Q3 B-N2 9 P-K4 P-N5 10 N-QR4 P-B4 11 P-K5 N-Q4 12 PxP NxBP 13 NxN BxN 14 0-0 P-KR3 15 Q-K2 Q-N3 16 B-Q2 K-B1 17 QR-B1? Better was 17 P-KR4! P-N3 18 P-R5! **17...R-Q1 18 R-B2 P-N3 19 KR-B1 B-K2 20 B-QB4 R-B1 21 BxN RxR 22 RxR BxB 23 R-B8+ K-N2 24 RxR KxR 25 BxRP Q-B2 26 P-QN3 Q-B6 27 P-KR4 P-R4 28 B-N5 BxN 29 QxB BxB 30 PxB Q-K8+ 31 K-R2 QxKP+ 32 Q-N3 Q-N7 33 Q-N8+ K-N2 34 P-B4 QxRP 35 Q-K5+ Drawn**

468   Keres-Karpov
Queen's Indian Defence
1 P-Q4 N-KB3 2 P-QB4 P-K3 3 N-KB3 P-QN3 4 P-KN3 B-N2 5 B-N2 B-K2 6 0-0 0-0 7 N-B3 N-K5 8 Q-B2 NxN 9 QxN P-QB4 10 R-Q1 P-Q3 11 Q-B2 N-B3 12 PxP NPxP 13 P-N3 P-QR4 14 B-N2 Q-B2 15 Q-B3 B-B3 16 Q-Q2 BxB 17 QxB P-R5 18 P-K3 P-R3 19 R-Q2 PxP 20 PxP RxR+ 21 QxR R-R1 22 R-R2 RxR 23 QxR Drawn

469   Karpov-K. Grigorian
English Opening
1 N-KB3 P-QB4 2 P-B4 N-KB3 3 N-B3 P-Q4 4 PxP NxP 5 P-Q4 P-K3 6 P-K4 NxN 7 PxN PxP 8 PxP N-B3 9 B-QB4 B-N5+ 10 B-Q2 Q-R4 11 P-Q5 Better than 11 R-QN1 BxB+ 12 QxB K-K2! followed by 13...R-Q1. **11...BxB+ 12 NxB** 12 QxB QxQ+ 13 KxQ N-R4 14 B-N5+ K-K2 15 KR-QB1 P-QR3 16 B-Q3 B-Q2 offers Black at least equal chances. **12...N-K2!** Not 12...N-Q5 13 0-0 0-0 14 N-N3 NxN 15 PxN followed by 16 P-Q6 with a clear advantage to White. Also bad is 12...PxP 13 PxP N-K2 because of 14 Q-K2. **13 0-0**

PxP 14 PxP 0-0 15 R-K1 N-B4 16
B-N3 N-Q3 Better is 16...P-QN4 fol-
lowed by ...B-N2 and ...QR-Q1.

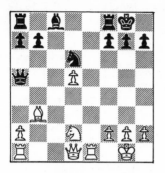

17 N-K4 Q-N5! After 17...Q-Q1, 18
Q-B3 followed by Q-B4 is even
stronger than in the game. 18 Q-B3
R-K1 19 P-QR3 Q-R4 20 R-K3 NxN
21 RxN RxR 22 QxR B-Q2 23 P-R3
Q-B6 24 Q-N1! Q-B4 If 24...R-K1 25
Q-Q1 followed by 26 R-B1 and 27
P-Q6 with a strong passed pawn and
pressure against KB7. 25 B-B2
QxQP 26 BxP+ K-R1 27 B-K4 Q-Q5
28 R-R2 R-K1 29 BxP R-QN1 30
Q-K4! Q-Q8+ 31 K-R2 B-K3 32
R-N2 Q-Q3+ 33 P-N3 QxRP 34
Q-K5 R-Q1 35 B-K4 K-N1 36 R-N8
Q-K2 37 P-R4 P-R4 38 Q-R5? 38
R-N5 P-R5 39 R-R5 P-R6 40 Q-R5
ought to win. 38...P-B4 39 RxR+
QxR 40 BxP BxB 41 QxB P-R5 42
Q-B2 Q-R4 43 Drawn

470   Karpov-Rashkovsky
       King's Indian Defence
1 P-QB4 P-KN3 2 P-Q4 N-KB3 3
N-QB3 P-B4 4 P-Q5 P-Q3 5 N-B3
B-N2 6 P-K4 0-0 7 B-K2 P-K3 8 0-0

R-K1 9 P-KR3 PxP 10 KPxP N-K5?
11 NxN RxN 12 B-Q3 R-K1 13 B-N5
Q-N3 14 R-N1 B-Q2 15 P-R3 P-QR4
16 P-QN3 Q-B2 17 Q-Q2 P-R5 18
B-R6 PxP 19 BxB KxB 20 RxP B-B1
21 Q-N2+ K-N1 22 N-Q2 P-B4 23
N-B3? Immediately decisive was 23
BxP, and if 23...BxB then 24 RxP; or
if 23...PxB, 24 R-N3+ K-B1 25
Q-R8+ K-K2 26 R-K1+ 23...N-Q2
24 N-N5 N-B1 25 Q-Q2 Q-K2 26
P-B4 Q-K6+ 27 QxQ RxQ 28 K-B2
R-K2 29 R-QR1 N-Q2 30 N-B3 K-B1
31 N-Q2 N-B3 32 P-QR4 R-R4 33
B-B2 K-K1 34 K-B3 K-Q1 35
R/N3-N1 R-R3 36 P-R5 R-R2 37
R-N1 R-R3 38 N-N3 B-Q2 39
R/N1-N1 R-R2 40 N-Q2 B-B1 41
N-B1 R-R3? 42 R-N6! P-R3 If 42...
RxR 43 PxR N-Q2 44 R-N1 followed
by P-N4 with an enormous position.
43 RxR PxR 44 R-N1 P-N4 45 N-N3
P-N5+ 46 PxP PxP+ 47 K-B2 N-K1
48 B-N6 R-N2 49 BxN KxB 50 N-K4
K-K2 51 R-N8 B-Q2 52 K-N3 R-N3
53 R-N7 K-Q1 54 R-N6 **Resigns**

471   Smyslov-Karpov
       Sicilian Defence
1 P-K4 P-QB4 2 N-KB3 P-Q3 3 P-Q4
PxP 4 NxP N-KB3 5 N-QB3 P-QR3 6
B-K2 P-K4 7 N-B3 B-K2 8 0-0 0-0 9
R-K1 QN-Q2 10 P-QR4 Q-B2 11
N-Q2 N-B4 12 B-B3 R-N1 13 P-R5
N-K3 14 N-N3 P-QN4 15 PxPep RxP
16 B-K3 R-N5 17 B-K2 B-N2 18
P-B3 P-Q4 19 NxP NxN 20 PxN
N-Q5 21 NxN PxN 22 P-B3 PxP 23
PxP QxBP 24 BxP B-B4 25 BxB/5
QxB+ 26 K-R1 BxB 27 RxB R-Q5
28 Q-R1 QxP 29 R-R5 Drawn

Madrid 1973

	1	2	3	4	5	6	7	8	9	10	11	12	13	14	15	16	
1 Karpov	x	½	½	1	½	½	1	½	½	1	½	1	1	1	1	½	11
2 Tukmakov	½	x	½	½	½	1	½	1	0	1	1	½	1	1	½	1	10½
3 Furman	½	½	x	1	½	½	1	½	½	½	1	0	1	½	1	1	10
4 Uhlmann	0	½	0	x	½	½	½	1	½	1	½	1	½	1	1	1	9½
5 Hort	½	½	½	½	x	1	½	½	1	½	½	½	½	1	½	1	9½
6 Portisch	½	0	½	½	0	x	½	½	½	1	1	1	½	½	1	1	9
7 Andersson	0	½	0	½	½	½	x	1	½	½	½	1	1	1	½	1	9
8 Ljubojevic	½	0	½	0	½	½	0	x	½	½	1	1	½	1	1	1	8½
9 Browne	½	1	½	½	0	½	½	½	x	½	½	1	1	½	1	0	8½
10 Planinc	0	0	½	0	½	0	½	½	½	x	1	0	1	0	1	1	6½
11 Panno	½	0	0	½	½	0	½	0	½	0	x	½	1	½	1	½	6
12 Calvo	0	½	1	0	½	0	0	0	0	1	½	x	½	½	0	½	5
13 Kaplan	0	0	0	½	½	½	0	½	0	0	0	½	x	1	½	1	5
14 Pomar	0	0	½	0	0	½	0	0	½	1	½	½	0	x	½	1	5
15 S. Garcia	0	½	0	0	½	0	½	0	0	0	0	1	½	½	x	½	4
16 Bellon	½	0	0	0	0	0	0	0	1	0	½	½	0	0	½	x	3

472   Karpov-Pomar
Caro Kann Defence
1 P-K4 P-QB3 2 N-QB3 P-Q4 3 N-B3
B-N5 4 P-KR3 BxN 5 QxB P-K3 6
P-R3 PxP 7 NxP N-B3 8 N-B3 N-Q4
9 B-K2 N-Q2 10 0-0 Q-B3 11 QxQ
N/2xQ 12 B-B3 B-Q3 13 P-Q3 0-0 14
P-KN3 KR-K1 15 R-K1 R-K2 16
N-N1 QR-K1 17 N-Q2 P-K4 18 P-N3
P-K5 19 NxP B-K4 20 B-N5 BxR 21
RxB P-KR3 22 NxN NxN 23 B-Q2
N-Q2 24 P-QR4 N-K4 25 B-N2
P-QB4 26 B-K3 N-B3 27 BxN PxB 28
P-R5 R-K4 29 P-R6 R-Q4 30 K-B1
K-B1 31 K-K2 K-K2 32 K-Q2 K-Q2
33 P-QB4 R-R4 34 P-R4 K-B2 35
P-B4 R-B4 36 R-R5 P-N4 37 RPxP
PxP 38 P-QN4 NPxP 39 KNPxP
K-N1 40 RxP RxR 41 BxR R-R1 42
K-B3 R-R8 43 P-N5 R-QN8 44 PxP
K-B2 45 P-Q4 KxP 46 BxP R-QR8
47 P-Q5+ K-Q2 48 B-N8 RxP 49
P-QB5 R-R5 50 P-B6+ K-B1 51
B-Q6 P-B3 52 B-N4 K-B2 53 K-N3
R-R8 54 K-B4 K-N3 55 B-B5+ K-B2
56 K-N5 R-N8+ 57 B-N4 Resigns

473   Panno-Karpov
English Opening
1 P-QB4 N-KB3 2 P-KN3 P-B3 3
N-KB3 P-Q4 4 P-N3 B-B4 5 B-KN2
P-K3 6 0-0 B-K2 7 B-N2 P-KR3 8
P-Q3 0-0 9 N-Q2 B-R2 10 P-QR3
QN-Q2 11 P-QN4 P-QR4 12 Q-N3
RPxP 13 RPxP Q-N3 14 B-B3
KR-B1 15 Q-N3 14 B-B3 KR-B1 15
Q-N2 B-B1 16 P-R3 Q-Q1 17 R-R5
RxR 18 PxR P-QN3 19 RPxP QxP 20
R-R1 QxQ 21 BxQ B-N5 22 PxP
BPxP 23 R-QB1 Drawn

474   Karpov-Andersson
Queen's Indian Defence
1 P-Q4 N-KB3 2 P-QB4 P-K3 3
N-KB3 P-QN3 4 P-KN3 B-N5+ 5
QN-Q2 Also satisfactory is 5 B-Q2.
5...B-N2 6 B-N2 0-0 7 0-0 P-B4
Better is 7...P-Q4 8 P-QR3 B-K2 9
P-QN4 P-B4! 10 NPxP NPxP 11
QPxP BxP with equal chances. 7...
B-K2 is also possible. 8 P-QR3 BxN
9 BxB PxP? Overlooking Karpov's

crushing reply. Correct was 9...P-Q4.
10 B-N4! R-K1 forced. After 10...
P-Q3 11 QxP Black loses the QP. **11
B-Q6!** Black is never allowed to
escape from this bind. **11...N-K5?**
Seemingly logical, but Black should
have tried 11...BxN 12 BxB N-B3
though White's advantage is evident.
**12 QxP N-R3 13 P-QN4 R-QB1 14
QR-B1 NxB 15 QxN N-B2 16 KR-Q1**

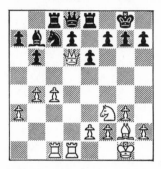

16...R-K2 17 Q-Q3 Threatening 18
N-N5. **17...BxN** Possibly 17...P-Q4
would have offered more resistance.
**18 BxB N-K1 19 B-N7 R-B2 20
B-R6! R-B3 21 Q-N3 Q-N1 22 Q-R4**
Threatening 23 RxP. **22...R-B2**
Maybe Black should give up the
pawn in return for a little play: 22...
N-B2 23 RxP RxR 24 QxR Q-Q1. **23
Q-N5! N-B3 24 P-B3 P-Q4** Black's
last chance of obtaining some
freedom. If 24...Q-K1 25 R-Q6. **25
P-B5 P-R4 26 P-QR4 R-K1 27 PxP
PxP 28 P-R5 RxR 29 RxR Q-K4 30
QxNP P-Q5 31 K-R1 Q-K6 32 R-B1
P-K4 33 B-Q3 P-R5 34 PxP Q-B5 35
R-KN1 QxP/R5 36 P-R6 P-N3 37
P-R7 K-N2 38 BxP! Resigns**

475 Tukmakov-Karpov
Queen's Indian Defence
1 N-KB3 N-KB3 2 P-B4 P-K3 3 P-Q4
P-QN3 4 P-KN3 B-N2 5 B-N2 B-K2
6 0-0 0-0 7 N-B3 N-K5 8 Q-B2 NxN 9

QxN P-Q3 10 P-N3 N-Q2 11 B-N2
N-B3 12 KR-Q1 P-B4 13 N-K1 BxB
14 NxB PxP 15 QxP Q-N1 16 QR-B1
R-Q1 17 N-K3 Drawn

476 Karpov-Bellon
English Opening
1 P-QB4 P-K4 2 N-QB3 N-QB3 3
P-KN3 P-B4 4 B-N2 N-B3 5 P-Q3
B-B4?! 6 P-K3 P-B5 7 KPxP 0-0 8
KN-K2? Correct is 8 PxP R-K1 9
P-B4; or if 8...Q-K1 then 9 BxN. **8...
P-Q3 9 0-0 Q-K1 10 N-R4 B-Q5! 11
NxB** Karpov suggests 11 PxP PxP 12
NxB though after 12...PxN Black's
QP is still a thorn. **11...PxN 12
P-QR3** Saidy-Fischer, Marshall v
Manhattan match 1969 went 12
P-KR3 P-KR4 13 P-R3 P-R4 14
P-N3 Q-N3 15 N-N2 B-B4 and Black
was clearly better. **12...P-QR4 13
P-N3 B-B4 14 N-N2 Q-N3 15 Q-B2
N-Q2 16 R-K1 N-B4 17 B-B1 R-R3
18 B-Q2 R-N3 19 BxP RxP 20 B-Q2
R-R1 21 P-QR4 P-R4 22 P-R3 R-R3
23 P-R5 N-N5 24 BxN RxB 25 R-R3
P-N3 26 R/K1-R1 Q-K3 27 PxP
R/R3xP 28 R-R8+ K-R2 29 Q-Q1
P-N3 30 N-R4 NxN 31 R/R8xN RxR**

32 RxR? 32 QxR keeps the extra
pawn and White should win. If 32...
BxRP 33 BxB QxB 34 Q-K8 and
Black is busted. **32...BxRP 33 R-R7
BxB 34 RxP+ K-R3 35 QxB P-R5 36**

K-N2 R-N7 37 K-B3 P-Q4 38 NPxP
R-N6 39 PxP QxP+ 40 K-N3 Q-KB4
41 P-B3 RxP 42 R-B6 R-B6 43
R-Q6 K-R4 44 K-N2 R-B7+ 45
K-N3 R-B6 46 K-N2 QxP 47 R-Q5+
K-R3 48 Q-K2 Q-B8 49 R-R5+
Drawn

477 Ljubojevic-Karpov
Sicilian Defence
**1 P-K4 P-QB4 2 N-KB3 P-K3 3 P-Q4
PxP 4 NxP N-QB3 5 N-N5 P-Q3 6
P-QB4 N-B3 7 N/5-B3!** 7 N/1-B3 is
the usual move. The idea of Ljubo-
jevic's move is to put the QN on Q2
from where it exerts more influence
on the centre. **7...B-K2 8 B-K2 0-0 9
0-0 P-QN3 10 B-B4! B-N2 11 N-Q2
P-QR3!** Ljubojevic-de Castro, Manila
1973 went 11...P-Q4!? 12 BPxP PxP
13 P-K5 N-K5 14 N/2xN PxN 15
B-B4 N-Q5 16 B-K3! N-B4 17 Q-N3!
B-N4! 18 BxBP+! K-R1 (not 18...
RxB 19 P-K6+) 19 B-Q5 with an
unclear position in which White, if
anyone, probably has the better
chances. **12 P-QR3 N-Q5 13 B-Q3
N-Q2!** Better than 13...P-QN4 14
PxP PxP 15 P-QN4 fixing the weak
QNP and preparing to exchange
Black's Q5 knight. **14 B-K3 B-KB3
15 R-B1 N-K4 16 B-N1 N/4-B3 17
R-K1 R-N1 18 P-QN4 P-QN4 19
B-R2 B-R1 20 N-Q5!**

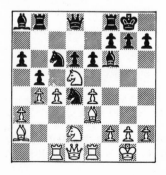

20...PxN 21 BPxP P-QR4 If 21...
N-K2 22 N-B1 Q-N3 23 N-N3! P-N3
24 Q-Q2 KR-B1 25 RxR+ RxR 26
R-Q1 and White regains the piece
with an overwhelming game. **22 PxN
NxP 23 Q-N3 PxP 24 PxP N-K4 25
P-R3 Q-K2 26 Q-N1 Drawn** A game
of considerable theoretical interest.

478 Karpov-Browne
Benoni Defence
1 P-Q4 P-QB4 2 P-Q5 N-KB3 3
N-QB3 P-Q3 4 P-K4 P-KN3 5 N-B3
B-N2 6 B-K2 0-0 7 0-0 N-R3 8
B-KB4 N-B2 9 P-QR4 B-N5 10 P-R3
BxN 11 BxB N-Q2 12 Q-Q2 P-QR3
13 B-K2 R-N1 14 B-R6 P-QN4 15
BxB KxB 16 N-Q1 N-B3 17 B-B3
P-K3 18 RPxP RPxP 19 N-K3 PxP
20 PxP R-K1 21 R-R7 R-K4 22
P-QN4 P-B5 23 Q-Q4 R-R1 24
KR-R1 RxR 25 RxR Q-N1 26 P-N3
P-R4 27 B-N2 K-N1 28 P-N4 PxP 29
PxP N/B3xQP 30 NxN NxN 31 R-Q7
Q-N3 32 QxQ NxQ 33 RxQP N-R5
34 B-Q5 R-K8+ 35 K-R2 N-B6 36
RxP+ K-B1 37 R-N5 R-K7 38 K-N2
RxQBP 39 R-B5 NxB 40 RxN R-N7
41 RxP P-B6 42 K-N3 P-B7 43
R-QB5 RxP 44 RxP K-N2 45 R-B5
R-N6+ 46 K-B4 R-N7 47 P-B3 R-N6
48 R-B6 R-N5+ 49 K-N3 R-N6 50
P-N5 R-R6 51 K-N4 R-R5+ 52 P-B4
R-N5 53 R-Q6 R-R5 54 K-B5 R-R8
55 R-Q4 R-K8 56 Drawn

479 S. Garcia-Karpov
Sicilian Defence
**1 P-K4 P-QB4 2 N-KB3 P-K3 3 P-Q4
PxP 4 NxP P-QR3 5 B-Q3 N-KB3 6
0-0 P-Q3 7 P-QB4 Q-B2 8 Q-K2
P-KN3 9 P-B4 B-N2 10 K-R1 0-0 11
N-QB3 P-N3 12 B-Q2 B-N2 13 N-B3
N-B3 14 QR-B1 QR-K1 15 Q-B2**
Possibly more accurate was 15
P-QR3. **15...N-KN5 16 Q-N1** If 16
Q-R4 P-B4! **16...P-B4 17 PxP** If 17

N-QR4 N-N5 18 BxN PxP. **17...NPxP
18 P-KR3?!** After 18 N-Q5! Q-B2
(not 18...Q-Q1 19 NxP BxP 20 R-N1
when White is better) 19 NxP Q-R4
Black has some play for the pawn
but probably not enough. **18...N-B3
19 N-Q5 Q-Q1** Obviously not 19...
PxN? 20 PxP NxP 21 B-B4, nor 19...
NxN 20 PxN PxP 21 N-Q4.

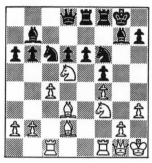

20 QxP? He should capture with the
knight. **20...QxQ 21 NxQ N-K5 22
BxN?** Better 22 B-K1 N-B4 23 B-B2
BxP 24 R-QN1. **22...PxB 23 N-N5
N-Q1 24 KR-K1 P-Q4 25 N-Q7 P-R3
26 NxP/K4 PxN 27 NxR RxN 28
P-QN4 B-QB3 29 P-QR4! BxP 30
RxP B-QB3 31 R-K2 P-KR4 32
K-R2 P-R5 33 P-N3 PxP+ 34 KxP
K-R2 35 B-B3 B-R3** Not 35...RxP?
36 KxR B-R3+ 37 K-K5 BxR 38
K-Q6 and Black is lost. **36 R-B1
R-N1+ 37 K-R2 N-B2 38 B-K5 NxB
39 PxN B-KN2 40 R-B7 K-R3 41
P-R4** If 41 R-B7 B-B6 42 R-K3
BxP+ 43 RxB R-N7+ 44 K-R1
R-N4+ and 45...RxR. **41...K-R4 42
K-R3 B-K1 43 R-R7 B-N3 44 RxP
B-Q6 45 R-KB2 BxBP 46 R-R3
B-KR3** 46...BxP also wins (47 R-R5
R-N6+ and 48...R-K6+). **47 R-KN3
R-QR1 48 R-B7 R-R8 49 R-KR7
R-R8+ 50 K-N2 RxP 51 K-N1 B-K7
52 K-B2 B-N5 53 P-N5 B-B4 54
R-R8 R-QN5 55 R-N1 R-N7+ 56
K-B3 R-N6+ 57 K-B2 B-K5 58 R-N3**

**R-N7+ 59 K-N1 B-B4 60 R-N2
RxR+ 61 KxR B-K5+ 62 K-N3
K-N3 63 P-N6 B-Q4 64 R-QN8** If 64
R-Q8 K-B4 65 R-Q7 B-KB5+ 66
K-B2 BxP 67 P-N7 K-K5 followed by
...K-Q5-B4-N3 and ...B-B2, winning
the pawn. **64...K-B4 65 P-N7 KxP 66
K-N4 B-K6 67 K-N3 B-N4 68 K-B2
B-K2 69 Resigns**

480   Karpov-Hort
         Caro-Kann Defence
1 P-K4 P-QB3 2 P-Q4 P-Q4 3 N-Q2
PxP 4 NxP B-B4 5 N-N3 B-N3 6
N-B3 N-Q2 7 P-KR4 P-KR3 8 P-R5
B-R2 9 B-Q3 BxB 10 QxB KN-B3 11
B-Q2 P-K3 12 Q-K2 Q-B2 13 0-0-0
P-B4 14 R-R4 B-K2 15 PxP NxBP 16
R-Q4 0-0 17 B-B4 Q-R4 18 K-N1
KR-Q1 19 B-K5 RxR 20 BxR Drawn

481   Karpov-Furman
         Ruy Lopez
1 P-K4 P-K4 2 N-KB3 N-QB3 3
B-N5 P-QR3 4 BxN QPxB 5 P-Q4
PxP 6 QxP QxQ 7 NxQ B-Q3 8
N-QB3 N-K2 9 B-K3 B-Q2 10 0-0-0
0-0-0 11 N-N3 K-N1 12 P-B4 P-B3 13
P-B5 P-QN3 14 N-Q2 B-K4 15 N-B4
BxN 16 PxB P-B4 17 B-B4 K-B1 18
P-N4 B-N4 19 RxR+ RxR 20 N-Q2
R-K1 21 P-KR4 N-B3 22 P-N5 N-R4
23 PxP Drawn

482   Kaplan-Karpov
         Sicilian Defence
1 P-K4 P-QB4 2 N-KB3 P-K3 3 P-Q4
PxP 4 NxP N-QB3 5 N-QB3 P-QR3 6
B-K2 Q-B2 7 0-0 N-B3 8 K-R1 B-N5
9 NxN NPxN 10 Q-Q4 P-B4 11 Q-K3
P-Q3 12 Q-N3 BxN 13 QxB 0-0 14
P-B3 B-N2 15 B-KB4 N-R4 16
B-KN5 P-K4 17 QR-Q1 P-B4 18
Q-Q3 P-R3 19 B-B1 QR-Q1 20 PxP
P-Q4 21 P-KB4 NxP 22 BxN PxB 23
B-N4 P-Q5 24 Q-Q2 P-KR4 25 BxP
RxP 26 B-N4 R-B3 27 Q-K2 B-Q4 28

R/Q1-K1 P-B5 29 Q-K5 QxQ 30
RxQ P-Q6 31 PxP PxP 32 P-QN3
R-KN3 33 P-KR3 P-Q7 34 R-Q1
B-B2 35 K-N1 R-QB3 36 K-B2 R-B7
37 R-QR5 R-Q3 38 B-K2 R-B8 39
B-B3 K-R1 40 R-K5 R-B7 41 R-QR5
B-N3 42 R-Q5 RxR 43 BxR B-Q6 44
P-R3 P-N4 45 B-B4 R-B8 46 BxB
RxR 47 K-K2 R-KN8 48 KxP RxP+
49 K-B3 R-N6 50 K-B2 RxP 51 BxP
P-N5 52 P-R4 P-N6 53 Resigns

483   Karpov-Uhlmann
              French Defence
**1 P-K4 P-K3 2 P-Q4 P-Q4 3 N-Q2
P-QB4 4 PxQP KPxP 5 KN-B3
N-QB3 6 B-QN5 B-Q3 7 PxP BxBP 8
0-0 KN-K2 9 N-N3 B-Q3 10 B-N5 0-0
11 B—KR4!**
The modern system. Until recent
years the move 11 R-K1 was con-
sidered best.
     11 ...   **B—KN5**
For 11...Q-B2 see Karpov-Kuzmin,
Game 438.
     12 B—K2   **B—R4**
A new move. Kuzmin-Uhlmann,
Leningrad 1973 went, 12...Q-N3? 13
BxN! NxB 14 Q-Q4 QxQ 15 N/B3xQ
B-Q2 16 QR-Q1 with good play
against the QP; and in another game
from the interzonal (against Byrne)
Uhlmann played 12...R-K1.
     13 R—K1   **Q—N3**
     14 N/B3—Q4
Now, after 14 BxN NxB 15 Q-Q4,
Black's QB is not attacked and so he
can retreat his queen to QB2. This is
the point of his twelfth move.
     14 ...   **B—N3**
     15 P—QB3   **KR—K1**
     16 B—B1   **B—K5**
     17 B—N3
On 17 P-B3 Black's bishop retreats
to N3.
     17 ...   **BxB**
     18 RPxB   **P—QR4?**

More logical would have been 18...
QR-Q1.
     19 P—R4!   **NxN**
     20 NxN!   **N—B3**
If 20...QxP? 21 N-N5! threatening
both 22 R-K2 and 22 N-B7.
     21 B—N5   **KR—Q1**
     22 P—KN4!

Restricting the scope of Black's
bishop by keeping it off its QB1-KR6
diagonal.
     22 ...   **NxN**
Better was 22...Q-B2 and if 23
P-QB4 then 23...N-N5.
     23 QxN   **QxQ**
     24 PxQ   **QR—B1**
     25 P—B3   **B—N3**
     26 R—K7   **P—N3**
26...R-B7 was more active, but in
any case White's advantage is
enormous.
     27 QR—K1   **P—R3**
Better was 27...P-R4.
     28 R—N7   **R—Q3**
28...R-B7 might have prolonged
the game.
     29 R/1—K7   **P—R4**
     30 PxP   **BxP**
     31 P—KN4   **B—N3**
     32 P—B4!   **R—B8+**
     33 K—B2   **R—B7+**
     34 K—K3   **B—K5**
If 34...R-K3+ 35 RxR PxR 36
RxNP RxP 37 RxP with an easy win.
35 RxBP R-N3 36 P-N5 K-R2 37

R/B7-K7 RxQNP 38 B-K8 R-N6+
39 K-K2 R-N7+ 40 K-K1 R-Q3 41
RxKNP+ K-R1 42 R/KN7-K7
Resigns

484 Calvo-Karpov
Sicilian Defence

1 P-K4 P-QB4 2 N-KB3 P-K3 3 P-Q3
N-QB3 4 P-KN3 P-Q4 5 QN-Q2
B-Q3 6 B-N2 KN-K2 7 0-0 0-0 8
R-K1 Stronger is 8 N-R4 followed by
9 P-KB4 with an eventual P-K5. **8...
Q-B2 9 P-N3** The QB does nothing
on the QR1-KR8 diagonal. Better
was 9 P-B3. **9...B-Q2 10 B-N2 P-Q5!
11 N-B4 P-K4 12 P-QR4 P-QN3 13
Q-Q2?** White should play 13 NxB
QxN 14 N-Q2 and 15 N-B4. **13...
P-B3 14 P-KR4 Q-N1 15 B-QR3
B-B2 16 KR-N1 B-K3 17 K-R2 Q-B1
18 Q-K2 B-N5 19 Q-B1 P-B4 20
N/4-Q2 P-KB5 21 B-R3 P-KR4 22
Q-N2 N-N3 23 N-N5?** White should
try for counterplay by 23 P-N4 PxP
24 BxP NxB 25 RxN followed by
R-B4. **23...B-Q1 24 N/5-B3 B-K2 25
R-N1 Q-K3 26 QR-KB1 R-B2 27
R-KR1 QR-KB1**

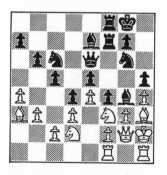

28 K-N1 Q-Q3 29 K-R2 P-R3 30
K-N1 R-B3 31 BxB PxB 32 N-N5
P-B6 33 Q-R2 N-R1 34 R-B1 R-R3
35 N-B4 Q-B2 36 **Resigns** UGH.

485 Karpov-Portisch
Ruy Lopez
1 P-K4 P-K4 2 N-KB3 N-QB3 3
B-N5 P-QR3 4 B-R4 N-B3 5 0-0
B-K2 6 R-K1 P-QN4 7 B-N3 P-Q3 8
P-B3 0-0 9 P-KR3 N-N1 10 P-Q4
QN-Q2 11 QN-Q2 B-N2 12 B-B2
R-K1 13 N-B1 B-KB1 14 N-N3 P-N3
15 P-QR4 P-B4 16 P-Q5 N-N3 17
P-R5 N-B5 18 P-N4 PxP 19 PxP
R-B1 20 B-Q3 B-N2 21 R-R2 R-KB1
22 R-B2 Q-Q2 23 N-R2 K-R1 24
P-R4 P-R4 25 Q-K2 K-N1 26 BxN
RxB 27 RxR PxR 28 QxBP N-K1 29
R-KB1 N-B2 30 P-B4 PxP 31 BxP
N-N4 32 Q-Q3 R-B1 33 B-Q2 R-B2
34 N-K2 B-QB1 35 N-KB3 Q-K2 36
B-N5 P-B3 37 B-B4 P-B4 38 N-N5
PxP 39 QxP QxQ 40 NxQ R-B5 41
NxP NxN 42 BxN RxRP 43 B-B5
R-K5 44 N-B4 K-R2 45 N-K6 BxN
46 PxB RxKP 47 R-B7 K-R3 48
R-N7 R-K5 49 K-B2 B-Q5+ 50 BxB
RxB 51 Drawn

486 Planinc-Karpov
Sicilian Defence
1 P-K4 P-QB4 2 N-KB3 P-K3 3 P-Q4
PxP 4 NxP N-QB3 5 N-QB3 P-QR3
6 P-B4 Q-B2 7 NxN QxN 8 B-Q3
P-QN4 9 Q-K2 B-N2 10 B-Q2 Better
is 10 0-0. **10...B-B4 11 Q-N4 P-N3 12
P-QR3** Planinc-Suetin, Ljubljana
1973 went 12 Q-R4 P-N5! 13 N-Q1
B-K2 14 Q-R3 N-B3 15 N-B2 P-Q4
and Black had already taken the
initiative. **12...P-B4!** A most original
approach to the position. **13 PxP?** 13
Q-R4 was more logical, trying to take
advantage of the weak dark squares.
**13...KPxP 14 Q-K2+ K-B2! 15 0-0-0
R-K1 16 Q-B1 N-B3** Karpov is in no
hurry to take the pawn. **17 P-QR4
QxP 18 QxQ BxQ 19 KR-K1 P-N5
20 N-R2 P-QR4 21 K-N1 B-B6 22
R-QB1 N-K5 23 BxN BxB 24 K-R1
P-Q4 25 B-K3 BxB 26 RxB P-Q5 27**

R-K2 B-B3 28 R-Q2 R-K5 29 R/1-Q1 BxP 30 P-N3 B-B3 31 RxP RxR 32 RxR R-K1 33 R-B4 R-K8+ 34 K-N2 B-K5 35 N-B1 R-R8 36 R-B7+ K-N1 37 N-K2 RxP 38 N-Q4 P-R4 39 N-K6 P-R5 40 N-N5 P-R6 41 R-B8+ K-N2 42 R-B7+ K-B1 43 **Resigns**

Moscow 1974
(Candidates' Quarter-Final Match)

	1	2	3	4	5	6	7	8	Total wins
Karpov	½	½	½	1	½	1	½	1	3
Polugayevsky	½	½	½	0	½	0	½	0	0

The winner of the match was determined by the first player to win three games, draws not counting.

487   Polugayevsky-Karpov
Nimzo-Indian Defence
1 P-Q4 N-KB3 2 P-QB4 P-K3 3 N-QB3 B-N5 4 P-K3 0-0 5 B-Q3 P-B4 6 N-B3 P-Q4 7 0-0 QPxP 8 BxBP N-B3 9 P-QR3 B-R4 10 B-Q3 PxP 11 PxP B-N3 12 B-K3 N-Q4 13 B-KN5! Stronger than the 13 NxN of Gligoric-Karpov, Hastings 1971/72 (game 356). **13...P-B3 14 B-K3 N/3-K2 15 Q-B2 NxB 16 PxN P-N3 17 B-B4 N-B4! 18 KR-K1 K-N2 19 QR-Q1 B-Q2 20 K-R1 R-B1 21 B-R2 N-Q3 22 Q-Q3 Q-K2 23 P-K4 N-B2** The end of a characteristically Karpovian knight manoeuvre. The idea is that 24 P-Q5 is met by 24...N-K4 25 NxN PxN when Black is better. **24 P-K5 PxP 25 NxP** The alternative is 25 P-Q5 B-B2 26 N-K4 PxP 27 BxP B-B3. **25...NxN 26 RxN**

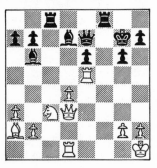

26...R-KB4 More active is 26...Q-R5, threatening both 27...B-B2 and 27...QxQP. Play would then continue (26...Q-R5) 27 BxP QxQP 28 QxQ BxQ 29 BxB RxR 30 BxR RxB 31 R-Q7+ K-R3 32 RxNP BxN 33 PxB RxP 34 P-KR4 RxP drawing. **27 N-Q5** Better is 27 R/4-K1. **27...Q-Q3** Also possible is 27...Q-N4. **28 NxB QxN 29 Q-K2 Q-Q3 30 P-R3 QR-B1 31 K-N1 B-R5 32 R-Q2 B-Q2 33 Drawn**

488   Karpov-Polugayevsky
Sicilian Defence
1 P-K4 P-QB4 2 N-KB3 P-Q3 3 P-Q4 PxP 4 NxP N-KB3 5 N-QB3 P-QR3 6 B-K2 P-K4 7 N-N3 B-K2 8 0-0 B-K3 9 P-B4 Q-B2 10 P-QR4 QN-Q2 11 K-R1 0-0 12 B-K3 PxP 13 RxP KR-K1 14 N-Q4 N-K4 15 N-B5 N-N3 16 R-KB1 B-KB1 17 Q-Q4 N-K4 18 B-KN5 N/3-Q2 19 QR-Q1 N-B4 20 NxQP BxN 21 QxB QxQ 22 RxQ B-Q2 23 P-QN3 23 B-K3 NxRP 24 N-Q5 would have given better chances. **23...B-B3 24 B-B3 P-B4 25 B-K3 NxKP 26 BxN PxB 27 P-R3 QR-Q1 28 RxR RxR 29 K-N1 N-N3 30 N-K2 R-KB1 31 R-Q1 N-R5 32 B-B5 R-B1 33 B-K7 N-B4 34 R-Q8+ RxR 35 BxR P-KR4 36 P-B4 P-K6**

37 B-N5 B-K5 38 P-R5 K-B2 39 N-B3 B-B7 40 P-QN4 N-Q3 41 Drawn

489   Polugayevsky-Karpov
Nimzo-Indian Defence

1 P-Q4 N-KB3 2 P-QB4 P-K3 3 N-QB3 B-N5 4 P-K3 0-0 5 B-Q3 P-B4 6 N-B3 P-Q4 7 0-0 QPxP 8 BxBP N-B3 9 P-QR3 B-R4 10 B-R2 P-QR3 11 N-QR4 PxP 12 PxP P-R3 13 B-KB4 B-B2 14 BxB QxB 15 Q-K2 R-Q1 16 KR-Q1 B-Q2 17 QR-B1 B-K1 18 N-B3 R-Q3 19 P-Q5 PxP 20 NxP NxN 21 RxN QR-Q1 22 Drawn

490   Karpov-Polugayevsky
Sicilian Defence

1 P-K4 P-QB4 2 N-KB3 P-Q3 3 P-Q4 PxP 4 NxP N-KB3 5 N-QB3 P-QR3 6 B-K2 P-K4 7 N-N3 B-K2 8 0-0 B-K3 9 P-B4 The best moment to advance the KBP. If 9 B-K3 or 9 P-QR4 then 9...QN-Q2, and then on 10 P-B4 comes 10...R-B1, keeping open the options for Black's queen. But now the queen must commit herself at once. 9...Q-B2 10 P-QR4 QN-Q2 11 K-R1 0-0 12 B-K3 In the second game of the Spassky-Byrne match (which was being played concurrently) Spassky had played 12 P-R5 and after 12...N-B4 13 NxN QxN 14 P-B5 B-B5? 15 BxB QxB 16 B-N5, he obtained a great advantage. However, after 14...B-Q2 15 B-N5 B-B3 the game would have only just begun. **12...PxP** There is almost no alternative. If 12...QR-B1 then 13 P-B5 B-B5 14 P-R5 is good for White as ...P-QN4; PxPep leaves Black's QRP rather weak. And in some degree, 12...KR-B1 weakens the K-side (the KB2 square to be precise) and White could reply 13 Q-Q2, keeping the tension in the centre, or 13 P-R5. **13**

RxP N-K4 Improving on 13...KR-K1 which he played in the second game of the match. **14 N-Q4** 14 P-R5 is possibly stronger, preventing ...R-Q1 because of the reply B-N6. **14... QR-Q1 15 Q-KN1** Also possible is 15 P-R5 R-Q2 16 N-B5 followed, at some stage, by N-Q5. **15...R-Q2 16 R-Q1 R-K1 17 N-B5?! B-Q1!** Threatening 18...P-Q4. **18 N-Q4 N-N3** Now if 18...P-Q4 19 NxB. But more energetic than the text was 18...B-B5 with the threats of 19...BxB followed by 20...N-N3, or 19...N-N3 at once. **19 R/4-B1 N-K4 20 B-KB4** 20 P-R3 deserved attention, preparing to transfer the queen to KN3 or KB2. **20...Q-B4** Stronger is 20...Q-R4, avoiding the exchanges and threatening 21...Q-N5 or 21...B-N3. **21 NxB QxQ+ 22 RxQ RxN** 22...PxN, hoping to keep control of Q4, also had its points. With the text Black threatens 23...N-N3. **23 B-B3 N/4-N5 24 R/N1-B1 B-N3 25 R-Q2 B-K6 26 BxB NxB 27 R-QN1 K-B1 28 K-N1 R-B2 29 K-B2** 29 R-K2 N-B5 30 N-Q1 would have dampened Black's pressure. Now Polugayevsky's advantage increases. **29...N-B5 30 R-Q3**

30...P-KN4? The beginning of an incorrect plan. After 30...R-K4 White's pieces would all have been tied to the defence of his pawn weaknesses. e.g. 31 N-Q5 NxN 32 RxN

RxR 33 PxR N-N3 and White loses a pawn. Even after other continuations it is difficult for White to maintain material equality. **31 P-R3 P-KR4?** 31...R-K4 was almost essential. **32 N-Q5 NxN?** 32...R-B4 would still have left Black with some advantage. **33 RxN N-K4 34 P-B3 P-R5** Still playing for a win. But White has escaped from most of his difficulties and is busy mounting pressure on the Q-side. 34...R-KB3 would have been a better move, threatening 35...P-N5. **35 R/1-Q1 K-K2 36 R/1-Q4 P-B3 37 P-R5 R-B3** Better 37...N-B5. **38 B-K2 K-Q1? 39 P-B4 K-B2** Consistent, but this plan is doomed. **40 P-QN4 N-N3 41 P-N5 PxP** If 41...R-B4 42 P-N6+ K-B3 43 B-Q1 RxR 44 RxR and White wins. **42 PxP R-B7 43 P-N6+ K-Q2 44 R-Q2! RxR 45 RxR R-K4** On 45...RxP White wins by force: 46 B-N5+ K-B1 47 R-B2+ K-N1 48 P-R6 PxP 49 BxP R-K1 50 P-N7 N-K2 51 R-K2. **46 P-R6 K-B3** If 46...PxP 47 BxP when White brings his rook to QN2 and the pawn promotes. **47 R-N2 N-B5 48 P-R7 R-R4 49 B-B4 Resigns**

491   Polugayevsky-Karpov
Nimzo-Indian Defence
1 P-Q4 N-KB3 2 P-QB4 P-K3 3 N-QB3 B-N5 4 P-K3 0-0 5 B-Q3 P-B4 6 N-B3 P-Q4 7 0-0 QPxP 8 BxP N-B3 9 P-QR3 B-R4 10 B-R2 P-QR3 11 B-N1 B-N3 12 Q-B2 P-N3 13 PxP BxP 14 P-QN4 B-K2 15 B-N2 P-K4 16 R-Q1 Q-K1 17 P-N5 PxP 18 NxNP B-KB4 19 Q-K2 BxB Interesting is 19...P-K5 20 N-R4 B-KN5 21 P-B3 PxP 22 PxP B-R4 23 N-B7 Q-B1 24 NxR Q-R6. **20 N-B7 Q-N1 21 NxR B-KB4** If 21...P-K5 22 QRxB PxN 23 QxP QxN 24 BxN. **22 N-N6 P-K5 23 N-Q4** After 23 N-K1 B-KN5 24 P-B3 PxP 25 NxP White

has the better K-side pawn structure. But instead of 23...B-KN5 Black can improve with 23...N-KN5 24 P-B4 PxPep 25 NxP B-QB4, or if 24 P-N3 then 24...N/5-K4. **23...NxN 24 BxN B-KN5 25 P-B3** On the immediate 25 Q-N2 BxR 26 BxN BxB 27 QxB, Black must not play 27...B-N5 because of 28 N-Q5 R-K1 29 Q-Q4 with the unstoppable threat of 30 N-B6+. Also weak is 28...P-R3 (instead of ...R-K1) 29 P-R3 B-K3 30 N-K7+ K-R2 31 NxP PxN 32 QxB. But after 27...Q-Q1! Black can probably defend himself and escape with a draw. **25...PxP 26 PxP B-K3 27 QR-B1 R-Q1 28 Q-QN2 N-K1 29 B-K5 B-Q3 30 BxB** If 30 RxB not 30...NxR because of 31 Q-N4 and 32 R-Q1; but 30...RxR! 31 Q-N4 Q-Q1 32 BxR NxB reaching the same position as in the game. **30...RxB**

The critical moment. After 31 Q-N5! it is extremely difficult for Black to co-ordinate his forces. e.g. 31...Q-Q1 32 RxR and if 32...QxR 33 QxN+ or 32...NxR 33 R-Q1. 31 RxR QxR 32 Q-Q4 QxQRP (or 32...Q-K2 33 R-Q1) 33 R-R1 followed by 34 R-R8 is also unpleasant for Black. **31 Q-N4?** But after this move Black's queen can transfer to the opposite wing. **31...Q-Q1 32 RxR NxR 33 R-Q1 Q-N4+ 34 K-B2 N-B4 35 Q-KB4 Q-B3 36 N-R4** From here on White was in serious time trouble.

Better chances were offered by 36 N-Q7 Q-N7+ 37 K-N1. If then 37... QxQRP? White wins by 38 N-B6+ K-N2 39 N-R5+! PxN 40 Q-N5+, but Black can improve with 37...BxN 38 RxB QxQRP. **36...B-N6 37 R-Q2** Stronger is 37 R-K1. **37...P-KN4! 38 Q-N8+** If 38 Q-K4 BxN 39 QxB Q-K4. **38...K-N2 39 N-N2 B-Q4 40 N-Q3 N-Q3 41 N-B4!** PxN 42 RxB Q-N7+ 43 K-B1 PxP 44 R-N5+ **Drawn** because of 44...K-R3 45 QxN+ KxR 46 Q-K7+ followed by 47 QxKP.

492   Karpov-Polugayevsky
Sicilian Defence
1 P-K4 P-QB4 2 N-KB3 P-Q3 3 P-Q4 PxP 4 NxP N-KB3 5 N-QB3 P-QR3 6 B-K2 P-K4 7 N-N3 B-K2 8 0-0 B-K3 9 P-B4 Q-B2 10 P-QR4 QN-Q2 11 K-R1 0-0 12 B-K3 PxP 13 RxP N-K4 14 P-R5! Stronger than 14 N-Q4 which Karpov played in the fourth game of the match. **14...N/3-Q2 15 R-KB1 B-B3 16 N-Q5! BxN 17 QxB! QxBP! 18 N-Q4 QxNP 19 QR-N1 Q-B6 20 N-B5 Q-B7 21 QR-K1 N-B4** On 21...Q-B3 comes 22 NxQP when Black's QNP is ripe to fall, and after the QNP would follow the QRP. **22 NxQP N/B4-Q6 23 BxN NxB 24 R-Q1 N-N5 25 QxNP?!** Much better would have been 25 Q-KB5 (or 25 Q-R5) keeping the initiative. **25... QR-N1 26 Q-R7**

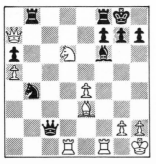

26...Q-B3? The losing move. After 26...Q-K7! White's rooks cannot leave the first rank because they must defend each other. Black threatens 27...N-Q6 (or 27...N-B3) and 28...R-N7. If 27 R/Q1-K1 then 27...Q-R4 (or 27...Q-N5 is black played 27...N-B3) or 27...Q-R7. **27 B-B4** If 27 RxB PxR 28 B-R6 then 28...Q-B7 and on 29 Q-Q4? comes 29...N-Q6!, or if 29 R-B1 Q-Q6 30 Q-K7 Q-Q5. These sharp lines were not to Karpov's taste — he sacrifices only if he cannot strengthen his position in some other way. **27...R-R1 28 Q-B2 R/R-Q1 29 Q-N3 Q-B6 30 R-B3 Q-B7 31 R/1-KB1 B-Q5 32 B-R6 N-B3 33 N-B5 Q-N7** Not 33... B-K4 34 BxNP! and if 34...BxQ 35 RxB (threat 36 N-R6 mate) 35...P-R4 36 B-B6+ K-R2 37 R-N7+ K-R1 38 RxP+ K-N1 39 N-R6 mate. **34 B-B1! Q-N4 35 N-R6+ K-R1 36 NxP+ RxN 37 RxR B-B3 38 Q-B2 K-N1 39 RxB PxR 40 QxP Resigns**

493   Polugayevsky-Karpov
Nimzo-Indian Defence
1 P-Q4 N-KB3 2 P-QB4 P-K3 3 N-QB3 B-N5 4 P-K3 0-0 5 B-Q3 P-B4 6 N-B3 P-Q4 7 0-0 QPxP 8 BxBP N-B3 9 P-QR3 B-R4 10 B-R2 B-N3 11 PxP BxP 12 P-QN4 B-Q3 13 B-N2 Q-K2 14 Q-B2 B-Q2 15 KR-K1 N-K4 16 N-KN5 QR-B1 17 P-B4 N-N3 18 Q-K2 B-N1 19 Q-B3 P-KR3 20 N-R3 B-B3 21 Q-N3 N-K5 22 NxN BxN 23 N-B2 B-B7 24 R-Q2 KR-Q1 25 B-Q4 P-N3 26 R-QB1 B-R5 27 RxR RxR 28 N-Q3 B-B7 29 Q-N4 BxN 30 RxB R-B8+ 31 R-Q1 Q-R5 32 Q-B3 RxR+ 33 QxR P-K4 34 P-N3 Q-Q1 35 PxP NxP 36 Q-R5 Q-B3 37 BxN BxB 38 BxP+ QxB 39 QxB Q-N6 40 P-N5 QxRP 41 K-N2 Drawn

494   Karpov-Polugayevsky
                Sicilian Defence

**1 P-K4 P-QB4 2 N-KB3 P-Q3 3 P-Q4
PxP 4 NxP N-KB3 5 N-QB3 P-QR3 6
B-K2 P-K4 7 N-N3 B-K2 8 0-0 B-K3
9 P-B4 Q-B2 10 P-QR4 QN-Q2 11
K-R1 0-0 12 B-K3 PxP 13 RxP N-K4
14 P-R5 KR-K1** In the sixth game of
the match Polugayevsky had played
the weaker 14...N/3-Q2.

15 B—N6

An important moment for attack-
ing the queen which is forced to
retreat to the Q-file so as not to hem
in the QR.

15 ...   Q—Q2

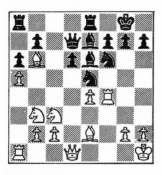

16 R—QR4!

Otherwise Black would have
played ...P-Q4. Of course White
could have hindered this counter in a
mechanical way by 16 N-Q5 but then
16...N-N3 would worry White's KP.

16 ...   QR—B1

This allows White's QR to transfer
to the Q-file with gain of tempo by
virtue of its pressure on the QP. But
how could Black have prevented his
manoeuvre? On 16...N-B3, 17 N-Q5
is very strong since the KP is now
defended. 16...B-Q1 is not satis-
factory either because after 17 R-Q4
Black cannot exchange on QN3

because of the intermediate attack on
his QP.

17 R—Q4   Q—B3

Strategically White has the advan-
tage, so now Polugayevsky was forced
to consider various tactical possi-
bilities and above all the exchange
sacrifice 17...RxN 18 PxR Q-B3.
Then, however, White continues 19
Q-K1! and Black has insufficient
compensation for the exchange. e.g.
19...N/3-Q2 20 R-N4. If 18...R-QB1
(instead of ...Q-B3) then again 19
Q-K1. At best Black would have one
pawn for the exchange.

18 R—Q2

A simple and powerful move.
White's control of his Q5 square is
consolidated and so White makes
way for the QN6 bishop to retreat
and at the same time he vacates Q4
for the knight.

18 ...   BxN

Otherwise 19 N-Q4 is unpleasant.

**19 PxB   N/3—Q2
20 B—N1**

The bishop is not passively placed
on this square. It is still on the
important diagonal and it is now
sheltered from attack. The text,
however, allows Black to give up his
queen and a pawn for two rooks. For
this reason 20 B-K3 might have been
better — although the bishop would
be placed worse than on KN1 Black
would not have any tactical resources.

20 ...   B—N4!?

The best practical chance. White
was threatening to realize his posi-
tional advantage, starting with
P-QN4-5.

**21 RxQP   BxR
22 RxQ   RxR
23 P—QN4   N—B3**

White's minor pieces are all on
their optimal squares and Black's
game is rather cramped. But how can
White increase the pressure?

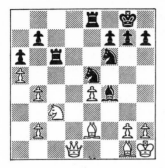

In this complicated middle-game White's queen is no weaker than the black rooks which have no open files at their disposal. Also, White has a useful majority on the Q-side.

With the text Polugayevsky increases his pressure on White's KP but the siege turns out to be fruitless and 23...R/3-B1 was a better move, co-ordinating the rooks for the defence.

24 P—N5	R/3—K3
25 PxP	PxP
26 P—KN3!	

The straightforward plan P-QN4-N5 would leave the QB3 knight without support and allow the black rooks to penetrate into White's position via the QB-file. 26 Q-N3 could have been met by 26...B-Q7 when the threat to White's KP becomes real, and for the same reason 26 Q-KB1 is also not profitable.

26 N-Q5 looks tempting because it attacks the bishop and threatens 27 N-B7 (and the exchange of knights is bad for Black). But then 26...N-N3 is adequate, meeting both threats to some extent. It is true that after 27 NxB NxN 28 B-B4 RxP 29 BxRP White probably wins with accurate play but Black's rooks would be more manoeuverable and Karpov's

task would have been more difficult than in the game.

| 26 ... | B—N4 |
| 27 P—R4 | |

Forcing the bishop as far as possible from the Q-side where the decisive battle will be fought.

| 27 ... | B—R3 |
| 28 B—N6 | |

The beginning of a well conceived plan to attack the QRP. The tactical continuation 28 P-KN4 P-N4 29 B-K3 was tempting but after 29...N-N3 30 PxP NxKP Black has counterplay.

28 ...   **N/4—Q2**

It would appear that White's bishop cannot stay on QN6 but Karpov has other ideas.

29 B—B4

Driving the rook to an inferior square.

29 ...   **R—K4**
30 Q—N3

Also good is 30 B-N1, creating the threat of capturing on QR6. The KP is untouchable because the knight on Q2 is undefended and after 30...N-N1 31 Q-B3 White's advantage is undeniable. But the text move is more energetic — White attacks KB7 and the QRP.

30 ...	R—N1
31 BxBP+	K—R1
32 Q—B4!	B—Q7

If 32...NxB 33 PxN R-K2 34 P-K5! RxP 35 P-N7 and 36 Q-B8+.

33 B—B7   **R—QB4**

There is no alternative. If 33... R-QB1 then simply 34 QxP. Now White exchanges into a won ending.

34 QxR NxQ 35 BxR BxN 36 PxB N/3xP 37 P-B4 N-Q2 38 B-B7 P-N3 39 B-K6 N/5-B4 40 BxN NxB 41 B-Q6 Resigns

Leningrad 1974
(Candidates' Semi-Final Match)

	1	2	3	4	5	6	7	8	9	0	1	Total wins
Karpov	0	½	1	½	½	1	½	½	1	½	1	4
Spassky	1	½	0	½	½	0	½	½	0	½	0	1

The winner of the match was determined by the first player to win four games, draws not counting.

495   Karpov-Spassky
Sicilian Defence
1 P-K4 P-QB4 2 N-KB3 P-Q3 3 P-Q4 PxP 4 NxP N-KB3 5 N-QB3 P-K3 6 B-K2 B-K2 7 0-0 0-0 8 P-B4 N-B3 9 B-K3 P-K4 This little known move was played in a Soviet women's championship game Levitina-Kozlovskaya. **10 N-N3 P-QR4 11 P-QR4 N-QN5 12 B-B3 B-K3 13 K-R1** Black was threatening to win a pawn by 13...PxP 14 BxP NxBP! 15 QxN Q-N3+ **13...Q-B2 14 R-B2 KR-Q1 15 R-Q2** White must try to prevent ...P-Q4. After the text White intends 16 N-Q5 but — **15...B-B5!** Now 16 N-Q5 is considerably less effective. **16 N-N5 BxN/4 17 PxB P-R5 18 N-B1** Now the black QN is desperately placed and drastic measures are called for. **18...P-Q4!** 19 BPxP 19 P-B3 QPxP is clearly good for Black. **19...NxKP 20 P-B3** In reply to 20 R-K2, P-R6 is very strong. **20...NxR 21 BxN** White refrains from the natural 21 QxN because of the intermezzo 21...P-Q5. After 22 BxQP both 22...QxKP 23 N-K2 and 22...N-Q4 23 N-Q3 leave White with a pawn and some initiative for the exchange. However, by means of the tactical resource 22...N-B7! Black would disrupt his opponent's attacking plans. e.g. 23 QxN RxB 24 B-K4 R/4-Q1 25 BxRP+ K-R1 and Black wins the KP. **21...QxKP!**

22 PxN As the knight cannot escape, White should have considered 22 P-KN3, opening a route for the king and preparing for B-B4. Black would then continue 22...P-Q5 23 PxN QxQNP. **22...QxNP 23 N-Q3 Q-Q5 24 R-R3** hoping to be able to play B-B3. **24...Q-N3!** Now 25 B-B3 is pointless because of 25...P-Q5 and after 25 RxP Black replies 25...QxP (less clear is 25...Q-Q5 because of 26 B-K2) forcing his opponent to concede the open file. After 26 RxR RxR 27 B-K2 B-B3 White is hard put to defend himself. **25 Q-K2 R-K1 26 BxP BxP 27 BxP+ KxB 28 Q-B3+?** The losing move. After 28 Q-R5+ Q-N3 (or 28...K-N1 29 BxB and the QNP is defended) 29 Q-B3+ Q-B3 30 BxB! (weaker is 30 QxQ+ PxQ 31 BxB QR-Q1) 30...QxQ 31 PxQ, White can probably defend himself as 31...R-K6 can be met by 32 B-B5! **28...K-N1 29**

BxB QxP 30 P-R3 QR-Q1 31 B-Q2 Q-Q4 32 Q-B2 P-QN4 33 B-R5 R-Q2 34 N-B4 R-KB2! 35 R-KB3 Q-B5 36 B-Q2 P-N5 37 Q-N6 P-N6 38 K-R2 Q-B7 39 B-B3 Q-K5 Not 39...RxN 40 Q-B7. **40 Q-Q6 P-R3** Not 40...P-R6 41 QxQRP! RxN 42 Q-R7. **41 B-N2**

41...Q-B7 42 Q-Q5 Q-B4 If 42... QxB?? 43 N-N6. **43 Q-B6 Q-Q2 44 Q-KN6 R/1-K2! 45 Q-R6 Q-N2! 46 QxQRP R-K5 47 QxP R-N5** It was essential to eliminate the bishop. After 47...QxQ? 48 RxQ RxN, White could expect to draw. **48 Q-K6 RxB 49 R-KN3 R-N3 50 Q-K8+ K-R2 51 Q-K3 R-Q3 52 Q-B5 Q-B2 53 Q-N4 Q-Q2 54 N-R5 R-KN3 55 RxR KxR 56 N-N3 Q-Q6 57 P-R4 K-R2 58 P-R5 R-Q2 59 Q-B5 R-Q5 60 Q-K7 R-KN5 61 Q-K5 R-R5+ 62 K-N1 Q-Q8+ 63 K-B2 Q-Q5+ 64 Resigns**

496 Spassky-Karpov
Caro Kann Defence
1 P-K4 P-QB3 2 P-Q4 P-Q4 3 N-QB3 PxP 4 NxP B-B4 5 N-N3 B-N3 6 N-B3 N-Q2 7 B-Q3 P-K3 8 0-0 KN-B3 9 P-B4 B-Q3 10 P-N3 0-0 11 B-N2 P-B4 12 BxB RPxB 13 R-K1 Q-B2 14 PxP BxP 15 Q-B2 KR-Q1 16 N-K4 NxN 17 QxN Drawn

497 Karpov-Spassky
King's Indian Defence
1 P-Q4 N-KB3 2 P-QB4 P-KN3 3 N-QB3 B-N2 4 P-K4 P-Q3 5 N-B3 0-0 6 B-K2 P-B4 Solid but not particularly active.
7 0—0 B—N5
8 P—Q5 QN—Q2
9 B—N5
This move, a favourite of Polugayevsky's, was undoubtedly studied by Karpov when preparing to play his quarter-final match.
9 ... P—QR3
10 P—QR4 Q—B2
11 Q—Q2 QR—K1
12 P—R3 BxN
13 BxB P—K3
14 P—QN3 K—R1
After 14...PxP 15 KPxP a favourite position of Polugayevsky's arises.
15 B—K3!
The bishop has nothing more to do on KN5.
15 ... N—KN1
16 B—K2
Preparing for P-B4. Now, in reply to 16...PxP, 17 BPxP looks good as it is very difficult for Black to force ...P-QN4. So Spassky decides to close the centre.
16 ... P—K4
17 P—KN4
This move restricts Black's options. The weakening of the K-side is unimportant since Black's pieces are passively placed, and the thrust ...P-B4 involves serious positional concessions — White gets the use of his K4 square for the knight and the KN4 square for his bishop.
17 ... Q—Q1
18 K—N2 Q—R5!
White had intended to advance his KRP.
19 P—B3
If 19 B-N5 B-R3.
19 ... B—R3?
It is very likely that this was the decisive mistake. 19...P-B4 was

essential, producing a tense position when the chances would still favour White. e.g. 20 B-N5 B-R3 21 BxQ BxQ 22 N-Q1.

20 P—N5

The exchange of bishops naturally does not appeal to White.

   20 ...   **B—N2**
   21 B—B2   **Q—B5**

Of course not 21...Q-R4?? 22 P-B4.

   22 B—K3   **Q—R5**

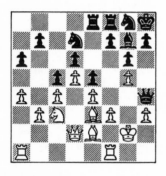

   23 Q—K1!   **QxQ**
   24 KRxQ   **P—R3**

Black cannot block the Q-side (24...P-QR4 25 N-N5 winning) and the time taken to destroy White's wedge at KN5 enables White to open the QN-file to his advantage.

   25 P—R4   **PxP**

Perhaps 25...P-B3 was preferable though in that case White retains an overwhelming position by 26 R-R1.

   26 PxP   **N—K2**
   27 P—R5!   **P—B3**
   28 R/K1—QN1 **PxP**
   29 P—N4!

White has no need to be distracted.

   29 ...   **N—B4!**

A very clever reply. 30 PxN P-K5 would lead to a sudden sharpening of the struggle and the outcome, after 31 B-Q2 P-K6 32 B-K1 PxBP, is not at all clear.

   30 BxNP!

After only four minutes thought! Black's well placed knight does not help him at all.

   30 ...   **N—Q5**

Bad is 30...B-R3 because of 31 PxN BxB 32 N-K4!

   31 PxP   **NxQBP**
   32 R—N6!   **B—B3**

On 32...R-Q1 White can, of course, take the rook, but 33 B-K7 is probably more convincing.

   33 R—R1+!

The most accurate order of moves. In reply to 33 B-R6 Black could play 33...B-K2 and hold his vital QP at the cost of the exchange, while 33 RxQP allows some sort of defensive setup with 33...K-N2.

   33 ...   **K—N2**

After 33...K-N1 34 RxQP Black loses a second pawn. The exchange sacrifice is his best chance.

   34 B—R6+   **K—N1**
   35 BxR   **RxB**
   36 RxQP   **K—N2**
   37 B—Q1!

To exchange one of the active black knights.

   37 ...   **B—K2**

The most convincing reply to 37...
B-Q1 is 38 N-R4 B-B2 39 NxN! BxR
40 NxNP B-N5 41 P-B5.

| 38 R—N6 | B—Q1 |
| 39 R/6—N1 | R—B2 |

After 39...BxP 40 N-R4! White's
rook penetrates to the seventh rank
with decisive effect.

40 N—R4	N—Q6
41 N—N6	P—N4
42 N—B8!	N—QB4

If 42...P-N5 43 N-Q6 PxP+ 44
K-B1 and Black's beautifully posted
knight at Q5 is in no position to do
anything.

43 N—Q6	R—Q2
44 N—B5+	NxN
45 PxN	P—K5

The sealed move. If 45...BxP 46
B-B2 followed by exchanging rooks
on the KR-file.

46 PxP	NxP
47 B—R4	R—K2
48 R/N1—K1	

Forcing the exchange of rooks.
48...N-B4 49 RxR+ BxR 50 B-B2
B-Q1 51 R-R1 K-B3 52 P-Q6 N-Q2
53 R-QN1 K-K4 54 R-Q1 K-B5 55
R-K1 **Resigns**

---

498   Spassky-Karpov
         Caro Kann Defence

1 P-K4 P-QB3 2 P-Q4 P-Q4 3 N-QB3
PxP 4 NxP B-B4 5 N-N3 B-N3 6
P-KR4 P-KR3 7 N-B3 N-Q2 8 P-R5
B-R2 9 B-Q3 BxB 10 QxB P-K3 11
P-N3 Usual is 11 B-Q2. **11...KN-B3**
12 B-N2 Q-R4+! 13 B-B3 B-N5 14
BxB QxB+ 15 Q-Q2 QxQ+ 16 KxQ
P-B4 17 P-B4 PxP Possibly better
would have been 17...K-K2 or 17...
P-R3. **18 NxP P-R3 19 K-K3 R-QB1
20 QR-QB1 K-K2 21 P-B3 R-B4! 22
N/4-K2** Overprotecting the QR. **22...
KR-QB1 23 P-B4! P-QN4** If
23...R-R4 24 P-R4 P-QN4 25 BPxP

RxR 26 RxR PxP 27 N-Q4!, threa-
tening 28 N-B6+, and White wins a
pawn. 23...N-N5+ 24 K-B3 P-B4 is
another possibility, intending ...P-K4.
**24 PxP PxP 25 RxR RxR 26 R-QB1
N-Q4+ 27 K-B3 RxR 28 NxR P-B4
29 N-Q3 K-Q3** 29...P-N5 is dan-
gerous on account of the manoeuvre
N-K2-Q4-QB2 while if 29...N-B6 30
P-R3 N-N8 31 K-K2 NxP 32 K-Q2
and the knight cannot escape. **30
P-R4!** PxP 31 PxP N/2-B3 32 N-K5!
K-B4 33 N-B7 K-N5 34 N-Q8 N-B2
35 N-K2 NxP 36 N-Q4 N-Q4 37
N/8xP N-K2 38 NxBP NxN 39 P-N4
N-R5+ 40 K-B2 NxP If 40...N-B3 41
K-N3 or 41 NxP. **41 NxN KxP 42
N-K6 N-N3 43 Drawn**

---

499   Karpov-Spassky
         Nimzo-Indian Defence

1 P-Q4 N-KB3 2 P-QB4 P-K3 3
N-QB3 B-N5 4 N-B3 P-B4 5 P-K3
P-Q4 6 B-Q3 0-0 7 0-0 N-B3 8
P-QR3 BxN 9 PxB PxBP 10 BxBP
Q-B2 11 B-Q3 P-K4 12 Q-B2 R-K1
13 NxP NxN 14 PxN QxP 15 P-B3
B-K3 16 P-K4 QR-Q1 17 B-K2 Now
...P-B5 can be met by the manoeuvre
B-K3-Q4. The aggressive 17 P-KB4
achieves nothing after 17...Q-Q3.
17...P-QN3 18 P-QR4 The Leningrad
master A. Geller has suggested the
interesting move 18 P-QB4!? when
White's QB becomes active whether
or not Black exchanges his queen for
two rooks. **18...B-Q2 19 R-Q1 B-B3
20 RxR RxR 21 B-K3 P-KR3!** 21...
N-Q4 would be a blunder because of
22 Q-Q2! QxBP 23 R-Q1 winning
material. **22 B-B2 N-R4 23 P-N3
P-KN4! 24 B-N5 B-N2!** Black could
also have obtained a good position by
24...BxB 25 PxB R-Q2 but Spassky is
trying for more.

25 R-Q1!? At the cost of a pawn, Karpov reduces the pressure on his position by exchanging rooks. After 25 R-K1 unpleasant would be 25... N-B3 (also interesting is 25...P-N5!? 26 P-KB4 Q-Q3) 26 B-B1 P-N5 27 P-KB4 Q-K3 28 B-N2 Q-QB3. **25... RxR+ 26 QxR N-B3** Not 26...QxBP 27 Q-Q7. **27 P-N4 QxBP 28 B-N3** White cannot win a piece by 28 Q-Q8+ K-N2 29 Q-B7 because of 29...QxP! 30 QxB NxNP 31 B-N3 N-K6 and mate. **28...K-N2** 28... P-KR4 29 PxP P-N5 30 Q-Q8+ leads to great complications. **29 B-K2 B-B3** 29...P-KR4 would have made White's task much more difficult. 30 P-R3? NxKP and 30 Q-Q6 PxP 31 B-K5 Q-K8+ 32 B-B1 Q-K6+ 33 K-R1 QxBP+ 34 B-N2 Q-B7 35 QxN+ QxQ 36 BxQ KxB 37 P-K5+ KxP 38 BxB P-B5 both win for Black while 30 PxP NxRP is also not pleasant for White. It seems that White would have to meet 29...P-KR4 with 30 B-K1 but then comes 30...Q-N7! 31 P-R3 B-B3 with a good game for Black. After the passive text move White forces a draw. **30 Q-Q6! Q-Q5+ 31 QxQ PxQ 32 P-R5 PxP 33 B-K5 K-N3 34 BxP N-K1 35 BxP P-R4 36 PxP+ KxP 37 K-B2 K-N3 38 B-Q3 N-N2 39 B-N6 P-R5 40 B-B5 N-K3 41 B-Q6 K-R4 42 Drawn**

500   Spassky-Karpov
Caro Kann Defence
1 P-K4 P-QB3 2 P-Q4 P-Q4 3 N-QB3 PxP 4 NxP B-B4 5 N-N3 B-N3 6 N-B3 N-Q2 7 B-Q3 P-K3 8 0-0 KN-B3 9 P-B4 B-Q3 10 P-N3 0-0 11 B—N2   Q—B2
Avoiding any prepared improvement on the second game of the match in which Karpov played 11... P-B4.

12 BxB	RPxB
13 Q—K2	KR—K1
14 N—K4	

After thinking for about half an hour Spassky decides to exchange the knight which has no special prospects. The choice between this and, say, 14 N-K5 is a matter of taste.

14 ...	NxN
15 QxN	B—K2

Black covers KN4 to guard against the possible intrusion of the knight and he is ready to neutralize his opponent's bishop should it become necessary. Besides, by bringing the bishop to KB3 it may be possible to exert pressure on Q5. 15...P-K4 16 P-B5! B-B1 17 PxP NxBP 18 Q-R4 would lead to sharp play favouring White.

16 QR—Q1	QR—Q1
17 KR—K1	

The position is quite peaceful. White has a minimal advantage thanks to his greater space. Still, by playing 17...B-B3 Black could equalise without particular difficulty. Karpov prefers a more active defence.

17 ...	Q—R4
18 P—QR3	Q—KB4
19 Q—K2	

In an ending the defence of Q4 could cause White some worries.

19 ... P—KN4

The logical continuation of the plan began with his 17th move. Black concentrates on driving away the enemy knight. If White (as happens in the game) prevents this, Black will try to get rid of his doubled pawns, incidentally weakening his opponent's K-side.

20 P—R3

Spassky only spent one minute on this move but it would have been worthwhile devoting some time to the energetic move 20 P-Q5: 20...KPxP 21 N-Q4 (weaker is 21 PxP P-N5! 22 N-Q4 QxQP 23 QxNP N-B3) 21...Q-N3 22 PxP PxP. Now the obvious 23 N-N5 (threatening 24 N-B7) is no good for White because of 23...B-B1! after which 24 QxR RxQ 25 RxR fails to 25...Q-B7. However 23 Q-N5! is stronger — after both 23...Q-N3 24 QxQP N-B4 25 Q-K5! and 23...N-N3 24 R-K3! (or 24 R-K5) 24...P-R3 25 Q-K2, Black's position is quite unpleasant.

20 ...	P—N5
21 PxP	QxP
22 P—Q5	

At this moment literally everyone in the press bureau considered the position significantly better for White. Indeed, the double exchange on Q5 leads to an unpleasant pin on the K-file since in the open position it would favour White to give up his queen for two rooks. Also, if White's QP is allowed to make either capture

Black's position is seriously weakened.

Karpov, however, proceeds with maximal sang froid.

| 22 ... | BPxP |
| 23 PxP | P—K4! |

Black's pawn sacrifice is really imaginary. After 24 NxP Black does best to play 24...QxQ (weaker is 24...NxN 25 QxN B-B3 26 QxR+ RxQ 27 RxR+ K-R2 28 P-B3!) 25 RxQ B-Q3! 26 R/1-K1 NxN 27 BxN BxP.

24 P—Q6

At first it looks as though White has missed an excellent opportunity with 24 Q-N5 but if Black then plays 24...B-B4! (which seems to be practically the only move) he obtains a very good position. The key variation is 25 NxP (25 QxP is dangerous because of 25...R-N1 26 Q-B6 RxP) 25...NxN 26 BxN BxBP+! 29 K-N1 QxR and after 30 QxP Black has a draw by perpetual check although he can also play for the attack.

| 24 ... | B—B3 |
| 25 N—Q2 | |

But here the move 25 Q-N5 is preferable. In the middle-game the QP freezes the black pieces but after the exchange of queens it turns into ballast.

| 25 ... | QxQ |
| 26 RxQ | |

| 26 ... | R—QB1! |
| 27 N—K4 | B—Q1 |

28 P—KN4   P—B3
29 K—N2   K—B2
30 R—QB1
Perhaps White shouldn't have allowed the exchange of rooks even though he gets the QB-file out of it. The immediate 30 P-R4 is worth considering: with four rooks on the board it is more difficult for Black's king to approach the QP because of the potential threat P-B4.
30 ...   B—N3
31 R/2—B2   RxR
32 RxR   K—K3
33 P—R4   P—R4!
At first glance this move looks purely prophylactic but in fact it marks the beginning of a deeply thought out plan.
34 B—R3   R—QN1!
Black plans operations on the QN-file. White's possession of the QB-file turns out to be in vain because of the absence of points of entry.
35 R—B4
Spassky hopes to manoeuvre his knight via K4 to QB3 and QN5. N-QB3 is not possible at once because of 35...R-QB1, but even after the text move White doesn't manage to carry out his plan. After 35 N-Q2 Black could continue 35...B-Q1 or 35...B-Q5, preserving an advantage.
35 ...   B—Q5
36 P—B4   P—KN3
37 N—N3
Incorrectly allowing the following exchanging manoeuvre.
37 ...   PxP!
38 RxB   PxN
39 KxP   R—QB1
The QB-file is a dangerous weapon in Black's hands.
40 R—Q3   P—KN4!
The last move before the time control guarantees Black's knight a firm position at K4.
41 B—N2   P—N3

42 B—Q4
42 R-QB3 deserves attention.
42 ...   R—B3
43 B—B3   R—B4
The ending after 43...RxP 44 RxR+ KxR 45 P-N4 was quite satisfactory for White even though a pawn down.
44 K—N2   R—B1
45 K—N3   N—K4
46 BxN   PxB
47 P—N4
It was essential to play 47 K-B3 and only after 47...R-Q1, 48 P-N4.
47 ...   P—K5
A very important tempo. After 47...PxP 48 P-Q7 R-Q1 49 R-N3 RxP 50 RxP the active position of White's rook ensures the draw.
48 R—Q4   K—K4
49 R—Q1   PxP
50 R—QN1
There was no salvation in 50 K-B2 R-Q1 51 P-Q7 P-N6! (but not 51... K-B5 52 R-Q6).
50 ...   R—B6+!
51 K—B2   R—Q6
52 P—Q7   RxP
53 RxP   R—Q3
54 K—K3   R—Q6+
55 K—K2   R—QR6
56 Resigns

501   Karpov-Spassky
Dutch Defence (by transposition)
1 P-Q4 P-Q4 2 P-QB4 P-K3 3 N-QB3 P-QB3 4 P-K3 P-KB4 5 P-B4 Played to restrict his opponent's possibilities. **5...N-B3 6 N-B3 B-K2 7 B-K2 0-0 8 0-0 N-K5 9 Q-B2 N-Q2 10 P-QN3 NxN 11 QxN N-B3 12 N-K5 B-Q2 13 P-QR4 N-K5** 13...P-B4 is more active and if 14 QPxP then 14... N-K5. **14 Q-Q3!** Preventing ...P-B4 because of BPxP KPxP; PxP winning a pawn. **14...B-B3 15 B-R3 R-K1 16 B-R5 P-KN3 17 B-B3 BxN** An inte-

resting alternative was 17...P-QN4, creating counterplay on the Q-side. **18 QPxB P-KR4 19 BxN!** In the resulting position the opposite coloured bishops have very different degrees of strength. **19...BPxB 20 Q-Q2 K-B2 21 P-R5 R-R1 22 B-Q6 R-R2 23 Q-N4 B-B1 24 R-R2 K-N1 25 P-R3 P-R3 26 P-N3** White's plan is to mass his rooks on the K-side, march his king to the other wing and then smash open Black's position with P-KN4. **26...B-Q2 27 QxP B-K1 28 Q-N4 R/1-R2 29 R-KN2 R/QR2-QN2 30 Q-B3 R/N2-KB2 31 B-B5 P-N4**

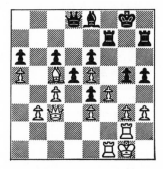

Black has nothing to lose! **32 B-N6?** An impulsive move. There were two very strong alternatives in 32 P-B5!? (with the idea of opening the long diagonal by a later P-K6) and 32 QBPxP when Black must either allow his opponent connected passed pawns (32...KPxP) or permit an invasion via the QB-file (32...BPxP 33 B-N6 and 34 R-B1). **32...Q-Q2 33 QBPxP KPxP 34 P-KN4 RPxP 35 RPxP PxP!** 35...R-R6 loses to 36 P-B5 R/2-R2 37 P-K6 Q-Q3 38 Q-B6. **36 PxP R-R5 37 P-B5 R/2-R2 38 P-K6** After fifteen minutes thought. **38...Q-Q3** Now Karpov was in time trouble for the first time in the match — he had two minutes for two moves. Spassky has created some dangerous threats and

White should probably try to move his king away from the danger zone, beginning with 39 K-B2. **39 Q-N3 R-R8+ 40 K-B2 Q-N5 41 Q-K3** The sealed move. White would need to take risks in order to play for a win. e.g. 41...R/8-R6 42 Q-N5+ R-N2! (if 42...K-R1 43 R-Q1!) 43 Q-Q8 P-B4! 44 QxP (44 QxB+ K-R2 offers White no winning chances) 44...R-Q6 45 QxBP R-B6+ 46 K-N1 RxR+ 47 KxR B-N4+ 48 R-K2 Q-Q7 (if 48... QxQ 49 BxQ RxP 50 P-B6!) 49 Q-K3 Q-Q8+ 50 K-B2 RxP. And so, **...Drawn**

502   Spassky-Karpov
Caro Kann Defence
1 P-K4 P-QB3 2 P-Q4 P-Q4 3 N-QB3 PxP 4 NxP B-B4 5 N-N3 B-N3 6 P-KR4 P-KR3 7 P-R5 B-R2 8 N-B3 N-Q2 9 B-Q3 BxB 10 QxB KN-B3 11 B-Q2 Q-B2 12 P-B4 An innovation. 12...P-K3 13 Q-K2 B-Q3 14 N-B5 B-B5 15 BxB With White's king in the centre the sacrifice 15 NxNP+ K-B1 16 NxP PxN is obviously not worth looking at. **15...QxB 16 N-K3 Q-B2 17 0-0-0 P-QN4!?** The most active and the most responsible plan. It is normal in similar positions for Black to castle Q-side but now that the dark squared bishops have been exchanged the possibility of P-B5, followed by N-B4-Q6, gives White a good game. **18 PxP PxP+ 19 K-N1 0-0** 19...P-R3? would allow 20 P-Q5! with decisive effect. In any case, White cannot capture the QNP because of Black's counterplay along the QN-file. **20 P-KN4 N-K5 21 KR-N1** On 21 QR-N1 comes 21... Q-KB5! threatening 22...QxN/B6! 23 QxQ N-Q7+. But possibly stronger is 21 N-N2 as suggested by Kotov after the game. **21...N-N4 22 NxN PxN 23 P-Q5**

23...P-R3! If 23...Q-K4 24 PxP QxKP 25 QxP N-K4 26 Q-Q5 and Black has nothing for the pawn. **24 P-R6 NPxP** Not 24...P-N3? 25 PxP PxP 26 N-B5! QR-K1 (if 26...NPxN 27 QxKP+ R-B2 28 QxNP+ K-B1 29 P-R7) 27 P-R7+ KxP 28 RxN+ QxR 29 R-R1+ K-N1 30 Q-K5. **25 R-R1** Now 25 PxP PxP 26 N-B5 PxN 27 Q-K6+ R-B2 leaves White without any convincing continuation. **25... N-B3!!** It seems as though Black must defend his KRP but 25...K-N2 is met by 26 P-B4! and if 26...QxP 27 PxP Q-K5+ 28 K-R1; or 26...PxP 27 Q-R2 R-R1 28 N-N2 and 29 NxP. The only other possibility (after 25... K-N2 26 P-B4) is 26...N-B3 but then White maintains his advantage by 27 KPxP BPxP 28 P-B5. **26 RxP** The alternative was 26 P-Q6 which leads to complications after 26...Q-B3 27 P-B3 K-N2 28 Q-R2 R-R1 (and if 29 Q-K5 QxBP!). Spassky may have avoided this variation because he was getting short of time or because of memories of the sixth game in which his advanced QP was surrounded and eaten. **26...K-N2 27 R/6-R1 QR-Q1 28 PxP PxP 29 N-B2 Q-KB5! 30 P-B3** If 30 QxKP RxR+ 31 RxR QxNP or 30 RxR RxR 31 QxKP Q-K5! winning back the pawn. **30... K-B2 31 P-R3 P-K4! 32 N-N4 P-K5 33 PxP RxR+ 34 RxR R-K1!** If 34...QxNP 35 QxQ NxQ 36 R-KB1+

followed by 37 R-N1 would be unpleasant for Black. **35 NxP QxKP+ 36 QxQ RxQ 37 N-B7 P-N5 38 PxP RxQNP 39 R-KB1 R-KB5** Not 39... RxKNP?? 40 N-Q5 nor 39...K-N3?? 40 RxN+. **40 Drawn**

503   Karpov-Spassky
Sicilian Defence
1 P-K4 P-QB4 2 N-KB3 P-K3 3 P-Q4 PxP 4 NxP N-KB3 5 N-QB3 P-Q3 6 B-K2 B-K2 7 0-0 0-0 8 P-B4 N-B3 9 B-K3 B-Q2 Avoiding the inevitable improvement on the first game of the match that would have followed 9... P-K4. **10 N-N3 P-QR4 11 P-QR4 N-N5 12 B-B3 B-B3** More usual is 12...P-K4, limiting the scope of the QN3 knight. **13 N-Q4** Now it is too late for ...P-K4 because of N-B5. **13... P-KN3 14 R-B2! P-K4 15 NxB PxN** After 15...NxN 16 P-B5 Black has no counterplay. **16 PxP PxP 17 Q-KB1!** An excellent square, making way for the QR and introducing the possibility of putting the queen on the Q-side (QB4) or using it to support an attack along the KB-file. **17... Q-B1 18 P-R3 N-Q2?** Black should try 18...Q-K3 when 19 R-B1 (not 19 B-K2 NxBP) 19...KR-Q1 20 B-K2 R-Q5! gives Black lively play. But after 19 R-Q1 White's position remains preferable. **19 B-N4! P-R4** Preferable was 19...Q-B2. **20 BxN QxB 21 Q-B4** Now White is much better. He has prospects of play on the Q-file and KB-file and if queens are exchanged (21...Q-K3 22 QxQ PxQ) he has excellent endgame chances. **21...B-R5 22 R-Q2 Q-K2 23 R-KB1!** Avoiding the complications of 23 B-B5 Q-N4 24 R-Q7 NxP! 25 BxR RxB. **23...KR-Q1** The last mistake. Black should have kept this rook on KB1 to defend his KB2 square and brought the QR to the

Q-file. After 23...QR-Q1 24 B-B5
RxR 25 BxQ BxB Black can hope for
some counterplay.

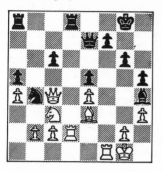

24 N-N1!! Typical Karpov. The
knight is ready to come to QB4 or
QN3 (via Q2) and then Black's QRP
is dead. **24...Q-N2 25 K-R2!** Even
stronger than 25 RxR+ RxR 26
N-Q2 B-N6 27 N-N3 B-B5. **25...K-N2
26 P-B3 N-R3 27 R-K2** Threatening
28 P-KN3 B-B3 29 R/2-KB2 R-Q3
30 B-N5. **27...R-KB1 28 N-Q2 B-Q1
29 N-B3 P-B3 30 R-Q2** Now that
Black has been forced to weaken his
position with ...P-B3 the break-
through on the Q-file is decisive. **30...
B-K2 31 Q-K6! QR-Q1 32 RxR BxR**
Or 32...RxR 33 NxP! **33 R-Q1 N-N1
34 B-B5 R-R1 35 RxB! Resigns**
Because of 35...RxR 36 B-K7.

504   Spassky-Karpov
   Ruy Lopez
1 P-K4 P-K4 2 N-KB3 N-QB3 3 B-N5
P-QR3 4 B-R4 N-B3 5 0-0 B-K2 6
R-K1 P-QN4 7 B-N3 P-Q3 8 P-B3
0-0 9 P-KR3 N-N1 10 P-Q4 QN-Q2
11 QN-Q2 B-N2 12 B-B2 R-K1 13
N-B1 B-KB1 14 N-N3 P-N3 15
P-QR4 P-B4 16 P-Q5 P-B5 17 B-N5
R-N1 18 Q-Q2 B-B1 19 PxP PxP 20

R-R2 B-KN2 21 R/1-R1 N-B4 22
Q-K3 R-K2 23 N-Q2 R-B2 24 P-N3
PxP 25 NxP B-Q2 26 NxN RxN 27
Q-Q2 Q-QB1 28 N-K2 N-K1 29
B-Q3 P-B4 30 B-K3 R-B2 31 P-B3
P-B5 32 B-R7 R/1-N2 33 Q-K1
Q-Q1 34 Q-B2 R-B1 35 R-R6 B-KB3
36 B-N6 Q-K2 37 R-R7 R/1-N1 38
RxR RxR 39 K-B1 B-R5 40 Q-N1
K-N2 41 R-R7 RxR 42 BxR Q-Q1 43
Q-N6 Q-B2 44 QxQ NxQ 45 B-N8
N-K1 46 N-B1 B-Q1 47 B-R7 B-R4
48 P-B4 PxP 49 BxP K-B2 50 N-N3
B-B2 51 B-B2 P-N4 52 B-K1 P-R4 53
N-B1 N-B3 54 N-Q3 K-N3 55 B-R6
P-N5 56 RPxP PxP 57 N-N2 N-R2 58
N-B4 N-N4 59 K-B2 K-B3 60 B-N4
N-B2 61 Drawn

505   Karpov-Spassky
   Queen's Gambit Declined
1 P-Q4 N-KB3 2 P-QB4 P-K3 3
N-KB3 P-Q4 4 N-B3 B-K2 5 B-N5
P-KR3 6 B-R4 0-0 7 P-K3 P-QN3 8
B-K2 B-N2 9 BxN BxB 10 PxP PxP
11 0-0 Q-Q3 12 R-B1 P-R3 13 P-KR3
N-Q2 14 P-QN4 P-N4? Spassky
defends against a nebulous Q-side
attack in such a way as to abandon
forever the possibility of ...P-QB4. **15
N-K1 P-B3 16 N-Q3 N-N3 17 P-QR4
B-Q1 18 N-B5 B-B1 19 P-R5 B-B2 20
P-N3 N-B5 21 P-K4 B-R6 22 R-K1**
PxP 23 N/3xKP Q-N3?! Better was
23...Q-Q1. **24 B-R5 Q-R2** 24...Q-B4
is met by 25 R-B3! threatening 26
P-N4. **25 Q-B3 P-B4?** Despair. 25...
Q-B4 would have put up some resis-
tance. **26 N-B3 P-N3 27 QxQBP PxB
28 N-Q5 P-B5 29 R-K7 Q-B4 30 RxB
QR-K1 31 QxRP R-B2 32 RxR KxR
33 QxBP R-K7 34 Q-B7+ K-B1 35
N-B4 Resigns**

Nice 1974
(Olympiad)
506 Karpov-Pritchett
English Opening
Notes by Pritchett
Specially for this volume
**1 N-KB3 P-QB4 2 P-B4 N-QB3 3
N-B3 N-B3 4 P-Q4 PxP 5 NxP P-K3
6 P-KN3 Q-N3** The most energetic at
this stage. **7 N-N3 B-N5!? 7...N-K4 8
P-K4!** has been played before. **8
B-N2 P-Q4** The idea. Black is ready
to sacrifice this pawn for the two
bishops and better development. **9
N-Q2!? P-Q5 10 N-R4 Q-B2 11 0-0
B-K2!** Otherwise 12 P-B5 is embar-
rassing. **12 P-QR3 0-0 13 P-QN4
P-K4 14 Q-B2 B-K3 15 N-N3 QR-Q1
16 N/4-B5 B-B1 17 P-K4?!** A critical
moment. Maybe 17 N-K4 is better.
17...BxN! 17...PxPep was also play-
able. **18 NxB P-Q6! 19 NxQP** White
must accept. 19 Q-B3? N-Q5 20 QxP
B-N5 is much better for Black. **19...
N-Q5 20 Q-N2** Looks odd at best.
20...B-N5 21 R-K1 If 21 P-B3 NxP+
22 BxNRxN is better for Black. **21...
KR-K1!** With an excellent position
for the pawn. 21...QxP is threatened,
21...N-B6+ is also strong. What is
White to do?

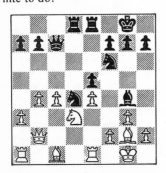

22 P-B4?? Certainly not this — it
loses by force! **22...PxP??** Well,
Black was short of time but that is
hardly an excuse for missing 22...

N-K7+ 23 RxN BxR 24 QxB QxBP
25 B-B1 — what else? 25...Q-Q5+
and wins. 24 NxP BxP is better but
hardly good enough. 23 BxP QxP 24
N-K5 Q-B7 25 R-R2 QxQ 26 RxQ
B-K3 27 P-QR4 Now White is better
and, really short of time, Black
managed to speed the win. **27...N-Q2
28 N-Q3 N-N3?!** 29 N-B5 N-B5 30
R-KB2 B-B1?? 30...P-QN3 is much
better. **31 B-B7 P-QN3 32 BxR PxN
33 R-QB1 N-K4 34 RxQBP B-N5 35
R-Q5 N/5-B6+ 36 K-R1 P-B3 37
B-B7 R-QB1 38 R-Q8+ RxR 39 BxR
K-B2 40 P-R3 Resigns**

507 Zalm-Karpov
Queen's Indian Defence
1 P-Q4 N-KB3 2 P-QB4 P-K3 3
N-KB3 P-B4 4 P-K3 P-QN3 5 N-B3
PxP 6 PxP B-N2 7 B-K2 B-N5 8 0-0
0-0 9 Q-N3 B-K2 10 B-K3 P-Q4 11
P-B5 N-B3 12 PxP N-QR4 13 Q-Q1
PxP 14 N-K5 R-B1 15 B-Q3 N-B5 16
Q-K2 NxB 17 QxN N-K1 18 N-K2
N-Q3 19 P-QN3 P-QN4 20 QR-Q1
P-N5 21 P-B4 P-N3 22 P-N4 N-K5 23
P-B5 B-N4 24 Q-R3 Q-K2 25 N-KB4
BxN 26 RxB P-B3 27 BxN PxN 28
Resigns

508 Karpov-Al Mallah
French Defence
1 P-K4 P-K3 2 P-Q4 P-Q4 3 N-Q2
P-QB4 4 KPxP KPxP 5 N-KB3 P-B5
6 B-K2 N-KB3 7 0-0 B-K2 8 P-QN3
PxP 9 RPxP N-B3 10 B-N2 B-K3 11
N-K5 NxN 12 PxN N-Q2 13 N-B3
P-QR3 14 N-Q4 0-0 15 P-KB4 N-B4
16 P-B5 B-Q2 17 P-B6 PxP 18 PxP
BxP 19 N-B6 Q-K1 20 RxB Q-K6+
21 K-R1 QR-K1 22 R-B3 QxB 23
R-N3+ B-N5 24 RxB+ Resigns

509 Karpov-Schmidt
English Opening
1 P-QB4 P-KN3 2 N-QB3 P-QB4 3
N-B3 B-N2 4 P-QR3 N-KB3 5 P-KN3

0-0 6 P-Q3 N-B3 7 B-N2 R-N1 8 B-K3 P-Q3 9 0-0 P-QR3 10 N-K1 B-Q2 11 N-B2 P-QN4 12 PxP PxP 13 P-QN4 PxP 14 NxP/N4 N-N5 15 B-Q2 N-K4 16 Q-N1 NxN 17 PxN B-QB3 18 N-K4 R-R1 19 B-QB3 R-B1 20 B-N2 Q-Q2 21 R-R5 BxN 22 BxB P-Q4 23 B-N2 KR-Q1 24 Q-R1 P-Q5 25 R-B1 RxR 26 QxR R-QB1 27 R-R8 RxR 28 BxR P-R4 29 Q-B5 P-R5 30 B-N2 P-R6 31 B-KB1 P-N4 32 P-B3 P-N5 33 PxP QxP 34 QxKP Q-B4 35 Q-Q8+ K-R2 36 Q-R4+ K-N1 37 BxRP Resigns

510   Williams-Karpov
Nimzo-Indian Defence
1 P-Q4 N-KB3 2 P-QB4 P-K3 3 N-QB3 B-N5 4 B-N5 P-KR3 5 B-R4 P-B4 6 P-Q5 P-Q3 7 P-K3 BxN+ 8 PxB P-K4 9 B-Q3 P-K5 10 B-B2 P-KN4 11 B-KN3 Q-K2 12 P-KR4 R-N1 13 PxP PxP 14 N-K2 QN-Q2 15 Q-N1 K-Q1 16 P-R4 P-R4 17 R-QR2 K-B2 18 R-R6 R-R3 19 Q-N5 K-N1 20 R-N2 K-R2 21 Q-N3 N-N5 22 R-R1 P-B4 23 K-Q1 R-QN3 24 Q-R2 RxR 25 QxR P-N3 26 B-N3 B-R3 27 N-B1 N-B1 28 Q-K2 N-N3 29 K-Q2 N-B3 30 Q-Q1 P-B5 31 Resigns

511   Karpov-Hort
Pirc Defence
1 **P-K4 P-Q3 2 P-Q4 N-KB3 3 N-QB3 P-KN3 4 N-B3 B-N2 5 B-K2 0-0 6 0-0 P-B3** Also possible is 6... B-N5. 7 **P-KR3** Probably better is 7 P-QR4. 7...**P-QN4 8 P-K5 N-K1 9 N-K4 B-B4 10 N-N3 B-K3 11 P-QR4 P-N5 12 P-B4 PxPep 13 PxP B-Q4 14 R-K1 N-Q2 15 B-KB4 PxP 16 NxP NxN 17 BxN BxB 18 PxB Q-R4 19 Q-Q4 N-N2** Black can also play 19... R-Q1 20 P-QB4 B-B6 (not 20... BxNP 21 Q-R4) forcing the exchange of bishops. 20 **P-QB4 B-K3 21 B-B3 QR-Q1 22 Q-R4 O-B2** The only

other move to defend both the QBP and KP is 22...Q-B4 when 23 N-K4 N-B4 24 Q-B4 QxBP 25 QR-B1 Q-R3 26 RxP! is very good for White. 23 **Q-K4 P-QB4 34 KR-Q1 RxR+ 25 RxR R-N1 26 N-K2 R-N5 27 N-B4 N-B4 28 NxB PxN 29 B-N4 N-Q5 30 P-R4 K-N2** Not 30...RxBP?? 31 BxP+ 31 **P-KR5** After the game Hort expressed the opinion that he may even have been better in this position. 31...**R-N1? 32 Q-K3 PxP 33 BxRP N-B4 34 Q-B4 R-Q1 35 R-N1 K-R1 36 B-B7 Q-Q2 37 P-R5 K-N2 38 B-R5 Q-Q6?? 39 R-Q1 QxR+ 40 BxQ RxB+ 41 K-R2 R-Q5 42 Q-B1 P-R4 43 Q-N5+ K-B1 44 Q-N6 N-N2 45 Q-N1 R-R5+ 46 K-N1 RxP 47 Q-N8+ K-B2 48 QxP R-B8+ 49 K-R2 P-B5 50 Q-Q4 R-B7 51 Q-R1 N-K1 52 P-R6 N-B2 53 P-R7 R-Q7 54 Q-R5 R-Q2 55 Q-R4 Resigns**

512   Hartston-Karpov
Sicilian Defence
1 **P-K4 P-QB4 2 N-KB3 P-K3 3 P-Q4 PxP 4 NxP N-QB3 5 N-QB3 P-QR3 6 B-K2 Q-B2 7 0-0 N-B3 8 K-R1 B-K2 9 P-B4 P-Q3 10 B-K3 0-0 11 Q-K1 B-Q2 12 Q-N3 P-QN4** At this point in the game Tal passed by the board and Hartston smiled at him — this was the position reached in Tal-Hartston, Hastings 1973/74 when Tal rubbed out his opponent with 13 P-K5. Hartston is one of those players who is always afraid of a theoretical improvement and so — 13 **P-QR3 QR-N1 14 P-K5!** — Also very strong. 14...**N-K1** Black cannot afford to accept the sacrifice: 14...PxP 15 PxP NxP (15...QxP?? loses a piece to 16 NxN) 16 B-R6! N-K1 17 B-KB4 P-B3 18 B-N4 with a tremendous game for the pawn. 15 **B-Q3 P-N5** Probably Black should play 15... P-B4. 16 **N-K4! NPxP 17 NPxP**

P-N3? 18 N-KB3 N-R4 19 B-Q4 Also
strong is 19 N/3-N5. 19...B-QN4 20
PxP NxP 21 N-B6+ BxN 22 BxB/6
BxB 23 PxB R-N4! 24 QR-K1 R-KB4
25 B-K5 N-B3 26 B-R1 R-Q1 27
R-B1 27 N-R4 R-Q4 28 P-B5 looks
more dangerous. 27...Q-N2 28 Q-R4
threatening both 29 RxN QxR 30
QxR+, and 29 N-N5. 28...P-B3

29 BxP? White has excellent winning
prospects after 29 RxN! QxR 30
N-Q4 Q-Q4 31 NxR QxN 32 QxBP
QxQ 33 BxQ R-QB1, but Black has
a little compensation for the pawn.
29...R-KB1 30 B-K5 N-N4 31 P-R4
NxB 32 PxN/K5 N-B2 33 Q-K7
R/1-B2 34 Q-Q6 K-N2 35 Q-B6
Q-N6 36 KR-Q1 Q-N7 37 Q-B2
Q-N5 If Black exchanges queens
White wins the ending (37...QxQ 38
RxQ RxP?? 39 RxN!). 38 Q-B4 Q-N7
39 Q-B2 Q-N5 40 Q-B4 Q-N7 41
Drawn

513   Karpov-Unzicker
            Ruy Lopez
1 P-K4 P-K4 2 N-KB3 N-QB3 3
B-N5 P-QR3 4 B-R4 N-B3 5 0-0
B-K2 6 R-K1 P-QN4 7 B-N3 P-Q3 8
P-B3 0-0 9 P-KR3 N-QR4 10 B-B2
P-B4 11 P-Q4 Q-B2 12 QN-Q2 N-B3
13 P-Q5 N-Q1 14 P-QR4 R-N1 15
PxP PxP 16 P-QN4 N-N2 In their
game from the 1973 USSR Cham-

pionship Spassky played 16...P-B5 17
N-B1 N-K1 18 N/3-R2 P-B3 19 P-B4
N-B2 against Karpov. 17 N-B1 B-Q2
18 B-K3 A new move. Spassky-
Korchnoy, 1st match game 1968 went
18 B-Q2 R-R1 19 N-K3 KR-B1 20
K-R2 RxR 21 QxR Q-Q1 22 Q-R7
R-R1 23 QxN R-N1 24 Q-R7 with a
draw by repetition. Karpov's idea is
to increase the pressure on Black's
Q-side pawns, force the black QBP
to advance and then capitalise on his
control of QN6 and QR7. 18...R-R1
19 Q-Q2 KR-B1 20 B-Q3 P-N3 21
N-N3 B-B1 22 R-R2! P-B5 Not 22...
Q-Q1 (with the idea of meeting 23
Q-K2 with 23...Q-K1, maintaining
the pawn at QB4) because of simply
23 RxR RxR 24 PxP winning a pawn.
23 B-N1 Q-Q1 24 B-R7! N-K1 25
B-B2 N-B2 26 R/1-R1 Q-K2 27 B-N1
B-K1 28 N-K2 N-Q1 29 N-R2 B-N2
30 P-B4 P-B3 The same pawn wall as
in the Karpov-Spassky game quoted
above. After 30...PxP? 31 NxP White
will soon be able to install a knight
on Q4 (but not 31 QxP?? NxP!). 31
P-B5 P-N4 32 B-QB2 B-B2 33 N-N3
N-N2 34 B-Q1 P-R3 35 B-R5 Q-K1
36 Q-Q1 N-Q1 37 R-R3 K-B1
Unzicker was short of time, aggra-
vating his positional problems. 38
R/1-R2 K-N1 39 N-N4 K-B1 If 39...
BxB 40 NxB QxN?? 41 NxBP+. 40
N-K3 K-N1 41 BxB+ NxB 42 Q-R5
N-Q1 43 Q-N6! K-R1 44 N-R5
Resigns After 44...QxQ 45 PxQ fol-
lowed by 46 N-B5 Black is annihi-
lated.

"One is permitted to lose to
Karpov with Black" — Unzicker.

514   Andersson-Karpov
            English Opening
1 P-QB4 N-KB3 2 N-KB3 P-B4 3
N-B3 P-K3 4 P-KN3 P-QN3 5 B-N2
B-N2 6 0-0 B-K2 7 P-Q4 PxP 8 QxP

N-B3 9 Q-B4 0-0 10 R-Q1 Q-N1 11
QxQ QRxQ 12 B-B4 R/N1-B1 13
N-K5 Drawn

515   Karpov-Kavalek
Sicilian Defence (by transposition)

1	P—QB4	P—QB4
2	N—KB3	P—KN3
3	P—Q4	PxP
4	NxP	N—QB3
5	P—K4	N—B3
6	N—QB3	P—Q3
7	B—K2	NxN

Or 7...B-N2 8 B-K3 and the
freeing manoeuvre 8...N-KN5 doesn't
help Black because of 9 BxN BxB (or
9...NxN 10 BxB) 10 NxN.

8	QxN	B—N2
9	B—N5	0—0
10	Q—Q2	B—K3
11	R—QB1	Q—R4
12	P—B3	KR—B1
13	P—QN3	P—QR3
14	N—R4!	

On 14 0-0 Black could have
achieved counterplay with the tradi-
tional ...P-N4. Now it is unsatisfac-
tory for Black to retreat his queen
but after the exchange the ending is
preferable for White.

The usual continuation, 14 N-Q5
QxQ+ 15 KxQ BxN 16 KPxB also
allows counterplay with 16...P-QN4!

14	...	QxQ+
15	KxQ	R—B3
16	N—B3	

Hindering ...P-QN4 and making
the rook on QB3 look rather clumsy.

16	...	QR—QB1
17	N—Q5!	

Now this is a good move and in
case of 17...BxN the position will
transpose back to the game con-
tinuation.

17	...	K—B1
18	B—K3	N—Q2

19 P—KR4
White begins to play on the whole
board.

19 ...   BxN
Unquestionably a mistake. He
should have played 19...P-R3 or 19...
P-KR4 to restrain White's KRP.

20	KPxB	R/3—B2
21	P—R5	K—N/
22	P—B4	N—B4
23	B—N4	N—K5+
24	K—Q3	P—B4
25	B—B3	P—QN4

At last Black has achieved his aim
but in the meantime White has cen-
tralised his king and has managed to
create a number of weaknesses on his
opponent's K-side.

26 P—KN4!
Of course not 26 PxP R-B6+! 27
K-K2 N-N6+ and 28...NxR; nor 26
BxN PxB+ 27 KxP PxP when Black
is already better.

26 ...   PxBP+
27 RxP!
The exchange of rooks diminishes
Black's chances of counterplay.

27	...	RxR
28	PxR	N—B4+

The opposite coloured bishops do
not save Black because his position
contains too many weaknesses. 28...
R-N1 29 BxN PxB+ 30 KxP R-N7 31
P-R6 B-B1 32 P-N5 leaves Black
playing almost without his bishop.

29	BxN	RxB
30	P—R6!	B—B1

Or 30...B-B3 31 P-N5 B-N7 32
R-QN1 B-R1 33 R-N8+ and wins. If
30...B-R1 then 31 R-QN1 K-B2 32
R-N8 B-R8 33 PxP PxP 34 B-R5+
K-B3 35 R-KB8 mate!

31 K—B3!
Avoiding the threat ...R-R4-R6+.

31 ...   PxP
Otherwise 32 P-N5 and the White
rook comes in on the QN-file.

32 BxP

32 ...	K—B2
33 B—K6+	K—B3
34 B—N8	R—B2
35 BxP	P—K3
36 B—N8	PxP
37 P—R7	B—N2

A little better was 37...RxP+ 38 K-Q3 B-N2 39 P-R8(Q) 40 RxB RxP (or 40...K-N2 41 BxP R-B4 42 R-KN8+ K-B3 43 B-N3) 41 BxP, although White still wins the ending.

38 BxP	B—R1
39 K—Q3	K—B4
40 K—K3	R—K2+
41 K—B3	P—R4
42 P—R4	R—QB2
43 B—K4+	K—B3
44 R—R6	R—KN2
45 K—N4	Resigns

Black cannot move anything. If 45...K-B2 46 K-N5 K-K2 47 R-R1 K-B2 48 B-Q5+ K-B1 49 R-QN1! RxP 50 R-N8+ K-N2 51 R-N8 mate.

516   Gheorghiu-Karpov
English Opening
1 P-QB4 P-QB4 2 N-KB3 N-KB3 3 N-B3 P-K3 4 P-KN3 P-QN3 5 P-K4 B-N2 6 P-Q3 P-Q3 7 B-N2 B-K2 8 0-0 0-0 9 R-K1 N-B3 10 P-Q4 PxP 11 NxP NxN 12 QxN Q-B2 13 P-N3 KR-Q1 14 B-N2 QR-B1 15 QR-Q1 Drawn

517   Karpov-Westerinen
Ruy Lopez

1 P—K4	P—K4
2 N—KB3	N—QB3
3 B—N5	P—QR3
4 B—R4	P—Q3
5 0—0	B—Q2
6 P—Q4	N—B3
7 P—B3	B—K2

7...NxKP is not good because of 8 R-K1. White wins back the pawn and Black remains under pressure.

| 8 QN—Q2 | 0—0 |
| 9 R—K1 | R—K1 |

Black could have played 9...N-K1 transposing to the Kecskemet Variation which was first played (by Alekhine) in 1927.

10 N—B1	P—R3
11 N—N3	B—KB1
12 B—Q2	P—QN4

Better is 12...P-KN3, depriving the "Spanish Knight" of the square KB5.

13 B—B2	N—QR4
14 P—N3	P—B4
15 P—Q5	

Preventing any counterplay on the QB-file. Also, the knight on QR4 will be "bad" for the whole of its life.

| 15 ... | N—R2 |
| 16 P—KR3 | B—K2 |

16...N-N4 17 NxN PxN 18 Q-R5 B-K2 19 N-B5 gives White good attacking chances./

| 17 N—B5 | N—N2 |

Black tolerates the knight on KB4 but 17...BxN 18 PxB N-KB3 would give greater chances of counterplay, planning ...P-K5.

| 18 P—QR4 | PxP? |

Underestimating the following witty answer. If Black still didn't like to exchange on KB4 then 18...Q-B2 was acceptable.

Now Karpov finds a neat reply that enables him to take command of the light squares on the Q-side.

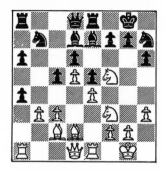

19 P—QN4!	P—QR4
20 BxQRP	RPxP
21 PxP	B—KB1

21...PxP is bad because of 22 BxB QxB 23 NxKP! PxN 24 Q-N4 winning the queen; or 22...RxR 22 QxR QxB 24 Q-R7 N-B4 25 QxQ NxQ 26 BxNP winning a pawn.

Now however the disaster comes from the Q-side.

| 22 B—B6! | Q—B2 |

After 22...BxB 23 PxB Black loses his knight.

23 P—N5	N—B3
24 Q—B2	KR—N1
25 N—K3	B—B1
26 N—B4	B—K2
27 P—N6	

The rest comes as prescribed.

27 ...	Q—Q1
28 R—R7	N—Q2
29 Q—R4	RxR
30 PxR	R—R1
31 Q—R6	Q—B2
32 BxN/Q7	QxB
33 N—N6	N—Q1
34 Q—R1!	Resigns

518   Radulov-Karpov
Caro Kann Defence
1 P-K4 P-QB3 2 P-Q4 P-Q4 3 N-QB3 PxP 4 NxP N-Q2 5 B-QB4 KN-B3 6 N-N5 P-K3 7 Q-K2 N-N3 8 B-Q3 P-B4 9 PxP BxP 10 KN-B3 Q-B2 11 B-Q2 P-KR3 12 N-K4 B-K2 13 B-B3 N/N3-Q4 14 NxN+ PxN 15 B-Q2 B-Q2 16 0-0 N-B5 17 BxN QxB 18 B-N5 0-0-0 19 Drawn

519   Karpov-Pomar
Caro-Kann Defence
1 P-K4 P-QB3 2 P-Q4 P-Q4 3 N-QB3 PxP 4 NxP B-B4 5 N-N3 B-N3 6 N-B3 N-Q2 7 P-KR4 P-KR3 8 P-R5 B-R2 9 B-Q3 BxB 10 QxB Q-B2 11 B-Q2 P-K3 12 Q-K2 KN-B3 13 P-B4 B-Q3 14 N-B5 0-0-0 For 14...B-B5 see the eighth game of the Karpov-Spassky match (game 502). **15 NxB+ QxN 16 B-R5 R/Q1-K1** If 16... P-QN3 17 B-B3 followed by the advance of the QRP. **17 N-K5 Q-K2 18 B-B3 R-Q1 19 P-B4 NxN 20 BPxN N-R2 21 0-0-0 N-N4 22 P-R3 P-KB4 23 PxPep PxP 24 KR-B1 KR-K1 25 R/Q1-K1 Q-KB2 26 P-KN4 R-B1 27 Q-QB2 Q-N1 28 B-N4 28** Q-N6! leads to a quick win. **28...R-B2 29 Q-N6 QxQ 30 PxQ R-N2 31 RxBP R/1-N1 32 R/1-KB1 RxP 33 RxR RxR 34 R-B8+ K-B2 35 B-R5+ P-N3 36 B-Q2 N-K5 37 B-B4+ K-N2 38 R-B7+ K-R1 39 R-B8+ K-N2 40 P-N4 RxP 41 R-B7+ K-R1** 41...K-B1 42 B-K5 P-B4 would offer more resistance. **42 K-B2 P-KR4 43 P-R4 P-R5 44 K-Q3 N-N4 45 R-B8+ K-N2 46 R-N8+ K-R3 47 B-Q2 R-N6+ 48 K-B2 Resigns**

Moscow 1974
(Candidates' Final Match)

	1	2	3	4	5	6	7	8	9	10	11	12
Karpov	½	1	½	½	½	1	½	½	½	½	½	½
Korchnoy	½	0	½	½	½	0	½	½	½	½	½	½

	13	14	15	16	17	18	19	20	21	22	23	24	Total wins
	½	½	½	½	1	½	0	½	0	½	½	½	3
	½	½	½	½	0	½	1	½	1	½	½	½	2

The winner of the match was to have been determined by the first player to win five games, draws not counting. Since neither player was able to win five games within the prescribed limit of twenty-four, Karpov was awarded the match because he was in the lead at the end of the series.

520   Korchnoy-Karpov
English Opening
1 P-QB4 N-KB3 2 N-QB3 P-K3 3 N-B3 P-QN3 4 P-K4 B-N2 5 Q-K2 B-N5 6 P-K5 N-N1 7 P-Q4 P-Q3 8 B-Q2 Stein-Smyslov, USSR Olympiad 1972 went 8 P-QR3 BxN+ 9 PxB N-K2 10 P-KR4 N-Q2 11 P-R5 BxN 12 QxB PxP 13 P-R6 PxRP 14 BxP PxP 15 B-N7 R-KN1 16 RxP N-B4 17 BxP P-B4 18 P-N4 with advantage to White. Karpov would naturally have prepared some improvement on Smyslov's play. **8... PxP 9 PxP N-QR3 10 0-0-0 Q-K2 11 P-KN3** In the press room some of the masters were analysing the interesting continuation 11 B-N5 P-KB3 12 PxP PxP 13 N-K5 BxN 14 Q-R5+ K-B1 15 R-Q7 BxN. **11...0-0-0 12 B-N2 N-B4 13 B-N5 P-KB3 14 RxR+ QxR 15 R-Q1 Q-K1 16 PxP PxP 17 B-Q2 N-K2 18 N-K4!** In the game Uhlmann-Furman, Madrid 1973, White continued 18 B-R3 K-N1 19 N-K1 N-B3 and after 20 N-B2 Q-N3! 21 B-B1 R-K1 22 P-KR4 P-KR4 23 B-K1 P-K4 Black had a comfortable game. **18...NxN 19 BxB N-B3 20 B-R3** Since the bishop turns out to be of little use on the QR3-KB8 dia-

gonal it would seem that 20 B-K1 deserves consideration. **20...P-B4 21 N-K1** Korchnoy intends to drive away Black's knight by P-B3 and then to occupy K5 with his own knight. A better plan might have been 21 N-Q2 N-Q5 22 Q-K3 NxN 23 BxB+ KxB 24 QxN/Q4 N-B6 25 Q-N7!; or 21 N-R4!, in each case with excellent prospects — Petrosian. **21...Q-N3! 22 P-B3 N-N4 23 P-B4?** Better was 23 N-Q3, maintaining the tension. **23...N-K5 24 N-B3 Q-B3 25 Q-K3 R-Q1 26 RxR+ NxR!** Heading for KB2. **27 N-N5 Q-N3! 28 N-B3** 28 NxN BxN 29 BxB PxB followed by ...N-B2 leaves White with very little advantage. **28...Q-B3 29 B-N4 P-B4 30 B-K1 N-B2 31 B-B1 B-B3 32 B-Q3 K-N2 33 P-KR3 Q-R3 34 P-KR4 Q-N3 35 N-N5 N/2-Q3 36 N-B3 N-B2 37 N-N5 N/2-B3 38 Drawn**

521   Karpov-Korchnoy
Sicilian Defence
1 P-K4 P-QB4 2 N-KB3 P-Q3 3 P-Q4 PxP 4 NxP N-KB3 5 N-QB3 P-KN3 6 B-K3 B-N2 7 P-B3 N-B3 8 Q-Q2 0-0 9 B-QB4 B-Q2 10 P-KR4 R-B1 11

B-N3 N-K4 12 0-0-0 N-B5 13 BxN
RxB 14 P-R5 NxRP 15 P-KN4 N-B3

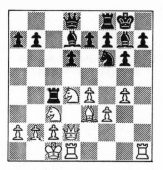

This position was reached in the
4th game of the Geller-Korchnoy
match in 1971 when Geller continued
16 B-R6 NxKP! 17 Q-K3 RxN 18
PxR N-B3 with a complex position
that has been shown to favour Black.

16 N/4—K2!
By overprotecting the QB3 knight
White prevents the thematic ex-
change sacrifice. The text also pre-
pares for to bring this knight into the
attack via KB4.

| 16 ... | Q—R4 |
| 17 B—R6 | BxB? |

Black should try 17...B-R1!? 18
BxR KxB when his counter attack is
still alive and he is in no real danger
of being mated.

| 18 QxB | KR—B1 |
| 19 R—Q3! | |

Not 19 P-N5 N-R4 20 N-B4 RxN!.
An analysis in Shakhmatny Bulle-
tin had suggested that 19 R-Q5 wins
for White but presumably Korchnoy
had an improvement prepared.
Karpov, it seems, has improved even
earlier. Now White threatens 20 P-N5
N-R4 21 N-B4.

| 19 ... | R/5—B4 |

19...R/1-B4 might have been
better, so that in some lines NxKP+
does not fork the king and rook.

| 20 P—N5! | RxP |

If 20...N-R4 21 N-B4 RxP 22
N/3-Q5.

21 R—Q5!	RxR
22 NxR	R—K1
23 N/2—B4!	B—B3

Or 23...B-K3 24 NxB PxN 25
NxN+ PxN 26 QxRP+ K-B1 27
QxQNP winning.

| 24 P—K5! | BxN |

24...PxP loses to 25 NxN+ PxN 26
N-R5!

25 PxN	PxP
26 QxRP+	K—B1
27 Q—R8+	Resigns

Because of 27...K-K2 28 NxB+
QxN 29 R-K1+ picking up the rook.

**522   Korchnoy-Karpov
      English Opening**
1 P-QB4 N-KB3 2 N-QB3 P-K3 3
N-B3 P-QN3 4 P-K4 B-N2 5 Q-K2
B-N5 6 P-K5 N-N1 7 P-Q4 N-K2 8
B-Q2 0-0 9 0-0-0 P-Q4 10 P-KR4 On
10 BPxP Black should not play 10...
NxP because of 11 N-K4, but 10...
B-R3! 11 Q-K3 BxB 12 KRxB BxN
and 13...QxP with a good game. **10...
BxN 11 BxB PxP 12 QxP** In the press
room many of the commentators
were analysing 12 N-N5 B-Q4 13
Q-R5 P-KR3 14 R-R3. **12...B-R3 13
Q-R4 BxB 14 KRxB Q-Q4 15 K-N1
P-QR4 16 Q-B2 P-R3 17 KR-K1
N-R3 18 Q-K4! KR-Q1** If 18...N-N5
19 QxQ followed by 20 R-QB1. **19
QxQ RxQ 20 R-Q2 QR-Q1 21
KR-Q1 P-R4 22 K-B2 N-KB4 23
P-KN3 P-KB3 24 PxP PxP 25 N-N1!
N-K2 26 N-K2 N-N3 27 R-Q3
N-N5+ 28 BxN PxB 29 P-R3 PxP 30
RxP R/1-Q2 31 R-K1 K-B2** At this
point Korchnoy had only four
minutes for the next nine moves.
Karpov had 35 minutes. **32 R-Q3
R-KB4 33 P-B3 P-B4 34 P-B4 N-K2
35 PxP RxQBP+ 36 N-B3 R/2-B2 37
K-Q2 N-B4 38 R-QR1 R-B5 39 R-R6
P-N4 40 P-N3! R-N5 41 N-K2 K-K2**

42 R-R8 R-Q2 43 RxR+ KxR 44 R-R8 RxNP Karpov's sealed move. 45 RxP NxNP 46 NxN RxN 47 RxP P-B4 48 K-K2 R-N5 49 K-B3 RxRP 50 R-N6 R-R8 51 R-R6 R-QB8 52 K-N3 R-B5 53 K-B3 R-B6+ 54 K-B2 R-B3 55 R-R1 R-B5 56 K-B3 K-Q3 57 R-K1 R-B6+ 58 **Drawn**

523 Karpov-Korchnoy
French Defence
1 P-K4 P-K3 2 P-Q4 P-Q4 3 N-Q2 P-QB4 4 KPxP KPxP 5 KN-B3 N-QB3 6 B-N5 B-Q3 7 PxP BxBP 8 0-0 N-K2 9 N-N3 B-Q3 10 P-B3 B-KN5 11 N/N3-Q4 0-0 12 B-K2 R-K1 13 R-K1 P-QR3 14 B-N5 P-R3 15 B-R4 Q-N3 16 Q-N3 B-QB4 17 QxQ BxQ 18 B-Q3 K-B1 19 P-QR3 NxN 20 NxN BxN 21 PxB N-B4 22 P-B3 NxB 23 PxB N-N3 24 P-KN3 N-K2 25 B-B1 N-B3 26 B-N2 RxR+ 27 RxR R-Q1 After 27...NxP 28 R-Q1 and 29 RxP, White would have had some advantage. 28 K-B2 R-Q3 29 R-Q1 K-K2 30 P-N4? Later in the game this pawn becomes a liability. 30...R-Q1 31 K-K3 K-Q3 32 R-KB1 P-B3 33 R-B1 R-QB1 34 R-B5 N-K2 35 B-B1 R-K1 36 K-Q2 P-B4 37 B-K2 If 37 PxP NxP 38 B-N2 N-K6 followed by ...N-B5+ and ...N-N3, defending the QP. 37...PxP Possibly stronger was 37...P-KN4. 38 BxNP R-KB1 39 R-B2 P-KN3 40 K-K3 P-KR4 41 B-R3 N-B3 42 R-Q2 P-QN4 The sealed move and a mistake. Black should play 42...P-KN4!, depriving White's king of the KB4 square and preparing for ...P-N5 followed by ...N-K2-B4. Now Black's advantage disappears. 43 B-N2 P-R4 44 P-KR4 PxP 45 PxP R-K1+ 45...NxNP 46 R-N2 R-K1+ 47 K-Q2 N-B3 48 RxP R-K7+ 49 KxR NxP+ 50 K-K3 NxR 51 K-B4 N-B6 52 P-N4 also draws. 46 **Drawn**

If 46 K-B4 NxNP 47 K-N5 R-K6 48 P-N4 drawing with best play.

524 Korchnoy-Karpov
Queen's Indian Defence
1 P-QB4 N-KB3 2 N-QB3 P-K3 3 N-B3 P-QN3 4 P-KN3 B-N2 5 B-N2 B-K2 6 P-Q4 0-0 7 Q-B2 P-B4 8 P-Q5 PxP 9 N-KN5 P-N3 10 Q-Q1 This move has not been seen so often as the variation 10 0-0 N-B3. **10... P-Q3 11 PxP N-R3 12 0-0 N-Q2 13 N-B3 N-B2 14 P-QR3 B-KB3 15 P-K4 P-QN4 16 B-B4 N-N3 17 R-K1** White has the advantage in this Benoni-like position — His P-K5 is more of a threat than Black's Q-side advance. **17...P-QR4 18 Q-B2!**

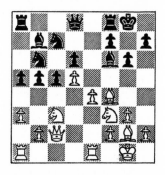

18 BxP QxB 19 P-K5 BxKP 20 NxB N/3xP 21 N-K4 (or 21 N-N4 QR-Q1 22 N-K4 Q-N3 23 Q-B1 N-K3) 21... QxN 22 NxBP QxQ3 23 NxB Q-QB3 leads only to equality. No better is 18 P-K5 PxP 19 NxKP N/3xP 20 NxBP RxN 21 BxN.

Korchnoy's idea is to play QR-Q1 followed by P-K5 which would then be decisive. If Black now plays 18... P-N5 19 PxP RPxP (or 19...BPxP 20 N-QR4) 20 RxR BxR 21 N-N1 or 21 N-Q2, White keeps his advantage. **18...B-N2 19 QR-Q1 P-N5 20 N-N1 B-QR3 21 P-KR4 R-K1 22 B-N5 Q-Q2** Possibly better was 22...P-B3.

23 K-R2 Threatening 24 B-R3 followed by P-K5 and the advance of the QP to Q7. **23...PxP 24 NxP Q-R5 25 P-K5 B-KB1?** Black should have exchanged queens. **26 QxQ NxQ 27 PxP BxP 28 B-QB1!** Now White threatens to bring a knight to QB4 and then advance the QP. This is why Black should have traded queens on move 25, costing White's QN a tempo. **28...QR-N1 29 N-Q2! B-K7** Not 29...NxNP 30 BxN RxB 31 N/2-B4 RxR 32 RxR R-N6 33 NxB RxN 34 R-K7 N-N4 35 NxN BxN 36 P-Q6 with a clear advantage. By now Korchnoy had only eight minutes for the next eleven moves. **30 N/2-B4 BxR 31 RxB KR-Q1 32 NxB** 32 B-N5 was also strong, followed by NxB. **32...RxN 33 N-B4 R-KB3 34 B-B4** 34 K-N1, threatening 35 B-N5, also deserves consideration. White's game is so good that he need not hurry. **34...RxB 35 PxR NxP 36 R-N1 P-R5 37 P-Q6 N-K3 38 B-Q5 P-R6 39 NxP NxP 40 B-B3** 40 B-R2 was possibly stronger, controlling the important square K6. **40...R-N5 41 P-Q7 N-K3 42 N-B2 R-N1 43 N-K3 K-B1 44 N-B4 R-N5 45 B-Q5 RxN 46 BxN K-K2 47 BxR NxB 48 R-Q1 K-Q1 49 K-N3 N-K4 50 K-B4 NxP 51 K-N5 K-K2 52 K-R6 N-K4 53 KxP N-B6 54 R-KR1 K-K3 55 K-N7 P-B5 56 R-R3 N-K4 57 R-R3 K-B4 58 R-QB3 K-K5 59 R-B1 K-Q5 60 P-B4 N-Q6 61 R-B1 K-K5 62 P-B5 N-K4 63 K-B6 N-N5+ 64 K-N5 N-K6 65 PxP PxP 66 R-B1 K-Q6 67 KxP N-N7 68 Drawn**

525   Karpov-Korchnoy
Petroff Defence
1 P-K4 P-K4 2 N-KB3 N-KB3 3 NxP P-Q3 4 N-KB3 NxP 5 P-Q4 P-Q4 6 B-Q3 B-K2 7 0-0 N-QB3 8 R-K1 B-KN5

9 P—B3
It would be senseless to play 9 BxN PxB 10 RxP because of 10...BxN 11 QxB NxP 12 Q-Q3 N-K3 with an easy game for Black.
9 ...   P—B4?!
10 Q—N3   0—0
11 QN—Q2
Maintaining the pressure and keeping the threat of QxNP.
11 ...   K—R1
If 11...NxN 12 NxN R-N1 13 N-B1 (threatening 14 N-K3) 13...P-B5 14 B-K4 B-K3 15 BxRP+ winning a pawn.
12 P—KR3

12 ...   B—R4?
Korchnoy should have taken advantage of Karpov's slow P-KR3 by playing 12...BxN 13 NxB R-QN1. Then White would have been embarrassed by Black's well placed knight at K5.
13 QxNP   R—B3
14 Q—N3   R—N3
15 B—K2
This strong, defensive move makes it difficult for Black to find an active continuation.
15 ...   B—R5
16 R—B1
Not 16 NxB QxN 17 NxN QxN 18 P-B3 because of 18...BxP.

16 ...   BxN

Already Korchnoy was very short of time — ten minutes for 25 moves. On 16...Q-K2 Karpov could have played 17 Q-Q1, threatening to simplify by 18 NxB or 18 N-K5.

17 NxB   BxP+

The only way to complicate the game.

18 RxB   NxR

If 18...Q-Q3 (threatening 19... Q-N6) 19 N-R4!

19 KxN   Q—Q3
20 N—N5!

Preventing the check on KN3 and winning a tempo in view of the threat 21 N-B7+.

20 ...   R—KB1
21 Q—R3   Q—Q1
22 B—KB4   P—KR3
23 N—B3   R—K1
24 B—Q3   R—K5
25 P—KN3

There was no need for White to go in for 25 BxR BPxB 26 N-K5 R-B3 27 NxN RxB+.

25 ...   R—B3
26 Q—B5   P—N4
27 NxP

White returns material in order to simplify the position.

27 ...   PxN
28 BxNP   R/5—K3
29 R—K1   Q—KN1
30 P—KR4

After 30 BxR+ RxB Black would be threatening 31...P-B5, but now he has no counterplay. White's two bishops are strong enough to decide the game.

30 ...   R—N3
**31 RxR   Black lost
                           on time.**

After 31...RxR White wins a third pawn by 32 B-N5 N-Q1 (32...Q-K1 33 QxQP would be even worse for Black) 33 QxBP and Black's position is hopeless.

526   Korchnoy-Karpov
          English Opening

1 P-QB4 N-KB3 2 N-QB3 P-K3 3 N-B3 P-QN3 4 P-K4 B-N2 5 Q-K2 B-N5 6 P-K5 N-N1 7 P-Q4 N-K2 8 Q-Q3 P-Q4 9 KPxPep PxP 10 P-QR3 BxN+ 11 QxB 0-0 12 P-QN4 N-Q2 13 B-K2 R-B1 14 0-0 More precise was 14 Q-N3 and if 14...B-R3 15 R-R2 P-Q4 16 P-B5. **14...B-R3!** 15 Q-N3 P-Q4 16 P-N5 B-N2 17 PxP BxP 18 Q-N4 N-N3 19 B-N5 Q-B2 20 KR-B1 Q-N1 21 N-Q2 N-B3 22 BxN PxB 23 P-N3 KR-Q1 24 N-B1 P-B4 Now Korchnoy had half an hour remaining for his next sixteen moves, while Karpov had an hour and a quarter. On the board too Karpov's position is better — Korchnoy is weak on the light squares and his QP is isolated. **25 N-Q2 Q-N2 26 P-QR4 R-Q2 27 P-R5 R/2-B2 28 RxR RxR 29 PxP PxP 30 N-B4 BxN 31 BxB Q-K5 32 B-B1 R-B7** Stronger would have been 32...R-Q2, attacking the weak white QP. **33 Q-N1! N-K2 34 Q-Q1 R-N7 35 B-N2 Q-B7 36 QxQ RxQ 37 P-R3 R-N7 38 B-B6 P-B5 39 PxP** Black threatened 39...PxP and 40...N-B4 winning a pawn. **39...N-B4 40 R-Q1 N-K2 41 B-Q7 K-B1 42 R-R1 N-N5 43 R-R8+ K-N2 44 R-R7 K-B3 45 P-Q5 NxP 46 B-K8 RxBP** Or 46...N-K2 47 R-N7. **47 RxP+ K-K4 48 RxP Drawn** Play might continue 48...N-B3 49 R-R8 NxB 50 RxN R-QN5 51 R-KR8 K-Q3 52 R-R5 P-K4 etc.

527   Karpov-Korchnoy
          French Defence

1 P-K4 P-K3 2 P-Q4 P-Q4 3 N-Q2 P-QB4 4 KPxP KPxP 5 KN-B3 N-QB3 6 B-N5 B-Q3 7 PxP BxBP 8 0-0 N-K2 9 N-N3 B-Q3 10 P-B3 B-KN5 11 N/N3-Q4 0-0 12 Q-R4 B-R4 After thirty minutes thought.

Matanovic-Portisch, Yugoslavia-Hungary match 1959 went 12...NxN 13 NxN N-N3 and after 14 P-KB4 P-QR3 15 B-Q3 White had the advantage. **13 R-K1** 13 BxN PxB 14 NxP NxN 15 QxN BxN 16 PxB would be much too dangerous. **13...Q-B2 14 P-KR3 B-N3 15 B-N5 P-QR3 16 B-KB1 P-R3 17 BxN NxB 18 QR-Q1 N-B3 19 B-Q3 B-R4** An interesting exchange sacrifice. If instead 19... NxN 20 QxN B-QB4 21 Q-KN4, or 19...NxN 20 NxN BxB 21 RxB Q-B5 22 Q-B2, White has the better game because his pieces are the more active and Black has not yet solved the problem of his isolated QP. **20 P-KN4 B-N3 21 Q-B2** Declining the offer: 21 BxB PxB 22 N-K6 Q-B2 23 NxR RxN is unpleasant for White. **21...BxB 22 QxB QR-Q1 23 R-K2 KR-K1 24 N-B5 RxR 25 QxR B-B5 26 R-K1 P-KN3 27 N-K7+ NxN 28 QxN Q-N3 29 K-N2 K-N2 30 R-Q1 B-Q3 31 Q-K2 B-B2 32 R-Q3 Q-K3 33 Q-Q1 B-N3 34 R-Q2 Q-K5 35 P-N3 R-Q3 36 P-B4 P-KR4** Best. If 36...P-Q5 37 P-N4. **37 RxP RxR 38 QxR QxQ 39 PxQ PxP 40 PxP K-B3 41 K-B1 K-K2 42 N-Q2 B-B2 43 N-K4 P-B4 44 PxP PxP 45 N-B5 K-Q3 46 NxNP+ KxP 47 P-N4 K-B5 48 N-B5 B-N3 49 NxP K-N4 50 N-B5 KxP 51 N-N3 K-R6 52 Drawn**

528   Korchnoy-Karpov
English Opening
1 P-QB4 N-KB3 2 N-QB3 P-K4 3 N-B3 N-B3 4 P-KN3 B-N5 5 B-N2 0-0 6 0-0 P-K5 7 N-K1 BxN 8 QPxB P-KR3 9 N-B2 P-QN3 10 N-K3 B-N2 11 N-Q5 N-K4 12 P-N3 R-K1 13 P-QR4 P-Q3 14 R-R2 N/4-Q2 15 P-R3 P-QR4 16 B-K3 NxN 17 PxN Q-B3 18 P-QB4 Q-N3 19 Q-N1 B-B1 20 B-Q4 N-B4 21 K-R2 B-Q2 22 R-N1 P-R4 23 R-N2 R-K2 24 Q-QB1

Q-B4 25 Q-K3 P-KB3 26 R-B2 K-B2 27 R-B3 QR-K1 28 R-KB1 K-N1 29 Q-B1 Q-N4 30 QxQ PxQ 31 R-K3 K-R2 32 R-KR1 K-N3 33 K-N1 N-R3 34 K-R2 N-N5 35 R-QB1 P-N5 36 P-R4 B-B4 37 K-N1 K-R2 38 K-B1 B-N3 39 K-K1 R-B2 40 B-KR1 K-N1 41 B-KN2 K-R2 42 B-KR1 Drawn

529   Karpov-Korchnoy
French Defence
1 P-K4 P-K3 2 P-Q4 P-Q4 3 N-Q2 P-QB4 4 PxQP KPxP 5 KN-B3 N-QB3 6 B-N5 B-Q3 7 0-0 KN-K2 8 PxP BxBP 9 N-N3 B-Q3 10 N/N3-Q4 0-0 11 P-B3 B-KN5 12 Q-R4 B-R4 13 B-Q3 P-KR3 14 B-K3 P-R3 15 KR-K1 Q-B2 16 P-KR3 N-R4 17 N-R4 N-B5 18 Q-B2 NxB 19 RxN B-R7+ 20 K-R1 B-B5 21 R/K3-K1 B-N4 22 N/R4-B5 NxN 23 NxN B-N3 24 N-Q4 BxB 25 QxB KR-K1 26 Q-B3 Q-N3 27 R-K2 B-B3 28 R-Q1 R-K5 29 N-B5 QR-K1 30 N-K3 Q-K3 31 RxP B-N4 32 R-Q4 RxR 33 PxR QxQRP 34 N-B4 R-Q1 35 Q-Q3 P-N4 36 N-K3 Q-K3 37 P-Q5 Q-Q2 38 P-QN4 Q-Q3 39 Q-Q4 K-B1 40 Q-K4 BxN 41 RxB QxQP 42 Q-R7 P-B3 43 K-N1 Q-R7 44 K-R2 QxP 45 R-KN3 Q-B5 46 QxNP+ K-K1 47 Q-QN7 P-KR4 48 Q-B6+ R-Q2 49 Q-B8+ K-K2 50 Q-B5+ K-Q1 51 QxRP R-Q6 52 Q-R8+ K-B2 53 Q-R7+ R-Q2 54 Q-B2+ K-N2 55 Q-N3 R-Q5 56 Q-B7+ K-N3 57 Q-K6+ K-N2 58 Q-K7+ K-N3 59 Drawn.

530   Korchnoy-Karpov
Queen's Indian Defence
1 P-Q4 N-KB3 2 N-KB3 P-K3 3 P-KN3 P-QN3 4 B-N2 B-N2 5 P-B4 B-K2 6 N-B3 0-0 7 Q-Q3 P-Q4 8 PxP NxP 9 NxN PxN 10 0-0 N-Q2 11

B-B4 P-QB4 12 PxP PxP 13 KR-Q1
N-B3 14 Q-B2 Q-N3 15 N-Q2 It is
difficult for White to form a concrete
plan. 15 N-R4 achieves nothing after
15...P-N3 while on 15 QR-B1 comes
15...N-R4 and White's QB has no
good move. **15...KR-K1! 16 Q-N3!
Q-R3!** Not 16...P-B5 17 NxP! nor
16...QR-Q1 17 QxQ PxQ 18 B-B7. **17
P-K3 B-B3 18 Q-B2 B-R5** An inte-
resting alternative was 18...P-Q5. **19
P-N3 B-B3 20 QR-B1 B-B1 21 N-B3
B-N2 22 B-K5 N-K5 23 B-QR1
QR-Q1 24 N-K5 Q-QN3 25 BxN**
Although Korchnoy has the advan-
tage it is not clear how he should
continue. Probably best is 25 P-QN4
PxP 26 Q-B7 QxQ (or 26...P-B3 27
Q-B7+ K-R1 28 N-Q7! Q-N2 29
NxKBP! NxN 30 BxN Q-Q2 31 R-B7
QxQ 32 RxQ PxB 33 RxB with the
better ending) 27 RxQ N-B6 28 NxP
(or 28 BxN PxB 29 NxP). **25...PxB 26
Q-B4 Q-B2 27 P-QN4 RxR+ 28 RxR
B-B1 29 PxP B-K3 30 Q-R4 R-B1 31
B-Q4 P-B3 32 Q-R6 B-Q4 33 N-B4
Q-B3 34 QxQ RxQ 35 R-QB1**
Stronger is 35 N-R5 and if 35...R-R3
36 B-B3! BxRP 37 P-B6 winning.
Instead of 35...R-R3 Black should
have to continue passively with 35...
R-B2 36 N-N3 K-B2. **35...K-B2 36
P-QR3 R-R3 37 R-B3 K-K3 38 N-Q2
K-Q2 39 P-B3 PxP 40 K-B2 R-R4 41
P-K4 B-B3 42 KxP K-K3 43 K-K3
R-R5 44 R-N3 P-N3 45 K-Q3 P-QR3
46 B-K3 B-N4+ 47 K-B2 P-B4 48
PxP+ PxP 49 B-B2 B-N2 50 R-K3+
K-Q2** Here Karpov offered a draw.
**51 R-KB3 K-K3 52 R-K3+ K-Q2 53
R-KB3 K-K3 54 K-N3 P-KR4 55
R-K3+ K-Q2 56 N-B3 B-KB3**
The second time control. White
has excellent winning chances be-
cause of his extra pawn and active
knight but instead of continuing in
the most logical way Korchnoy
wastes a crucial tempo.

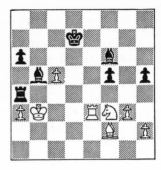

57 R-K1? Missing his last chance.
After 57 N-K5+ Black must be very
careful. 57...K-B2 allows 58 N-N6
and if 58...R-K5 59 RxR PxR 60
N-B4. Better is 57...K-B1 though
after 58 N-B7 P-B5 59 N-Q6+ K-Q2
60 PxP RxBP 61 B-N3 Black still has
problems. **57...P-B5 58 N-K5+ K-B1
59 N-B7 PxP 60 N-Q6+ K-Q2 61
PxP R-KN5 62 NxB PxN 63 R-KR1
K-B3 64 RxP B-Q5 65 BxB RxB 66
R-N5 R-K5 67 P-N4 R-R5 68 K-N2
R-KB5 69 K-B2** 69 R-N8 KxP 70
P-N5 R-KN5 is a well known theore-
tical draw: 71 P-N6 K-N3 72 P-N7
K-N2 followed by ...K-R2-N2-R2 ad
infinitum. **69...R-B6 70 K-N2 R-B7+
71 K-B3 R-B6+ 72 K-Q4 R-B5+ 73
K-K5 R-R5 74 R-N8 RxRP 75 P-N5
KxP 76 P-N6 R-KN6 77 R-QB8+
K-N5 78 K-B6 R-KB6+ 79 K-K6
R-KN6 80 K-B7 K-R6 81 P-N7
Drawn**

**531   Karpov-Korchnoy
         French Defence**
**1 P-K4 P-K3 2 P-Q4 P-Q4 3 N-Q2
P-QB4 4 KPxP KPxP 5 KN-B3
N-QB3 6 B-N5 B-Q3 7 0-0** Varying
from the fourth, eighth and tenth
games of the match in which Karpov
played 7 PxP BxBP 8 0-0. **7...PxP 8
N-N3 N-K2 9 N/N3xP** Transposing
back to the earlier games. **9...0-0 10
P-B3 B-KN5 11 Q-R4 B-R4 12 B-K3**

In the eighth game Karpov played 12
R-K1, in the tenth 12 B-Q3. **12...
Q-B2 13 P-KR3 N-R4 14 B-Q3 N-B5
15 N-QN5 Q-Q2 16 BxN PxB 17
KR-Q1 N-B4! 18 QxBP** If 18 P-KN4
BxP 19 PxB NxB 20 N-K5 Q-K3 21
RxB QxN 22 PxN P-QR3. **18...BxN
19 PxB NxB 20 PxN QxP 21 NxB
Q-N6+ 22 K-B1 QxP+ 23 K-K1
Q-N6+ 24 Drawn**

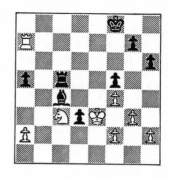

532   Korchnoy-Karpov
Queen's Indian Defence
**1 N-KB3 N-KB3 2 P-Q4 P-K3 3
P-KN3 P-QN3 4 B-N2 B-N2 5 P-B4
B-K2 6 N-QB3 0-0 7 Q-Q3 P-Q4 8
PxP NxP 9 NxN PxN 10 0-0 N-Q2 11
R-Q1** In the eleventh game Korchnoy
played 11 B-B4. **11...R-K1 12 B-K3
B-Q3 13 QR-B1 P-QR4 14 Q-B2
P-QB3 15 N-K1 N-B3 16 B-B3
R-QB1 17 N-N2 P-R3 18 B-B4**
Another possibility was 18 N-R4
N-K5 19 B-N4 R-B2 20 N-B5 fol-
lowed by B-B4. **18...P-B4 19 BxB
QxB** Not 19...PxP?! 20 B-B7 Q-Q2 21
Q-N3 RxB 22 QxP winning Black's
straggling pawn(s). **20 PxP RxBP 21
Q-Q2 N-K5 22 Q-B4 Q-QB3 23 RxR
PxR 24 N-K3 P-Q5 25 N-B4 Q-R5 26
R-QB1 N-N4 27 Q-B5 NxB+ 28 PxN
B-R3 29 N-Q6 R-K2 30 QxQBP
P-Q6 31 Q-Q5 Q-QN5** Correct was
31...Q-B7! and if 32 RxQ R-K8+ 33
K-N2 PxR, threatening 34...B-B8+
35 K-N1 B-R6 mate as well as
34...P-B8(Q). This would have forced
Korchnoy to take the perpetual
check, 34 QxBP+ etc. But Karpov is
an optimist. **32 K-N2 QxP 33 R-B6
Q-K4 34 QxQ RxQ 35 N-K4 B-N4 36
R-Q6 P-B4 37 N-B3 B-B5 38 P-B4
R-B4 39 K-B3 K-B2 40 K-K3 K-K2
41 R-QN6 R-B1 42 R-N7+ K-B1 43
R-R7 R-B4**

44 P-KR4 The sealed move. 44 K-Q4
R-B3 45 RxRP looks more natural
but after 45...P-Q7 46 RxP+ B-B2!
White's knight must be sacrificed for
the QP. **44...P-R4 45 P-R3** If 45
R-N7 or 45 K-Q2 then 45...BxP 46
NxB R-B7 winning back the piece.
**45...B-R3 46 K-Q2 R-B3 47 R-Q7
B-B5 48 N-Q1 B-N4 49 N-K3 P-N3
50 R-Q5 R-N3 51 N-Q1 K-B2 52
N-N2** Bad is 52 N-B3 because of 52...
B-B5. **52...B-R3 53 N-R4 R-QB3 54
R-B5 R-K3 55 R-K5 R-QB3 56 N-B5
B-B5 57 N-R4 B-R3 58 R-B5 R-K3
59 R-B7+** It would be better to leave
the rook on the fifth rank. After 59
N-B3 R-N3 60 N-Q1 B-N4 61 N-K3
R-N2 62 K-B3 followed by N-Q5,
White's pieces are better co-
ordinated. **59...K-K1 60 N-B3 R-N3
61 N-Q1 R-K3 62 N-K3 R-N3 63
R-B5 R-N7+ 64 K-B3 RxP 65 RxRP
B-N2 66 KxP R-B6 67 K-Q4 K-Q2
68 N-B4 RxNP 69 P-R4 K-B2 70
R-B5+ K-N1 71 N-K5 B-K5 72 R-B3**
A better chance would have been 72
P-R5. **72...R-N8 73 K-B5 K-B2 74
P-R5 R-QR8 75 K-N5+ K-Q3 76
P-R6 R-QN8+ 77 K-R5 R-QR8+ 78
K-N6 R-QN8+ 79 K-R7 K-Q4 80
R-B6 R-KB8 81 K-N6 K-Q5 82
R-B4+ K-K6 83 R-R4 B-R1 84 NxP
K-B6 85 K-B7 R-Q8 86 P-R7 K-N5
87 R-R6 K-N6 88 R-R3+** Or 88
R-KB6 R-QR8 89 RxP RxP+ 90

K-N8 R-R3 91 R-KN5+ K-B6 92
P-B5 B-K5 93 RxP R-KB3 drawing.
**88...K-N5 89 R-R5 R-QN8 90 R-R6
R-Q8 91 R-Q6 R-QR8 92 K-N8 B-K5
93 R-Q7 K-B6 94 R-KN7 R-R3 95
K-B8 K-N6 96 K-Q8 B-R1 97 Drawn**

533   Karpov-Korchnoi
French Defence
1 P-K4 P-K3 2 P-Q4 P-Q4 3 N-Q2
P-QB4 5 KPxP KPxP 5 KN-B3
N-QB3 6 B-N5 B-Q3 7 0-0 PxP 8
N-N3 N-K2 9 N/N3xP 0-0 10 P-B3
B-KN5 11 Q-R4 B-R4 12 B-Q3 B-B4
13 R-K1 P-KR3 14 B-K3 B-QN3 15
P-KR3 Q-Q3 16 B-K2 KR-K1 17
QR-Q1 Q-B3 18 N-R2 BxB 19 RxB
NxN 20 BxN Q-QB3 21 QxP PxQ 22
R/1-K1 BxB 23 PxB K-B1 24 N-B3
N-N3 25 P-KN3 RxR 26 RxR P-B3
27 K-B1 R-N1 28 R-B2 R-N3 29
K-K2 R-R3 30 P-N3 K-K2 31 Drawn

534   Korchnoi-Karpov
Reti
**1 N-KB3 N-KB3 2 P-KN3 P-Q4 3
B-N2 B-B4 4 P-B4 P-B3 5 PxP PxP 6
Q-N3 Q-B1 7 N-B3 P-K3 8 P-Q3
N-B3 9 B-B4 B-K2 10 0-0 0-0 11
QR-B1 B-N3 13 N-K5 N-Q2 13 NxB
RPxN 14 P-KR4 N-B4 15 Q-Q1
Q-Q1 16 P-Q4 N-Q2 17 P-K4 N-N3**
18 **P-K5** Stronger would have been
18 PxP PxP (or 18...NxP 19 NxN PxN
20 Q-N4) 19 Q-N4 NxP 20 KR-Q1.
18...**R-B1 19 B-R3 P-R3** 19...BxP 20
PxB QxP 21 Q-N4 NxP would not
have been sufficient for equality. **20
K-N2 N-B5 21 P-N3 N-R6 22 N-R4
N-N5 23 Q-Q2** On 23 N-B5 Black
must not play 23...P-N3 34 NxKP!
RxR 25 BxR PxN 26 BxP+ and 27
BxN, but 23...BxN 24 RxB RxR 25
PxR P-Q5 with a good game. **23...
P-QN4 24 N-B5 BxN 25 PxB??** 25
RxB wins material by force. **25...
N-B3 26 KR-K1 P-Q5** Black must
play actively. If 26...Q-R4 27 Q-Q1

followed by P-R5. **27 B-N4** Better
would have been 27 K-N1 and if
27...Q-R4 28 QxQ NxQ 29 B-Q2
N-B3 30 B-N2 P-Q6 31 BxN RxB 32
KR-Q1 N-B7 33 B-R5 RxP 34 B-N4
when the ending would be quite
difficult for Black. **27...Q-R4 28 QxQ
NxQ 29 B-Q2 N-B3 30 B-KB3**
Threatening 31 BxN RxB 32 B-N4.
30...P-Q6

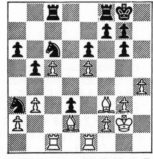

31 R-K3 If now 31 BxN RxB 32
KR-Q1 N-B7 33 B-R5 RxP 34 B-N4
Black can play 34...RxP 35 BxR KxB
36 K-B1 (if 36 RxP N-K8+ 37 RxN
RxR) 36...R-Q4 37 R-Q2 P-K4 with
good play for Black. With the white
king on KN1 instead of KN2 this line
(with 36 RxP) would be good for
White — hence the note to move 27.
**31...N-B7 32 RxN NxP 33 R-Q6 RxP
34 B-K4 R/1-B1 35 R-Q1** Marginally
better for White would have been 35
B-B4 N-KN5 36 B-B3! N-B3 37
RxRP. **35...N-B3 36 B-N5 P-R4 37
R-Q7 N/3-N5 38 R-N7 N-Q4 39 BxN
PxB 40 B-K7 R/4-B2 41 RxR RxR
42 B-Q2 R-Q2 43 BxP P-Q5 44 P-R4
PxP 45 PxP R-QP R-R2 46 B-N6 RxP 47
K-B1 Drawn**

535   Karpov-Korchnoy
French Defence
**1 P-K4 P-K3 2 P-Q4 P-Q4 3 N-Q2
P-QB4 4 KPxP KPxP 5 KN-B3
N-QB3 6 B-N5 B-Q3 7 0-0 PxP 8
N-N3 KN-K2 9 N/N3xP 0-0 10 P-B3**

B-N5 11 Q-R4 Q-Q2 12 B-K3 P-QR3
13 B-K2 NxN 14 QxN N-B3 15 Q-Q2
KR-K1 16 QR-Q1 QR-Q1 17 B-N6
B-B2 18 BxB QxB 19 KR-K1 P-R3
20 P-KR3 B-B4 21 B-B1 RxR 22
QxR Q-N3 23 R-Q2 B-K5 24 Q-K2
N-R4 25 Q-Q1 Preventing ...N-B5
while continuing his pressure on
Black's QP. 25...Q-QB3 26 N-R2
Threatening 27 P-B3 or 27 N-N4 with
further pressure on the QP. 26...
Q-QN3 27 N-B3 N-B3 28 N-Q4 N-K4
29 P-B3 B-N3 30 Q-K1 N-Q2 31
Q-B2 Q-R4 32 P-R3 Q-B2 33 N-N3
B-B4 34 N-Q4 B-N3 35 N-B2 N-B3
36 N-K3 Q-K4 37 P-QB4! P-N4 38
PxQP P-KR4 39 P-QR4 R-K1 40
PxP PxP 41 BxP QxN 42 BxR
QxB 43 P-Q6 B-B4 44 R-Q1 Q-N4 45
Q-Q4 N-Q2 46 R-K1 B-K3 47 K-R2
Q-KN4 48 P-R4 Q-Q1 49 P-QN4
N-B3 50 Q-K5 N-K1 51 R-K4 QxP
52 QxQ NxQ 53 R-Q4 N-N2 54
P-N4 K-R2 55 K-N3 K-N3 56 K-B4
PxP 57 PxP P-B3 58 R-Q1 K-R3 59
R-Q4 K-N3 60 P-R5+ K-R3 61
P-QN5 P-N3 62 PxP KxP 63 P-N6
K-B2 64 R-Q2 K-K2 65 R-QB2 B-Q4
66 R-B7+ K-K3 67 R-R7 N-Q3 68
Drawn

536   Korchnoy-Karpov
            Catalan
1 P—Q4	N—KB3
2 P—QB4	P—K3
3 P—KN3	P—Q4
4 B—N2	PxP

Karpov's favourite defence to the
Catalan, conceding the centre but
gaining active play for his pieces.
5 N—KB3	P—B4
6 0—0	N—B3
7 Q—R4	B—Q2
8 QxBP	PxP

8...P-QN4 is recommended in the
books. e.g. 9 Q-Q3 P-B5 10 Q-Q1
R-B1 11 R-K1 B-N5 and Black is

better. Obviously Karpov has dis-
covered an improvement for White in
that line.
| 9 NxP | R—B1 |
| 10 N—QB3 | Q—R4?! |

Simpler was 10...NxN 11 QxN
B-B4.
11 R—Q1
11 BxN BxB 12 NxP? is simply
refuted by 11...B-Q2.
| 11 ... | B—K2 |
| 12 N—N3 | Q—B2 |
| 13 N—N5 |

13 B-B4 P-K4 14 B-N5 can be met
by 14...B-K3 15 Q-QR4 0-0 with a
satisfactory game. The most serious
alternative was 13 B-N5.
| 13 ... | Q—N1 |
| 14 N—B5 |

Not 14 B-N5?? N-QN5 winning a
piece.
| 14 ... | P—QR3 |
| 15 NxB | NxN |
| 16 N—B3 |

16 BxN RxB 17 Q-Q4 can be
answered by 17...Q-Q1 18 N-B3 N-B3
and Black can extricate himself from
his difficulties; while 16 N-Q4
N/3-K4 gives Black quite a good
game.

An unclear continuation was the
exchange sacrifice 16 RxN KxR
(16...PxN 17 RxB+ and 18 QxNP
gives White good attacking chances)
17 N-Q4.
16 ...	N/2—K4
17 Q—QR4	0—0
18 B—B4	Q—R2

White was threatening 19 R-Q7.
19 B/4xN?!
Korchnoy placed too much faith in
his 21st move for which this
exchange was a necessary pre-
requisite. He should have maintained
the pressure by 19 Q-K4 N-KN5 20
Q-B3.
| 19 ... | NxB |
| 20 Q—K4 | N—B3 |

| 21 R—Q7 | B—B3 |
| 22 QR—Q1 | |

Natural but imprecise. Best was 22 N-R4 keeping more of an advantage.

22 ...	Q—N3
23 Q—B2	N—R4!
24 R/1—Q3	P—R3

Safer was 24...R-B2.

25 P—QR3	R—B2
26 P—QN4	RxR
27 RxR	R—B1
28 R—Q3	

28 PxN QxP would lead to a certain draw but because of the state of the match Korchnoy felt obliged to play for more, even though he was extremely short of time.

| 28 ... | N—B5 |
| 29 N—K4 | Q—B2 |

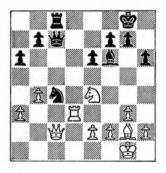

30 N—B5??

The decisive mistake. 30 NxB+ was obvious and best — White would still have had the better game.

| 30 ... | N—K4! |

Winning at least the exchange.

| 31 R—Q2 | |

If 31 BxP QxB or 31 R-QB3 P-QN3 32 B-N7 (32 N-K4 N-B6+ 33 BxN BxR) 32...R-K1 winning a piece.

31 ...	P—QN3
32 P—B4	PxN
33 PxN	QxP
34 B—N7	R—B2
35 Q—K4	Q—R8+

Not 35...RxB?? 36 R-Q8+ winning the queen.

36 K—N2	QxP
37 PxP	RxP
38 R—Q3	Q—R4
39 Q—B3	Q—N3
40 R—Q7	R—B4
41 Q—N4	Q—B7+
42 K—R3	P—N3
43 Resigns	

If 43 Q-K4 Q-B8+ 44 Q-N2 R-R4+ 45 K-N4 Q-B4 mate.

537   Karpov-Korchnoy
French Defence
1 P-K4 P-K3 2 P-Q4 P-Q4 3 N-Q2 P-QB4 4 KPxP KPxP 5 KN-B3 N-QB3 6 B-N5 B-Q3 7 0-0 N-K2 8 PxP BxBP 9 N-N3 B-Q3 10 B-N5 0-0 11 R-K1 Q-B2 12 P-B3 B-N5 13 P-KR3 B-R4 14 B-K2 P-KR3 15 BxN NxN 16 N/B3-Q4 BxB 17 QxB P-QR4 18 Q-B3 QR-Q1 19 QR-Q1 R-Q2 20 N-B5 NxN 21 QxN KR-Q1 22 R-K3 P-KN3 23 Q-B3 B-B1 24 R/K3-Q3 Q-B3 25 N-Q4 Q-R5 26 P-R3 P-R4 27 R/1-Q2 B-R3 28 Q-Q1 Q-B5 29 R-K2 Q-B2 30 N-B2 P-QN4 31 N-K3 Q-B4 32 R/K2-Q2 BxN 33 RxB R-K2 34 RxR QxR 35 P-KN3 Q-K3 36 P-KR4 K-N2 37 K-N2 Q-K5+ 38 K-R2 Q-B4 39 K-N2 Q-K5+ 40 Q-B3 QxQ+ 41 KxQ K-B3 42 K-B4 R-K1 43 Drawn.

538   Korchnoy-Karpov
Queen's Pawn
1 P-Q4 N-KB3 2 B-N5 Compare the Korchnoy-Karpov opening from Hastings 1971-2 (Game 361). 2...P-K3 3 P-K4 P-KR3 4 BxN QxB 5 N-KB3 P-Q3 6 N-B3 P-KN3 7 Q-Q2 Q-K2 8 0-0-0 P-R3 9 P-KR4 B-N2 10 P-KN3 P-QN4 11 B-R3 P-N5 12 N-Q5 PxN 13 BxB 0-0 14 B-N7 R-R2 15 BxQP P-QB3 16 B-N3 QxKP 17

Q-Q3 QxQ 18 RxQ N-Q2 19 R-K1
N-N3 20 P-R4 PxPep 21 PxP P-QR4
22 R/Q3-K3 B-B3 23 P-R4 P-B4 24
PxP PxP 25 N-Q2 K-N2 26 R-KB3
R-B2 27 N-B4 NxN 28 BxN R-Q1 29
P-B3 R/B2-Q2 30 K-B2 R-Q7+ 31
K-N3 R-Q8 32 RxR RxR 33 B-N5
R-Q4 34 R-K3 R-K4 35 R-Q3 R-K7
36 R-B3 R-K4 37 K-B4 R-B4 38
R-Q3 RxP 39 KxP B-K4 40 K-N6
R-KN7 41 P-B4 RxP 42 R-Q7 P-N4
43 PxP PxP 44 P-B5 R-QB6 45 P-B6
P-N5 46 P-B7 P-N6 47 B-B6 BxP+
The only hope. **48 RxB**

48...K-R3? Better was 48... RxB+ 49
RxR P-B4. e.g. 50 R-B1 K-B3 51
R-B1 K-K4 52 R-K1+ K-Q5 (or
K-B5) drawing. **49 R-B8 P-B4 50
R-B8 RxB+ 51 KxR K-N4 52
R-N8+ K-B5 53 K-N5 K-B6 54 KxP
P-B5** If 54...P-N7 55 K-N4 K-B7 56
K-B4 P-N8(Q) 57 RxQ KxR 58 K-Q3
K-R7 59 P-R5 P-B5 60 P-R6 P-B6 61
K-K3 K-N6 62 P-R7 P-B7 63 K-K2
K-N7 64 P-R8(Q)+ winning. **55
K-N4 K-N7 56 P-R5 P-B6 57 P-R6
P-B7 58 P-R7 P-B8(Q) 59 P-R8(Q)+
Q-B6 60 Q-R2+ Q-B7 61 Q-Q5+
Q-B6 62 Q-Q2+ Q-B7 63 K-B3
K-N8 64 Q-Q1+ K-N7 65 Q-Q3
Q-QB4+ 66 K-N3 Q-N3+ 67 K-B2
Q-QB3+ 68 K-Q2 Q-KR3+ 69 Q-K3
Q-R5 70 R-QN8 Q-B3 71 R-N6 Q-B4**

**72 R-N2 K-R7 73 Q-R6+ K-N8 74
Q-QN6+ K-R7 75 Q-N8 K-R6 76
Q-KR8+ K-N5 77 R-N4+ K-B6 78
Q-KR1+ K-B7 79 R-N2 Resigns**

539   Karpov-Korchnoi
              Ruy Lopez
**1 P-K4 P-K4 2 N-KB3 N-QB3 3
B-N5 P-QR3 4 B-R4 P-B4!?** Almost
never seen in master games. **5 P-Q4
KPxP 6 P-K5 B-B4 7 0-0 KN-K2 8
B-N3 P-Q4 9 PxP ep QxP 10 R-K1
P-R3 11 QN-Q2 P-QN4 12 P-QR4
B-N2** A new move. Usual is
12...R-QN1 13 PxP PxP 14 N-B1
when Black's king is seriously
embarassed. **13 PxP PxP 14 RxR+
BxR 15 R-K6 Q-Q2 16 Q-K2 P-Q6!**
Blocking the Q-file so that the king
will find a haven on Q1. **17 PxP
K-Q1 18 N-B1** Interesting is 18
P-Q4!? NxP 19 NxN BxN 20 N-B3
with attacking prospects along the
open files. **18...R-K1 19 N-N3** Better
was 19 B-K3. **19...N-Q5 20 NxN BxN
21 B-K3 BxB 22 QxB B-Q4!**
Exchanging off White's most dan-
gerous piece. **23 BxB NxB 24 RxR+
QxR 25 Q-Q4 Q-Q2 26 P-R4 K-B1
27 K-R2** Possible stronger would
have been 27 Q-K5 or 27 P-R5, both
suggested by Balashov. **27...P-B5 28
N-K2 Q-B2 29 Q-K4 P-B3 30 N-Q4
Q-B3 31 NxNP QxRP+ 32 K-N1
Q-K2 33 N-Q4 Q-B3 34 Q-B5+ QxQ
35 NxQ N-N5 36 P-Q4 N-Q6 37
NxNP NxNP 38 N-B5 K-Q2 39 NxP
K-K3 40 K-B1 K-Q4 41 N-B5 K-K5
42 N-K7 KxP 43 NxP+ K-K5 44
K-K2 N-B5 45 P-B3+ K-Q4 46
N-N4+ K-K4 47 N-B2 K-B4 48
K-Q3 N-K4+ 49 K-Q4 N-N3 50
K-Q5 N-R5 51 N-K1 N-N3 52 Drawn**

540   Korchnoi-Karpov
              Queen's Indian Defence
1 P-Q4 N-KB3 2 N-KB3 P-K3 3

P-KN3 P-QN3 4 B-N2 B-N2 5 P-B4 B-K2 6 N-B3 0-0 7 Q-B2 P-B4 8 P-Q5 PxP 9 N-KN5 N-B3 Not 9...P-KR3 10 NxQP BxN 11 BxB N-B3 12 BxN PxB with horrible doubled pawns. **10 NxQP P-N3 11 Q-Q2! NxN 12 BxN R-N1??** Already Black's game was inferior but this leads to disaster. 12...BxN 13 QxB QxQ 14 BxQ N-QR4 15 BxB NxB 16 0-0-0 P-Q3 was the only hope. It is amazing that Karpov had actually analyzed this variation at home right up to and including 12...R-N1 but it was not until he had taken his hand from the rook during the game that he noticed White's crushing reply.

13 NxRP! R-K1 If 13...KxN 14 Q-R6+ K-N1 15 QxP+ K-R1 16 Q-R6+ K-N1 17 B-K4 P-B4 18 B-Q5+ R-B2 19 Q-N6+ winning. **14 Q-R6** Threatening 15 QxP+. **14...N-K4 15 N-KN5 BxN** Forced, in order to prevent 16 Q-R7+ etc. If 15...B-KB3 16 BxP+ NxB 17 Q-R7+ K-B1 18 QxN mate. **16 B/1xB QxB 17 QxQ BxB 18 0-0 BxP 19 P-B4 Resigns.** Incredible!

541 Karpov-Korchnoy
Catalan
1 N-KB3 N-KB3 2 P-B4 P-K3 3 P-KN3 P-Q4 4 P-Q4 PxP 5 Q-R4+

QN-Q2 6 QxBP P-QN3 7 B-N2 B-N2 8 0-0 P-B4 9 R-Q1 P-QR3 10 PxP BxP 11 P-QN4 B-K2 12 B-N2 P-QN4 13 Q-Q4 R-QB1 14 QN-Q2 0-0 15 P-QR3 R-B7 16 N-K1 R-B2 17 BxB RxB 18 N-N3 Q-R1 19 QR-B1 R-B1 20 P-K4 R/2-B2 21 RxR RxR 22 P-B3 Q-QB1 23 R-B1 RxR 24 NxR B-Q1 25 Q-B3 Q-R1 26 Q-Q3 N-N3 27 N-B2 N-N5 28 B-Q4 Q-B1 29 Q-B3 Q-Q2 30 N-Q3 P-KR4 31 Drawn

542 Korchnoy-Karpov
Queen's Indian Defence
1 P-Q4 N-KB3 2 P-QB4 P-K3 3 N-KB3 P-QN3 4 P-KN3 B-N2 5 B-N2 B-K2 6 N-B3 N-K5 7 B-Q2 B-KB3 8 0-0 0-0 9 Q-B2 NxN 10 QxN P-Q3 11 QR-Q1 N-Q2 12 N-K1 Losing time. After the exchange of bishops Karpov can reduce Korchnoy's centre control. **12...BxB 13 NxB Q-K2 14 N-K1 P-B4 15 N-B2** Bad would be 15 PxP NxP 16 QxP QxQ 17 RxQ BxN 18 PxB KR-Q1 with ample play for the pawn. **15...QR-B1 16 P-N3 KR-Q1 17 P-K4 N-N1 18 KR-K1 PxP** If 18...N-B3 19 N-Q5 PxN 20 KPxP Q-B2 21 PxN QxP 22 N-K3 BxP 23 N-Q5! B-B3 24 NxB+ PxN 25 Q-R6! — Tal. **19 NxP Q-N2 20 R-K3 P-QR3 21 Q-K2 N-B3 22 NxN QxN 23 R/3-Q3 24 P-QR4 Q-B4 25 Q-Q2 P-QN4 26 RPxP BxP 27 QxB PxP 28 R-Q4 Q-B2 29 Q-N4 P-K4 30 Drawn**

543 Karpov-Korchnoy
Queen's Gambit Accepted
1 N-KB3 P-Q4 2 P-Q4 N-KB3 3 P-B4 PxP 4 P-K3 P-KN3 5 BxP B-N2 6 0-0 0-0 7 P-QN3 P-B3 8 B-N2 B-N5 9 QN-Q2 QN-Q2 10 P-KR3 B-B4 11 R-K1 N-N3 12 B-KB1 N-K5 13 NxN BxN 14 N-Q2 B-B4 15 R-B1 R-B1 16

Q-K2 R-B2 17 P-QR4 B-B1 18 B-R3
B-K3 19 Q-Q1 R-K1 20 N-K4 P-KB4
21 N-B5 B-B2 22 B-N2 N-Q2 25
N-Q3 R-QB1 24 P-QN4 P-QR4 25
PxP QxP 26 B-B3 Q-R2 27 P-R5
P-B4 28 Q-R4 N-N3 29 Q-R1 N-Q4
30 NxP NxB 31 QxN

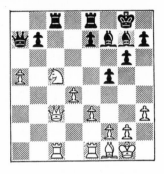

Here, a pawn down, Korchnoy
offered a draw. Karpov needed only a

draw to win the match and so —
31...Drawn.

A public ceremony was held on
November 23rd 1974 in Moscow's
Tchaikovsky Concert Hall in honour
of Anatoly Karpov and Victor
Korchnoy, who had battled uncom-
promisingly for more than two
months.

Addressing FIDE president Dr.
Max Euwe, Karpov said: "In the
qualifying competitions of the cur-
rent world championship round I
had to play 60 games and follow a
very exacting road before winning
victory and the right to play a match
with the world champion in 1975. I
hope all the conditions will be
provided for an honest and sports-
manlike struggle in this match and
that the unpleasant events besetting
the 1972 Spassky-Fischer match will
not happen again."

KARPOV v. THE REST OF THE WORLD

Karpov's playing record in serious events against all players rated at or over 2600 in the FIDE rating list of May 1st 1974.

Opponent's Name	Rating	P	W	D	L
Fischer	2780	0	—	—	—
Korchnoy	2670	35	7	22	6
Spassky	2650	15	5	9	1
Portisch	2645	2	—	1	1
Petrosian	2640	3	—	2	1
Tal	2635	4	—	4	—
Larsen	2630	2	—	2	—
Polugayevsky	2630	10	3	7	—
Kavalek	2625	2	1	—	1
Hubner	2615	2	1	1	—
Mecking	2615	2	1	1	—
Geller	2610	3	—	3	—
Ljubojevic	2605	1	—	1	—
Hort	2600	5	3	2	—
Kuzmin	2600	3	2	1	—
Smejkal	2600	2	2	—	—
Smyslov	2600	4	—	3	1

Total: 95 games, 25 wins, 59 draws, 11 losses 57.37%

KARPOV'S PLAYING RECORD
in first class events

Tournaments

Year	Event	Place	W	D	L
1966	Master title qualifying tournament, Leningrad	1st*	5	10	0
1966-7	Trinec	1st	9	4	0
1967	USSR Junior Championship ½-final, Moscow	5th	2	3	2
1967-8	European Junior Championship, Groningen	1st	6	8	0
1968	USSR Team Championship, Riga	junior board	9	2	0
1968	Moscow University Championship	1st	7	6	0
1969	World Junior qualifying tournament, Leningrad	1st	5	5	2
1969	World Junior Championship, Stockholm	1st	12	5	0
1970	USSR Championship ½-final, Kuibishev	1st	8	9	0
1970	Caracas	4th-6th	8	7	2
1970	38th USSR Championship, Riga	5th-7th	5	14	2
1971	USSR Championship ½-final, Daugavpils	1st	9	8	0
1971	Student Olympiad, Mayaguez	3rd board	7	1	0
1971	USSR Team Championship, Rostov	junior board	10	1	0
1971	39th USSR Championship, Leningrad	4th	7	12	2
1971	Alekhine Memorial Tournament, Moscow	1st-2nd	5	12	0
1971-2	Hastings	1st-2nd	8	6	1

*This tournament was run on the Scheveningen system — Five Soviet Candidate Masters each played three games against five Soviet Masters. Karpov made the best score of the Candidate Masters and exceeded the Master norm by two points.

1972	USSR Team Championship, Moscow	2nd board	4	3	2
1972	Student Olympiad, Graz	1st board	5	4	0
1972	Olympiad, Skopje	5th board	12	2	1
1972	San Antonio	1st-3rd	7	7	1
1973	Budapest	2nd	4	11	0
1973	Triangular Team Tournament, Moscow	1st board	2	2	0
1973	Interzonal Tournament, Leningrad	1st-2nd	10	7	0
1973	European Team Championship, Bath	4th board	4	2	0
1973	41st USSR Championship, Moscow	2nd-6th	5	11	1
1973	Madrid	1st	7	8	0
1974	Olympiad, Nice	1st board	10	4	0

Total: 192 wins, 174 draws, 16 losses   73.04%

Matches

1971	v Korchnoy — Training Match, Leningrad	tied	2	2	2
1974	v Polugayevsky — Candidates' ¼-final, Moscow	won	3	5	0
1974	v Spassky — Candidates' ½-final, Leningrad	won	4	6	1
1974	v Korchnoy — Candidates' final, Moscow	won	3	19	2

Total: 12 wins, 32 draws, 5 losses   57.14%

INDEX TO OPENINGS

If the numbers, which refer to games, are in **bold type,** then Karpov had the white pieces.

INDEX TO OPPONENTS

If the numbers, which refer to games, are in **bold type,** then Karpov had the white pieces.

N.A. The score of this game is not available
E   The game was played in a clock exhibition
P   The game score is incomplete

List of Openings
(Covering all Important Variations in each Opening)

Sicilian	Pirc	Dutch
King's Indian	Alekhine	Larsen's
Grünfeld	Ruy Lopez	Queen's Gambit
Nimzo-Indian	Benoni	King's Gambit
English	French	Queen's Indian
Reti	Caro-Kann	Benko Gambit

(additions will be made)

All "Chess Opening" theory is in a perpetual stage of change, some lines being successfully challenged and discarded, other lines improved, new and promising lines being continually discovered as thousands of games are played in current grandmaster tournaments.

Not only can your own game in your favorite Openings be greatly improved by study of the 100 current games in the Openings section selected by you, but you will gain new and valuable insights into the middle game play and end game play flowing naturally from each line through the individual game annotation and analysis-in-depth by the many world-famed grandmasters who will be serving on our Board of Contributing Editors.

The average cost of each full-size section containing all we have just described should be modest, but **send no money**—only your name and address on a postcard—so that you will be entered as a subscriber to receive announcements and full descriptions of each Openings section as they become ready for shipment. There is no charge for entering this subscription, and it puts you under no obligation. You later order only what you wish to order.

But you can help us (and yourself) by listing on the postcard the **5 top choices of Openings** you would like to see covered. This informal "straw poll" will guide us in the order of publication of individual Openings sections.

We are now preparing publication of sections covering some of the most popular Openings and commencing work on all the rest, and to receive announcements of each section as it becomes available, merely send your full name and address on a postcard to:

Dept. 4
R.H.M. SURVEY OF CURRENT CHESS OPENINGS
840 Willis Avenue, Albertson, New York 11507